## *ACCESO GRATIS a la Lectura en la Nube*

Para visualizar el libro electrónico en la nube de lectura envíe junto a su nombre y apellidos una fotografía del código de barras situado en la contraportada del libro y otra del ticket de compra a la dirección:

**ebooktirant@tirant.com**

En un máximo de 72 horas laborales le enviaremos el código de acceso con sus instrucciones.

AF218703

# Normativa de tráfico

6ª Edición

# Normativa de tráfico

## 6ª Edición

**TOMÁS QUINTANA LÓPEZ**
*Catedrático de Derecho Administrativo*
*Universidad de León*

**ANABELÉN CASARES MARCOS**
*Profesora Titular de Derecho Administrativo*
*Universidad de León*

**tirant lo blanch**
Valencia, 2018

© Tomás Quintana López
Anabelén Casares Marcos

© TIRANT LO BLANCH
EDITA: TIRANT LO BLANCH
C/ Artes Gráficas, 14 - 46010 - Valencia
TELFS.: 96/361 00 48 - 50
FAX: 96/369 41 51
Email:tlb@tirant.com
www.tirant.com
Librería virtual: www.tirant.es
DEPÓSITO LEGAL: V-2175-2018
ISBN: 978-84-9190-552-3
IMPRIME: Guada Impresores, S.L.
MAQUETA: Tink Factoría de Color

Si tiene alguna queja o sugerencia, envíenos un mail a: atencioncliente@tirant.com. En caso de no ser atendida su sugerencia, por favor, lea en www.tirant.net/index.php/empresa/politicas-de-empresa nuestro procedimiento de quejas.

Responsabilidad Social Corporativa: http://www.tirant.net/Docs/RSCTirant.pdf

# ÍNDICE

# §2. Real Decreto 1428/2003, de 21 de noviembre, por el que se aprueba el Reglamento General de Circulación para la aplicación y desarrollo del texto articulado de la Ley sobre Tráfico, Circulación de Vehículos a Motor y Seguridad Vial, aprobado por el Real Decreto Legislativo 339/1990, de 2 de marzo

## REGLAMENTO GENERAL DE CIRCULACIÓN

## §3. Real Decreto 818/2009, de 8 de mayo, por el que se aprueba el Reglamento General de Conductores

## §1. Real Decreto Legislativo 6/2015, de 30 de octubre, por el que se aprueba el Texto Refundido de la Ley sobre Tráfico, Circulación de Vehículos a Motor y Seguridad Vial

### *(BOE núm. 261, de 31 de octubre de 2015)*

La disposición final segunda de la Ley 6/2014, de 7 de abril, por la que se modifica el texto articulado de la Ley sobre Tráfico, Circulación de Vehículos a Motor y Seguridad Vial, aprobado por el Real Decreto Legislativo 339/1990, de 2 de marzo, autoriza al Gobierno para aprobar, en el plazo de dieciocho meses a partir de su entrada en vigor que tuvo lugar, con carácter general, el 9 de mayo de 2014, un texto refundido en el que se integren, debidamente regularizados, aclarados y armonizados, el texto articulado de la Ley sobre Tráfico, Circulación de Vehículos a Motor y Seguridad Vial, aprobado por el Real Decreto Legislativo 339/1990, de 2 de marzo, y las leyes que lo han modificado, incluidas las disposiciones de las leyes modificativas que no se incorporaron a aquél.

De acuerdo con la citada habilitación, se ha procedido a elaborar este texto refundido, siguiendo los criterios que a continuación se exponen.

En primer lugar se han recopilado las numerosas normas que han modificado el texto articulado de la Ley sobre Tráfico, Circulación de Vehículos a Motor y Seguridad Vial, al objeto de valorar las disposiciones recogidas en la parte final de cada una de ellas, con la finalidad de incorporar aquellas cuya aplicación está en vigor y que, por su contenido, deben formar parte de este texto refundido, lo que ha hecho necesario ordenar y numerar de nuevo todas ellas.

En segundo lugar se ha actualizado y revisado el vocabulario utilizado, incluidas cuestiones gramaticales, al mismo tiempo que se ha realizado una exhaustiva labor para unificar el uso de ciertos términos que se venían usando a lo largo del texto de manera diferente, al objeto de dotarlo de la necesaria cohesión interna.

Además, entre las mejoras técnicas es de señalar los cambios realizados en el modo en que se ordena el articulado, algunos de ellos con un contenido denso y largo resultado de las numerosas modificaciones por las que se ha visto afectado. En este sentido, se han dividido preceptos extensos en varios artículos, destacando la nueva forma en que se regulan las infracciones, que han pasado a ocupar un artículo independiente en función de su gravedad.

También cabe destacar la nueva ordenación en artículos diferentes de una serie de cuestiones de especial trascendencia para los ciudadanos como es la pérdida y recuperación de puntos, así como la pérdida de vigencia de las autorizaciones para conducir, ya sea por desaparición de los requisitos para su otorgamiento o por pérdida del crédito de puntos, con la consiguiente obtención de nueva autorización.

Actualmente estas materias se regulaban de una manera un tanto confusa, en preceptos demasiado largos o incluso parcialmente en anexos que dificultaban su comprensión, al carecer de la necesaria coherencia al regular una materia.

En consonancia, se ha procedido a ajustar la numeración de los artículos y, por lo tanto, las remisiones y concordancias entre ellos.

En tercer lugar se ha adaptado su contenido a la reciente modificación de la Ley 30/1992, de 26 de noviembre, de Régimen Jurídico de las Administraciones Públicas y del Procedimiento Administrativo Común, por la Ley 15/2014, de 16 de septiembre, de racionalización del Sector Público y otras medidas de reforma administrativa, que convierte al BOE en un tablón edictal único, pasando a ser voluntaria la publicación en el Tablón Edictal de Sanciones de Tráfico.

En cuarto lugar, se ha incluido la transposición de la Directiva (UE) 2015/413 del Parlamento Europeo y del Consejo, de 11 de marzo de 2015, por la que se facilita el intercambio transfronterizo de información sobre infracciones de tráfico en materia de seguridad vial, que se había recogido en la disposición final segunda de la Ley 35/2015, de 22 de septiembre, de reforma del sistema para la valoración de los daños y perjuicios causados a las personas en accidentes de circulación, a cuya derogación se procede por entender que, por su contenido, debía integrarse en este texto refundido.

Por último, se ha procedido a incluir algunos cambios, todos ellos teniendo presente que la capacidad de innovación a través de este texto refundido se limita a la labor de regularización, aclaración y armonización de textos legales, conforme a lo dispuesto en el artículo 82.5 de la Constitución Española, por cuanto la autorización al Gobierno no se circunscriben a la mera formulación de un texto único.

Para ello, en línea con la jurisprudencia constitucional, estos cambios se han limitado a colmar lagunas, eliminar discordancias y antinomias detectadas en la regulación precedente, con el objetivo de lograr así que el texto refundido resulte coherente y sistemático, además de introducir normas adicionales y complementarias necesarias para precisar su sentido, conforme a los debidos límites de actuación y sin sobrepasar, en ningún caso, lo que supondría una vulneración de la autorización del legislador.

Esta norma ha sido informada por el Consejo Superior de Tráfico, Seguridad Vial y Movilidad Sostenible, de conformidad con lo dispuesto en el artículo 8.2.d) del texto articulado de la Ley sobre Tráfico, Circulación de Vehículos a Motor y Seguridad Vial.

En su virtud, a propuesta del Ministro del Interior, de acuerdo con el Consejo de Estado y previa deliberación del Consejo de Ministros en su reunión del día 30 de octubre de 2015, dispongo:

**Artículo único.** *Aprobación del texto refundido de la Ley sobre Tráfico, Circulación de Vehículos a Motor y Seguridad Vial.* Se aprueba el texto refundido de la Ley sobre Tráfico, Circulación de Vehículos a Motor y Seguridad Vial, cuyo texto se inserta a continuación.

**Disposición adicional primera.** *Referencias normativas.* Las referencias normativas efectuadas en otras disposiciones al texto articulado de la Ley sobre Tráfico, Circulación de Vehículos a Motor y Seguridad Vial, aprobado por el Real Decreto Legislativo 339/1990, de 2 de marzo, se entenderán efectuadas a los preceptos correspondientes del texto refundido que se aprueba.

En particular, las referencias al Consejo Superior de Seguridad Vial se entenderán realizadas al Consejo Superior de Tráfico, Seguridad Vial y Movilidad Sostenible.

**Disposición adicional segunda.** *No incremento de gasto público.* Las medidas contenidas en esta norma se atenderán con los medios personales y materiales existentes y, en ningún caso, podrán generar incremento de gasto público.

**Disposición derogatoria única.** *Derogación normativa.* Queda derogado el texto articulado de la Ley sobre Tráfico, Circulación de Vehículos a Motor, aprobado por el Real Decreto Legislativo 339/1990, de 2 de marzo, así como las leyes que lo han modificado, incluidas las disposiciones de las leyes modificativas que no se incorporaron a aquél.

En particular, queda derogada la disposición final quinta de la Ley 35/2015, de 22 de septiembre, de reforma del sistema para la valoración de los daños y perjuicios causados a las personas en accidentes de circulación, en lo que afecta a la entrada en vigor del contenido de la disposición final segunda de la misma Ley 35/ 2015, de 22 de septiembre.

**Disposición final única.** *Entrada en vigor.* El presente real decreto legislativo y el texto refundido que aprueba entrarán en vigor a los tres meses de su publicación en el «Boletín Oficial del Estado».

No obstante, el capítulo V «Intercambio transfronterizo de información sobre infracciones de tráfico» del Título V «Régimen Sancionador», así como los anexos V, VI y VII, entrarán en vigor el día siguiente al de su publicación en el «Boletín Oficial del Estado».

## TEXTO REFUNDIDO DE LA LEY SOBRE TRÁFICO, CIRCULACIÓN DE VEHÍCULOS A MOTOR Y SEGURIDAD VIAL

### TÍTULO PRELIMINAR. DISPOSICIONES GENERALES

**Artículo 1.** *Objeto.*– 1. Esta ley tiene por objeto regular el tráfico, la circulación de vehículos a mArt. 1otor y la seguridad vial.

2. A tal efecto regula:

a) El ejercicio de las competencias que, de acuerdo con la Constitución Española y los estatutos de autonomía, corresponden en tales materias a la Administración General del Estado y a las comunidades autónomas que hayan recibido el traspaso de funciones y servicios en esta materia, así como la determinación de las que correspondan en todo caso a las entidades locales.

b) Las normas de circulación para los vehículos, así como las que por razón de seguridad vial rigen para la circulación de peatones y animales por las vías de utilización general, estableciéndose a tal efecto los derechos y obligaciones de los usuarios de dichas vías.

c) Los elementos de seguridad activa y pasiva y su régimen de utilización, así como las condiciones técnicas de los vehículos y de las actividades industriales que afectan de manera directa a la seguridad vial.

d) Los criterios de señalización de las vías de utilización general.

e) Las autorizaciones que, para garantizar la seguridad y fluidez de la circulación, otorga la Administración con carácter previo a la realización de actividades relacionadas con la circulación de vehículos, especialmente a motor, así como las medidas cautelares que adopte con el mismo fin.

f) Las infracciones derivadas del incumplimiento de las normas establecidas y las sanciones aplicables a las mismas, así como el procedimiento sancionador en esta materia.

**Artículo 2.** *Ámbito de aplicación.* – Los preceptos de esta ley son aplicables en todo el territorio nacional y obligan a los titulares y usuarios de las vías y terrenos públicos aptos para la circulación, tanto urbanos como interurbanos, a los de las vías y terrenos que, sin tener tal aptitud, sean de uso común y, en defecto de otras normas, a los titulares de las vías y terrenos privados que sean utilizados por una colectividad indeterminada de usuarios.

**Artículo 3.** *Conceptos básicos.*– A los efectos de esta ley y sus disposiciones complementarias, los conceptos básicos sobre vehículos, vías públicas y usuarios de las mismas son los previstos en su anexo I.

## TÍTULO I. EJERCICIO Y COORDINACIÓN DE LAS COMPETENCIAS SOBRE TRÁFICO, CIRCULACIÓN DE VEHÍCULOS A MOTOR Y SEGURIDAD VIAL

### CAPÍTULO I. COMPETENCIAS

**Artículo 4.** *Competencias de la Administración General del Estado.*– Sin perjuicio de las competencias que tengan asumidas las comunidades autónomas, y además de las que se asignan al Ministerio del Interior en el artículo siguiente, corresponde a la Administración General del Estado:

a) La aprobación de la normativa técnica básica que afecte de manera directa a la seguridad vial.

b) La previa homologación, en su caso, de los elementos de los vehículos, remolques y semirremolques que afecten a la seguridad vial, así como dictar instrucciones y directrices en materia de inspección técnica de vehículos.

c) La aprobación de las normas básicas y mínimas para la programación de la educación vial en las distintas modalidades de la enseñanza.

d) La determinación del cuadro de las enfermedades y discapacidades que inhabilitan para conducir y los requisitos sanitarios mínimos para efectuar los reconocimientos para su detección, así como la inspección, control y, en su caso, suspensión o cierre de los establecimientos dedicados a esta actividad.

e) La determinación de las drogas que puedan afectar a la conducción, así como de las pruebas para su detección y, en su caso, sus niveles máximos.

f) La coordinación de la prestación de la asistencia sanitaria en las vías públicas o de uso público.

g) La suscripción de tratados y acuerdos internacionales relativos a la seguridad de los vehículos y de sus partes y piezas, así como dictar las disposiciones pertinentes para implantar en España la reglamentación internacional derivada de los mismos.

h) La regulación de aquellas actividades industriales que tengan una incidencia directa sobre la seguridad vial y, en especial, la de los talleres de reparación de vehículos.

i) La regulación del transporte de personas y, especialmente, el transporte escolar y de menores, a los efectos relacionados con la seguridad vial.

j) La regulación del transporte de mercancías, especialmente, el de mercancías peligrosas, perecederas y contenedores, de acuerdo con la reglamentación internacional, a los efectos relacionados con la seguridad vial.

**Artículo 5.** *Competencias del Ministerio del Interior.*– Sin perjuicio de las competencias que tengan asumidas las comunidades autónomas y de las previstas en el artículo anterior, corresponde al Ministerio del Interior:

a) La expedición y revisión de los permisos y licencias para conducir vehículos a motor y ciclomotores y de la autorización especial para conducir vehículos que transporten mercancías peligrosas, con los requisitos sobre conocimientos, aptitudes técnicas y psicofísicas y periodicidad que se determinen reglamentariamente, así como la declaración de la nulidad, lesividad o pérdida de vigencia de aquéllos.

b) El canje, de acuerdo con las normas reglamentarias aplicables, de los permisos de conducción y de la autorización especial para conducir vehículos que transporten mercancías peligrosas expedidos en el ámbito militar y policial por los correspondientes en el ámbito civil, así como el canje, la inscripción o la renovación de los permisos expedidos en el extranjero cuando así lo prevea la legislación vigente.

c) Las autorizaciones de apertura de centros de formación de conductores y la declaración de nulidad, lesividad o pérdida de vigencia de aquéllas, así como los certificados de aptitud y autorizaciones que permitan acceder a la actuación profesional en materia de enseñanza de la conducción y la acreditación de la destinada al reconocimiento de las aptitudes psicofísicas de los conductores, con los requisitos y condiciones que reglamentariamente se determinen.

d) La matriculación y expedición de los permisos de circulación de los vehículos a motor, remolques, semirremolques y ciclomotores, así como la declaración de nulidad, lesividad o pérdida de vigencia de dichos permisos, en los términos que reglamentariamente se determine.

e) Las autorizaciones o permisos temporales y provisionales para la circulación de vehículos.

f) Las normas especiales que posibiliten la circulación de vehículos históricos y fomenten la conservación y restauración de los que integran el patrimonio histórico.

g) La retirada de los vehículos de la vía fuera de poblado y la baja temporal o definitiva de la circulación de dichos vehículos.

h) Los registros de vehículos, de conductores e infractores, de profesionales de la enseñanza de la conducción, de centros de formación de conductores, de los centros de reconocimiento destinados a verificar las aptitudes psicofísicas de los conductores y de manipulación de placas de matrícula, en los términos que reglamentariamente se determine.

i) La vigilancia y disciplina del tráfico en toda clase de vías interurbanas y en travesías cuando no exista policía local, así como la denuncia y sanción de las infracciones a las normas de circulación y de seguridad en dichas vías.

j) La denuncia y sanción de las infracciones por incumplimiento de la obligación de someterse a la inspección técnica de vehículos, así como a las prescripciones derivadas de aquélla, y por razón del ejercicio de actividades industriales que afecten de manera directa a la seguridad vial.

k) La regulación, ordenación y gestión del tráfico en vías interurbanas y en travesías, estableciendo para estas últimas fórmulas de cooperación o delegación con las Entidades Locales, y sin perjuicio de lo establecido en otras disposiciones y de las facultades de otros departamentos ministeriales.

l) Las directrices básicas y esenciales para la formación y actuación de los agentes de la autoridad encargados de la vigilancia del tráfico, sin perjuicio de las atribuciones de las corporaciones locales, con cuyos órganos se instrumentará, de común acuerdo, la colaboración necesaria.

m) La autorización de pruebas deportivas que tengan que celebrarse utilizando en todo o parte del recorrido carreteras estatales o travesías, previo informe de las Administraciones titulares de las vías públicas afectadas, e informar, con carácter vinculante, las que vayan a conceder otros órganos autonómicos o municipales, cuando tengan que circular por vías públicas o de uso público en que la Administración General del Estado tiene atribuida la ordenación, gestión, control y vigilancia del tráfico.

n) El cierre a la circulación de carreteras o tramos de ellas por razones de seguridad o fluidez del tráfico o la restricción en ellas del acceso de determinados vehículos por motivos medioambientales, en los términos que reglamentariamente se determine.

ñ) La coordinación de la estadística y la investigación de accidentes de tráfico, así como las estadísticas de inspección técnica de vehículos, en colaboración con otros organismos oficiales y privados, en los términos que reglamentariamente se determine.

o) La realización de las pruebas, reglamentariamente establecidas, para determinar el grado de intoxicación alcohólica, o por drogas, de los conductores que circulen por las vías públicas en las que tiene atribuida la ordenación, gestión, control y vigilancia del tráfico.

p) La contratación de la gestión de los cursos de sensibilización y reeducación vial que han de realizar los conductores como consecuencia de la pérdida parcial o total de los puntos que les hayan sido asignados, la elaboración del contenido de los cursos, así como su duración y requisitos. Dicha contratación se realizará de acuerdo con lo establecido en la normativa de contratos del sector público.

q) La garantía de igualdad de oportunidades, no discriminación y accesibilidad universal de las personas con discapacidad, especialmente en su calidad de conductores, en todos los ámbitos regulados en esta ley.

**Artículo 6.** *Organismo autónomo Jefatura Central de Tráfico.*– 1. El Ministerio del Interior ejerce las competencias relacionadas en el artículo anterior a través del organismo autónomo Jefatura Central de Tráfico.

2. Para el ejercicio de las competencias atribuidas al Ministerio del Interior en materia de regulación, ordenación, gestión y vigilancia del tráfico, así como para la denuncia de las infracciones a las normas contenidas en esta ley, y para las labores de protección y auxilio en las vías públicas o de uso público, actuará, en los términos que reglamentariamente se determine, la Guardia Civil, especialmente su Agrupación de Tráfico, que a estos efectos depende específicamente del organismo autónomo Jefatura Central de Tráfico.

**Artículo 7.** *Competencias de los municipios.–* Corresponde a los municipios:

a) La regulación, ordenación, gestión, vigilancia y disciplina, por medio de agentes propios, del tráfico en las vías urbanas de su titularidad, así como la denuncia de las infracciones que se cometan en dichas vías y la sanción de las mismas cuando no esté expresamente atribuida a otra Administración.

b) La regulación mediante ordenanza municipal de circulación, de los usos de las vías urbanas, haciendo compatible la equitativa distribución de los aparcamientos entre todos los usuarios con la necesaria fluidez del tráfico rodado y con el uso peatonal de las calles, así como el establecimiento de medidas de estacionamiento limitado, con el fin de garantizar la rotación de los aparcamientos, prestando especial atención a las necesidades de las personas con discapacidad que tienen reducida su movilidad y que utilizan vehículos, todo ello con el fin de favorecer su integración social.

c) La inmovilización de los vehículos en vías urbanas cuando no dispongan de título que habilite el estacionamiento en zonas limitadas en tiempo o excedan de la autorización concedida, hasta que se logre la identificación de su conductor.

La retirada de los vehículos de las vías urbanas y su posterior depósito cuando obstaculicen, dificulten o supongan un peligro para la circulación, o se encuentren incorrectamente aparcados en las zonas de estacionamiento restringido, en las condiciones previstas para la inmovilización en este mismo artículo. Las bicicletas sólo podrán ser retiradas y llevadas al correspondiente depósito si están abandonadas o si, estando amarradas, dificultan la circulación de vehículos o personas o dañan el mobiliario urbano.

Igualmente, la retirada de vehículos en las vías interurbanas y el posterior depósito de éstos, en los términos que reglamentariamente se determine.

d) La autorización de pruebas deportivas cuando discurran íntegra y exclusivamente por el casco urbano, exceptuadas las travesías.

e) La realización de las pruebas a que alude el artículo 5.o) en las vías urbanas, en los términos que reglamentariamente se determine.

f) El cierre de vías urbanas cuando sea necesario.

g) La restricción de la circulación a determinados vehículos en vías urbanas por motivos medioambientales.

## CAPÍTULO II. CONSEJO SUPERIOR DE TRÁFICO, SEGURIDAD VIAL Y MOVILIDAD SOSTENIBLE

**Artículo 8.** *Composición y funciones.-* 1. El Consejo Superior de Tráfico, Seguridad Vial y Movilidad Sostenible es el órgano de consulta y participación para el impulso y mejora del tráfico, la seguridad vial y la movilidad sostenible y para promover la concertación de las distintas Administraciones Públicas y entidades que desarrollan actividades en esos ámbitos, sin perjuicio de las competencias de las comunidades autónomas que hayan recibido el traspaso de funciones y servicios en materia de tráfico y circulación de vehículos a motor.

2. La presidencia del Consejo corresponde al Ministro del Interior y en él están representados la Administración General del Estado, las comunidades autónomas y las ciudades de Ceuta y Melilla, las administraciones locales, así como las fundaciones, las asociaciones de víctimas, el sector social de la discapacidad, las asociaciones de prevención de accidentes de tráfico y de fomento de la seguridad vial y los centros de investigación y organizaciones profesionales, económicas y sociales más representativas directamente relacionadas con el tráfico, la seguridad vial y la movilidad sostenible.

3. El Consejo funciona en Pleno, en Comisión Permanente, en Comisiones y en Grupos de Trabajo.

4. En las comunidades autónomas que no hayan recibido el traspaso de funciones y servicios en materia de tráfico y circulación de vehículos a motor, y en las ciudades de Ceuta y Melilla existe una Comisión del Consejo. Asimismo, funciona una Comisión del Consejo para el estudio del tráfico, la seguridad vial y la movilidad sostenible en las vías urbanas.

Las comunidades autónomas que hayan recibido el traspaso de funciones y servicios en materia de tráfico y circulación de vehículos a motor pueden establecer sus propios Consejos Autonómicos de Tráfico, Seguridad Vial y Movilidad Sostenible.

5. El Consejo Superior de Tráfico, Seguridad Vial y Movilidad Sostenible ejerce las siguientes funciones:

a) Informar y, en su caso, proponer planes de actuación conjunta en materia de tráfico, seguridad vial o movilidad sostenible para dar cumplimiento a las directrices del Gobierno o para someterlos a su aprobación. Dichas propuestas, que no son vinculantes, deben considerar, en particular, la viabilidad técnica y financiera de las medidas que incluyan.

b) Asesorar a los órganos superiores y directivos del Ministerio del Interior en esta materia.

c) Informar los convenios o tratados internacionales sobre tráfico, seguridad vial o movilidad sostenible antes de la prestación del consentimiento del Estado para obligarse por ellos.

d) Informar o proponer, en su caso, los proyectos de disposiciones generales que afecten al tráfico, la seguridad vial o la movilidad sostenible.

e) Informar sobre la publicidad de los vehículos a motor.

f) Impulsar, mediante las correspondientes propuestas, la actuación de los distintos organismos, entidades y asociaciones que desarrollen actividades en esta materia.

g) Conocer e informar sobre la evolución de la siniestralidad vial en España.

6. La composición, organización y funcionamiento del Consejo se determinarán reglamentariamente. A estos efectos, podrán crearse Consejos Territoriales de Seguridad Vial. En todo caso, debe haber un equilibrio entre los colectivos representados y entre los distintos sectores que representan.

CAPÍTULO III. CONFERENCIA SECTORIAL DE TRÁFICO, SEGURIDAD VIAL Y MOVILIDAD SOSTENIBLE

**Artículo 9.** *Conferencia Sectorial de Tráfico, Seguridad Vial y Movilidad Sostenible.*– 1. Se crea la Conferencia Sectorial de Tráfico, Seguridad Vial y Movilidad Sostenible como órgano de cooperación entre la Administración General del Estado y las administraciones de las comunidades autónomas que hayan asumido, competencias para la protección de personas y bienes y el mantenimiento del orden público y que hayan recibido el traspaso de funciones y servicios en materia de tráfico y circulación de vehículos a motor. La conferencia sectorial desarrollará una actuación coordinada en esta materia, con atención a los principios de lealtad institucional y respeto recíproco en el ejercicio de las competencias atribuidas a dichas administraciones.

2. La conferencia sectorial aprobará su reglamento interno, que regulará su organización y funcionamiento.

## TÍTULO II. NORMAS DE COMPORTAMIENTO EN LA CIRCULACIÓN

### CAPÍTULO I. NORMAS GENERALES

**Artículo 10.** *Usuarios, conductores y titulares de vehículos.–* 1. El usuario de la vía está obligado a comportarse de forma que no entorpezca indebidamente la circulación, ni cause peligro, perjuicios o molestias innecesarias a las personas o daños a los bienes.

2. El conductor debe utilizar el vehículo con la diligencia, precaución y atención necesarias para evitar todo daño, propio o ajeno, cuidando de no poner en peligro, tanto a sí mismo como a los demás ocupantes del vehículo y al resto de usuarios de la vía.

El conductor debe verificar que las placas de matrícula del vehículo no presentan obstáculos que impidan o dificulten su lectura e identificación.

3. El titular y, en su caso, el arrendatario de un vehículo tiene el deber de actuar con la máxima diligencia para evitar los riesgos que conlleva su utilización, mantenerlo en las condiciones legal y reglamentariamente establecidas, someterlo a los reconocimientos e inspecciones que correspondan e impedir que sea conducido por quien nunca haya obtenido el permiso o la licencia de conducción correspondiente.

**Artículo 11.** *Obligaciones del titular del vehículo y del conductor habitual.–* 1. El titular de un vehículo tiene las siguientes obligaciones:

a) Facilitar a la Administración la identificación del conductor del vehículo en el momento de cometerse una infracción. Los datos facilitados deben incluir el número del permiso o licencia de conducción que permita la identificación en el Registro de Conductores e Infractores del organismo autónomo Jefatura Central de Tráfico.

Si el conductor no figura inscrito en el aludido Registro de Conductores e Infractores, el titular deberá disponer de copia de la autorización administrativa que le habilite a conducir en España y facilitarla a la Administración cuando le sea requerida. Si el titular fuese una empresa de alquiler de vehículos sin conductor, la copia de la autorización administrativa podrá sustituirse por la copia del contrato de arrendamiento.

b) Impedir que el vehículo sea conducido por quien nunca haya obtenido el permiso o la licencia de conducción correspondiente.

2. El titular del vehículo puede comunicar al Registro de Vehículos del organismo autónomo Jefatura Central de Tráfico la identidad del conductor habitual del mismo. En este supuesto, el titular queda exonerado de las obligaciones anteriores, que se trasladan al conductor habitual.

3. Las obligaciones establecidas en el apartado 1 y la comunicación descrita en el apartado anterior corresponden al arrendatario a largo plazo del vehículo, en el supuesto de que haya constancia de éste en el Registro de Vehículos del organismo autónomo Jefatura Central de Tráfico.

4. El titular del vehículo en régimen de arrendamiento a largo plazo debe comunicar al Registro de Vehículos del organismo autónomo Jefatura Central de Tráfico la identidad del arrendatario.

**Artículo 12.** *Obras y actividades prohibidas.–* 1. La realización de obras, instalaciones, colocación de contenedores, mobiliario urbano o cualquier otro elemento u objeto de forma permanente o provisional en las vías objeto de esta ley necesita autorización previa del titular de las mismas y se rige por lo dispuesto en la normativa de carreteras y en las normas municipales. Las mismas prescripciones son aplicables a la interrupción de las obras, en razón de las circunstancias o características especiales del tráfico que puede llevarse a efecto a petición del organismo autónomo Jefatura Central de Tráfico.

Asimismo, la realización de obras en las vías debe ser comunicada con anterioridad a su inicio al organismo autónomo Jefatura Central de Tráfico o, en su caso, a la autoridad autonómica o local responsable, que, sin perjuicio de las facultades del órgano competente para la ejecución de las obras, dictará las instrucciones que resulten procedentes en relación a la regulación, ordenación, gestión y vigilancia del tráfico, teniendo en cuenta el calendario de restricciones a la circulación y las que se deriven de otras autorizaciones a la misma.

Las infracciones a lo dispuesto en este apartado, así como la realización de obras en la carretera sin señalización o sin que ésta se atenga a la reglamentación técnica sobre el particular, se sancionarán en la forma prevista en la normativa de carreteras, sin perjuicio de la normativa municipal sancionadora.

2. Se prohíbe arrojar, depositar o abandonar sobre la vía objetos o materias que puedan entorpecer la libre circulación, parada o estacionamiento, hacerlos peligrosos o deteriorar aquélla o sus instalaciones, o producir en la misma o en sus inmediaciones efectos que modifiquen las condiciones apropiadas para circular, parar o estacionar.

3. Quien haya creado sobre la vía algún obstáculo o peligro, debe hacerlo desaparecer lo antes posible, adoptando entretanto las medidas necesarias para que pueda ser advertido por los demás usuarios y para que no se dificulte la circulación.

4. Se prohíbe arrojar a la vía o en sus inmediaciones cualquier objeto que pueda dar lugar a la producción de incendios o, en general, poner en peligro la seguridad vial.

5. Se prohíbe la emisión de perturbaciones electromagnéticas, ruidos, gases y otros contaminantes en las vías objeto de esta ley, en los términos que reglamentariamente se determine.

6. Se prohíbe cargar los vehículos de forma distinta a lo que reglamentariamente se determine.

7. No pueden circular por las vías objeto de esta ley los vehículos con niveles de emisión de ruido superiores a los reglamentariamente establecidos, emitiendo gases o humos en valores superiores a los límites establecidos, ni cuando hayan sido objeto de una reforma de importancia no autorizada. Todos los conductores de vehículos quedan obligados a colaborar en las pruebas reglamentarias de detección que permitan comprobar las posibles deficiencias indicadas.

**Artículo 13.** *Normas generales de conducción.–* 1. El conductor debe estar en todo momento en condiciones de controlar su vehículo. Al aproximarse a otros usuarios de la vía, debe adoptar las precauciones necesarias para su seguridad, especialmente cuando se trate de niños, ancianos, personas ciegas o en general personas con discapacidad o con problemas de movilidad.

2. El conductor de un vehículo está obligado a mantener su propia libertad de movimientos, el campo necesario de visión y la atención permanente a la conducción, que garanticen su propia seguridad, la del resto de ocupantes del vehículo y la de los demás usuarios de la vía. A estos efectos, deberá cuidar especialmente de mantener la posición adecuada y que la mantengan el resto de los pasajeros, y la adecuada colocación de los objetos o animales transportados para que no haya interferencias entre el conductor y cualquiera de ellos.

3. Queda prohibido conducir utilizando cualquier tipo de casco de audio o auricular conectado a aparatos receptores o reproductores de sonido u otros dispositivos que disminuyan la atención permanente a la conducción, excepto durante la realización de las pruebas de aptitud en circuito abierto para la

obtención del permiso de conducción en los términos que reglamentariamente se determine.

Se prohíbe la utilización durante la conducción de dispositivos de telefonía móvil, navegadores o cualquier otro medio o sistema de comunicación, excepto cuando el desarrollo de la comunicación tenga lugar sin emplear las manos ni usar cascos, auriculares o instrumentos similares.

Quedan exentos de dicha prohibición los agentes de la autoridad en el ejercicio de las funciones que tengan encomendadas.

Reglamentariamente se podrán establecer otras excepciones a las prohibiciones previstas en los párrafos anteriores, así como los dispositivos que se considera que disminuyen la atención a la conducción, conforme se produzcan los avances de la tecnología.

4. El conductor y los ocupantes de los vehículos están obligados a utilizar el cinturón de seguridad, cascos y demás elementos de protección y dispositivos de seguridad en las condiciones y con las excepciones que, en su caso, se determine reglamentariamente. Los conductores profesionales, cuando presten servicio público a terceros, no se considerarán responsables del incumplimiento de esta norma por parte de los ocupantes del vehículo.

Por razones de seguridad vial, se podrá prohibir la ocupación de los asientos delanteros o traseros del vehículo por los menores en función de su edad o talla, en los términos que se determine reglamentariamente.

5. Queda prohibido circular con menores de doce años como pasajeros de ciclomotores o motocicletas, con o sin sidecar, por cualquier clase de vía. Excepcionalmente, se permite esta circulación a partir de los siete años, siempre que los conductores sean el padre, la madre, el tutor o una persona mayor de edad autorizada por ellos, utilicen casco homologado y se cumplan las condiciones específicas de seguridad establecidas reglamentariamente.

6. Se prohíbe instalar o llevar en los vehículos inhibidores de radares o cinemómetros o cualesquiera otros instrumentos encaminados a eludir o a interferir en el correcto funcionamiento de los sistemas de vigilancia del tráfico, así como emitir o hacer señales con dicha finalidad. Asimismo se prohíbe utilizar mecanismos de detección de radares o cinemómetros.

Quedan excluidos de esta prohibición los mecanismos de aviso que informan de la posición de los sistemas de vigilancia del tráfico.

**Artículo 14.** *Bebidas alcohólicas y drogas.–* 1. No puede circular por las vías objeto de esta ley el conductor de cualquier vehículo con tasas de alcohol superiores a las que reglamentariamente se determine.

Tampoco puede hacerlo el conductor de cualquier vehículo con presencia de drogas en el organismo, de las que se excluyen aquellas sustancias que se utilicen bajo prescripción facultativa y con una finalidad terapéutica, siempre que se esté en condiciones de utilizar el vehículo conforme a la obligación de diligencia, precaución y no distracción establecida en el artículo 10.

2. El conductor de un vehículo está obligado a someterse a las pruebas para la detección de alcohol o de la presencia de drogas en el organismo, que se practicarán por los agentes de la autoridad encargados de la vigilancia del tráfico en el ejercicio de las funciones que tienen encomendadas. Igualmente quedan obligados los demás usuarios de la vía cuando se hallen implicados en un accidente de tráfico o hayan cometido una infracción conforme a lo tipificado en esta ley.

3. Las pruebas para la detección de alcohol consistirán en la verificación del aire espirado mediante dispositivos autorizados, y para la detección de la presencia de drogas en el organismo, en una prueba salival mediante un dispositivo autorizado y en un posterior análisis de una muestra salival en cantidad suficiente.

No obstante, cuando existan razones justificadas que impidan realizar estas pruebas, se podrá ordenar el reconocimiento médico del sujeto o la realización de los análisis clínicos que los facultativos del centro sanitario al que sea trasladado estimen más adecuados.

4. El procedimiento, las condiciones y los términos en que se realizarán las pruebas para la detección de alcohol o de drogas se determinarán reglamentariamente.

5. A efectos de contraste, a petición del interesado, se podrán repetir las pruebas para la detección de alcohol o de drogas, que consistirán preferentemente en análisis de sangre, salvo causas excepcionales debidamente justificadas. Cuando la prueba de contraste arroje un resultado positivo será abonada por el interesado.

El personal sanitario está obligado, en todo caso, a dar cuenta del resultado de estas pruebas al Jefe de Tráfico de la provincia donde se haya cometido el hecho o, cuando proceda, a los órganos competentes para sancionar de las comunidades autónomas que hayan recibido el traspaso de funciones y servicios en materia de tráfico y circulación de vehículos a motor, o a las autoridades municipales competentes.

## CAPÍTULO II. **CIRCULACIÓN DE VEHÍCULOS**

*Sección 1ª. Lugar de la vía*

**Artículo 15.** *Sentido de la circulación.*– Como norma general y muy especialmente en las curvas y cambios de rasante de reducida visibilidad, el vehículo circulará en todas las vías objeto de esta ley por la derecha y lo más cerca posible del borde de la calzada, manteniendo la separación lateral suficiente para realizar el cruce con seguridad.

**Artículo 16.** *Utilización de los carriles.*– 1. El conductor de un automóvil, que no sea un vehículo para personas de movilidad reducida, o de un vehículo especial con la masa máxima autorizada que reglamentariamente se determine, debe circular por la calzada y no por el arcén, salvo por razones de emergencia, y debe, además, atenerse a las reglas siguientes:

a) En las calzadas con doble sentido de circulación y dos carriles, separados o no por marcas viales, debe circular por el de su derecha.

b) En las calzadas con doble sentido de circulación y tres carriles, separados por marcas longitudinales discontinuas, debe circular también por el de su derecha, y en ningún caso por el situado más a su izquierda.

c) Fuera de poblado, en las calzadas con más de un carril reservado para su sentido de marcha, debe circular normalmente por el situado más a su derecha, si bien podrá utilizar el resto de los de dicho sentido cuando las circunstancias del tráfico o de la vía lo aconsejen, a condición de que no entorpezca la marcha de otro vehículo que le siga.

Cuando una de dichas calzadas tenga tres o más carriles en el sentido de su marcha, los conductores de camiones con masa máxima autorizada superior a la que reglamentariamente se determine, los de vehículos especiales que no estén obligados a circular por el arcén y los de conjuntos de vehículos de más de siete metros de longitud, deben circular normalmente por el situado más a su derecha, pudiendo utilizar el inmediato en las mismas circunstancias y con igual condición a las citadas en el párrafo anterior.

d) Cuando se circule por calzadas de poblados con al menos dos carriles reservados para el mismo sentido, delimitados por marcas longitudinales, puede utilizar el que mejor convenga a su destino, pero no debe abandonarlo más que para prepararse a cambiar de dirección, adelantar, parar o estacionar.

2. Para el cómputo de carriles, a efectos de lo dispuesto en el apartado anterior, no se tendrá en cuenta los destinados al tráfico lento ni los reservados a determinados vehículos, en los términos que reglamentariamente se determine.

**Artículo 17.** *Utilización del arcén.–* 1. El conductor de cualquier vehículo de tracción animal, vehículo especial con masa máxima autorizada no superior a la que reglamentariamente se determine, ciclo, ciclomotor, vehículo para personas de movilidad reducida o vehículo en seguimiento de ciclistas, en el caso de que no exista vía o parte de la misma que les esté especialmente destinada, debe circular por el arcén de su derecha, si fuera transitable y suficiente, y, si no lo fuera, debe utilizar la parte imprescindible de la calzada.

Debe también circular por el arcén de su derecha o, en las circunstancias a que se refiere este apartado, por la parte imprescindible de la calzada el conductor de motocicletas, de turismos y de camiones con masa máxima autorizada, que no exceda de la que reglamentariamente se determine, que, por razones de emergencia, lo haga a velocidad anormalmente reducida, perturbando con ello gravemente la circulación.

No obstante lo dispuesto en los párrafos anteriores, el conductor de bicicleta podrá superar la velocidad máxima fijada reglamentariamente para estos vehículos en aquellos tramos en los que las circunstancias de la vía aconsejen desarrollar una velocidad superior, pudiendo ocupar incluso la parte derecha de la calzada que necesite, especialmente en descensos prolongados con curvas.

2. Se prohíbe que los vehículos relacionados en el apartado anterior circulen en posición paralela, salvo las bicicletas y ciclomotores de dos ruedas, en los términos que reglamentariamente se determine atendiendo a las circunstancias de la vía o a la peligrosidad del tráfico.

**Artículo 18.** *Supuestos especiales del sentido de circulación y restricciones.–* Cuando razones de seguridad o fluidez de la circulación lo aconsejen, o por motivos medioambientales, se podrá ordenar por la autoridad competente otro sentido de circulación, la prohibición total o parcial de acceso a partes de la vía, bien con carácter general o para determinados vehículos, el cierre de determinadas vías, el seguimiento obligatorio de itinerarios concretos, o la utilización de arcenes o carriles en sentido opuesto al normalmente previsto.

**Artículo 19.** *Refugios, isletas o dispositivos de guía.–* Cuando en la vía existan refugios, isletas o dispositivos de guía, se circulará por la parte de la calzada que quede a la derecha de los mismos, en el sentido de la marcha, salvo cuando estén situados en una vía de sentido único o dentro de la parte correspondiente a un solo sentido de circulación, en cuyo caso podrá hacerse por cualquiera de los dos lados.

**Artículo 20.** *Circulación en autopistas y autovías.–* 1. Se prohíbe circular por autopistas y autovías con vehículos de tracción animal, bicicletas, ciclomotores y vehículos para personas de movilidad reducida.

No obstante lo dispuesto en el párrafo anterior, los conductores de bicicletas podrán circular por los arcenes de las autovías, salvo que, por razones de seguridad vial, se prohíba mediante la señalización correspondiente.

2. La circulación por autopistas o autovías sujetas a peaje, tasa o precio público requerirá el pago del correspondiente peaje, tasa o precio público.

*Sección 2ª. Velocidad*

**Artículo 21.** *Límites de velocidad.–* 1. El conductor está obligado a respetar los límites de velocidad establecidos y a tener en cuenta, además, sus propias condiciones físicas y psíquicas, las características y el estado de la vía, del vehículo y de su carga, las condiciones meteorológicas, ambientales y de circulación y, en general, cuantas circunstancias concurran en cada momento, a fin de adecuar la velocidad de su vehículo a las mismas, de manera que siempre pueda detenerlo dentro de los límites de su campo de visión y ante cualquier obstáculo que pueda presentarse.

2. Las velocidades máximas y mínimas autorizadas para la circulación de vehículos serán las fijadas de acuerdo con las condiciones que reglamentariamente se determinen, con carácter general, para los conductores, los vehículos y las vías objeto de esta ley, en función de sus propias características. Los lugares con prohibiciones u obligaciones específicas de velocidad serán señalizados, con carácter permanente o temporal. En defecto de señalización específica se cumplirá la genérica establecida para cada vía.

3. Se establecerá también reglamentariamente un límite máximo, con carácter general, para la velocidad autorizada en las vías urbanas y en travesías. Este límite podrá ser rebajado en las travesías especialmente peligrosas, por acuerdo de la autoridad municipal con el titular de la vía, y en las vías urbanas, por decisión del órgano competente de la corporación municipal.

4. Las velocidades máximas fijadas para las carreteras convencionales, excepto travesías, podrán ser rebasadas en 20 km/h por turismos y motocicletas cuando adelanten a otros vehículos que circulen a velocidad inferior a aquéllas.

5. Se podrá circular por debajo de los límites mínimos de velocidad en los casos los ciclos, vehículos de tracción animal, transportes y vehículos especiales, o cuando las circunstancias de tráfico impidan el mantenimiento de una velocidad superior a la mínima sin riesgo para la circulación, así como en los supuestos de protección o acompañamiento a otros vehículos, en los términos que reglamentariamente se determine.

6. El titular de la vía deberá comunicar a las autoridades competentes en materia de gestión del tráfico, con una antelación mínima de un mes, los cambios que realice en las limitaciones de velocidad.

**Artículo 22.** *Distancias y velocidad exigible.–* 1. Salvo en caso de inminente peligro, el conductor, para reducir considerablemente la velocidad de su vehículo, debe cerciorarse de que puede hacerlo sin riesgo para otros conductores y está obligado a advertirlo previamente y a realizarlo de forma que no produzca riesgo de colisión con los vehículos que circulan detrás del suyo, en los términos que reglamentariamente se determine.

2. El conductor de un vehículo que circule detrás de otro debe dejar entre ambos un espacio libre que le permita detenerse, en caso de frenada brusca, sin colisionar con él, teniendo en cuenta especialmente la velocidad y las condiciones de adherencia y frenado. No obstante, se permite a los conductores de bicicletas circular en grupo extremando la atención a fin de evitar alcances entre ellos.

3. Además de lo dispuesto en el apartado anterior, la separación que debe guardar el conductor de un vehículo que circule detrás de otro sin señalar su propósito de adelantamiento debe ser tal que permita al que a su vez le siga adelantarlo con seguridad, excepto si se trata de ciclistas que circulan en grupo. Los vehículos con masa máxima superior a la que reglamentariamente se determine y los vehículos o conjuntos de vehículos de más de 10 metros

de longitud total deben guardar, a estos efectos, una separación mínima de 50 metros.

4. Lo dispuesto en el apartado anterior no es de aplicación:

a) En poblado.

b) Donde esté prohibido el adelantamiento.

c) Donde haya más de un carril destinado a la circulación en su mismo sentido.

d) Cuando la intensidad de la circulación no permita el adelantamiento.

5. Se prohíbe entablar competiciones de velocidad en las vías públicas o de uso público, salvo que, con carácter excepcional, se hubiera autorizado por la autoridad competente.

*Sección 3ª. Preferencia de paso*

**Artículo 23.** *Normas generales.–* 1. La preferencia de paso en las intersecciones se ajustará a la señalización que la regule.

2. En defecto de señal, el conductor está obligado a ceder el paso a los vehículos que se aproximen por su derecha, salvo en los siguientes supuestos:

a) Los vehículos que circulen por una vía pavimentada sobre los que procedan de otra sin pavimentar.

b) Los vehículos que circulen por raíles sobre los demás usuarios.

c) Los que se hallen dentro de las glorietas sobre los que pretendan acceder a ellas.

3. Reglamentariamente se podrán establecer otras excepciones.

**Artículo 24.** *Tramos estrechos y de gran pendiente.–* 1. En los tramos de la vía en los que, por su escasa anchura, sea imposible o muy difícil el paso simultáneo de dos vehículos que circulen en sentido contrario, donde no haya señalización expresa al efecto, tiene preferencia de paso el que haya entrado primero. En caso de duda sobre dicha circunstancia, tiene preferencia el vehículo con mayores dificultades de maniobra, en los términos que reglamentariamente se determine.

2. En los tramos de gran pendiente, en los que se den las circunstancias señaladas en el apartado anterior, tiene preferencia de paso el vehículo que circule en sentido ascendente, salvo si éste pudiera llegar antes a una zona

prevista para apartarse. En caso de duda se estará a lo establecido en el apartado anterior.

**Artículo 25.** *Conductores, peatones y animales.–* 1. El conductor de un vehículo tiene preferencia de paso respecto de los peatones, salvo en los casos siguientes:

a) En los pasos para peatones.

b) Cuando vaya a girar con su vehículo para entrar en otra vía y haya peatones cruzándola, aunque no exista paso para éstos.

c) Cuando el vehículo cruce un arcén por el que estén circulando peatones que no dispongan de zona peatonal.

d) Cuando los peatones vayan a subir o hayan bajado de un vehículo de transporte colectivo de viajeros, en una parada señalizada como tal, y se encuentren entre dicho vehículo y la zona peatonal o refugio más próximo.

e) Cuando se trate de tropas en formación, filas escolares o comitivas organizadas.

2. En las zonas peatonales, cuando el vehículo las cruce por los pasos habilitados al efecto, el conductor tiene la obligación de dejar pasar a los peatones que circulen por ellas.

3. El conductor del vehículo tiene preferencia de paso, respecto de los animales, salvo en los casos siguientes:

a) En las cañadas señalizadas.

b) Cuando vaya a girar con su vehículo para entrar en otra vía y haya animales cruzándola, aunque no exista paso para éstos.

c) Cuando el vehículo cruce un arcén por el que estén circulando animales que no dispongan de cañada.

4. El conductor de una bicicleta tiene preferencia de paso respecto a otros vehículos:

a) Cuando circule por un carril-bici, paso para ciclistas o arcén debidamente autorizado para uso exclusivo de conductores de bicicletas.

b) Cuando para entrar en otra vía el vehículo gire a derecha o izquierda, en los supuestos permitidos, existiendo un ciclista en sus proximidades.

c) Cuando los conductores de bicicleta circulen en grupo, serán considerados como una única unidad móvil a los efectos de la preferencia de paso, y serán aplicables las normas generales sobre preferencia de paso entre vehículos.

En circulación urbana se estará a lo dispuesto por la ordenanza municipal correspondiente.

**Artículo 26.** *Cesión de paso e intersecciones.–* 1. El conductor de un vehículo que tenga que ceder el paso a otro no debe iniciar o continuar su marcha o su maniobra, ni reemprenderlas, hasta asegurarse de que con ello no obliga al conductor del vehículo que tiene la preferencia a modificar bruscamente su trayectoria o su velocidad, y debe mostrar con suficiente antelación, por su forma de circular, y especialmente con la reducción paulatina de la velocidad, que efectivamente va a cederlo.

2. Aun cuando tenga preferencia de paso, ningún conductor debe entrar con su vehículo en una intersección o en un paso para peatones si, previsiblemente, puede quedar detenido en ellos impidiendo u obstruyendo la circulación transversal.

3. El conductor que tenga detenido su vehículo en una intersección regulada por semáforo, constituyendo un obstáculo para la circulación, debe salir de aquélla sin esperar a que se permita la circulación en la dirección que se propone tomar, siempre que al hacerlo no entorpezca la marcha de los demás usuarios que avancen en el sentido permitido.

**Artículo 27.** *Vehículos en servicio de urgencia.–* Tienen preferencia de paso sobre los demás vehículos y otros usuarios de la vía los vehículos de servicio de urgencia, cuando se hallen en servicio de tal carácter, así como los equipos de mantenimiento de las instalaciones y de la infraestructura de la vía y los vehículos que acudan a realizar un servicio de auxilio en carretera. Pueden circular por encima de los límites de velocidad establecidos y están exentos de cumplir otras normas o señales, en los términos que reglamentariamente se determine.

*Sección 4ª. Incorporación a la circulación*

**Artículo 28.** *Incorporación de vehículos a la circulación.–* El conductor de un vehículo parado o estacionado en una vía o procedente de las vías de acceso a la misma, de sus zonas de servicio o de una propiedad colindante que pretenda incorporarse a la circulación debe cerciorarse de que puede hacerlo sin peligro para los demás usuarios. Debe advertirlo con las señales obligatorias para estos casos y ceder el paso a los otros vehículos, teniendo en cuenta la posición, trayectoria y velocidad de éstos.

Si la vía a la que se accede está dotada de un carril de aceleración, el conductor debe incorporarse a aquélla a la velocidad adecuada.

**Artículo 29.** *Conducción de vehículos en tramo de incorporación.–* Con independencia de la obligación del conductor del vehículo que se incorpore a la circulación de cumplir las prescripciones del artículo anterior, los demás conductores facilitarán, en la medida de lo posible, dicha maniobra, especialmente si se trata de un vehículo de transporte colectivo de viajeros que pretende incorporarse a la circulación desde una parada señalizada.

*Sección 5ª. Cambios de dirección, de sentido y marcha atrás*

**Artículo 30.** *Cambios de vía, calzada y carril.–* 1. El conductor de un vehículo que pretenda girar a la derecha o a la izquierda para utilizar una vía distinta de aquella por la que circula, para incorporarse a otra calzada de la misma vía o para salir de la misma, debe advertirlo previamente y con suficiente antelación a los conductores de los vehículos que circulan detrás del suyo y cerciorarse de que la velocidad y la distancia de los vehículos que se acerquen en sentido contrario le permiten efectuar la maniobra sin peligro, absteniéndose de realizarla de no darse estas circunstancias. También debe abstenerse de realizar la maniobra cuando se trate de un cambio de dirección a la izquierda y no exista visibilidad suficiente.

2. Toda maniobra de desplazamiento lateral que implique cambio de carril debe llevarse a efecto respetando la preferencia del que circule por el carril que se pretende ocupar.

3. Reglamentariamente se establecerá la manera de efectuar las maniobras necesarias para los distintos supuestos de cambio de dirección.

**Artículo 31.** *Cambios de sentido.–* 1. El conductor de un vehículo que pretenda invertir el sentido de su marcha debe elegir un lugar adecuado para efectuar la maniobra, de forma que intercepte la vía el menor tiempo posible, advertir con la antelación suficiente su propósito con las señales preceptivas y cerciorarse de que no va a poner en peligro u obstaculizar a otros usuarios de la misma.

En caso de que no concurran estas circunstancias, debe abstenerse de realizar dicha maniobra y esperar el momento oportuno para efectuarla.

Cuando su permanencia en la calzada, mientras espera para efectuar la maniobra de cambio de sentido, impida continuar la marcha de los vehículos que circulan detrás del suyo, debe salir de la misma por su lado derecho, si fuera posible, hasta que las condiciones de la circulación le permitan efectuarlo.

2. Se prohíbe efectuar el cambio de sentido en toda situación que impida comprobar las circunstancias a que alude el apartado anterior, en los pasos a nivel y en los tramos de vía afectados por la señal túnel, así como en las autopistas y autovías, salvo en los lugares habilitados al efecto, y, en general, en todos los tramos de la vía en que esté prohibido el adelantamiento, a menos que el cambio de sentido esté expresamente autorizado.

**Artículo 32.** *Marcha atrás.–* 1. Se prohíbe circular marcha atrás, salvo en los casos en que no sea posible marchar hacia adelante ni cambiar de dirección o sentido de marcha, y en las maniobras complementarias de otra que las exija, y siempre con el recorrido mínimo indispensable para efectuarla.

2. La maniobra de marcha atrás debe efectuarse lentamente, después de haberlo advertido con las señales preceptivas y de haberse cerciorado, incluso apeándose o siguiendo las indicaciones de otra persona si fuera necesario, de que, por las circunstancias de visibilidad, espacio y tiempo necesarios para efectuarla, no va a constituir peligro para los demás usuarios de la vía.

3. Se prohíbe la maniobra de marcha atrás en autovías y autopistas.

*Sección 6ª. Adelantamiento*

**Artículo 33.** *Normas generales.–* 1. En todas las carreteras, como norma general, el adelantamiento debe efectuarse por la izquierda del vehículo que se pretenda adelantar.

2. Por excepción, y si existe espacio suficiente para ello, el adelantamiento se efectuará por la derecha y adoptando las máximas precauciones, cuando el conductor del vehículo al que se pretenda adelantar esté indicando claramente su propósito de cambiar de dirección a la izquierda o parar en ese lado, así como en las vías con circulación en ambos sentidos, a los tranvías que marchen por la zona central.

3. Reglamentariamente se establecerán otras posibles excepciones a la norma general señalada en el apartado 1 y particularidades de la maniobra de adelantamiento en función de las características de la vía.

**Artículo 34.** *Precauciones previas.–* 1. Antes de iniciar un adelantamiento que requiera desplazamiento lateral, el conductor que se proponga adelantar debe advertirlo con suficiente antelación, con las señales preceptivas, y comprobar que en el carril que pretende utilizar para el adelantamiento existe espacio libre suficiente para que la maniobra no ponga en peligro ni entorpezca a quienes circulen en sentido contrario, teniendo en cuenta la velocidad propia y la de los demás usuarios afectados. En caso contrario, debe abstenerse de efectuarla.

2. También debe cerciorarse de que el conductor del vehículo que le precede en el mismo carril no ha indicado su propósito de iniciar el adelantamiento, en cuyo caso debe respetar la preferencia que le asiste. No obstante, si después de un tiempo prudencial, el conductor del citado vehículo no la ejerciera, podrá iniciar la maniobra de adelantamiento, advirtiéndole previamente con señal acústica u óptica.

3. Asimismo debe asegurarse de que no se ha iniciado la maniobra de adelantar a su vehículo por parte de ningún conductor que le siga por el mismo carril, y de que dispone de espacio suficiente para volver a su carril cuando termine el adelantamiento.

4. No se considera adelantamiento, a efectos de estas normas, los realizados entre ciclistas que circulen en grupo.

**Artículo 35.** *Ejecución.–* 1. Durante la ejecución del adelantamiento, el conductor que lo efectúe debe llevar su vehículo a una velocidad notoriamente superior a la del que pretende adelantar y dejar entre ambos una separación lateral suficiente para realizarlo con seguridad.

2. Si después de iniciar la maniobra de adelantamiento advierte que se producen circunstancias que puedan hacer difícil la finalización del mismo sin provocar riesgos, reducirá rápidamente su marcha y volverá de nuevo a su carril, advirtiéndolo a los que le siguen con las señales preceptivas.

3. El conductor del vehículo que ha efectuado el adelantamiento debe volver a su carril tan pronto como le sea posible y de modo gradual, sin obligar a otros usuarios a modificar su trayectoria o velocidad y advirtiéndolo a través de las señales preceptivas.

4. El conductor de un automóvil que pretenda realizar un adelantamiento a un ciclo o ciclomotor, o conjunto de ellos, debe realizarlo ocupando parte o la totalidad del carril contiguo o contrario, en su caso, de la calzada y guardando

una anchura de seguridad de, al menos, 1,5 metros. Queda prohibido adelantar poniendo en peligro o entorpeciendo a ciclistas que circulen en sentido contrario, incluso si esos ciclistas circulan por el arcén.

**Artículo 36.** *Vehículo adelantado.–* 1. El conductor que advierta que otro que le sigue tiene el propósito de adelantar a su vehículo estará obligado a ceñirse al borde derecho de la calzada, salvo en el supuesto de cambio de dirección a la izquierda o de parada en ese mismo lado a que se refiere el artículo 33.2, en que deberá ceñirse a la izquierda todo lo posible, pero sin interferir la marcha de los vehículos que puedan circular en sentido contrario.

2. Se prohíbe al conductor del vehículo que va a ser adelantado aumentar la velocidad o efectuar maniobras que impidan o dificulten el adelantamiento. Asimismo está obligado a disminuir la velocidad de su vehículo cuando, una vez iniciada la maniobra de adelantamiento, se produzca alguna situación que entrañe peligro para su propio vehículo, para el vehículo que la está efectuando, para los que circulan en sentido contrario o para cualquier otro usuario de la vía.

**Artículo 37.** *Prohibiciones.–* Queda prohibido adelantar:

a) En las curvas y cambios de rasante de visibilidad reducida y, en general, en todo lugar o circunstancia en que la visibilidad disponible no sea suficiente para poder efectuar la maniobra o desistir de ella una vez iniciada, a no ser que los dos sentidos de circulación estén claramente delimitados y la maniobra pueda efectuarse sin invadir la zona reservada al sentido contrario.

b) En los pasos para peatones señalizados como tales y en los pasos a nivel y en sus proximidades.

c) En las intersecciones y en sus proximidades, salvo cuando:

1.º Se trate de una glorieta.

2.º El adelantamiento deba efectuarse por la derecha, según lo previsto en el artículo 33.2.

3.º La calzada en que se realice tenga preferencia en la intersección y haya señal expresa que lo indique.

4.º El adelantamiento se realice a vehículos de dos ruedas.

**Artículo 38.** *Supuestos especiales.–* Cuando un vehículo se encuentre inmovilizado en un tramo de vía en que esté prohibido el adelantamiento, ocupando en todo o en parte la calzada en el carril del sentido de la marcha, y siempre que la inmovilización no responda a las necesidades del tráfico, puede ser rebasado, aunque para ello haya que ocupar parte del carril izquierdo de la calzada. En todo caso, hay que cerciorarse previamente de que la maniobra se puede realizar sin peligro.

En estas mismas circunstancias se podrá adelantar a las bicicletas.

*Sección 7ª. Parada y estacionamiento*

**Artículo 39.** *Normas generales.–* 1. La parada o el estacionamiento de un vehículo en vías interurbanas debe efectuarse siempre fuera de la calzada, en el lado derecho de la misma y dejando libre, cuando exista, la parte transitable del arcén.

2. Cuando en vías urbanas tenga que realizarse en la calzada o en el arcén se situará el vehículo lo más cerca posible de su borde derecho, salvo en las vías de único sentido, en las que se podrá situar también en el lado izquierdo.

3. La parada y el estacionamiento deben efectuarse de tal manera que el vehículo no obstaculice la circulación ni constituya un riesgo para el resto de los usuarios de la vía, cuidando especialmente la colocación del mismo y evitando que pueda ponerse en movimiento en ausencia del conductor, de acuerdo con las normas que reglamentariamente se establezcan.

En vías urbanas se permite la parada o el estacionamiento de las grúas de auxilio en carretera por el tiempo indispensable para efectuar la retirada de los vehículos averiados o accidentados, siempre que no se cree un nuevo peligro, ni se cause obstáculo a la circulación.

4. El régimen de parada y estacionamiento en vías urbanas se regulará por ordenanza municipal, pudiendo adoptarse las medidas necesarias para evitar el entorpecimiento del tráfico, entre ellas, limitaciones horarias de duración del estacionamiento, así como las medidas correctoras precisas, incluida la retirada del vehículo o su inmovilización cuando no disponga de título que autorice el estacionamiento en zonas limitadas en tiempo o exceda del tiempo autorizado hasta que se logre la identificación del conductor.

**Artículo 40.** *Prohibiciones.–* 1. Queda prohibido parar en los siguientes casos:

a) En las curvas y cambios de rasante de visibilidad reducida, en sus proximidades y en los túneles.

b) En los pasos a nivel, pasos para ciclistas y pasos para peatones.

c) En los carriles o partes de la vía reservados exclusivamente para la circulación o para el servicio de determinados usuarios.

d) En las intersecciones y en sus proximidades.

e) Sobre los raíles de tranvías o tan cerca de ellos que pueda entorpecerse su circulación.

f) En los lugares donde se impida la visibilidad de la señalización a los usuarios a quienes les afecte u obligue a hacer maniobras.

g) En autovías o autopistas, salvo en las zonas habilitadas para ello.

h) En los carriles destinados al uso exclusivo del transporte público urbano, o en los reservados para las bicicletas.

i) En las zonas destinadas para estacionamiento y parada de uso exclusivo para el transporte público urbano.

j) En zonas señalizadas para uso exclusivo de personas con discapacidad y pasos para peatones.

2. Queda prohibido estacionar en los siguientes casos:

a) En todos los descritos en el apartado anterior.

b) En los lugares habilitados por la autoridad municipal como de estacionamiento con limitación horaria, conforme a la regulación del sistema utilizado para ello, sin disponer del título que lo autorice o cuando, disponiendo de él, se mantenga estacionado el vehículo en exceso sobre el tiempo máximo permitido por la autorización.

c) En zonas señalizadas para carga y descarga.

d) En zonas señalizadas para uso exclusivo de personas con discapacidad.

e) Sobre las aceras, paseos y demás zonas destinadas al paso de los peatones. No obstante, los municipios, a través de ordenanza municipal, podrán regular la parada y el estacionamiento de los vehículos de dos ruedas sobre las aceras y paseos siempre que no se perjudique ni se entorpezca el tránsito de los peatones por ellas, atendiendo a las necesidades de aquellos que puedan llevar algún objeto voluminoso y, especialmente, las de aquellas personas que tengan alguna discapacidad.

f) Delante de los vados señalizados correctamente.

g) En doble fila.

*Sección 8ª. Cruce de pasos a nivel y puentes levadizos*

**Artículo 41.** *Normas generales.–* 1. El conductor debe extremar la prudencia y reducir la velocidad al aproximarse a un paso a nivel o a un puente levadizo.

2. El usuario que al llegar a un paso a nivel o a un puente levadizo lo encuentre cerrado o con la barrera o semibarrera en movimiento, debe detenerse en el carril correspondiente hasta que tenga paso libre.

3. El cruce de la vía férrea debe realizarse sin demora y después de haberse cerciorado de que, por las circunstancias de la circulación o por otras causas, no existe riesgo de quedar inmovilizado dentro del paso.

4. Los pasos a nivel y puentes levadizos estarán debidamente señalizados por el titular de la vía.

**Artículo 42.** *Bloqueo de pasos a nivel.–* Cuando por razones de fuerza mayor un vehículo quede detenido en un paso a nivel o se produzca la caída de su carga dentro del mismo, el conductor está obligado a adoptar las medidas adecuadas para el rápido desalojo de los ocupantes del vehículo y para dejar el paso libre en el menor tiempo posible.

Si no lo consigue, adoptará inmediatamente todas las medidas a su alcance para que tanto los maquinistas de los vehículos que circulen por raíles, como los conductores del resto de los vehículos que se aproximen sean advertidos de la existencia del peligro con la suficiente antelación.

*Sección 9ª. Utilización del alumbrado*

**Artículo 43.** *Uso obligatorio.–* 1. Los vehículos que circulen entre la puesta y la salida del sol, o a cualquier hora del día en los túneles y demás tramos de vía afectados por la señal túnel, deben llevar encendido el alumbrado que corresponda, en los términos que reglamentariamente se determine.

2. También deben llevar encendido durante el resto del día el alumbrado que reglamentariamente se establezca:

a) Las motocicletas.

b) Los vehículos que circulen por un carril reversible o en sentido contrario al normalmente utilizado en la calzada donde se encuentre situado, bien sea un carril que les este exclusivamente reservado o bien abierto excepcionalmente a la circulación en dicho sentido.

3. También es obligatorio utilizar el alumbrado que reglamentariamente se establezca cuando existan condiciones meteorológicas o ambientales que disminuyan sensiblemente la visibilidad, como en caso de niebla, lluvia intensa, nevada, nubes de humo o de polvo o cualquier otra circunstancia análoga.

4. Las bicicletas, además, estarán dotadas de elementos reflectantes homologados que reglamentariamente se determine. Cuando circule por vía interurbana y sea obligatorio el uso de alumbrado, el conductor de bicicleta debe llevar colocada, además, alguna prenda o elemento reflectante.

*Sección 10ª. Advertencias de los conductores*

**Artículo 44.** *Normas generales.–* 1. El conductor está obligado a advertir al resto de los usuarios de la vía acerca de las maniobras que vaya a efectuar con su vehículo.

2. Como norma general, dichas advertencias se harán utilizando la señalización luminosa del vehículo o, en su defecto, con el brazo, de acuerdo con lo que se determine reglamentariamente.

3. Excepcionalmente o cuando así se prevea legal o reglamentariamente se podrán emplear señales acústicas, quedando prohibido su uso inmotivado o exagerado.

4. Los vehículos de servicios de urgencia y otros vehículos especiales podrán utilizar otras señales ópticas y acústicas en los casos y en las condiciones que reglamentariamente se determinen.

## CAPÍTULO III. OTRAS NORMAS DE CIRCULACIÓN

**Artículo 45.** *Puertas.–* Se prohíbe llevar abiertas las puertas del vehículo, abrirlas antes de su completa inmovilización y abrirlas o apearse del mismo sin haberse cerciorado previamente de que ello no implica peligro o entorpecimiento para otros usuarios, especialmente cuando se refiere a conductores de bicicletas.

**Artículo 46.** *Apagado de motor.–* Aun cuando el conductor no abandone su puesto, deberá parar el motor siempre que el vehículo se encuentre detenido en el interior de un túnel, en un lugar cerrado o durante la carga de combustible.

**Artículo 47.** *Cinturón, casco y restantes elementos de seguridad.*– El conductor y ocupantes de vehículos a motor y ciclomotores están obligados a utilizar el cinturón de seguridad, el casco y demás elementos de protección en los términos que reglamentariamente se determine.

El conductor y, en su caso, los ocupantes de bicicletas y ciclos en general estarán obligados a utilizar el casco de protección en las vías urbanas, interurbanas y travesías, en los términos que reglamentariamente se determine siendo obligatorio su uso por los menores de dieciséis años, y también por quienes circulen por vías interurbanas.

Reglamentariamente se fijarán las excepciones a lo previsto en este apartado.

**Artículo 48.** *Tiempos de descanso y conducción.*– Por razones de seguridad podrán regularse los tiempos de conducción y descanso. También podrá exigirse la presencia de más de una persona habilitada para la conducción de un solo vehículo.

**Artículo 49.** *Peatones.*– 1. El peatón debe transitar por la zona peatonal, salvo cuando ésta no exista o no sea practicable, en cuyo caso podrá hacerlo por el arcén o, en su defecto, por la calzada, en los términos que reglamentariamente se determine.

2. Fuera de poblado, y en tramos de poblado incluidos en el desarrollo de una carretera que no dispongan de espacio especialmente reservado para peatones, siempre que sea posible, la circulación de los mismos se hará por su izquierda.

3. Salvo en los casos y en las condiciones que reglamentariamente se determinen, queda prohibida la circulación de peatones por autopistas y autovías.

**Artículo 50.** *Animales.*– 1. Sólo se permite el tránsito de animales de tiro, carga o silla, cabezas de ganado aisladas, en manada o rebaño, cuando no exista itinerario practicable por vía pecuaria y siempre que vayan custodiados por alguna persona.

Dicho tránsito se efectuará por la vía alternativa que tenga menor intensidad de circulación de vehículos en los términos que reglamentariamente se determine.

2. Se prohíbe la circulación de animales por autopistas y autovías.

**Artículo 51.** *Obligaciones en caso de accidente o avería.–* 1. El usuario de la vía que se vea implicado en un accidente de tráfico, lo presencie o tenga conocimiento de él está obligado a auxiliar o solicitar auxilio para atender a las víctimas que pueda haber, prestar su colaboración, evitar mayores peligros o daños, restablecer, en la medida de lo posible, la seguridad de la circulación y esclarecer los hechos.

2. Si por causa de accidente o avería el vehículo o su carga obstaculizan la calzada, el conductor, tras señalizar convenientemente el vehículo o el obstáculo creado, adoptará las medidas necesarias para que sea retirado en el menor tiempo posible debiendo sacarlo de la calzada y situarlo cumpliendo las normas de estacionamiento siempre que sea factible.

3. Reglamentariamente se determinarán las condiciones en las que realizarán sus funciones los servicios de auxilio en carretera que acudan al lugar de un accidente o avería, así como las características que deban cumplir las empresas que los desarrollen o los vehículos y demás medios que se hayan de utilizar.

**Artículo 52.** *Publicidad.–* Se prohíbe la publicidad en relación con vehículos a motor que ofrezca en su argumentación escrita o verbal, en sus elementos sonoros o en sus imágenes incitación a la velocidad excesiva, a la conducción temeraria, a situaciones de peligro o cualquier otra circunstancia que suponga una conducta contraria a los principios de esta ley, o cuando dicha publicidad induzca al conductor a una falsa o no justificada sensación de seguridad.

### TÍTULO III. DE LA SEÑALIZACIÓN

**Artículo 53.** *Normas generales.–* 1. El usuario de las vías está obligado a obedecer las señales de la circulación que establezcan una obligación o una prohibición y a adaptar su comportamiento al mensaje del resto de las señales reglamentarias que se encuentren en las vías por las que circula.

A estos efectos, cuando la señal imponga una obligación de detención, el conductor del vehículo no puede reanudar su marcha hasta haber cumplido lo prescrito por la señal.

En los peajes dinámicos o telepeajes, los vehículos que los utilicen deberán estar provistos del medio técnico que posibilite su uso en condiciones operativas.

2. Salvo circunstancias especiales que lo justifiquen, el usuario debe obedecer las prescripciones indicadas por las señales, aun cuando parezcan estar en contradicción con las normas de comportamiento en la circulación.

**Artículo 54.** *Preferencia.*– 1. El orden de preferencia entre los distintos tipos de señales de circulación es el siguiente:

a) Señales y órdenes de los agentes de la autoridad encargados de la vigilancia del tráfico en el ejercicio de las funciones que tengan encomendadas.

b) Señalización circunstancial que modifique el régimen normal de utilización de la vía.

c) Semáforos.

d) Señales verticales de circulación.

e) Marcas viales.

2. En el caso de que las prescripciones indicadas por diferentes señales parezcan estar en contradicción entre sí, prevalecerá la preferente, según el orden a que se refiere el apartado anterior, o la más restrictiva si se trata de señales del mismo tipo.

**Artículo 55.** *Formato.*– 1. Reglamentariamente se establecerá el Catálogo Oficial de Señales de la Circulación y Marcas Viales, de acuerdo con las reglamentaciones y recomendaciones internacionales en la materia.

2. Dicho Catálogo especificará necesariamente la forma, color, diseño y significado de las señales, así como las dimensiones de las mismas en función de cada tipo de vía y sus sistemas de colocación.

3. Las señales y marcas viales deberán cumplir las especificaciones que reglamentariamente se establezca.

**Artículo 56.** *Lengua.*– Las indicaciones escritas de las señales se expresarán, al menos, en la lengua española oficial del Estado.

**Artículo 57.** *Mantenimiento.*– 1. Corresponde al titular de la vía la responsabilidad del mantenimiento de la misma en las mejores condiciones posibles de seguridad para la circulación, y de la instalación y conservación en ella de las adecuadas señales y marcas viales. También corresponde al titular de la vía la autorización previa para la instalación en ella de otras señales de circulación. En caso de emergencia, los agentes de la autoridad encargados de la vigilancia del tráfico, en el ejercicio de las funciones que tengan encomendadas, podrán instalar señales circunstanciales sin autorización previa.

2. La autoridad encargada de la regulación, ordenación y gestión del tráfico será responsable de la señalización de carácter circunstancial en razón de las contingencias del mismo y de la señalización variable necesaria para su control, de acuerdo con la normativa de carreteras.

3. La responsabilidad de la señalización de las obras que se realicen en las vías corresponderá a los organismos que las realicen o a las empresas adjudicatarias de las mismas, en los términos que reglamentariamente se determine. Los usuarios de la vía están obligados a seguir las indicaciones del personal destinado a la regulación del tráfico en dichas obras.

**Artículo 58.** *Retirada, sustitución y alteración.–* 1. El titular de la vía o, en su caso, la autoridad encargada de la ordenación y gestión del tráfico, ordenará la inmediata retirada y, cuando proceda, la sustitución por las que sean adecuadas a la normativa vigente, de las que hayan perdido su objeto y de las que no lo cumplan por causa de su deterioro.

2. Salvo por causa justificada, nadie debe instalar, retirar, trasladar, ocultar o modificar la señalización de una vía sin permiso del titular de la misma o, en su caso, de la autoridad encargada de la regulación, ordenación y gestión del tráfico o de la responsable de las instalaciones.

3. Se prohíbe modificar el contenido de las señales o colocar sobre ellas o en sus inmediaciones placas, carteles, marcas u otros objetos que puedan inducir a confusión, reducir su visibilidad o su eficacia, deslumbrar a los usuarios de la vía o distraer su atención.

## TÍTULO IV. AUTORIZACIONES ADMINISTRATIVAS

### CAPÍTULO I. AUTORIZACIONES EN GENERAL

**Artículo 59.** *Normas generales.–* 1. Con objeto de garantizar la aptitud de los conductores para manejar los vehículos y la idoneidad de éstos para circular con el mínimo de riesgo posible, la circulación de vehículos a motor y de ciclomotores requerirá de la obtención de la correspondiente autorización administrativa previa.

Reglamentariamente se fijarán los datos que han de constar en las autorizaciones de los conductores y de los vehículos.

2. El conductor de un vehículo a motor o ciclomotor queda obligado a estar en posesión y llevar consigo su permiso o licencia válidos para conducir, así como el permiso de circulación del vehículo y la tarjeta de inspección técnica, y deberá exhibirlos ante los agentes de la autoridad encargados de la vigilancia del tráfico en el ejercicio de las funciones que tienen encomendadas que se lo soliciten, en los términos que reglamentariamente se determine.

3. En las autorizaciones administrativas de circulación únicamente constará un titular.

**Artículo 60.** *Domicilio y Dirección Electrónica Vial (DEV).–* 1. El titular de un permiso o licencia de conducción o del permiso de circulación de un vehículo comunicará a los registros del organismo autónomo Jefatura Central de Tráfico su domicilio. Éste se utilizará para efectuar las notificaciones respecto de todas las autorizaciones de que disponga. A estos efectos, los ayuntamientos y la Agencia Estatal de Administración Tributaria podrán comunicar al organismo autónomo Jefatura Central de Tráfico los nuevos domicilios de que tengan constancia.

2. En el historial de cada vehículo podrá hacerse constar, además, un domicilio a los únicos efectos de gestión de los tributos relacionados con el mismo.

3. Sin perjuicio de lo dispuesto en el apartado 1, el organismo autónomo Jefatura Central de Tráfico asignará además a todo titular de un permiso o licencia de conducción o del permiso de circulación de un vehículo, y con carácter previo a su obtención, una Dirección Electrónica Vial (DEV). Esta dirección se asignará automáticamente a todas las autorizaciones de que disponga su titular en los Registros de Vehículos y de Conductores e Infractores del organismo autónomo Jefatura Central de Tráfico.

4. La asignación de la Dirección Electrónica Vial (DEV) se realizará también al arrendatario a largo plazo que conste en el Registro de Vehículos del organismo autónomo Jefatura Central de Tráfico, con carácter previo a su inclusión.

5. No obstante lo dispuesto en los apartados anteriores, si el titular de la autorización es una persona física sólo se le asignará una Dirección Electrónica Vial (DEV) cuando lo solicite voluntariamente. En este caso, todas las notificaciones se practicarán en la Dirección Electrónica Vial conforme se establece en el artículo 90, sin perjuicio de lo previsto en la normativa sobre acceso electrónico de los ciudadanos a los servicios públicos.

6. En la Dirección Electrónica Vial (DEV) además se practicarán los avisos e incidencias relacionados con las autorizaciones administrativas recogidas en esta ley.

## CAPÍTULO II. AUTORIZACIONES PARA CONDUCIR

**Artículo 61.** *Permisos y licencias de conducción.–* 1. La conducción de vehículos a motor y ciclomotores exigirá haber obtenido previamente el preceptivo permiso o licencia de conducción dirigido a verificar que el conductor tenga los requisitos de capacidad, conocimientos y habilidad necesarios para la conducción del vehículo, en los términos que se determine reglamentariamente.

2. El permiso y la licencia de conducción podrán tener vigencia limitada en el tiempo, cuyos plazos podrán ser revisados en los términos que reglamentariamente se determine.

3. Su vigencia estará también condicionada a que su titular no haya perdido el crédito de puntos asignado.

**Artículo 62.** *Centros de formación y reconocimiento de conductores.–* 1. La enseñanza de los conocimientos y técnica necesarios para la conducción, así como el posterior perfeccionamiento y renovación de conocimientos se ejercerán por centros de formación, que podrán constituir secciones o sucursales con la misma titularidad y denominación.

Los centros de formación requerirán autorización previa, que tendrá validez en todo el territorio español en el caso de que se establezcan secciones o sucursales.

2. A los fines de garantizar la seguridad vial, se regularán reglamentariamente los elementos personales y materiales mínimos para la formación y el reconocimiento de conductores siguiendo lo establecido en la normativa sobre libre acceso a las actividades de servicios y su ejercicio.

En particular, reglamentariamente se regulará el régimen docente y de funcionamiento de los centros de formación. La titulación y acreditación de los profesores y directores se basará en pruebas objetivas, que valorarán los conocimientos, la aptitud pedagógica y la experiencia práctica. Las pruebas se convocarán periódicamente.

3. Se podrá autorizar la enseñanza no profesional en los términos que reglamentariamente se determine.

4. La constatación de las aptitudes psicofísicas de los conductores se ejercerá por centros, que necesitarán autorización previa de la autoridad competente para desarrollar su actividad.

Se regulará reglamentariamente el funcionamiento de los centros de reconocimiento de conductores, así como sus medios personales y materiales mínimos.

**Artículo 63.** *Asignación de puntos.–* 1. Al titular de un permiso o licencia de conducción se le asignará un crédito inicial de doce puntos.

2. Excepcionalmente se asignará un crédito inicial de ocho puntos en los siguientes casos:

a) Titular de un permiso o licencia de conducción con una antigüedad no superior a tres años, salvo que ya fuera titular de otro permiso de conducción con aquella antigüedad.

b) Titular de un permiso o licencia de conducción que, tras perder su asignación total de puntos, ha obtenido nuevamente el permiso o la licencia de conducción.

3. El crédito de puntos es único para todas las autorizaciones administrativas de las que sea titular el conductor.

4. Quienes mantengan la totalidad de los puntos al no haber sido sancionados en firme en vía administrativa por la comisión de infracciones, recibirán como bonificación dos puntos durante los tres primeros años y un punto por los tres siguientes, pudiendo llegar a acumular hasta un máximo de quince puntos en lugar de los doce iniciales.

**Artículo 64.** *Pérdida de puntos.–* 1. El número de puntos inicialmente asignado al titular de un permiso o licencia de conducción se verá reducido por cada sanción firme en vía administrativa que se le imponga por la comisión de infracciones graves o muy graves que lleven aparejada la pérdida de puntos, de acuerdo con el baremo establecido en los anexos II y IV.

2. Cuando la Administración notifique la resolución por la que se sancione una infracción que lleve aparejada la pérdida de puntos, indicará expresamente cuál es el número de puntos que se restan y la forma expresa de conocer su saldo de puntos.

3. La pérdida parcial o total, así como la recuperación de los puntos asignados, afectará al permiso o licencia de conducción cualquiera que sea su clase.

4. Los conductores no perderán más de ocho puntos por acumulación de infracciones en un solo día, salvo que concurra alguna de las infracciones muy graves a que se refieren los párrafos a), c), d), e), f), g), h) e i) del artículo 77, en cuyo caso perderán el número total de puntos que correspondan.

5. Cuando un conductor sea sancionado en firme en vía administrativa por la comisión de alguna de las infracciones graves o muy graves que se relacionan en los anexos II y IV, los puntos que corresponda descontar del crédito que posea en su permiso o licencia de conducción quedarán descontados de forma automática y simultánea en el momento en que se proceda a la anotación de la citada sanción en el Registro de Conductores e Infractores del organismo autónomo Jefatura Central de Tráfico, quedando constancia en dicho Registro del crédito total de puntos de que disponga el titular de la autorización.

6. La antigüedad permanece en los posteriores permisos o licencias de conducción obtenidos a consecuencia de la total extinción de los puntos inicialmente asignados a cada titular.

**Artículo 65.** *Recuperación de puntos.–* 1. Transcurridos dos años sin haber sido sancionados en firme en vía administrativa por la comisión de infracciones que lleven aparejada la pérdida de puntos, el titular de un permiso o licencia de conducción afectado por la pérdida parcial de puntos recuperará la totalidad del crédito inicial de doce puntos.

No obstante, en el caso de que la pérdida de alguno de los puntos se debiera a la comisión de infracciones muy graves, el plazo para recuperar la totalidad del crédito será de tres años.

2. Los titulares de un permiso o licencia de conducción a los que se hace referencia en los párrafos a) y b) del apartado 2 del artículo 63, transcurrido el plazo de dos años sin haber sido sancionados en firme en vía administrativa por la comisión de infracciones que impliquen la pérdida de puntos, pasarán a disponer de un total de doce puntos.

3. La pérdida de puntos únicamente se producirá cuando el hecho del que se deriva la detracción de puntos se produzca con ocasión de la conducción de un vehículo para el que se exija permiso o licencia de conducción.

4. El titular de un permiso o licencia de conducción que haya perdido una parte del crédito inicial de puntos asignado, podrá optar a su recuperación parcial, hasta un máximo de seis puntos, por una sola vez cada dos años, realizando y superando con aprovechamiento un curso de sensibilización y reeducación vial, con la excepción de los conductores profesionales que podrán realizar el citado curso con frecuencia anual.

En todo caso, la duración de los citados cursos será como máximo de quince horas.

## CAPÍTULO III. AUTORIZACIONES RELATIVAS A LOS VEHÍCULOS

**Artículo 66.** *Permisos de circulación.–* 1. La circulación de vehículos exigirá que éstos obtengan previamente el correspondiente permiso de circulación, dirigido a verificar que estén en perfecto estado de funcionamiento y se ajusten en sus características, equipos, repuestos y accesorios a las prescripciones técnicas que se fijen reglamentariamente. Se prohíbe la circulación de vehículos que no estén dotados del citado permiso

2. El permiso de circulación debe renovarse cuando varíe la titularidad registral del vehículo, y queda extinguido cuando éste se dé de baja en el correspondiente registro, a instancia de parte o por comprobarse que no es apto para la circulación, en los términos que reglamentariamente se determine.

3. La circulación de un vehículo sin el permiso de circulación, bien por no haberlo obtenido o porque haya sido objeto de declaración de pérdida de vigencia, de nulidad o anulada, da lugar a la inmovilización del mismo hasta que se disponga del mismo, en los términos que reglamentariamente se determine.

**Artículo 67.** *Otra documentación.–* 1. Los vehículos, sus equipos y sus repuestos y accesorios deben estar previamente homologados o ser objeto de inspección técnica unitaria antes de ser admitidos a la circulación, en los términos que reglamentariamente se determine. Dichos vehículos han de ser identificables, ostentando grabados o troquelados, de forma legible e indeleble, las marcas y contraseñas que reglamentariamente sean exigibles con objeto de individualizarlos, autentificar su fabricación y especificar su empleo o posterior acoplamiento de elementos importantes.

2. Los vehículos a motor, los ciclomotores y los remolques de masa máxima autorizada superior a la que reglamentariamente se determine, tendrán

documentadas sus características técnicas esenciales en la tarjeta de inspección técnica, en la que se harán constar las reformas que se autoricen y la verificación de su estado de servicio y mantenimiento en los términos que reglamentariamente se determine.

**Artículo 68.** *Matrículas.–* 1. Para poner en circulación vehículos a motor, así como remolques de masa máxima autorizada superior a la que reglamentariamente se determine, es preciso matricularlos y que lleven las placas de matrícula con los caracteres que se les asigne del modo que se establezca. Esta obligación será exigida a los ciclomotores en los términos que reglamentariamente se determine.

2. Deben ser objeto de matriculación definitiva en España los vehículos a los que se refiere el apartado anterior, cuando se destinen a ser utilizados en el territorio español por personas o entidades que sean residentes en España o que sean titulares de establecimientos situados en España. Reglamentariamente se establecerán los plazos, requisitos y condiciones para el cumplimiento de esta obligación y las posibles exenciones a la misma.

3. En casos justificados, la autoridad competente para expedir el permiso de circulación podrá conceder permisos de circulación temporales y provisionales en los términos que se determine reglamentariamente.

## CAPÍTULO IV. NULIDAD, LESIVIDAD Y PÉRDIDA DE VIGENCIA DE LA AUTORIZACIÓN. OBTENCIÓN DE UN NUEVO PERMISO O LICENCIA DE CONDUCCIÓN

**Artículo 69.** *Nulidad y lesividad.–* Las autorizaciones administrativas reguladas en este título podrán ser objeto de declaración de nulidad o lesividad cuando concurra alguno de los supuestos previstos y de acuerdo con el procedimiento regulado en la normativa sobre procedimiento administrativo común.

**Artículo 70.** *Pérdida de vigencia por desaparición de los requisitos para su otorgamiento.–* 1. Con independencia de lo dispuesto en el artículo anterior, la vigencia de las autorizaciones administrativas reguladas en este título estará subordinada a que se mantengan los requisitos exigidos para su otorgamiento.

2. El organismo autónomo Jefatura Central de Tráfico podrá declarar la pérdida de vigencia de las autorizaciones reguladas en este título cuando se

acredite la desaparición de los requisitos sobre conocimientos, habilidades o aptitudes psicofísicas exigidas para su autorización.

Para acordar la pérdida de vigencia, la Administración deberá notificar la presunta carencia del requisito exigido al interesado, a quien se concederá la facultad de acreditar su existencia en los términos que reglamentariamente se determine.

3. El titular de una autorización cuya pérdida de vigencia haya sido declarada de acuerdo con lo dispuesto en el apartado anterior podrá obtenerla de nuevo siguiendo el procedimiento, superando las pruebas y acreditando los requisitos que reglamentariamente se determinen.

**Artículo 71.** *Pérdida de vigencia por pérdida del crédito de puntos y obtención de un nuevo permiso o licencia de conducción.–* 1. El organismo autónomo Jefatura Central de Tráfico declarará la pérdida de vigencia del permiso o licencia de conducción cuando su titular haya perdido la totalidad de los puntos asignados, como consecuencia de la aplicación del baremo recogido en los anexos II y IV. Una vez constatada la pérdida total de los puntos que tuviera asignados, la Administración, en el plazo de quince días, notificará al interesado el acuerdo por el que se declara la pérdida de vigencia de su permiso o licencia de conducción.

En este caso, su titular no podrá obtener un nuevo permiso o una nueva licencia de conducción hasta transcurridos seis meses desde la notificación del acuerdo. Este plazo se reducirá a tres meses en el caso de conductores profesionales.

Si durante los tres años siguientes a la obtención del nuevo permiso o licencia de conducción fuera acordada su pérdida de vigencia por haber perdido nuevamente la totalidad de los puntos asignados, no se podrá obtener un nuevo permiso o licencia de conducción hasta transcurridos doce meses desde la notificación del acuerdo. Este plazo se reducirá a seis meses en el caso de conductores profesionales.

2. El titular de un permiso o licencia de conducción cuya pérdida de vigencia haya sido declarada como consecuencia de la pérdida total de los puntos asignados podrá obtener nuevamente un permiso o licencia de conducción de la misma clase de la que era titular, transcurridos los plazos señalados en el apartado anterior, previa realización y superación con aprovechamiento de un curso de sensibilización y reeducación vial y posterior superación de las pruebas que reglamentariamente se determinen.

3. Los cursos de sensibilización y reeducación vial tendrán la duración, el contenido y los requisitos que se determinen por el Ministro del Interior.

La duración de los cursos de sensibilización y reeducación vial será como máximo de 30 horas, cuando se pretenda obtener un nuevo permiso o licencia de conducción.

**Artículo 72.** *Suspensión cautelar.*– En el curso de los procedimientos de declaración de nulidad, lesividad o pérdida de vigencia de las autorizaciones administrativas se acordará la suspensión cautelar de la autorización en cuestión cuando su mantenimiento entrañe un grave peligro para la seguridad del tráfico, en cuyo caso la autoridad que conozca del procedimiento ordenará, mediante resolución motivada, la intervención inmediata de la autorización y la práctica de cuantas medidas sean necesarias para impedir el efectivo ejercicio de la misma.

**Artículo 73.** *Obtención de un nuevo permiso o licencia de conducción posterior a la sentencia penal de privación del derecho a conducir vehículos a motor.*– 1. El titular de un permiso o licencia de conducción que haya perdido su vigencia de acuerdo con lo previsto en el artículo 47 del Código Penal, al haber sido condenado por sentencia firme a la pena de privación del derecho a conducir vehículos a motor y ciclomotores por tiempo superior a dos años, podrá obtener, una vez cumplida la condena, un permiso o licencia de conducción de la misma clase y con la misma antigüedad, de acuerdo con el procedimiento establecido en el artículo 71.2 para la pérdida de vigencia de la autorización por la pérdida total de los puntos asignados.

El permiso que se obtenga dispondrá de un saldo de 8 puntos.

2. Si la condena es igual o inferior a dos años, para volver a conducir únicamente deberá acreditar haber superado con aprovechamiento el curso de reeducación y sensibilización vial al que hace referencia el primer párrafo del artículo 71.2.

## TÍTULO V. RÉGIMEN SANCIONADOR

### CAPÍTULO I. INFRACCIONES

**Artículo 74.** *Disposiciones generales.*– 1. Las acciones u omisiones contrarias a esta ley tendrán el carácter de infracciones administrativas y serán sancionadas en los términos previstos en la misma.

2. Cuando las acciones u omisiones puedan ser constitutivas de delitos tipificados en las leyes penales, se estará a lo dispuesto en el artículo 85.

3. Las infracciones se clasifican en leves, graves y muy graves.

**Artículo 75.** *Infracciones leves.*– Son infracciones leves las conductas tipificadas en esta ley referidas a:

a) Circular en una bicicleta sin hacer uso del alumbrado reglamentario.

b) No hacer uso de los elementos y prendas reflectantes por parte de los usuarios de bicicletas.

c) Incumplir las normas contenidas en esta ley que no se califiquen expresamente como infracciones graves o muy graves en los artículos siguientes.

**Artículo 76.** *Infracciones graves.*– Son infracciones graves, cuando no sean constitutivas de delito, las conductas tipificadas en esta ley referidas a:

a) No respetar los límites de velocidad reglamentariamente establecidos o circular en un tramo a una velocidad media superior a la reglamentariamente establecida, de acuerdo con lo recogido en el anexo IV.

b) Realizar obras en la vía sin comunicarlas con anterioridad a su inicio a la autoridad responsable de la regulación, ordenación y gestión del tráfico, así como no seguir las instrucciones de dicha autoridad referentes a las obras

c) Incumplir las disposiciones de esta ley en materia de preferencia de paso, adelantamientos, cambios de dirección o sentido y marcha atrás, sentido de la circulación, utilización de carriles y arcenes y, en general, toda vulneración de las ordenaciones especiales de tráfico por razones de seguridad o fluidez de la circulación.

d) Parar o estacionar en el carril bus, en curvas, cambios de rasante, zonas de estacionamiento para uso exclusivo de personas con discapacidad, túneles, pasos inferiores, intersecciones o en cualquier otro lugar peligroso o en el que se obstaculice gravemente la circulación o constituya un riesgo, especialmente para los peatones.

e) Circular sin hacer uso del alumbrado reglamentario.

f) Conducir utilizando cualquier tipo de casco de audio o auricular conectado a aparatos receptores o reproductores de sonido u otros dispositivos que disminuyan la atención permanente a la conducción.

g) Conducir utilizando manualmente dispositivos de telefonía móvil, navegadores o cualquier otro medio o sistema de comunicación, así como utilizar mecanismos de detección de radares o cinemómetros.

h) No hacer uso del cinturón de seguridad, sistemas de retención infantil, casco y demás elementos de protección.

i) Circular con menores de doce años como pasajeros de ciclomotores o motocicletas, o con menores en los asientos delanteros o traseros, cuando no esté permitido.

j) No respetar las señales y órdenes de los agentes de la autoridad encargados de la vigilancia del tráfico.

k) No respetar la luz roja de un semáforo.

l) No respetar la señal de stop o la señal de ceda el paso.

ll) Conducir un vehículo siendo titular de una autorización que carece de validez por no haber cumplido los requisitos administrativos exigidos reglamentariamente en España.

m) Conducción negligente.

n) Arrojar a la vía o en sus inmediaciones objetos que puedan producir incendios o accidentes, o que obstaculicen la libre circulación.

ñ) No mantener la distancia de seguridad con el vehículo precedente.

o) Circular con un vehículo que incumpla las condiciones técnicas reglamentariamente establecidas, salvo que sea calificada como muy grave, así como las infracciones relativas a las normas que regulan la inspección técnica de vehículos.

p) Incumplir la obligación de todo conductor de verificar que las placas de matrícula del vehículo no presentan obstáculos que impidan o dificulten su lectura e identificación.

q) No facilitar al agente de la autoridad encargado de la vigilancia del tráfico en el ejercicio de las funciones que tenga encomendadas su identidad, ni los datos del vehículo solicitados por los afectados en un accidente de circulación, estando implicado en el mismo.

r) Conducir vehículos con la carga mal acondicionada o con peligro de caída.

s) Conducir un vehículo teniendo prohibido su uso.

t) Circular con un vehículo cuyo permiso de circulación está suspendido.

u) La ocupación excesiva del vehículo que suponga aumentar en un 50 por ciento el número de plazas autorizadas, excluida la del conductor.

v) Incumplir la obligación de impedir que el vehículo sea conducido por quien nunca haya obtenido el permiso o la licencia de conducción correspondiente.

w) Incumplir las normas sobre el régimen de autorización y funcionamiento de los centros de enseñanza y formación y de los centros de reconocimiento de conductores acreditados por el Ministerio del Interior o por los órganos competentes de las comunidades autónomas, salvo que puedan calificarse como infracciones muy graves.

x) Circular por autopistas o autovías con vehículos que lo tienen prohibido.

y) No instalar los dispositivos de alerta al conductor en los garajes o aparcamientos en los términos legal y reglamentariamente previstos.

z) Circular en posición paralela con vehículos que lo tienen prohibido.

**Artículo 77.** *Infracciones muy graves.–* Son infracciones muy graves, cuando no sean constitutivas de delito, las conductas tipificadas en esta ley referidas a:

a) No respetar los límites de velocidad reglamentariamente establecidos o circular en un tramo a una velocidad media superior a la reglamentariamente establecida, de acuerdo con lo recogido en el anexo IV.

b) Circular con un vehículo cuya carga ha caído a la vía, por su mal acondicionamiento, creando grave peligro para el resto de los usuarios.

c) Conducir con tasas de alcohol superiores a las que reglamentariamente se establezcan, o con presencia en el organismo de drogas.

d) Incumplir la obligación de todos los conductores de vehículos, y de los demás usuarios de la vía cuando se hallen implicados en algún accidente de tráfico o hayan cometido una infracción, de someterse a las pruebas que se establezcan para la detección de alcohol o de la presencia de drogas en el organismo.

e) Conducción temeraria.

f) Circular en sentido contrario al establecido.

g) Participar en competiciones y carreras de vehículos no autorizadas.

h) Conducir vehículos que tengan instalados inhibidores de radares o cinemómetros o cualesquiera otros mecanismos encaminados a interferir en el correcto funcionamiento de los sistemas de vigilancia del tráfico.

i) Aumentar en más del 50 por ciento los tiempos de conducción o minorar en más del 50 por ciento los tiempos de descanso establecidos en la legislación sobre transporte terrestre.

j) Incumplir el titular o el arrendatario del vehículo con el que se haya cometido la infracción la obligación de identificar verazmente al conductor responsable de dicha infracción, cuando sean debidamente requeridos para ello en el plazo establecido. En el supuesto de las empresas de alquiler de vehículos sin conductor la obligación de identificar se ajustará a las previsiones al respecto del artículo 11.

k) Conducir un vehículo careciendo del permiso o licencia de conducción correspondiente.

l) Circular con un vehículo que carezca de la autorización administrativa correspondiente, con una autorización que no sea válida por no cumplir los requisitos exigidos reglamentariamente, o incumpliendo las condiciones de la autorización administrativa que habilita su circulación.

ll) Circular con un vehículo que incumpla las condiciones técnicas que afecten gravemente a la seguridad vial.

m) Participar o colaborar en la colocación o puesta en funcionamiento de elementos que alteren el normal funcionamiento del uso del tacógrafo o del limitador de velocidad.

n) Realizar en la vía obras sin la autorización correspondiente, así como la retirada, ocultación, alteración o deterioro de la señalización permanente u ocasional.

ñ) No instalar la señalización de obras o hacerlo incumpliendo la normativa vigente, poniendo en grave riesgo la seguridad vial.

o) Incumplir las normas que regulan las actividades industriales que afectan de manera directa a la seguridad vial.

p) Instalar inhibidores de radares o cinemómetros en los vehículos o cualesquiera otros mecanismos encaminados a interferir en el correcto funcionamiento de los sistemas de vigilancia del tráfico.

q) Incumplir las normas sobre el régimen de autorización y funcionamiento de los centros de enseñanza y formación y de acreditación de los centros de reconocimiento de conductores autorizados o acreditados por el Ministerio del Interior o por los órganos competentes de las comunidades autónomas, que afecten a la cualificación de los profesores o facultativos, al estado de los vehículos utilizados en la enseñanza, a elementos esenciales que incidan directamente en la seguridad vial, o que supongan un impedimento a las labores de control o inspección.

r) Causar daños a la infraestructura de la vía, o alteraciones a la circulación debidos a la masa o a las dimensiones del vehículo, cuando se carezca de la correspondiente autorización administrativa o se hayan incumplido las condiciones de la misma, con independencia de la obligación de la reparación del daño causado.

**Artículo 78.** *Infracciones en materia de aseguramiento obligatorio.–* 1. Las infracciones derivadas del incumplimiento de la obligación de asegurar los vehículos a motor se regularán y sancionarán con arreglo a su legislación específica.

2. Las estaciones de inspección técnica de vehículos requerirán la acreditación del seguro obligatorio en cada inspección ordinaria o extraordinaria del vehículo. El resultado de la inspección no podrá ser favorable en tanto no se verifique este requisito.

**Artículo 79.** *Infracciones en materia de publicidad.–* Las infracciones a lo previsto en el artículo 52 se sancionarán en la cuantía y a través del procedimiento establecido en la legislación sobre defensa de los consumidores y usuarios.

## CAPÍTULO II. SANCIONES

**Artículo 80.** *Tipos.–* 1. Las infracciones leves serán sancionadas con multa de hasta 100 euros; las graves, con multa de 200 euros, y las muy graves, con multa de 500 euros. No obstante, las infracciones consistentes en no respetar los límites de velocidad se sancionarán en la cuantía prevista en el anexo IV.

2. Sin perjuicio de lo dispuesto anteriormente, en la imposición de sanciones deberá tenerse en cuenta que:

a) Las infracciones previstas en el artículo 77. c) y d) serán sancionadas con multa de 1.000 euros. En el supuesto de conducción con tasas de alcohol superiores a las que reglamentariamente se establezcan, esta sanción únicamente se impondrá al conductor que ya hubiera sido sancionado en el año inmediatamente anterior por exceder la tasa de alcohol permitida, así como al que circule con una tasa que supere el doble de la permitida.

b) La multa por la infracción prevista en el artículo 77. j) será el doble de la prevista para la infracción originaria que la motivó, si es infracción leve, y el triple, si es infracción grave o muy grave.

c) La infracción recogida en el artículo 77. h) se sancionará con multa de 6.000 euros.

d) Las infracciones recogidas en el artículo 77. n), ñ), o), p), q) y r) se sancionarán con multa de entre 3.000 y 20.000 euros.

3. En el supuesto de la infracción recogida en el artículo 77. q) se podrá imponer la sanción de suspensión de la correspondiente autorización por el período de hasta un año. Durante el tiempo que dure la suspensión su titular no podrá obtener otra autorización para las mismas actividades.

La realización de actividades durante el tiempo de suspensión de la autorización llevará aparejada además una nueva suspensión por un período de seis meses al cometerse el primer quebrantamiento, y de un año si se produjese un segundo o sucesivos quebrantamientos.

**Artículo 81.** *Graduación.–* La cuantía de las multas establecidas en el artículo 80.1 y en el anexo IV podrá incrementarse en un 30 por ciento, en atención a la gravedad y trascendencia del hecho, los antecedentes del infractor y a su condición de reincidente, el peligro potencial creado para él mismo y para los demás usuarios de la vía y al criterio de proporcionalidad.

Los criterios de graduación establecidos anteriormente serán asimismo de aplicación a las sanciones por las infracciones previstas en el artículo 77, párrafos n) a r), ambos incluidos.

## CAPÍTULO III. RESPONSABILIDAD

**Artículo 82.** *Responsables.–* La responsabilidad por las infracciones a lo dispuesto en esta ley recaerá directamente en el autor del hecho en que consista la infracción. No obstante:

a) El conductor de cualquier vehículo para el que se exija el uso de casco por conductor y pasajero será responsable por la no utilización del casco de protección por el pasajero, así como por transportar pasajeros que no cuenten con la edad mínima exigida.

Asimismo, el conductor del vehículo será responsable por la no utilización de los sistemas de retención infantil, con la excepción prevista en el artículo 13.4 cuando se trate de conductores profesionales.

b) Cuando la autoría de los hechos cometidos corresponda a un menor de dieciocho años, responderán solidariamente con él de la multa impuesta sus padres, tutores, acogedores y guardadores legales o de hecho, por este orden, en razón al incumplimiento de la obligación impuesta a éstos que conlleva un deber de prevenir la infracción administrativa que se impute a los menores.

c) En los supuestos en que no tenga lugar la detención del vehículo y éste tuviese designado un conductor habitual, la responsabilidad recaerá en éste, salvo que acredite que era otro el conductor o la sustracción del vehículo.

d) En los supuestos en que no tenga lugar la detención del vehículo y éste no tuviese designado un conductor habitual, será responsable el conductor identificado por el titular o el arrendatario a largo plazo, de acuerdo con las obligaciones impuestas en el artículo 11.

e) En las empresas de arrendamiento de vehículos a corto plazo será responsable el arrendatario del vehículo. En caso de que éste manifestara no ser el conductor, o fuese persona jurídica, le corresponderán las obligaciones que para el titular establece el artículo 11. La misma responsabilidad corresponderá a los titulares de los talleres mecánicos o establecimientos de compraventa de vehículos por las infracciones cometidas con los vehículos mientras se encuentren allí depositados.

f) El titular, o el arrendatario a largo plazo, en el supuesto de que constase en el Registro de Vehículos del organismo autónomo Jefatura Central de Tráfico, será en todo caso responsable de las infracciones relativas a la documentación del vehículo, a los reconocimientos periódicos y a su estado de conservación, cuando las deficiencias afecten a las condiciones de seguridad del vehículo.

g) El titular o el arrendatario, en el supuesto de que constase en el Registro de Vehículos del organismo autónomo Jefatura Central de Tráfico, será responsable de las infracciones por estacionamiento o por impago de los peajes de las vías que lo tengan regulado, salvo en los supuestos en que el vehículo tuviese designado un conductor habitual o se indique un conductor responsable del hecho.

## CAPÍTULO IV. PROCEDIMIENTO SANCIONADOR

**Artículo 83.** *Garantías procedimentales.–* 1. No se podrá imponer sanción alguna por las infracciones tipificadas en esta ley sino en virtud de procedimiento instruido con arreglo a lo dispuesto en este capítulo y, supletoriamente, en la normativa de procedimiento administrativo común.

2. Los instrumentos, aparatos o medios y sistemas de medida que sean utilizados para la formulación de denuncias por infracciones a la normativa de tráfico, seguridad vial y circulación de vehículos a motor estarán sometidos a control metrológico en los términos establecidos por la normativa de metrología.

**Artículo 84.** *Competencia.–* 1. La competencia para sancionar las infracciones cometidas en vías interurbanas y travesías corresponde al Jefe de Tráfico de la provincia en que se haya cometido el hecho. Si se trata de infracciones cometidas en el territorio de más de una provincia, la competencia para su sanción corresponde, en su caso, al Jefe de Tráfico de la provincia en que la infracción hubiera sido primeramente denunciada.

2. Los Jefes Provinciales podrán delegar esta competencia en la medida y extensión que estimen conveniente. En particular podrán delegar en el Director del Centro de Tratamiento de Denuncias Automatizadas la de las infracciones que hayan sido detectadas a través de medios de captación y reproducción de imágenes que permitan la identificación del vehículo.

Los órganos de las diferentes Administraciones Públicas podrán delegar el ejercicio de sus competencias sancionadoras mediante convenios o encomiendas de gestión, o a través de cualesquiera otros instrumentos de colaboración previstos en la normativa de procedimiento administrativo común.

3. En las comunidades autónomas que hayan recibido el traspaso de funciones y servicios en materia de tráfico y circulación de vehículos a motor serán competentes para sancionar los órganos previstos en la normativa autonómica.

4. La sanción por infracción a normas de circulación cometidas en vías urbanas corresponderá a los respectivos Alcaldes, los cuales podrán delegar esta competencia de acuerdo con la normativa aplicable.

Quedan excluidas de la competencia sancionadora municipal las infracciones a los preceptos del título IV, incluyendo las relativas a las condiciones técnicas de los vehículos y al seguro obligatorio.

Los Jefes Provinciales de Tráfico y los órganos competentes que correspondan, en caso de comunidades autónomas que hayan recibido el traspaso de funciones y servicios en materia de tráfico y circulación de vehículos a motor, asumirán la competencia de los Alcaldes cuando, por razones justificadas o por insuficiencia de los servicios municipales, no pueda ser ejercida por éstos.

5. La competencia para sancionar las infracciones a que se refiere el artículo 52 corresponderá, en todo caso, al Director General de Tráfico o al órgano que tenga atribuida la competencia en las comunidades autónomas que hayan recibido el traspaso de funciones y servicios en materia de tráfico y circulación de vehículos a motor, limitada al ámbito territorial de la comunidad autónoma.

6. En las ciudades de Ceuta y Melilla las competencias que en los apartados anteriores se atribuyen a los Jefes Provinciales de Tráfico, corresponderán a los Jefes Locales de Tráfico.

**Artículo 85.** *Actuaciones administrativas y jurisdiccionales penales.–* 1. Cuando en un procedimiento sancionador se ponga de manifiesto un hecho que ofrezca indicios de delito perseguible de oficio, la autoridad administrativa lo pondrá en conocimiento del Ministerio Fiscal, por si procede el ejercicio de la acción penal, y acordará la suspensión de las actuaciones.

2. Concluido el proceso penal con sentencia condenatoria, se archivará el procedimiento sancionador sin declaración de responsabilidad.

3. Si la sentencia es absolutoria o el procedimiento penal finaliza con otra resolución que le ponga fin sin declaración de responsabilidad, y siempre que la misma no esté fundada en la inexistencia del hecho, se podrá iniciar o continuar el procedimiento sancionador contra quien no haya sido condenado en vía penal.

La resolución que se dicte deberá respetar, en todo caso, la declaración de hechos probados en dicho procedimiento penal.

**Artículo 86.** *Incoación.–* 1. El procedimiento sancionador se incoará de oficio por la autoridad competente que tenga noticia de los hechos que puedan constituir infracciones tipificadas en esta ley, por iniciativa propia o mediante denuncia de los agentes de la autoridad encargados de la vigilancia del tráfico en el ejercicio de las funciones que tienen encomendadas o de cualquier persona que tenga conocimiento de los hechos.

2. No obstante, la denuncia formulada por los agentes de la autoridad encargados de la vigilancia del tráfico en el ejercicio de las funciones que tienen encomendadas, y notificada en el acto al denunciado, constituye el acto de iniciación del procedimiento sancionador, a todos los efectos.

**Artículo 87.** *Denuncias.‑* 1. Los agentes de la autoridad encargados de la vigilancia del tráfico en el ejercicio de las funciones que tienen encomendadas deberán denunciar las infracciones que observen cuando ejerzan funciones de esa naturaleza.

2. En las denuncias por hechos de circulación deberá constar, en todo caso:

a) La identificación del vehículo con el que se haya cometido la presunta infracción.

b) La identidad del denunciado, si se conoce.

c) Una descripción sucinta del hecho, con expresión del lugar o tramo, fecha y hora.

d) El nombre, apellidos y domicilio del denunciante o, si es un agente de la autoridad, su número de identificación profesional.

3. En las denuncias que los agentes de la autoridad notifiquen en el acto al denunciado deberá constar, además, a efectos de lo dispuesto en el artículo 86.1:

a) La infracción presuntamente cometida, la sanción que pueda corresponder y el número de puntos cuya pérdida lleve aparejada la infracción.

b) El órgano competente para imponer la sanción y la norma que le atribuye tal competencia.

c) Si el denunciado procede al abono de la sanción en el acto deberá señalarse, además, la cantidad abonada y las consecuencias derivadas del pago de la sanción previstas en el artículo 94.

d) En el caso de que no se proceda al abono en el acto de la sanción, deberá indicarse que dicha denuncia inicia el procedimiento sancionador y que dispone de un plazo de veinte días naturales para efectuar el pago, con la reducción y las consecuencias establecidas en el artículo 94, o para formular las alegaciones y proponer las pruebas que estime convenientes. En este caso, se indicarán los lugares, oficinas o dependencias donde puede presentarlas.

e) Si en el plazo señalado en el párrafo anterior no se han formulado alegaciones o no se ha abonado la multa, se indicará que el procedimiento se tendrá por concluido el día siguiente a la finalización de dicho plazo, conforme se establece en el artículo 95.4.

f) El domicilio que, en su caso, indique el interesado a efectos de notificaciones. Este domicilio no se tendrá en cuenta si el denunciado tiene asignada una Dirección Electrónica Vial (DEV), ello sin perjuicio de lo previsto en la normativa sobre acceso electrónico de los ciudadanos a los servicios públicos.

4. En el supuesto de infracciones que impliquen detracción de puntos, el agente denunciante tomará nota de los datos del permiso o de la licencia de conducción y los remitirá al órgano sancionador competente que, cuando la sanción sea firme en vía administrativa, los comunicará juntamente con la sanción y la detracción de puntos correspondiente al Registro de Conductores e Infractores del organismo autónomo Jefatura Central de Tráfico.

5. Cuando el infractor no acredite su residencia legal en territorio español, el agente denunciante fijará provisionalmente la cuantía de la multa y, de no depositarse su importe, el conductor deberá trasladar el vehículo e inmovilizarlo en el lugar indicado por el agente denunciante. El depósito podrá efectuarse mediante tarjeta de crédito, o en metálico en euros y, en todo caso, se tendrá en cuenta lo previsto en el artículo 94 respecto a la posibilidad de reducción del 50 por ciento de la multa inicialmente fijada.

6. En las denuncias por hechos ajenos a la circulación se especificarán todos los datos necesarios para su descripción.

**Artículo 88.** *Valor probatorio de las denuncias de los agentes de la autoridad encargados de la vigilancia del tráfico, en el ejercicio de las funciones que tienen encomendadas.–* Las denuncias formuladas por los agentes de la autoridad encargados de la vigilancia del tráfico en el ejercicio de las funciones que tienen encomendadas tendrán valor probatorio, salvo prueba en contrario, de los hechos denunciados, de la identidad de quienes los hubieran cometido y, en su caso, de la notificación de la denuncia, sin perjuicio del deber de aquéllos de aportar todos los elementos probatorios que sean posibles sobre el hecho denunciado.

**Artículo 89.** *Notificación de la denuncia.–* 1. Las denuncias se notificarán en el acto al denunciado.

2. No obstante, la notificación podrá efectuarse en un momento posterior siempre que se dé alguna de las siguientes circunstancias:

a) Que la denuncia se formule en circunstancias en que la detención del vehículo pueda originar un riesgo para la circulación. En este caso, el agente deberá indicar los motivos concretos que la impiden.

b) Que la denuncia se formule estando el vehículo estacionado, cuando el conductor no esté presente.

c) Que se haya tenido conocimiento de la infracción a través de medios de captación y reproducción de imágenes que permitan la identificación del vehículo.

d) Que el agente denunciante se encuentre realizando labores de vigilancia, control, regulación o disciplina del tráfico y carezca de medios para proceder al seguimiento del vehículo.

**Artículo 90.** *Práctica de la notificación de las denuncias.–* 1. Las Administraciones con competencias sancionadoras en materia de tráfico notificarán las denuncias que no se entreguen en el acto y las demás notificaciones a que dé lugar el procedimiento sancionador en la Dirección Electrónica Vial (DEV).

En el caso de que el denunciado no la tuviese, la notificación se efectuará en el domicilio que expresamente hubiese indicado para el procedimiento, y en su defecto, en el domicilio que figure en los registros del organismo autónomo Jefatura Central de Tráfico.

2. La notificación en la Dirección Electrónica Vial (DEV) permitirá acreditar la fecha y hora en que se produzca la puesta a disposición del denunciado del acto objeto de notificación, así como el acceso a su contenido, momento a partir del cual la notificación se entenderá practicada a todos los efectos legales.

Si existiendo constancia de la recepción de la notificación en la Dirección Electrónica Vial (DEV), transcurrieran diez días naturales sin que se acceda a su contenido, se entenderá que aquélla ha sido rechazada, salvo que de oficio o a instancia del destinatario se compruebe la imposibilidad técnica o material del acceso. El rechazo se hará constar en el procedimiento sancionador, especificándose las circunstancias del intento de notificación, y se tendrá por efectuado el trámite, continuándose el procedimiento.

3. Cuando la notificación se practique en el domicilio del interesado, de no hallarse presente éste en el momento de entregarse, podrá hacerse cargo de la misma cualquier persona que se encuentre en el domicilio y haga constar su identidad.

Si nadie se hiciera cargo de la notificación, se dejará constancia de esta circunstancia en el procedimiento sancionador, junto con el día y la hora en que se intentó, y se practicará de nuevo dentro de los tres días siguientes. Si tampoco fuera posible la entrega, se dará por cumplido el trámite, procediéndose a la publicación en el Boletín Oficial del Estado.

Si estando el interesado en el domicilio rechazase la notificación, se hará constar en el procedimiento sancionador, especificándose las circunstancias del intento de notificación, teniéndose por efectuado el trámite y continuándose el procedimiento.

**Artículo 91.** *Notificaciones en el «Boletín Oficial del Estado» (BOE).*– Las notificaciones que no puedan efectuarse en la Dirección Electrónica Vial (DEV) y, en caso de no disponer de la misma, en el domicilio expresamente indicado para el procedimiento o, de no haber indicado ninguno, en el domicilio que figure en los registros del organismo autónomo Jefatura Central de Tráfico, se practicarán en el «Boletín Oficial del Estado» (BOE). Transcurrido el período de veinte días naturales desde que la notificación se hubiese publicado en el BOE se entenderá que ésta ha sido practicada, dándose por cumplido dicho trámite.

**Artículo 92.** *Tablón Edictal de Sanciones de Tráfico (TESTRA).*– 1. Con carácter previo y facultativo, las notificaciones a que se refiere el artículo anterior podrán practicarse también en el Tablón Edictal de Sanciones de Tráfico (TESTRA), que será gestionado por el organismo autónomo Jefatura Central de Tráfico.

2. El funcionamiento, la gestión y la publicación en el TESTRA se hará conforme a lo dispuesto en la normativa de protección de datos de carácter personal y en la de acceso electrónico de los ciudadanos a los servicios públicos.

**Artículo 93.** *Clases de procedimientos sancionadores.*– 1. Notificada la denuncia, ya sea en el acto o en un momento posterior, el denunciado dispondrá de un plazo de veinte días naturales para realizar el pago voluntario con reducción de la sanción de multa, o para formular las alegaciones y proponer o aportar las pruebas que estime oportunas.

En el supuesto de que no se haya producido la detención del vehículo, el titular, el arrendatario a largo plazo o el conductor habitual, en su caso, dispondrán de un plazo de veinte días naturales para identificar al conductor responsable de la infracción, contra el que se iniciará el procedimiento sancionador. Esta identificación se efectuará por medios telemáticos si la notificación se hubiese realizado a través de la Dirección Electrónica Vial (DEV).

Si se efectúa el pago de la multa en las condiciones indicadas en el párrafo primero, se seguirá el procedimiento sancionador abreviado, y en caso de no hacerlo, el procedimiento sancionador ordinario.

2. El procedimiento sancionador abreviado no será de aplicación a las infracciones previstas en el artículo 77. h), j), n), ñ), o), p), q) y r).

3. El incumplimiento de la obligación de asegurar el vehículo que se establece en la normativa sobre responsabilidad civil y seguro en la circulación de vehículos a motor, podrá sancionarse conforme a uno de los dos procedimientos sancionadores que se establecen en esta ley.

4. Además de en los registros, oficinas y dependencias previstos en la normativa de procedimiento administrativo común, las alegaciones, escritos y recursos que se deriven de los procedimientos sancionadores en materia de tráfico podrán presentarse en los registros, oficinas y dependencias expresamente designados en la correspondiente denuncia o resolución sancionadora.

Cuando se presenten en los registros, oficinas o dependencias no designados expresamente, éstos los remitirán a los órganos competentes en materia de tráfico a la mayor brevedad posible.

**Artículo 94.** *Procedimiento sancionador abreviado.–* Una vez realizado el pago voluntario de la multa, ya sea en el acto de entrega de la denuncia o dentro del plazo de veinte días naturales contados desde el día siguiente al de su notificación, concluirá el procedimiento sancionador con las siguientes consecuencias:

a) La reducción del 50 por ciento del importe de la sanción.

b) La renuncia a formular alegaciones. En el caso de que se formulen se tendrán por no presentadas.

c) La terminación del procedimiento, sin necesidad de dictar resolución expresa, el día en que se realice el pago.

d) El agotamiento de la vía administrativa, siendo recurrible únicamente ante el orden jurisdiccional contencioso-administrativo.

e) El plazo para interponer el recurso contencioso-administrativo se iniciará el día siguiente a aquel en que tenga lugar el pago.

f) La firmeza de la sanción en la vía administrativa desde el momento del pago, produciendo plenos efectos desde el día siguiente.

g) La sanción no computará como antecedente en el Registro de Conductores e Infractores del organismo autónomo Jefatura Central de Tráfico, siempre que se trate de infracciones graves que no lleven aparejada pérdida de puntos.

**Artículo 95.** *Procedimiento sancionador ordinario.–* 1. Notificada la denuncia, el interesado dispondrá de un plazo de veinte días naturales para formular las alegaciones que tenga por conveniente y proponer o aportar las pruebas que estime oportunas.

2. Si las alegaciones formuladas aportan datos nuevos o distintos de los constatados por el agente denunciante, y siempre que se estime necesario por el instructor, se dará traslado de aquéllas al agente para que informe en el plazo de quince días naturales.

En todo caso, el instructor podrá acordar que se practiquen las pruebas que estime pertinentes para la averiguación y calificación de los hechos y para la determinación de las posibles responsabilidades. La denegación de la práctica de las pruebas deberá ser motivada, dejando constancia en el procedimiento sancionador.

3. Concluida la instrucción del procedimiento sancionador, el órgano instructor elevará propuesta de resolución al órgano competente para sancionar para que dicte la resolución que proceda. Únicamente se dará traslado de la propuesta al interesado, para que pueda formular nuevas alegaciones en el plazo de quince días naturales, si figuran en el procedimiento sancionador o se han tenido en cuenta en la resolución otros hechos u otras alegaciones y pruebas diferentes a las aducidas por el interesado.

4. Cuando se trate de infracciones leves, de infracciones graves que no supongan la detracción de puntos, o de infracciones muy graves y graves cuya notificación se efectuase en el acto de la denuncia, si el denunciado no formula alegaciones ni abona el importe de la multa en el plazo de veinte días naturales siguientes al de la notificación de la denuncia, ésta surtirá el efecto de acto resolutorio del procedimiento sancionador. En este supuesto, la sanción podrá ejecutarse transcurridos treinta días naturales desde la notificación de la denuncia.

5. La terminación del procedimiento pone fin a la vía administrativa y la sanción se podrá ejecutar desde el día siguiente al transcurso de los treinta días antes indicados.

**Artículo 96.** *Recursos en el procedimiento sancionador ordinario.–* 1. La resolución sancionadora pondrá fin a la vía administrativa y la sanción se podrá ejecutar desde el día siguiente a aquel en que se notifique al interesado, produciendo plenos efectos, o, en su caso, una vez haya transcurrido el plazo indicado en el artículo 95.4.

2. Contra las resoluciones sancionadoras, podrá interponerse recurso de reposición, con carácter potestativo, en el plazo de un mes contado desde el día siguiente al de su notificación.

El recurso se interpondrá ante el órgano que dictó la resolución sancionadora, que será el competente para resolverlo.

3. La interposición del recurso de reposición no suspenderá la ejecución del acto impugnado ni la de la sanción. En el caso de que el recurrente solicite la suspensión de la ejecución, ésta se entenderá denegada transcurrido el plazo de un mes desde la solicitud sin que se haya resuelto.

4. No se tendrán en cuenta en la resolución del recurso hechos, documentos y alegaciones del recurrente que pudieran haber sido aportados en el procedimiento originario.

5. El recurso de reposición regulado en este artículo se entenderá desestimado si no recae resolución expresa en el plazo de un mes, quedando expedita la vía contencioso-administrativa.

6. Contra las resoluciones sancionadoras dictadas por los órganos competentes de las comunidades autónomas que hayan recibido el traspaso de funciones y servicios en materia de tráfico y circulación de vehículos a motor, así como por los Alcaldes, en el caso de las entidades locales, se estará a lo establecido en los anteriores apartados respetando la competencia sancionadora prevista en su normativa específica.

CAPÍTULO V. INTERCAMBIO TRANSFRONTERIZO DE INFORMACIÓN SOBRE INFRACCIONES DE TRÁFICO

**Artículo 97.** *Procedimiento para el intercambio transfronterizo de información.–* 1. Se establece el procedimiento para el intercambio transfronterizo de información sobre infracciones de tráfico cuando se cometan con un vehículo matriculado en un Estado miembro de la Unión Europea distinto de aquél en el que se cometió la infracción.

2. El tratamiento de los datos de carácter personal derivado del intercambio transfronterizo de información se efectuará conforme a lo dispuesto en la normativa sobre protección de datos de carácter personal.

**Artículo 98.** *Infracciones.–* El intercambio transfronterizo de información se llevará a cabo sobre las siguientes infracciones de tráfico:

a) Exceso de velocidad.

b) Conducción con tasas de alcohol superiores a las reglamentariamente establecidas.

c) No utilización del cinturón de seguridad u otros sistemas de retención homologados.

d) No detención ante un semáforo en rojo o en el lugar prescrito por la señal de «stop».

e) Circulación por un carril prohibido, circulación indebida por el arcén o por un carril reservado para determinados usuarios.

f) Conducción con presencia de drogas en el organismo.

g) No utilización del casco de protección.

h) Utilización del teléfono móvil o de cualquier otro dispositivo de comunicación durante la conducción cuando no esté permitido.

**Artículo 99.** *Punto de contacto nacional.–* 1. Para el intercambio de información los puntos de contacto nacionales de los Estados miembros de la Unión Europea podrán acceder al Registro de Vehículos del organismo autónomo Jefatura Central de Tráfico, con el fin de llevar a cabo las indagaciones necesarias para identificar a los conductores de vehículos matriculados en España con los que se hayan cometido en el territorio de dichos Estados las infracciones contempladas en el artículo anterior.

2. El punto de contacto nacional será el organismo autónomo Jefatura Central de Tráfico, que podrá acceder, con la finalidad prevista en este capítulo, a los registros correspondientes de los restantes Estados miembros de la Unión Europea.

3. El organismo autónomo Jefatura Central de Tráfico, en su condición de punto de contacto nacional, tendrá las siguientes funciones:

a) Atender las peticiones de datos.

b) Garantizar el adecuado funcionamiento del sistema de obtención y cesión de datos.

c) Garantizar la aplicación de la normativa de protección de datos de carácter personal.

d) Recabar cuanta información requieran los puntos de contacto nacionales de los demás Estados miembros de la Unión Europea.

e) Elaborar los informes completos que deben remitirse a la Comisión a más tardar el 6 de mayo de 2016 y cada dos años desde dicha fecha.

f) Informar, en colaboración con otros órganos con competencias en materia de tráfico, así como con las organizaciones y asociaciones vinculadas a la seguridad vial y al automóvil, a los usuarios de las vías públicas de lo previsto en este título a través de la página web www.dgt.es.

En el informe completo al que se refiere el párrafo e) se indicará el número de búsquedas automatizadas efectuadas por el Estado miembro de la infracción, destinadas al punto de contacto del Estado miembro de matriculación, a raíz de infracciones cometidas en su territorio, junto con el tipo de infracciones para las que se presentaron solicitudes y el número de solicitudes fallidas. Incluirá asimismo una descripción de la situación respecto del seguimiento dado a las infracciones de tráfico en materia de seguridad vial, sobre la base de la proporción de tales infracciones que han dado lugar a cartas de información.

3. El organismo autónomo Jefatura Central de Tráfico pondrá a disposición de los puntos de contacto nacionales de los demás Estados miembros los datos disponibles relativos a los vehículos matriculados en España, así como los relativos a sus titulares, conductores habituales o arrendatarios a largo plazo que se indican en el anexo VI.

**Artículo 100.** *Intercambio de datos.–* 1. El organismo autónomo Jefatura Central de Tráfico, salvo que se constate que la petición de datos no es conforme a lo establecido en este capítulo, facilitará a los órganos competentes para sancionar en materia de tráfico los datos relativos al propietario o titular del vehículo con el que se cometió la infracción en territorio nacional con un vehículo matriculado en otro Estado miembro de la Unión Europea, así como los relativos al propio vehículo que se encuentren disponibles en el registro correspondiente del Estado de matriculación, obtenidos a partir de los datos de búsqueda contemplados en el anexo V.

2. Las comunicaciones de datos se realizarán exclusivamente por medios electrónicos, de acuerdo con las especificaciones técnicas que establezca el organismo autónomo Jefatura Central de Tráfico.

**Artículo 101.** *Carta de información.*– 1. A partir de los datos suministrados por el organismo autónomo Jefatura Central de Tráfico, los órganos competentes para sancionar en materia de tráfico podrán dirigir al presunto autor de la infracción una carta de información. A tal efecto, podrán utilizar el modelo previsto en el anexo VII.

2. La carta de información se enviará al presunto infractor en la lengua del documento de matriculación del vehículo si se tiene acceso al mismo, o en una de las lenguas oficiales del Estado de matriculación en otro caso.

3. La notificación de dicha carta deberá efectuarse personalmente al presunto infractor.

**Artículo 102.** *Documentos.*– En los procedimientos sancionadores que se incoen como resultado del intercambio de información previsto en esta disposición, los documentos que se notifiquen al presunto infractor se enviarán en la lengua del documento de matriculación del vehículo o en uno de los idiomas oficiales del Estado de matriculación.

## CAPÍTULO VI. MEDIDAS PROVISIONALES Y OTRAS MEDIDAS

**Artículo 103.** *Medidas provisionales.*– El órgano competente que haya ordenado la incoación del procedimiento sancionador podrá adoptar, mediante acuerdo motivado y en cualquier momento de la instrucción, las medidas provisionales que aseguren la eficacia de la resolución final que pudiera recaer.

**Artículo 104.** *Inmovilización del vehículo.*– 1. Los agentes de la autoridad encargados de la vigilancia del tráfico en el ejercicio de las funciones que tienen encomendadas podrán proceder a la inmovilización del vehículo, como consecuencia de presuntas infracciones a lo dispuesto en esta ley, cuando:

a) El vehículo carezca de autorización administrativa para circular, bien por no haberla obtenido, porque haya sido objeto de anulación o declarada su pérdida de vigencia, o se incumplan las condiciones de la autorización que habilita su circulación.

b) El vehículo presente deficiencias que constituyan un riesgo especialmente grave para la seguridad vial.

c) El conductor o el pasajero no hagan uso del casco de protección o de los dispositivos de retención infantil, en los casos en que fuera obligatorio. Esta medida no se aplicará a los ciclistas.

d) Se produzca la negativa a efectuar las pruebas a que se refiere el artículo 14.2 y 3, o cuando éstas arrojen un resultado positivo.

e) El vehículo carezca de seguro obligatorio.

f) Se observe un exceso en los tiempos de conducción o una minoración en los tiempos de descanso que sean superiores al 50 por ciento de los tiempos establecidos reglamentariamente, salvo que el conductor sea sustituido por otro.

g) Se produzca una ocupación excesiva del vehículo que suponga aumentar en un 50 por ciento el número de plazas autorizadas, excluida la del conductor.

h) El vehículo supere los niveles de gases, humos y ruido permitidos reglamentariamente según el tipo de vehículo.

i) Existan indicios racionales que pongan de manifiesto la posible manipulación en los instrumentos de control.

j) El vehículo está dotado de mecanismos o sistemas encaminados a eludir la vigilancia de los agentes de la autoridad encargados de la vigilancia del tráfico en el ejercicio de las funciones que tienen encomendadas y de los medios de control a través de captación de imágenes.

k) Se conduzca un vehículo para el que se exige permiso de la clase C o D, careciendo de la autorización administrativa correspondiente.

l) En el supuesto previsto en el artículo 39.4.

2. La inmovilización se levantará en el momento en que cese la causa que la motivó.

3. En los supuestos previstos en los párrafos h), i) y j) del apartado 1, la inmovilización sólo se levantará en el caso de que, trasladado el vehículo a un taller designado por el agente de la autoridad, se certifique por aquél la desaparición del sistema o manipulación detectada o ya no se superen los niveles permitidos.

4. En el supuesto recogido en el párrafo e) del apartado 1 se estará a lo dispuesto en la normativa sobre responsabilidad civil y seguro en la circulación de vehículos a motor.

5. La inmovilización del vehículo se producirá en el lugar señalado por los agentes de la autoridad. A estos efectos, el agente podrá indicar al conductor del vehículo que continúe circulando hasta el lugar designado.

6. Salvo en los casos de sustracción u otras formas de utilización del vehículo en contra de la voluntad de su titular, debidamente justificadas, los gastos que se originen como consecuencia de la inmovilización del vehículo serán por cuenta del conductor que cometió la infracción. En su defecto, serán por cuenta del conductor habitual o del arrendatario, y a falta de éstos, del titular. Los gastos deberán ser abonados como requisito previo a levantar la medida de inmovilización, sin perjuicio del correspondiente derecho de recurso y de la posibilidad de repercutirlos sobre la persona responsable que haya dado lugar a que la Administración adopte dicha medida. Los agentes podrán retirar el permiso de circulación del vehículo hasta que se haya acreditado el abono de los gastos referidos.

En los supuestos previstos en los párrafos h), i) y j) del apartado 1, los gastos de la inspección correrán de cuenta del denunciado, si se acredita la infracción.

7. Si el vehículo inmovilizado fuese utilizado en régimen de arrendamiento, la inmovilización del vehículo se sustituirá por la prohibición de uso del vehículo por el infractor.

**Artículo 105.** *Retirada y depósito del vehículo.–* 1. La autoridad encargada de la gestión del tráfico podrá proceder, si el obligado a ello no lo hiciera, a la retirada del vehículo de la vía y su depósito en el lugar que se designe en los siguientes casos:

a) Siempre que constituya peligro, cause graves perturbaciones a la circulación de vehículos o peatones o deteriore algún servicio o patrimonio público.

b) En caso de accidente que impida continuar su marcha.

c) Cuando, procediendo legalmente la inmovilización del vehículo, no hubiere lugar adecuado para practicarla sin obstaculizar la circulación de vehículos o personas.

d) Cuando, inmovilizado un vehículo de acuerdo con lo dispuesto en el artículo 104, no cesasen las causas que motivaron la inmovilización.

e) Cuando un vehículo permanezca estacionado en lugares habilitados por la autoridad municipal como zonas de aparcamiento reservado para el uso de personas con discapacidad sin colocar el distintivo que lo autoriza.

f) Cuando un vehículo permanezca estacionado en los carriles o partes de las vías reservados exclusivamente para la circulación o para el servicio de determinados usuarios y en las zonas reservadas a la carga y descarga.

g) Cuando un vehículo permanezca estacionado en lugares habilitados por la autoridad municipal como de estacionamiento con limitación horaria sin colocar el distintivo que lo autoriza, o cuando se rebase el triple del tiempo abonado conforme a lo establecido en la ordenanza municipal.

h) Cuando obstaculicen, dificulten o supongan un peligro para la circulación.

2. Salvo en los casos de sustracción u otras formas de utilización del vehículo en contra de la voluntad de su titular, debidamente justificadas, los gastos que se originen como consecuencia de la retirada a la que se refiere el apartado anterior serán por cuenta del titular, del arrendatario o del conductor habitual, según el caso, que deberá abonarlos como requisito previo a la devolución del vehículo, sin perjuicio del derecho de recurso y de la posibilidad de repercutirlos sobre el responsable del accidente, del abandono del vehículo o de la infracción que haya dado lugar a la retirada. El agente de la autoridad podrá retirar el permiso de circulación del vehículo hasta que se haya acreditado el abono de los gastos referidos.

3. La Administración deberá comunicar la retirada y depósito del vehículo al titular en el plazo de veinticuatro horas. La comunicación se efectuará a través de la Dirección Electrónica Vial, si el titular dispusiese de ella.

**Artículo 106.** *Tratamiento residual del vehículo.–* 1. La Administración competente en materia de ordenación y gestión del tráfico podrá ordenar el traslado del vehículo a un Centro Autorizado de Tratamiento de Vehículos para su posterior destrucción y descontaminación:

a) Cuando hayan transcurrido más de dos meses desde que el vehículo fuera inmovilizado o retirado de la vía pública y depositado por la Administración y su titular no hubiera formulado alegaciones.

b) Cuando permanezca estacionado por un período superior a un mes en el mismo lugar y presente desperfectos que hagan imposible su desplazamiento por sus propios medios o le falten las placas de matrícula.

c) Cuando recogido un vehículo como consecuencia de avería o accidente del mismo en un recinto privado su titular no lo hubiese retirado en el plazo de dos meses.

Con anterioridad a la orden de traslado del vehículo, la Administración requerirá al titular del mismo advirtiéndole que, de no proceder a su retirada en el plazo de un mes, se procederá a su traslado al Centro Autorizado de Tratamiento.

2. En el supuesto previsto en el apartado 1, párrafo c), el propietario o responsable del lugar o recinto deberá solicitar de la Jefatura Provincial de Tráfico autorización para el tratamiento residual del vehículo. A estos efectos deberá aportar la documentación que acredite haber solicitado al titular del vehículo la retirada de su recinto.

3. En aquellos casos en que se estime conveniente, la Jefatura Provincial de Tráfico, los órganos competentes de las comunidades autónomas que hayan recibido el traspaso de funciones y servicios en materia de tráfico y circulación de vehículos a motor, y el Alcalde o autoridad correspondiente por delegación, podrán acordar la sustitución del tratamiento residual del vehículo por su adjudicación a los servicios de vigilancia del tráfico, respectivamente en cada ámbito.

**Artículo 107.** *Limitaciones de disposición en las autorizaciones administrativas.-* 1. El titular de un permiso o licencia de conducción no podrá efectuar ningún trámite relativo a los vehículos de los que fuese titular en el Registro de Vehículos del organismo autónomo Jefatura Central de Tráfico cuando figuren como impagadas en su historial de conductor cuatro sanciones firmes en vía administrativa por infracciones graves o muy graves.

2. El titular de un vehículo no podrá efectuar ningún trámite relativo al mismo cuando figuren como impagadas en el historial del vehículo cuatro sanciones firmes en vía administrativa por infracciones graves o muy graves.

3. Queda exceptuado de lo dispuesto en los apartados anteriores el trámite de baja temporal o definitiva de vehículos.

## CAPÍTULO VII. EJECUCIÓN DE LAS SANCIONES

**Artículo 108.** *Ejecución.-* Una vez firme la sanción en vía administrativa, se procederá a su ejecución conforme a lo previsto en esta ley.

**Artículo 109.** *Ejecución de la sanción de suspensión de las autorizaciones.-* El cumplimiento de la sanción de suspensión prevista en el artículo 80 se iniciará transcurrido un mes desde que haya adquirido firmeza en vía administrativa, y el período de suspensión de la misma se anotará en los correspondientes registros.

**Artículo 110.** *Cobro de multas.*– 1. Una vez firme la sanción, el interesado dispondrá de un plazo final de quince días naturales para el pago de la multa. Finalizado el plazo establecido sin que se haya pagado la multa, se iniciará el procedimiento de apremio.

2. Los órganos y procedimientos de la recaudación ejecutiva serán los establecidos en la normativa tributaria que le sea de aplicación, según las autoridades que las hayan impuesto.

**Artículo 111.** *Responsables subsidiarios del pago de multas.*– 1. Los titulares de los vehículos con los que se haya cometido una infracción serán responsables subsidiarios en caso de impago de la multa impuesta al conductor, salvo en los siguientes supuestos:

a) Robo, hurto o cualquier otro uso en el que quede acreditado que el vehículo fue utilizado en contra de su voluntad.

b) Cuando el titular sea una empresa de alquiler sin conductor.

c) Cuando el vehículo tenga designado un arrendatario a largo plazo en el momento de cometerse la infracción. En este caso, la responsabilidad recaerá en aquel.

d) Cuando el vehículo tenga designado un conductor habitual en el momento de cometerse la infracción. En este caso, la responsabilidad recaerá en aquel.

2. La declaración de responsabilidad subsidiaria y sus consecuencias, incluida la posibilidad de adoptar medidas cautelares, se regirán por lo dispuesto en la normativa tributaria.

3. El responsable que haya satisfecho la multa tiene derecho de reembolso contra el infractor por la totalidad de lo que haya satisfecho.

CAPÍTULO VIII. PRESCRIPCIÓN, CADUCIDAD Y CANCELACIÓN DE ANTECEDENTES

**Artículo 112.** *Prescripción y caducidad.*– 1. El plazo de prescripción de las infracciones previstas en esta ley será de tres meses para las infracciones leves y de seis meses para las infracciones graves y muy graves.

El plazo de prescripción comenzará a contar a partir del mismo día en que los hechos se hubieran cometido.

2. La prescripción se interrumpe por cualquier actuación administrativa de la que tenga conocimiento el denunciado o esté encaminada a averiguar su identidad o domicilio y se practique con otras administraciones, instituciones u organismos. También se interrumpe por la notificación efectuada de acuerdo con los artículos 89, 90 y 91.

El plazo de prescripción se reanudará si el procedimiento se paraliza durante más de un mes por causa no imputable al denunciado.

3. Si no se hubiera producido la resolución sancionadora transcurrido un año desde la iniciación del procedimiento, se producirá su caducidad y se procederá al archivo de las actuaciones, a solicitud de cualquier interesado o de oficio por el órgano competente para dictar resolución.

Cuando la paralización del procedimiento se hubiera producido a causa del conocimiento de los hechos por la jurisdicción penal, el plazo de caducidad se suspenderá y, una vez haya adquirido firmeza la resolución judicial, se reanudará el cómputo del plazo de caducidad por el tiempo que restaba en el momento de acordar la suspensión.

4. El plazo de prescripción de las sanciones consistentes en multa será de cuatro años y el de la suspensión prevista en el artículo 80 será de un año, computados desde el día siguiente a aquel en que adquiera firmeza la sanción en vía administrativa.

El cómputo y la interrupción del plazo de prescripción del derecho de la Administración para exigir el pago de las sanciones en vía de apremio consistentes en multa se regirán por lo dispuesto en la normativa tributaria.

**Artículo 113.** *Anotación y cancelación.–* 1. Las sanciones por infracciones graves y muy graves y la detracción de puntos deberán ser comunicadas al Registro de Conductores e Infractores del organismo autónomo Jefatura Central de Tráfico por la autoridad que la hubiera impuesto en el plazo de los quince días naturales siguientes a su firmeza en vía administrativa.

2. Las autoridades judiciales comunicarán al Registro de Conductores e Infractores del organismo autónomo Jefatura Central de Tráfico, en el plazo de los quince días naturales siguientes a su firmeza, las penas de privación del derecho a conducir vehículos a motor y ciclomotores que se impongan por la comisión de delitos contra la seguridad vial.

3. En el Registro de Vehículos del organismo autónomo Jefatura Central de Tráfico quedarán reflejadas las sanciones firmes por infracciones graves y

muy graves en las que un vehículo tanto matriculado en España como en el extranjero estuviese implicado y el impago de las mismas, en su caso. Estas anotaciones formarán parte del historial del vehículo.

4. Las anotaciones se cancelarán de oficio, a efectos de antecedentes, una vez transcurridos tres años desde su total cumplimiento o prescripción.

## TÍTULO VI. REGISTRO NACIONAL DE VÍCTIMAS DE ACCIDENTES DE TRÁFICO

**Artículo 114.** *Creación.–* 1. Se crea el Registro Nacional de Víctimas de Accidentes de Tráfico del organismo autónomo Jefatura Central de Tráfico.

2. Las comunidades autónomas que hayan recibido el traspaso de funciones y servicios en materia de tráfico y circulación de vehículos a motor podrán crear, respecto a sus ámbitos territoriales, sus propios Registros de Víctimas de Accidentes de Tráfico.

**Artículo 115.** *Finalidad.–* 1. En el Registro Nacional de Víctimas de Accidentes de Tráfico figurarán únicamente aquellos datos que sean relevantes y que permitan disponer de la información necesaria para determinar las causas y circunstancias en que se han producido los accidentes de tráfico y sus consecuencias.

Los asientos del Registro no contendrán más datos identificativos de los implicados o relacionados con su salud que los estrictamente necesarios para el cumplimiento de su finalidad, conforme se establece en el párrafo anterior.

2. El titular responsable del Registro adoptará las medidas de gestión y organización necesarias para asegurar, en todo caso, la confidencialidad, seguridad e integridad de los datos automatizados de carácter personal existentes en el Registro y el uso de los mismos para las finalidades para las que fueron recogidos, así como las conducentes a hacer efectivas las garantías, obligaciones y derechos reconocidos en la normativa sobre protección de datos de carácter personal.

**Disposición adicional primera.** *Permisos y licencias de conducción en las comunidades autónomas con lengua cooficial.–* En aquellas comunidades autónomas que tengan una lengua cooficial, los permisos y licencias de conducción se redactarán, además de en castellano, en dicha lengua.

**Disposición adicional segunda.** *Comunidades autónomas que hayan recibido el traspaso de funciones y servicios en materia de tráfico y circulación de vehículos a motor.*– Las comunidades autónomas que hayan recibido el traspaso de funciones y servicios en materia de tráfico y circulación de vehículos a motor serán las encargadas, en su ámbito territorial, de determinar el modo de impartir los cursos de sensibilización y reeducación vial, de acuerdo con la duración, el contenido y los requisitos de aquéllos que se determinen con carácter general.

**Disposición adicional tercera.** *Cursos para conductores profesionales.*– La realización de cursos de obligado cumplimiento por los conductores profesionales llevará aparejada la recuperación de hasta un máximo de cuatro puntos, en las condiciones que se determinen por orden del Ministro del Interior. Esta recuperación será compatible con la recuperación de los puntos obtenidos mediante la realización de un curso de sensibilización y reeducación vial.

**Disposición adicional cuarta.** *Obligación de destinar las sanciones económicas a la financiación de seguridad vial, prevención de accidentes de tráfico y ayuda a las víctimas.*– El importe de las sanciones económicas obtenidas por infracciones a esta ley, en el ámbito de la Administración General del Estado, se destinará íntegramente a la financiación de actuaciones y servicios en materia de seguridad vial, prevención de accidentes de tráfico y ayuda a las víctimas.

**Disposición adicional quinta.** *Notificaciones en comunidades autónomas que hayan recibido el traspaso de funciones y servicios en materia de tráfico y circulación de vehículos a motor.*– Las comunidades autónomas que hayan recibido el traspaso de funciones y servicios en materia de tráfico y circulación de vehículos a motor podrán sustituir las notificaciones en la Dirección Electrónica Vial por notificaciones a través de sus propias plataformas informáticas, para aquellos ciudadanos que opten por las mismas.

Las administraciones locales pertenecientes a los ámbitos territoriales de las comunidades autónomas que hayan recibido el traspaso de funciones y servicios en materia de tráfico y circulación de vehículos a motor podrán suscribir convenios de colaboración para efectuar las notificaciones telemáticas a través de las plataformas de notificación de la comunidad autónoma.

**Disposición adicional sexta.** *Condiciones básicas y de accesibilidad para las personas con discapacidad.–* El Gobierno velará por el cumplimiento de lo dispuesto en la normativa relativa a personas con discapacidad y su inclusión social respecto a todos aquellos centros que, en materia de seguridad vial, necesiten de autorización previa para desarrollar su actividad, o cuya gestión sea competencia de la Administración General del Estado.

**Disposición adicional séptima.** *Responsabilidad en accidentes de tráfico por atropellos de especies cinegéticas.–* En accidentes de tráfico ocasionados por atropello de especies cinegéticas en las vías públicas será responsable de los daños a personas o bienes el conductor del vehículo, sin que pueda reclamarse por el valor de los animales que irrumpan en aquéllas.

No obstante, será responsable de los daños a personas o bienes el titular del aprovechamiento cinegético o, en su defecto, el propietario del terreno cuando el accidente de tráfico sea consecuencia directa de una acción de caza colectiva de una especie de caza mayor llevada a cabo el mismo día o que haya concluido doce horas antes de aquél.

También podrá ser responsable el titular de la vía pública en la que se produzca el accidente como consecuencia de no haber reparado la valla de cerramiento en plazo, en su caso, o por no disponer de la señalización específica de animales sueltos en tramos con alta accidentalidad por colisión de vehículos con los mismos.

**Disposición adicional octava.** *Documentación correspondiente a otras administraciones públicas.–* El organismo autónomo Jefatura Central de Tráfico y las administraciones públicas competentes podrán articular mecanismos de cooperación, mediante los oportunos convenios de colaboración, para la transmisión de los documentos que las citadas administraciones deban remitir a dicho organismo autónomo por imposición de una normativa ajena a esta ley.

**Disposición adicional novena.** *Baja definitiva por traslado del vehículo a otro país.–* Se prohíbe dar de baja definitiva, por traslado a otro país, vehículos que no cumplan los requisitos de seguridad y medioambientales que se establezcan reglamentariamente.

**Disposición adicional décima.** *Actividades industriales y seguridad vial.–* Sin perjuicio de lo dispuesto en esta ley, las actividades industriales que afecten directamente a la seguridad vial se regirán por lo previsto en la normativa sobre seguridad industrial.

**Disposición adicional undécima.** *Integración y coordinación de notificaciones a través del Tablón Edictal de Sanciones de Tráfico (TESTRA) y de la Dirección Electrónica Vial (DEV).–* El Tablón Edictal de Sanciones de Tráfico (TESTRA) podrá integrarse en el Tablón Edictal Único cuando razones justificadas de eficiencia en la prestación del servicio así lo aconsejen para los anuncios de notificaciones edictales de los procedimientos sancionadores en materia de tráfico. Por estos mismos motivos, y cumpliendo las funciones que la ley recoge, la Dirección Electrónica Vial (DEV) podrá integrarse o coordinarse con la Dirección Electrónica Habilitada (DEH).

**Disposición transitoria primera.** *Matriculación definitiva de vehículos en España.–* Lo dispuesto en el artículo 68.2 en cuanto a la matriculación definitiva en España de vehículos no será efectivo hasta que se proceda a regular reglamentariamente aquellos aspectos que permitan su aplicación.

**Disposición transitoria segunda.** *Práctica de las notificaciones en la Dirección Electrónica Vial (DEV).–* Las administraciones locales practicarán las notificaciones en la Dirección Electrónica Vial (DEV) antes del 25 de mayo de 2016, siempre que lo permitan sus disponibilidades presupuestarias y sus medios técnicos.

**Disposición transitoria tercera.** *Límites de velocidad para vehículos de tres ruedas asimilados a motocicletas.–* Hasta que se modifique el Reglamento General de Circulación, aprobado por el Real Decreto 1428/2003, de 21 de noviembre, y se fijen los límites de velocidad para los vehículos de tres ruedas asimilados a las motocicletas, estos vehículos tendrán los mismos límites de velocidad que se establecen en dicho Reglamento para las motocicletas de dos ruedas.

**Disposición final primera.** *Título competencial.–* Esta ley se dicta al amparo de la competencia exclusiva atribuida al Estado sobre tráfico y circulación de vehículos a motor por el artículo 149.1.21ª de la Constitución Española.

**Disposición final segunda.** *Habilitaciones normativas.*– 1. Se habilita al Gobierno para dictar las disposiciones necesarias para desarrollar esta ley.

2. Asimismo se habilita específicamente al Gobierno:

a) para modificar los conceptos básicos contenidos en el anexo I de acuerdo con la variación de sus definiciones que se produzca en el ámbito de acuerdos y convenios internacionales con trascendencia en España.

b) para modificar el anexo II.

c) para regular las peculiaridades del régimen de autorizaciones y circulación de los vehículos pertenecientes a las Fuerzas Armadas y a la Guardia Civil, a propuesta de los Ministros de Defensa y del Interior, y, en su caso, de los demás ministros competentes.

d) para revisar la normativa vigente que regula la señalización vial vertical al objeto de adaptar sus dimensiones mínimas a la intensidad actual del tráfico y al incremento en la edad media de los conductores.

e) para actualizar la cuantía de las sanciones de multa previstas en esta ley, atendiendo a los criterios establecidos en la normativa de desindexación.

f) para modificar la previsión temporal sobre la práctica de las notificaciones en la Dirección Electrónica Vial contenida en la disposición transitoria segunda, atendiendo a la situación financiera y a las posibilidades reales de implementación por las administraciones locales de las medidas necesarias para la plena efectividad de este sistema de notificaciones.

g) para establecer el formato del permiso o licencia de conducción integrado en el documento nacional de identidad del conductor en el momento que técnicamente sea posible, así como el documento complementario que permita visualizar de manera tangible el saldo de puntos.

h) para regular las marchas cicloturistas.

i) para introducir en el Reglamento General de Vehículos, aprobado por el Real Decreto 2822/1998, de 23 de diciembre, las modificaciones necesarias con el fin de que el color de la señal luminosa de todos los vehículos prioritarios sea azul.

**Disposición final tercera.** *Habilitaciones al Ministro del Interior.*– Se habilita al Ministro del Interior para determinar:

a) la duración, el contenido y los requisitos de los cursos de sensibilización y reeducación vial.

b) las condiciones para practicar la notificación en el TESTRA.

c) los términos en los que el titular o el arrendatario a largo plazo comunicarán al Registro de Vehículos la identidad del conductor habitual

d) los términos en los que el arrendatario a largo plazo comunicará al Registro de Vehículos la identidad del arrendatario.

e) los términos en que se comunicará al Registro Nacional de Víctimas de Accidentes de Tráfico la información referente a las víctimas de accidentes de tráfico.

## ANEXO I. CONCEPTOS BÁSICOS

A los efectos de esta ley y sus disposiciones complementarias, se entiende por:

1. Conductor. Persona que, con las excepciones del párrafo segundo del punto 4 maneja el mecanismo de dirección o va al mando de un vehículo, o a cuyo cargo está un animal o animales. En vehículos que circulen en función de aprendizaje de la conducción, tiene la consideración de conductor la persona que está a cargo de los mandos adicionales.

2. Conductor habitual. Persona que, contando con el permiso o licencia de conducción necesarios, inscrito en el Registro de Conductores e Infractores y previo su consentimiento, se comunica por el titular del vehículo o, en su caso, por el arrendatario a largo plazo al Registro de Vehículos, por ser aquella que de manera usual o con mayor frecuencia conduce dicho vehículo.

3. Conductor profesional. Persona provista de la correspondiente autorización administrativa para conducir, cuya actividad laboral principal sea la conducción de vehículos a motor dedicados al transporte de mercancías o de personas, extremo que se acreditará mediante certificación expedida por la empresa para la que ejerza aquella actividad, acompañada de la correspondiente documentación acreditativa de la cotización a la Seguridad Social como trabajador de dicha empresa.

Si se trata de un empresario autónomo, la certificación a que se hace referencia en el párrafo anterior será sustituida por una declaración del propio empresario.

Este concepto sólo será de aplicación en lo que se refiere al sistema del permiso de conducción por puntos.

4. Peatón. Persona que, sin ser conductor, transita a pie por las vías o terrenos a que se refiere el artículo 2.

También tienen la consideración de peatones quienes empujan o arrastran un coche de niño o de una persona con discapacidad o cualquier otro vehículo sin motor de pequeñas dimensiones, los que conducen a pie un ciclo o ciclomotor de dos ruedas, y las personas con discapacidad que circulan al paso en una silla de ruedas, con o sin motor.

5. Titular de vehículo. Persona a cuyo nombre figura inscrito el vehículo en el registro oficial correspondiente.

6. Vehículo. Aparato apto para circular por las vías o terrenos a que se refiere el artículo 2.

7. Ciclo. Vehículo provisto de, al menos, dos ruedas y propulsado exclusiva o principalmente por la energía muscular de la persona o personas que están sobre el vehículo, en particular por medio de pedales.

Se incluyen en esta definición los ciclos de pedaleo asistido.

8. Bicicleta. Ciclo de dos ruedas.

9. Ciclomotor: Tienen la condición de ciclomotores los vehículos que se definen a continuación:

a) Vehículo de dos ruedas, con una velocidad máxima por construcción no superior a 45 km/h y con un motor de cilindrada inferior o igual a 50 cm³, si es de combustión interna, o bien con una potencia continua nominal máxima inferior o igual a 4 kW si es de motor eléctrico.

b) Vehículo de tres ruedas, con una velocidad máxima por construcción no superior a 45 km/h y con un motor cuya cilindrada sea inferior o igual a 50 cm³ para los motores de encendido por chispa (positiva), o bien cuya potencia máxima neta sea inferior o igual a 4 kW para los demás motores de combustión interna, o bien cuya potencia continua nominal máxima sea inferior o igual a 4 kW para los motores eléctricos.

c) Vehículos de cuatro ruedas, cuya masa en vacío sea inferior o igual a 350 kilogramos no incluida la masa de baterías para los vehículos eléctricos, cuya velocidad máxima por construcción sea inferior o igual a 45 km/h, y cuya cilindrada del motor sea inferior o igual a 50 cm³ para los motores de encendido por chispa (positiva), o cuya potencia máxima neta sea inferior o igual a 4 kW para los demás motores de combustión interna, o cuya potencia continua nominal máxima sea inferior o igual a 4 kW para los motores eléctricos.

10. Tranvía. Vehículo que marcha por raíles instalados en la vía.

11. Vehículo para personas de movilidad reducida. Vehículo cuya tara no sea superior a 350 kilogramos y que, por construcción, no puede alcanzar en

llano una velocidad superior a 45 km/h, proyectado y construido especialmente (y no meramente adaptado) para el uso de personas con alguna disfunción o incapacidad física. En cuanto al resto de sus características técnicas se les equipara a los ciclomotores de tres ruedas.

12. Vehículo de motor. Vehículo provisto de motor para su propulsión. Se excluyen de esta definición los ciclomotores, los tranvías y los vehículos para personas de movilidad reducida.

13. Automóvil. Vehículo de motor que sirve, normalmente, para el transporte de personas o de cosas, o de ambas a la vez, o para la tracción de otros vehículos con aquel fin. Se excluyen de esta definición los vehículos especiales.

14. Motocicleta. Tienen la condición de motocicleta los automóviles que se definen a continuación:

a) Motocicletas de dos ruedas. Automóvil de dos ruedas, sin sidecar, provistos de un motor de cilindrada superior a 50 cm³, si es de combustión interna, y/o con una velocidad máxima por construcción superior a 45 km/h.

b) Motocicletas con sidecar. Automóvil de tres ruedas asimétricas respecto a su eje medio longitudinal, provistos de un motor de cilindrada superior a 50 cm³, si es de combustión interna, y/o con una velocidad máxima por construcción superior a 45 km/h.

15. Turismo. Automóvil destinado al transporte de personas que tenga, por lo menos, cuatro ruedas y que tenga, además del asiento del conductor, ocho plazas como máximo.

16. Autobús o autocar. Automóvil que tenga más de nueve plazas, incluida la del conductor, destinado, por su construcción y acondicionamiento, al transporte de personas y sus equipajes. Se incluye en este término el trolebús, es decir, el vehículo conectado a una línea eléctrica y que no circula por raíles.

17. Autobús o autocar articulado. Autobús o autocar compuesto por dos partes rígidas unidas entre sí por una sección articulada. En este tipo de vehículos, los compartimentos para viajeros de cada una de ambas partes rígidas se comunican entre sí.

La sección articulada permite la libre circulación de los viajeros entre las partes rígidas. La conexión y disyunción entre las dos partes únicamente podrá realizarse en el taller.

18. Camión. Automóvil con cuatro ruedas o más, concebido y construido para el transporte de mercancías, cuya cabina no está integrada en el resto de la carrocería y con un máximo de nueve plazas, incluido el conductor.

19. Vehículo mixto adaptable. Automóvil especialmente dispuesto para el transporte, simultáneo o no, de mercancías y personas hasta un máximo de nueve incluido el conductor, y en el que se puede sustituir eventualmente la carga, parcial o totalmente, por personas mediante la adición de asientos.

20. Remolque. Vehículo no autopropulsado diseñado y concebido para ser remolcado por un vehículo de motor.

21. Remolque ligero. Aquél cuya masa máxima autorizada no exceda de 750 kg. A efectos de esta clasificación, se excluyen los agrícolas.

22. Semirremolque. Vehículo no autopropulsado diseñado y concebido para ser acoplado a un automóvil, sobre el que reposará parte del mismo, transfiriéndole una parte sustancial de su masa.

23. Tractocamión. Automóvil concebido y construido para realizar, principalmente, el arrastre de un semirremolque.

24. Conjunto de vehículos. Tienen la condición de conjunto de vehículos:

a) Vehículo articulado. Automóvil constituido por un vehículo de motor acoplado a un semirremolque.

b) Tren de carretera. Automóvil constituido por un vehículo de motor enganchado a un remolque.

25. Vehículo especial (V.E.). Vehículo, autopropulsado o remolcado, concebido y construido para realizar obras o servicios determinados y que, por sus características, está exceptuado de cumplir alguna de las condiciones técnicas reglamentariamente establecidas o sobrepasa permanentemente los límites establecidos en el mismo para masas o dimensiones, así como la maquinaria agrícola y sus remolques.

26. Tractor de obras. Vehículo especial autopropulsado, de dos o más ejes, concebido y construido para arrastrar o empujar útiles, máquinas o vehículos de obras.

27. Tractor de servicios. Vehículo especial autopropulsado, de dos o más ejes, concebido y construido para arrastrar o empujar vehículos de servicio, vagones u otros aparatos.

28. Tractor agrícola. Vehículo especial autopropulsado, de dos o más ejes, concebido y construido para arrastrar, empujar, llevar o accionar aperos, maquinaria o remolques agrícolas.

29. Motocultor. Vehículo especial autopropulsado, de un eje, dirigible por manceras por un conductor que marche a pie. Ciertos motocultores pueden,

también, ser dirigidos desde un asiento incorporado a un remolque o máquina agrícola o a un apero o bastidor auxiliar con ruedas.

30. Tractocarro. Vehículo especial autopropulsado, de dos o más ejes, especialmente concebido para el transporte en campo de productos agrícolas.

31. Máquina agrícola automotriz. Vehículo especial autopropulsado, de dos o más ejes, concebido y construido para efectuar trabajos agrícolas.

32. Portador. Vehículo especial autopropulsado, de dos o más ejes, concebido y construido para portar máquinas agrícolas.

33. Máquina agrícola remolcada. Vehículo especial concebido y construido para efectuar trabajos agrícolas que, para trasladarse y maniobrar debe ser arrastrado o empujado por un tractor agrícola, motocultor, portador o máquina agrícola automotriz. Se excluyen de esta definición los aperos agrícolas, entendiéndose por tales los útiles o instrumentos agrícolas, sin motor, concebidos y construidos para efectuar trabajos de preparación del terreno o laboreo, que, además, no se consideran vehículos, así como también el resto de la maquinaria agrícola remolcada de menos de 750 kilogramos de masa.

34. Remolque agrícola. Vehículo especial de transporte construido y destinado para ser arrastrado por un tractor agrícola, motocultor, portador o máquina agrícola automotriz. Se incluyen en esta definición a los semirremolques agrícolas.

35. Tara. Masa del vehículo, con su equipo fijo autorizado, sin personal de servicio, pasajeros ni carga, y con su dotación completa de agua, combustible, lubricante, repuestos, herramientas y accesorios reglamentarios.

36. Masa en carga. La masa efectiva del vehículo y de su carga, incluida la masa del personal de servicio y de los pasajeros.

37. Masa máxima autorizada (M.M.A.). La masa máxima para la utilización de un vehículo con carga en circulación por las vías públicas.

38. Masa por eje. La que gravita sobre el suelo, transmitida por la totalidad de las ruedas acopladas a ese eje.

39. Grupo de ejes. Los ejes que forman parte de un bogie. En el caso de dos ejes, el grupo se denominará tándem, y tándem triaxial en caso de tres ejes.

40. Luz de carretera o de largo alcance. Luz utilizada para alumbrar una distancia larga de la vía por delante del vehículo.

41. Luz de cruce o de corto alcance. Luz utilizada para alumbrar la vía por delante del vehículo, sin deslumbrar ni molestar a los conductores que vengan en sentido contrario, ni a los demás usuarios de la vía.

42. Luz de posición delantera. Luz utilizada para indicar la presencia y la anchura del vehículo, cuando se le vea desde delante.

43. Luz de posición trasera. Luz utilizada para indicar la presencia y la anchura del vehículo, cuando se le vea desde detrás.

44. Catadióptrico. Dispositivo utilizado para indicar la presencia del vehículo mediante la reflexión de la luz procedente de una fuente luminosa independiente de dicho vehículo, hallándose el observador cerca de la fuente.

No se considerarán catadiópticos:

– Las placas de matrícula retrorreflectantes.

– Las señales retrorreflectantes mencionadas en el ADR.

– Las demás placas y señales retrorreflectantes que deban llevarse para cumplir la reglamentación vigente sobre la utilización de determinadas categorías de vehículos o de determinados modos de funcionamiento.

45. Luz de marcha atrás. Luz utilizada para iluminar la vía por detrás del vehículo y para advertir a los demás usuarios de la vía que el vehículo va, o está a punto de ir, marcha atrás.

46. Luz indicadora de dirección. Luz utilizada para indicar a los demás usuarios de la vía que el conductor quiere cambiar de dirección hacia la derecha o hacia la izquierda.

47. Luz de frenado. Luz utilizada para indicar, a los usuarios de la vía que circulan detrás del vehículo, que el conductor de éste está accionando el freno de servicio.

48. Luz de gálibo. Luz instalada lo más cerca posible del borde exterior más elevado del vehículo y destinada claramente a indicar la anchura total del vehículo. En determinados vehículos y remolques, esta luz sirve de complemento a las luces de posición delanteras y traseras del vehículo para señalar su volumen.

49. Señal de emergencia. El funcionamiento simultáneo de todas las luces indicadoras de dirección del vehículo para advertir que el vehículo representa temporalmente un peligro para los demás usuarios de la vía.

50. Luz antiniebla delantera. Luz utilizada para mejorar el alumbrado de la carretera en caso de niebla, nevada, tormenta o nube de polvo.

51. Luz antiniebla trasera. Luz utilizada para hacer el vehículo más visible por detrás en caso de niebla densa.

52. Luz de alumbrado interior. Luz destinada a la iluminación del habitáculo del vehículo en forma tal que no produzca deslumbramiento ni moleste indebidamente a los demás usuarios de la vía.

53. Luz de estacionamiento. Luz utilizada para señalizar la presencia de un vehículo estacionado en zona edificada. En tales circunstancias sustituye a las luces de posición delanteras y traseras.

54. Plataforma. Zona de la carretera dedicada al uso de vehículos, formada por la calzada y los arcenes.

55. Calzada. Parte de la carretera dedicada a la circulación de vehículos. Se compone de un cierto número de carriles.

56. Carril. Banda longitudinal en que puede estar subdividida la calzada, delimitada o no por marcas viales longitudinales, siempre que tenga una anchura suficiente para permitir la circulación de una fila de automóviles que no sean motocicletas.

57. Carril para vehículos con alta ocupación. Aquel especialmente reservado o habilitado para la circulación de los vehículos con alta ocupación.

58. Acera. Zona longitudinal de la carretera elevada o no, destinada al tránsito de peatones.

59. Zona peatonal. Parte de la vía, elevada o delimitada de otra forma, reservada a la circulación de peatones. Se incluye en esta definición la acera, el andén y el paseo.

60. Refugio. Zona peatonal situada en la calzada y protegida del tránsito rodado.

61. Arcén. Franja longitudinal afirmada contigua a la calzada, no destinada al uso de vehículos automóviles, más que en circunstancias excepcionales.

62. Intersección. Nudo de la red viaria en el que todos los cruces de trayectorias posibles de los vehículos que lo utilizan se realizan a nivel.

63. Glorieta. Tipo especial de intersección caracterizado por que los tramos que en él confluyen se comunican a través de un anillo en el que se establece una circulación rotatoria alrededor de una isleta central. No son glorietas propiamente dichas las denominadas glorietas partidas en las que dos tramos, generalmente opuestos, se conectan directamente a través de la isleta central, por lo que el tráfico pasa de uno a otro y no la rodea.

64. Paso a nivel. Cruce a la misma altura entre una vía y una línea de ferrocarril con plataforma independiente.

65. Carretera. Vía pública pavimentada situada fuera de poblado, salvo los tramos en travesía.

66. Autopista. Carretera especialmente proyectada, construida y señalizada como tal para la exclusiva circulación de automóviles y que tiene las siguientes características:

a) No tener acceso a la misma las propiedades colindantes.

b) No cruzar a nivel ninguna otra senda, vía, línea de ferrocarril o tranvía, ni ser cruzada a nivel por senda, vía de comunicación o servidumbre de paso alguna.

c) Constar de distintas calzadas para cada sentido de circulación, separadas entre sí, salvo en puntos singulares o con carácter temporal, por una franja de terreno no destinada a la circulación o, en casos excepcionales, por otros medios.

67. Autovía. Carretera especialmente proyectada, construida y señalizada como tal que tiene las siguientes características:

a) Tener acceso limitado a ella las propiedades colindantes.

b) No cruzar a nivel ninguna otra senda, vía, línea de ferrocarril o tranvía, ni ser cruzada a nivel por senda, vía de comunicación o servidumbre de paso alguna.

c) Constar de distintas calzadas para cada sentido de circulación, separadas entre sí, salvo en puntos singulares o con carácter temporal, por una franja de terreno no destinada a la circulación, o por otros medios.

68. Vía para automóviles. Vía reservada exclusivamente a la circulación de automóviles, con una sola calzada y con limitación total de accesos a las propiedades colindantes, y señalizada con las señales S-3 y S-4, respectivamente.

69. Carretera convencional. Carretera que no reúne las características propias de las autopistas, autovías y vías para automóviles.

70. Poblado. Espacio que comprende edificios y en cuyas vías de entrada y de salida están colocadas, respectivamente, las señales de entrada a poblado y de salida de poblado.

71. Travesía. Tramo de carretera que discurre por poblado. No tendrán la consideración de travesías aquellos tramos que dispongan de una alternativa viaria o variante a la cual tiene acceso.

72. Vía interurbana. Vía pública situada fuera de poblado.

73. Vía urbana. Vía pública situada dentro de poblado, excepto las travesías.

74. Vía ciclista. Vía específicamente acondicionada para el tráfico de ciclos, con la señalización horizontal y vertical correspondiente, y cuyo ancho permite el paso seguro de estos vehículos.

75. Carril-bici. Vía ciclista que discurre adosada a la calzada, en un solo sentido o en doble sentido.

76. Carril-bici protegido. Carril-bici provisto de elementos laterales que lo separan físicamente del resto de la calzada, así como de la acera.

77. Acera-bici. Vía ciclista señalizada sobre la acera.

78. Pista-bici. Vía ciclista segregada del tráfico motorizado, con trazado independiente de las carreteras.

79. Senda ciclable. Vía para peatones y ciclos, segregada del tráfico motorizado, y que discurre por espacios abiertos, parques, jardines o bosques.

80. Detención. Inmovilización de un vehículo por emergencia, por necesidades de la circulación o para cumplir algún precepto reglamentario.

81. Parada. Inmovilización de un vehículo durante un tiempo inferior a dos minutos, sin que el conductor pueda abandonarlo.

82. Estacionamiento. Inmovilización de un vehículo que no se encuentra en situación de detención o parada.

## ANEXO II. INFRACCIONES QUE LLEVAN APAREJADA LA PÉRDIDA DE PUNTOS

El titular de un permiso o licencia de conducción que sea sancionado en firme en vía administrativa por la comisión de alguna de las infracciones que a continuación se relacionan, perderá el número de puntos que, para cada una de ellas, se señalan a continuación:

|  | Puntos |
|---|---|
| 1. Conducir con una tasa de alcohol superior a la reglamentariamente establecida: | |
| Valores mg/l aire espirado, más de 0,50 (profesionales y titulares de permisos de conducción con menos de dos años de antigüedad más de 0,30 mg/l) | 6 |
| Valores mg/l aire espirado, superior a 0,25 hasta 0,50 (profesionales y titulares de permisos de conducción con menos de dos años de antigüedad más de 0,15 hasta 0,30 mg/l) | 4 |
| 2. Conducir con presencia de drogas en el organismo | 6 |
| 3. Incumplir la obligación de someterse a las pruebas de detección de alcohol o de la presencia de drogas en el organismo | 6 |
| 4. Conducir de forma temeraria, circular en sentido contrario al establecido o participar en carreras o competiciones no autorizadas | 6 |
| 5. Conducir vehículos que tengan instalados inhibidores de radares o cinemómetros o cualesquiera otros mecanismos encaminados a interferir en el correcto funcionamiento de los sistemas de vigilancia del tráfico | 6 |
| 6. El exceso en más del 50 por ciento en los tiempos de conducción o la minoración en más del 50 por ciento en los tiempos de descanso establecidos en la legislación sobre transporte terrestre | 6 |
| 7. La participación o colaboración necesaria de los conductores en la colocación o puesta en funcionamiento de elementos que alteren el normal funcionamiento del uso del tacógrafo o del limitador de velocidad | 6 |
| 8. Conducir un vehículo con un permiso o licencia de conducción que no le habilite para ello | 4 |
| 9. Arrojar a la vía o en sus inmediaciones objetos que puedan producir incendios, accidentes de circulación u obstaculizar la libre circulación | 4 |
| 10. Incumplir las disposiciones legales sobre preferencia de paso, y la obligación de detenerse en la señal de stop, ceda el paso y en los semáforos con luz roja encendida | 4 |
| 11. Incumplir las disposiciones legales sobre adelantamiento poniendo en peligro o entorpeciendo a quienes circulen en sentido contrario y adelantar en lugares o circunstancias de visibilidad reducida | 4 |

| | |
|---|---|
| 12. Adelantar poniendo en peligro o entorpeciendo a ciclistas | 4 |
| 13. Efectuar el cambio de sentido incumpliendo las disposiciones recogidas en esta ley y en los términos establecidos reglamentariamente | 3 |
| 14. Realizar la maniobra de marcha atrás en autopistas y autovías | 4 |
| 15. No respetar las señales o las órdenes de los agentes de la autoridad encargados de la vigilancia del tráfico | 4 |
| 16. No mantener la distancia de seguridad con el vehículo que le precede | 4 |
| 17. Conducir utilizando cualquier tipo de casco de audio o auricular conectado a aparatos receptores o reproductores de sonido u otros dispositivos que disminuyan la atención permanente a la conducción o utilizar manualmente dispositivos de telefonía móvil, navegadores o cualquier otro medio o sistema de comunicación | 3 |
| 18. No hacer uso del cinturón de seguridad, sistemas de retención infantil, casco y demás elementos de protección | 3 |
| 19. Conducir un vehículo teniendo suspendida la autorización administrativa para conducir o teniendo prohibido el uso del vehículo que se conduce | 4 |
| 20. Conducir vehículos utilizando mecanismos de detección de radares o cinemómetros | 3 |

La detracción de puntos por exceso de velocidad se producirá de acuerdo con lo establecido en el anexo IV.

## ANEXO III. CURSOS DE SENSIBILIZACIÓN Y REEDUCACIÓN VIAL

La duración, el contenido y los requisitos de los cursos de sensibilización y reeducación vial serán los que se establezcan por orden del Ministro del Interior.

1. Objeto. Los cursos de sensibilización y reeducación vial tendrán por objeto concienciar a los conductores sobre su responsabilidad como infractores y las consecuencias derivadas de su comportamiento, en especial respecto a los accidentes de tráfico, así como reeducarlos en el respeto a los valores esenciales en el ámbito de la seguridad vial como son el aprecio a la vida propia y ajena, y en el cumplimiento de las normas que regulan la circulación.

La realización de estos cursos tendrá como objetivo final modificar la actitud en la circulación vial de los conductores sancionados por la comisión de infracciones graves y muy graves que lleven aparejada la pérdida de puntos.

2. Clases de cursos. Se podrán realizar dos clases de cursos:

a) Los cursos de sensibilización y reeducación vial para aquellos conductores que hayan perdido una parte del crédito inicial de puntos asignados. La superación con aprovechamiento de estos cursos les permitirá recuperar hasta un máximo de seis puntos, siempre que se cumplan los requisitos establecidos en esta ley. Su duración máxima será de quince horas.

b) Los cursos de sensibilización y reeducación vial para aquellos conductores que pretendan obtener de nuevo el permiso o la licencia de conducción tras haber perdido la totalidad de los puntos asignados. La superación con aprovechamiento de estos cursos será un requisito previo para que el titular de la autorización pueda obtenerla de nuevo, siempre que cumpla los requisitos establecidos en esta ley. Su duración máxima será de treinta horas.

3. Contenido de los cursos. El contenido de los cursos de sensibilización y reeducación vial versará, principalmente, sobre aquellas materias relacionadas con los accidentes de tráfico, sus causas, consecuencias y los comportamientos adecuados para evitarlos.

4. Centros de reeducación vial. Los centros que vayan a gestionar estos cursos se contratarán de acuerdo con lo establecido en la legislación de contratos del sector público.

## ANEXO IV. CUADRO DE SANCIONES Y PUNTOS POR EXCESO DE VELOCIDAD

*Infracción sobre exceso de velocidad captado por cinemómetro*

| Límite | | 20 | 30 | 40 | 50 | 60 | 70 | 80 | 90 | 100 | 110 | 120 | 130 | Multa | Puntos |
|---|---|---|---|---|---|---|---|---|---|---|---|---|---|---|---|
| Exceso velocidad | Grave | 21/40 | 31/50 | 41/60 | 51/70 | 61/90 | 71/100 | 81/110 | 91/120 | 101/130 | 111/140 | 121/150 | 131/150 | 100 | – |
| | | 41/50 | 51/60 | 61/70 | 71/80 | 91/110 | 101/120 | 111/130 | 121/140 | 131/150 | 141/160 | 151/170 | 151/170 | 300 | 2 |
| | | 51/60 | 61/70 | 71/80 | 81/90 | 111/120 | 121/130 | 131/140 | 141/150 | 151/160 | 161/170 | 171/180 | 171/180 | 400 | 4 |
| | | 61/70 | 71/80 | 81/90 | 91/100 | 121/130 | 131/140 | 141/150 | 151/160 | 161/170 | 171/180 | 181/190 | 181/190 | 500 | 6 |
| | Muy grave | 71 | 81 | 91 | 101 | 131 | 141 | 151 | 161 | 171 | 181 | 191 | 191 | 600 | 6 |

En los tramos de autovías y autopistas interurbanas de acceso a las ciudades en que se hayan establecido límites inferiores a 100 km/h, los excesos de velocidad se sancionarán con la multa económica correspondiente al cuadro de sanciones del Anexo IV. El resto de los efectos administrativos y penales sólo se producirá cuando superen los 100 km/h y en los términos establecidos para este límite.

## ANEXO V. DATOS DE BÚSQUEDA A LOS QUE PODRÁN ACCEDER LOS ÓRGANOS COMPETENTES ESPAÑOLES

1. Datos relativos al vehículo:

Número de matrícula.

Estado miembro de matriculación.

2. Datos relativos a la infracción:

Estado miembro de la infracción.

Fecha de la infracción.

Hora de la infracción.

Código del tipo de infracción que corresponda según el cuadro siguiente:

| Código | Tipo de infracción |
|---|---|
| Código 1 | Exceso de velocidad. |
| Código 2 | Conducción con tasas de alcohol superiores a las reglamentariamente establecidas. |
| Código 3 | No utilización del cinturón de seguridad u otros sistemas de retención homologados. |
| Código 4 | No detención ante un semáforo en rojo o en el lugar prescrito por la señal de «stop». |
| Código 5 | Circulación por un carril prohibido, circulación indebida por el arcén o por un carril reservado para determinados usuarios. |
| Código 10 | Conducción con presencia de drogas en el organismo. |
| Código 11 | No utilización del casco de protección. |
| Código 12 | Utilización del teléfono móvil o de cualquier otro dispositivo de comunicación durante la conducción cuando no esté permitido. |

## ANEXO VI. DATOS QUE SE FACILITARÁN POR LOS ÓRGANOS COMPETENTES ESPAÑOLES

1. Datos de los vehículos:
- Número de matrícula.
- Número de bastidor.
- Estado miembro de matriculación.
- Marca.
- Modelo.
- Código de categoría UE.

2. Datos de los titulares, conductores habituales o arrendatarios a largo plazo:
- Apellidos o denominación social.
- Nombre.
- Dirección.
- Fecha de nacimiento.
- Sexo.
- Personalidad jurídica, persona física o jurídica; particular, asociación, sociedad, etc.
- Número identificador: Número del documento nacional de identidad, número de identificación de extranjero, número de identificación fiscal de personas jurídicas y entidades sin personalidad jurídica.

## ANEXO VII. CARTA DE INFORMACIÓN

*[Portada]*

..........................................
*[Nombre, dirección y teléfono del remitente]*
..........................................
*[Nombre y dirección del destinatario]*

*CARTA DE INFORMACIÓN*

[Relativa a una Infracción de tráfico en materia de seguridad vial cometida en...............................................................................................
....................

[Nombre del Estado miembro en el que se cometió la infracción]

*[Página 2]*

El....................,.............................................
[Fecha] [Nombre del organismo responsable]

detectó una infracción de tráfico en materia de seguridad vial cometida con el vehículo con matrícula....................., marca...................., modelo........................

[Opción n.º 1] (1) Su nombre figura en los registros como titular del permiso de circulación del vehículo mencionado.

[Opción n.º 2] (1) El titular del permiso de circulación del vehículo mencionado ha declarado que usted conducía el vehículo en el momento de la comisión de la infracción de tráfico en materia de seguridad vial.

Los detalles pertinentes de la infracción se describen a continuación (página 3).

El importe de la sanción pecuniaria debida por esta infracción es de ............. EUR/[moneda nacional].

El plazo de pago vence el...........................................

Se le aconseja rellenar el formulario de respuesta adjunto (página 4) y enviarlo a la dirección mencionada, en caso de no abonar la sanción pecuniaria.

La presente carta se tramitará con arreglo al Derecho nacional de..............
[Nombre del Estado miembro de la infracción].

(1) Táchese lo que no proceda.

*[Página 3]*

Datos pertinentes en relación con la infracción

a) Datos sobre el vehículo con el que se cometió la infracción:

Número de matrícula:....................................................

Estado miembro de matriculación:................................

Marca y modelo:....................................................

b) Datos sobre la infracción:

Lugar, fecha y hora en que se cometió:..............................

Carácter y calificación legal de la infracción:................................

Exceso de velocidad, no utilización del cinturón de seguridad u otros sistemas de retención homologados, no detención ante un semáforo en rojo o en el lugar prescrito por la señal de «stop», conducción con tasas de alcohol superiores a las reglamentariamente establecidas, conducción con presencia de drogas en el organismo, no utilización del casco de protección, circulación por un carril prohibido, circulación indebida por el arcén o por un carril reservado para determinados usuarios, utilización del teléfono móvil o de cualquier otro dispositivo de comunicación durante la conducción cuando no esté permitido: (1)

Descripción detallada de la infracción:........................

Referencia a las disposiciones legales pertinentes:........

Descripción o referencia de las pruebas de la infracción:....................

c) Datos sobre el dispositivo utilizado para detectar la infracción: (2)

Tipo de dispositivo utilizado para detectar el exceso de velocidad, la no utilización del cinturón de seguridad u otros sistemas de retención homologados, la no detención ante un semáforo en rojo o en el lugar prescrito por la señal de "stop", la conducción con tasas de alcohol superiores a las reglamentariamente establecidas, la conducción con presencia de drogas en el organismo, la no utilización del casco de protección, la circulación por un carril prohibido, circulación indebida por el arcén o por un carril reservado para determinados usuarios, la utilización del teléfono móvil o de cualquier otro dispositivo de comunicación durante la conducción cuando no esté permitido (1):

Especificaciones del dispositivo: ..................................

Número de identificación del dispositivo: ....................

Fecha de vencimiento de la última calibración: ...........

d) Resultado de la aplicación del dispositivo:............

[Ejemplo para el exceso de velocidad; se añadirán las demás infracciones:]

Velocidad máxima:....................................................

Velocidad medida:....................................................

Velocidad medida corregida en función del margen de error, si procede:
..................

(1) Táchese lo que no proceda.

(2) No procede si no se ha utilizado dispositivo alguno.

*[Página 4]*

Formulario de respuesta

(Rellénese con mayúsculas)

A. Identidad del conductor:

Nombre y apellido(s):...............................................

Lugar y fecha de nacimiento:.......................................

Número        del        permiso        de        conducción:.............................................................

Dirección:.........................................................

B. Cuestionario:

1. ¿Está registrado a su nombre el vehículo de marca............... y matrícula...............? sí/no(1)

En caso de respuesta negativa, el titular del permiso de circulación es:....................

[Apellido(s) y nombre, dirección]

2. ¿Reconoce haber cometido la infracción? sí/no(1)

3. Si no lo reconoce, explique por qué:..........................

(1) Táchese lo que no proceda.

Se ruega enviar el formulario cumplimentado en un plazo de 60 días a partir de la fecha de la presente carta de información a la siguiente autoridad:................................... a la siguiente dirección:.........................................................

Información

El presente expediente será examinado por la autoridad competente de...

........................................................................

[Nombre del Estado miembro de la infracción]

Si se suspenden las actuaciones, será informado en un plazo de 60 días tras la recepción del formulario de respuesta.

Si se prosiguen las actuaciones, se aplicará el procedimiento siguiente:...................................

[Indicación por el Estado miembro de la infracción del procedimiento que se siga, con información sobre la posibilidad de interponer recurso contra la decisión de proseguir las actuaciones y el procedimiento para hacerlo. En cualquier caso, la información incluirá: el nombre y la dirección de la autoridad encargada de proseguir las actuaciones; el plazo de pago; el nombre y la dirección del organismo de recurso pertinente; el plazo de recurso].

La presente carta de información, en sí misma, carece de consecuencias jurídicas.

## §2. Real Decreto 1428/2003, de 21 de noviembre, por el que se aprueba el Reglamento General de Circulación para la aplicación y desarrollo del texto articulado de la Ley sobre Tráfico, Circulación de Vehículos a Motor y Seguridad Vial, aprobado por el Real Decreto Legislativo 339/1990, de 2 de marzo[1]

*(BOE núm. 306, de 23 de diciembre de 2003)*

La disposición final segunda de la Ley 19/2001, de 19 de diciembre, de reforma del texto articulado de la Ley sobre tráfico, circulación de vehículos a motor y seguridad vial, aprobado por el Real Decreto Legislativo 339/1990, de 2 de marzo, establece que el Gobierno, en el plazo máximo de seis meses desde la entrada en vigor de dicha reforma, procederá a modificar el Reglamento General de Circulación, aprobado por el Real Decreto 13/1992, de 17 de enero, para adecuarlo a las modificaciones contenidas en dicha reforma. Este Real Decreto trasciende dicho mandato legislativo, pues aparte de su cumplimiento, la magnitud de las reformas que precisa el Reglamento General de Circulación, aprobado por el Real Decreto 13/1992, de 17 de enero, aconseja la promulgación de uno nuevo, en el que además se refunden las modificaciones anteriores efectuadas por el Real Decreto 116/1998, de 30 de enero, que adaptó el Reglamento General de Circulación a la Ley 5/1997, de 24 de marzo, también de reforma del texto articulado de la Ley sobre tráfico, circulación de vehículos a

---

[1] Texto consolidado después de las reformas operadas en la redacción original del Reglamento por Real Decreto 965/2006, de 1 de septiembre, de modificación del Reglamento General de Circulación, aprobado por Real Decreto 1428/2003, de 21 de noviembre; y, Real Decreto 667/2015, de 17 de julio, por el que se modifica el Reglamento General de Circulación, aprobado por Real Decreto 1428/2003, de 21 de noviembre, en lo que se refiere a cinturones de seguridad y sistemas de retención infantil homologados. Téngase, asimismo, en cuenta la Sentencia del Tribunal Supremo, Sala de lo Contencioso-Administrativo, Sección 3ª, de 11 de mayo de 2011, por la que se desestima la cuestión de ilegalidad planteada en relación con el artículo 41.2 del Reglamento General de Circulación para la aplicación y desarrollo del Texto Articulado de la Ley sobre Tráfico, Circulación de Vehículos a Motor y Seguridad Vial, aprobado por Real Decreto 1428/2003, de 21 de noviembre.

motor y seguridad vial, como, asimismo, el Real Decreto 1333/1994, de 20 de junio, y el Real Decreto 2282/98, de 23 de octubre, que modificó el Reglamento General de Circulación en materia de alcoholemia.

Al hilo de la adaptación del nuevo texto a la Ley 19/2001, no sólo se introducen normas en materia de ciclismo y se contemplan nuevas infracciones o se varía la calificación de otras, como es el caso del uso de dispositivos de telefonía móvil o la circulación en sentido contrario, respectivamente, sino que también se modernizan otros preceptos en armonía con una nueva concepción de la gestión del tráfico que dispone de medios técnicos de regulación de la circulación que la norma ha de hacer plenamente operativos.

En materia de ciclismo debe señalarse que la Ley 43/1999, de 25 de noviembre, sobre adaptación de las normas de circulación a la práctica del ciclismo, efectuó una importante reforma del texto articulado de la Ley sobre tráfico, circulación de vehículos a motor y seguridad vial, que, a su vez, ha resultado afectada por la Ley 19/2001, a cuya promulgación ha habido que esperar para efectuar un extenso desarrollo reglamentario, que ahora lleva a cabo.

Ello ha llevado también a revisar y actualizar todo el sistema de señalización, adaptándolo a los avances en los criterios de utilización generalizados en los países de nuestro entorno, mejorando la concordancia entre la normativa de tráfico y la de carreteras a este respecto.

En el Anexo I se representan gráficamente las señales.

En el Anexo II se regulan las pruebas deportivas, las marchas ciclistas y otros eventos, hasta ahora reguladas por el artículo 108 y el Anexo II del Código de la Circulación, preceptos que es preciso derogar reordenando las pruebas deportivas en torno al artículo 55 del Reglamento General de Circulación, que trata de las carreras, concursos, certámenes u otras pruebas deportivas.

Destaca la competencia de las Comunidades Autónomas para autorizar la celebración de pruebas deportivas por vías interurbanas de su ámbito territorial, habida cuenta que tienen asumida y traspasada la competencia en materia de espectáculos públicos en general, carácter del que participan las pruebas deportivas, cuya singularidad e incidencia en la seguridad vial se salvaguarda a través de un informe vinculante, que emiten con carácter previo a la autorización las Administraciones públicas encargadas de la vigilancia y regulación del tráfico.

El Anexo III trata de las normas y condiciones especiales de circulación de los vehículos especiales y de los vehículos en régimen de transporte especial, lo que constituía una laguna existente en nuestro derecho de la circulación que era urgente regular, dada la magnitud de los accidentes que pueden sobrevenir cuando se hallan implicados en aquéllos este tipo de vehículos.

También se regula en este Anexo el régimen específico de circulación de convoyes y transportes de las Fuerzas Armadas que, por otra parte, en muchos aspectos y bajo determinados supuestos, está sometido a acuerdos internacionales, por lo que se hace necesario establecer una regulación específica. Esto es posible al amparo de lo que determinan el apartado 2 de la disposición final del texto articulado de la Ley sobre tráfico, circulación de vehículos a motor y seguridad vial y la disposición final segunda del Reglamento General de Vehículos, aprobado por el Real Decreto 2822/1998, de 23 de diciembre.

Por otro lado, la pertenencia de nuestro país a organizaciones supranacionales que aseguran una defensa común ha impulsado la cooperación en esta materia con otros países de nuestro entorno, de modo que con cierta frecuencia vehículos militares de otras naciones circulan por las carreteras españolas, especialmente con motivo de maniobras y de ejercicios que incluyen transporte de material militar.

Por último, en la disposición final primera se hace uso de la facultad otorgada al Gobierno por la disposición final del texto articulado de la Ley sobre el tráfico, circulación de vehículos a motor y seguridad vial para modificar conceptos básicos de circulación y añadir definiciones a los contenidos en el Anexo de dicho texto articulado y que son complementos indispensables para la aplicación del nuevo Reglamento de Circulación que se aprueba.

Este Real Decreto ha sido informado por el Consejo Superior de Tráfico y Seguridad de la Circulación Vial.

En su virtud, a propuesta de los Ministros del Interior, de Defensa, de Fomento y de Ciencia y Tecnología, con la aprobación previa del Ministro de Administraciones Públicas, de acuerdo con el Consejo de Estado y previa deliberación del Consejo de Ministros en su reunión del día 21 de noviembre de 2003, dispongo:

**Artículo único.** *Aprobación del Reglamento General de Circulación.*– Se aprueba el Reglamento General de Circulación para la aplicación y desarrollo del texto articulado de la Ley sobre tráfico, circulación de vehículos a motor y seguridad vial, aprobado por el Real Decreto Legislativo 339/1990, de 2 de marzo, cuyo texto se inserta a continuación.

**Disposición derogatoria única.** *Derogación normativa.–* Quedan derogados el Real Decreto 13/1992, de 17 de enero, por el que se aprueba el Reglamento General de Circulación, para la aplicación y desarrollo del texto articulado de la Ley sobre tráfico, circulación de vehículos a motor y seguridad vial, así como el artículo 108 y el Anexo II del Código de la Circulación, y cuantas disposiciones de igual o inferior rango se opongan a lo dispuesto en este Real Decreto.

**Disposición final primera.** *Modificación del Anexo del texto articulado de la Ley sobre tráfico, circulación de vehículos a motor y seguridad vial.–* [...][2]

**Disposición final segunda.** *Facultades de desarrollo.–* Se faculta al Ministro del Interior para dictar, por sí o conjuntamente con los titulares de los restantes departamentos ministeriales afectados por razón de la materia, las disposiciones oportunas para la aplicación y desarrollo de lo establecido en este Real Decreto.

**Disposición final tercera.** *Vehículos de las Fuerzas Armadas.–* Se faculta a los Ministros de Defensa y del Interior y, en su caso, a los demás ministros competentes, para regular las peculiaridades del régimen de autorizaciones y circulación de los vehículos pertenecientes a las Fuerzas Armadas.

**Disposición final cuarta.** *Estupefacientes y sustancias psicotrópicas.–* Se faculta a los Ministros del Interior y de Sanidad y Consumo y, en su caso, a los demás ministros competentes, para regular todo lo relativo a estupefacientes y sustancias psicotrópicas que puedan influir negativamente en el conductor de vehículos a motor.

**Disposición final quinta.** *Entrada en vigor.–* El presente Real Decreto entrará en vigor al mes siguiente de su publicación en el "Boletín Oficial del Estado".

---

[2]    Disposición final derogada tácitamente por el Real Decreto Legislativo 6/2015, de 30 de octubre, por el que se aprueba el Texto Refundido de la Ley sobre Tráfico, Circulación de Vehículos a Motor y Seguridad Vial.

## REGLAMENTO GENERAL DE CIRCULACIÓN

## TÍTULO PRELIMINAR. ÁMBITO DE APLICACIÓN DE LAS NORMAS SOBRE TRÁFICO, CIRCULACIÓN DE VEHÍCULOS A MOTOR Y SEGURIDAD VIAL

**Artículo 1.** *Ámbito de aplicación.–* 1. Los preceptos de la Ley sobre tráfico, circulación de vehículos a motor y seguridad vial, los de este reglamento y los de las demás disposiciones que la desarrollen serán aplicables en todo el territorio nacional y obligarán a los titulares y usuarios de las vías y terrenos públicos aptos para la circulación, tanto urbanos como interurbanos, a los de las vías y terrenos que, sin tener tal aptitud, sean de uso común y, en defecto de otras normas, a los de las vías y terrenos privados que sean utilizados por una colectividad indeterminada de usuarios.

2. En concreto, tales preceptos serán aplicables:

a) A los titulares de las vías públicas o privadas, comprendidas en el párrafo c), y a sus usuarios, ya lo sean en concepto de titulares, propietarios, conductores u ocupantes de vehículos o en concepto de peatones, y tanto si circulan individualmente como en grupo.

Asimismo, son aplicables a todas aquellas personas físicas o jurídicas que, sin estar comprendidas en el inciso anterior, resulten afectadas por dichos preceptos.

b) A los animales sueltos o en rebaño y a los vehículos de cualquier clase que, estáticos o en movimiento, se encuentren incorporados al tráfico en las vías comprendidas en el primer inciso del párrafo c).

c) A las autopistas, autovías, carreteras convencionales, a las áreas y zonas de descanso y de servicio, sitas y afectas a dichas vías, calzadas de servicio y a las zonas de parada o estacionamiento de cualquier clase de vehículos; a las travesías, a las plazas, calles o vías urbanas; a los caminos de dominio público; a las pistas y terrenos públicos aptos para la circulación; a los caminos de servicio construidos como elementos auxiliares o complementarios de las actividades de sus titulares y a los construidos con finalidades análogas, siempre que estén abiertos al uso público, y, en general, a todas las vías de uso común públicas o privadas.

No serán aplicables los preceptos mencionados a los caminos, terrenos, garajes, cocheras u otros locales de similar naturaleza, construidos dentro de fincas privadas, sustraídos al uso público y destinados al uso exclusivo de los propietarios y sus dependientes.

3. El desplazamiento ocasional de vehículos por terrenos o zonas de uso común no aptos para la circulación, por tratarse de lugares no destinados al tráfico, quedará sometido a las normas contenidas en el Título I y en el Capítulo X del Título II de este reglamento, en cuanto sean aplicables, y a lo dispuesto en la regulación vigente sobre conductores y vehículos, respecto del régimen de autorización administrativa previa, previsto en el Título IV del texto articulado de la Ley sobre tráfico, circulación de vehículos a motor y seguridad vial, con objeto de garantizar la aptitud de los conductores para manejar los vehículos y la idoneidad de éstos para circular con el mínimo riesgo posible.

4. En defecto de otras normas, los titulares de vías o terrenos privados no abiertos al uso público, situados en urbanizaciones, hoteles, clubes y otros lugares de recreo, podrán regular, dentro de sus respectivas vías o recintos, la circulación exclusiva de los propios titulares o sus clientes cuando constituyan una colectividad indeterminada de personas, siempre que lo hagan de manera que no desvirtúen las normas de este reglamento, ni induzcan a confusión con ellas.

## TÍTULO I. NORMAS GENERALES DE COMPORTAMIENTO EN LA CIRCULACIÓN

### CAPÍTULO I. NORMAS GENERALES

**Artículo 2.** *Usuarios.–* Los usuarios de la vía están obligados a comportarse de forma que no entorpezcan indebidamente la circulación ni causen peligro, perjuicios o molestias innecesarias a las personas, o daños a los bienes (artículo 9.1 del texto articulado).

**Artículo 3.** *Conductores.–* 1. Se deberá conducir con la diligencia y precaución necesarias para evitar todo daño, propio o ajeno, cuidando de no poner en peligro, tanto al mismo conductor como a los demás ocupantes del vehículo y al resto de los usuarios de la vía. Queda terminantemente prohibido conducir de modo negligente o temerario (artículo 9.2 del texto articulado).

2. Las conductas referidas a la conducción negligente tendrán la consideración de infracciones graves y las referidas a la conducción temeraria tendrán la consideración de infracciones muy graves, de acuerdo con lo dispuesto en el

artículo 65.4.ñ) y 5.d) del texto articulado de la Ley sobre tráfico, circulación de vehículos a motor y seguridad vial, respectivamente.

**Artículo 4.** *Actividades que afectan a la seguridad de la circulación.*– 1. La realización de obras, instalaciones, colocación de contenedores, mobiliario urbano o cualquier otro elemento u objeto de forma permanente o provisional en las vías o terrenos objeto de aplicación de la legislación sobre tráfico, circulación de vehículos a motor y seguridad vial necesitará la autorización previa de su titular y se regirán por lo dispuesto en la legislación de carreteras y en sus reglamentos de desarrollo, y en las normas municipales. Las mismas normas serán aplicables a la interrupción de las obras en razón de las circunstancias o características especiales de tráfico, que podrán llevarse a efecto a petición del organismo autónomo Jefatura Central de Tráfico (artículo 10.1 del texto articulado).

2. Se prohíbe arrojar, depositar o abandonar sobre la vía objetos o materias que puedan entorpecer la libre circulación, parada o estacionamiento, hacerlos peligrosos o deteriorar aquélla o sus instalaciones, o producir en ella o en sus inmediaciones efectos que modifiquen las condiciones apropiadas para circular, parar o estacionar (artículo 10.2 del texto articulado).

3. No se instalará en vías o terrenos objeto del ámbito de aplicación de la legislación sobre tráfico, circulación de vehículos a motor y seguridad vial ningún aparato, instalación o construcción, ni se realizarán actuaciones como rodajes, encuestas o ensayos, aunque sea con carácter provisional o temporal, que pueda entorpecer la circulación.

**Artículo 5.** *Señalización de obstáculos y peligros.*– 1. Quienes hubieran creado sobre la vía algún obstáculo o peligro deberán hacerlo desaparecer lo antes posible, y adoptarán entre tanto las medidas necesarias para que pueda ser advertido por los demás usuarios y para que no se dificulte la circulación (artículo 10.3 del texto articulado).

2. No se considerarán obstáculos en la calzada los resaltos en los pasos para peatones y bandas transversales, siempre que cumplan la regulación básica establecida al efecto por el Ministerio de Fomento y se garantice la seguridad vial de los usuarios y, en particular, de los ciclistas.

3. Para advertir la presencia en la vía de cualquier obstáculo o peligro creado, el causante de éste deberá señalizarlo de forma eficaz, tanto de día como de noche, de conformidad con lo dispuesto en los artículos 130.3, 140 y 173.

4. Todas las actuaciones que deban desarrollar los servicios de asistencia mecánica, sanitaria o cualquier otro tipo de intervención deberán regirse por los principios de utilización de los recursos idóneos y estrictamente necesarios en cada caso. El organismo autónomo Jefatura Central de Tráfico o, en su caso, la autoridad autonómica o local responsable de la regulación del tráfico, o sus agentes, acordarán la presencia y permanencia en la zona de intervención de todo el personal y equipo que sea imprescindible y garantizará la ausencia de personas ajenas a las labores propias de la asistencia; además, será la encargada de señalar en cada caso concreto los lugares donde deben situarse los vehículos de servicios de urgencia o de otros servicios especiales, atendiendo a la prestación de la mejor asistencia y velando por el mejor auxilio de las personas.

5. La actuación de los quipos de los servicios de urgencia, así como la de los de asistencia mecánica y de conservación de carreteras, deberá procurar en todo momento la menor afectación posible sobre el resto de la circulación, ocupando el mínimo posible de la calzada y siguiendo en todo momento las instrucciones que imparta el organismo autónomo Jefatura Central de Tráfico o, en su caso, la autoridad autonómica o local responsable de la regulación del tráfico, o sus agentes. El comportamiento de los conductores y usuarios en caso de emergencia se ajustará a lo establecido en los artículos 69, 129 y 130 y, en particular, el de los conductores de los vehículos de servicio de urgencia, a lo dispuesto en los artículos 67, 68, 111 y 112.

6. La detención, parada o estacionamiento de los vehículos destinados a los servicios citados deberá efectuarse de forma que no cree un nuevo peligro, y donde cause menor obstáculo a la circulación.

7. Los supuestos de parada o estacionamiento en lugares distintos de los fijados por los agentes de la autoridad responsable del tráfico tendrán la consideración de infracción grave de acuerdo con lo dispuesto en el artículo 65.4.b) del texto articulado de la Ley sobre tráfico, circulación de vehículos a motor y seguridad vial.

**Artículo 6.** *Prevención de incendios.*– 1. Se prohíbe arrojar a la vía o en sus inmediaciones cualquier objeto que pueda dar lugar a la producción de incendios o, en general, poner en peligro la seguridad vial (artículo 10.4 del texto articulado).

2. Las infracciones a este precepto tendrán la consideración de infracción grave de acuerdo con lo dispuesto en el artículo 65.4.o) del texto articulado de la Ley sobre tráfico, circulación de vehículos a motor y seguridad vial.

**Artículo 7.** *Emisión de perturbaciones y contaminantes.–* 1. Los vehículos no podrán circular por las vías o terrenos objeto de la legislación sobre tráfico, circulación de vehículos a motor y seguridad vial si emiten perturbaciones electromagnéticas, con niveles de emisión de ruido superiores a los límites establecidos por las normas específicamente reguladoras de la materia, así como tampoco podrán emitir gases o humos en valores superiores a los límites establecidos ni en los supuestos de haber sido objeto de una reforma de importancia no autorizada, todo ello de acuerdo con lo dispuesto en el Anexo I del Reglamento General de Vehículos.

Todos los conductores de vehículos quedan obligados a colaborar en las pruebas de detección que permitan comprobar las posibles deficiencias indicadas.

2. Tanto en las vías públicas urbanas como en las interurbanas se prohíbe la circulación de vehículos a motor y ciclomotores con el llamado escape libre, sin el preceptivo dispositivo silenciador de las explosiones.

Se prohíbe, asimismo, la circulación de los vehículos mencionados cuando los gases expulsados por los motores, en lugar de atravesar un silenciador eficaz, salgan desde el motor a través de uno incompleto, inadecuado, deteriorado o a través de tubos resonadores, y la de los de motor de combustión interna que circulen sin hallarse dotados de un dispositivo que evite la proyección descendente al exterior de combustible no quemado, o lancen humos que puedan dificultar la visibilidad a los conductores de otros vehículos o resulten nocivos.

Los agentes de la autoridad podrán inmovilizar el vehículo en el caso de que supere los niveles de gases, humos y ruidos permitidos reglamentariamente, según el tipo de vehículo, conforme al artículo 70.2 del texto articulado de la Ley sobre tráfico, circulación de vehículos a motor y seguridad vial.

3. Queda prohibida la emisión de los contaminantes a que se refiere el apartado 1 producida por vehículos a motor por encima de las limitaciones previstas en las normas reguladoras de los vehículos.

4. Igualmente, queda prohibida dicha emisión por otros focos emisores de contaminantes distintos de los producidos por vehículos a motor, cualquiera que fuese su naturaleza, por encima de los niveles que el Gobierno establezca con carácter general.

Quedan prohibidos, en concreto, los vertederos de basuras y residuos dentro de la zona de afección de las carreteras, en todo caso, y fuera de ella cuando exista peligro de que el humo producido por la incineración de las basuras o incendios ocasionales pueda alcanzar la carretera.

## CAPÍTULO II. DE LA CARGA DE VEHÍCULOS Y DEL TRANSPORTE DE PERSONAS Y MERCANCÍAS O COSAS

**Artículo 8.** *Carga de vehículos y transporte de personas y mercancías o cosas.*– Se prohíbe cargar los vehículos o transportar en ellos personas, mercancías o cosas de forma distinta a la que se determina en este Capítulo.

### *Sección 1ª. Transporte de personas*

**Artículo 9.** *Del transporte de personas.*– 1. El número de personas transportadas en un vehículo no podrá ser superior al de las plazas que tenga autorizadas, que, en los de servicio público y en los autobuses, deberá estar señalado en placas colocadas en su interior, sin que, en ningún caso, pueda sobrepasarse, entre viajeros y equipaje, la masa máxima autorizada para el vehículo.

2. A efectos de cómputo del número de personas transportadas en los vehículos autorizados para transporte escolar y de menores, se estará a lo establecido en la normativa específica sobre la materia.

3. Las infracciones a este precepto en cuanto impliquen una ocupación excesiva del vehículo que suponga aumentar en un 50 por 100 el número de plazas autorizadas, excluida la del conductor, con excepción de los autobuses de líneas urbanas e interurbanas, tendrán la consideración de muy graves, de acuerdo con lo estipulado en el artículo 65.5.e) del Texto Articulado de la Ley sobre tráfico, circulación de vehículos a motor y seguridad vial, y se procederá a la inmovilización del vehículo por los agentes de la autoridad, que lo mantendrán inmovilizado mientras subsista la causa de la infracción.

**Artículo 10.** *Emplazamiento y acondicionamiento de las personas.–* 1. Está prohibido transportar personas en emplazamiento distinto al destinado y acondicionado para ellas en los vehículos.

2. No obstante lo dispuesto en el apartado anterior, en los vehículos de transporte de mercancías o cosas podrán viajar personas en el lugar reservado a la carga, en las condiciones que se establecen en las disposiciones que regulan la materia.

3. Los vehículos autorizados a transportar simultáneamente personas y carga deberán estar provistos de una protección adecuada a la carga que transporten, de manera que no estorbe a los ocupantes ni pueda dañarlos en caso de ser proyectada.

Dicha protección se ajustará a lo previsto en la legislación reguladora de los vehículos.

4. El hecho de no llevar instalada la protección a que se refiere el apartado anterior será sancionado con arreglo a lo dispuesto en el artículo 67.2 del texto articulado de la Ley sobre tráfico, circulación de vehículos a motor y seguridad vial.

**Artículo 11.** *Transporte colectivo de personas.–* 1. El conductor deberá efectuar las paradas y arrancadas sin sacudidas ni movimientos bruscos, lo más cerca posible del borde derecho de la calzada, y se abstendrá de realizar acto alguno que le pueda distraer durante la marcha; el conductor y, en su caso, el encargado, tanto durante la marcha como en las subidas y bajadas, velarán por la seguridad de los viajeros.

2. En los vehículos destinados al servicio público de transporte colectivo de personas se prohíbe a los viajeros:

a) Distraer al conductor durante la marcha del vehículo.

b) Entrar o salir del vehículo por lugares distintos a los destinados, respectivamente, a estos fines.

c) Entrar en el vehículo cuando se haya hecho la advertencia de que está completo.

d) Dificultar innecesariamente el paso en los lugares destinados al tránsito de personas.

e) Llevar consigo cualquier animal, salvo que exista en el vehículo lugar destinado para su transporte. Se exceptúan de esta prohibición, siempre bajo su responsabilidad, a los invidentes acompañados de perros, especialmente adiestrados como lazarillos.

f) Llevar materias u objetos peligrosos en condiciones distintas de las establecidas en la regulación específica sobre la materia.

g) Desatender las instrucciones que, sobre el servicio, den el conductor o el encargado del vehículo.

El conductor y, en su caso, el encargado de los vehículos destinados al servicio público de transporte colectivo de personas deben prohibir la entrada y ordenar su salida a los viajeros que incumplan los preceptos establecidos en este apartado.

**Artículo 12.** *Normas relativas a ciclos, ciclomotores y motocicletas.*– 1. Los ciclos que, por construcción, no puedan ser ocupados por más de una persona podrán transportar, no obstante, cuando el conductor sea mayor de edad, un menor de hasta siete años en asiento adicional que habrá de ser homologado.

2. En los ciclomotores y en las motocicletas, además del conductor y, en su caso, del ocupante del sidecar de éstas, puede viajar, siempre que así conste en su licencia o permiso de circulación, un pasajero que sea mayor de 12 años, utilice casco de protección y cumpla las siguientes condiciones:

a) Que vaya a horcajadas y con los pies apoyados en los reposapiés laterales.

b) Que utilice el asiento correspondiente detrás del conductor.

En ningún caso podrá situarse el pasajero en lugar intermedio entre la persona que conduce y el manillar de dirección del ciclomotor o motocicleta.

3. Excepcionalmente, los mayores de siete años podrán circular en motocicletas o ciclomotores conducidos por su padre, madre o tutor o por personas mayores de edad por ellos autorizadas, siempre que utilicen casco homologado y se cumplan las prescripciones del apartado anterior (artículo 11.4 del texto articulado).

4. Las motocicletas, los vehículos de tres ruedas, los ciclomotores y los ciclos y bicicletas podrán arrastrar un remolque o semirremolque, siempre que no superen el 50 por ciento de la masa en vacío del vehículo tractor y se cumplan las siguientes condiciones:

a) Que la circulación sea de día y en condiciones que no disminuyan la visibilidad.

b) Que la velocidad a que se circule en estas condiciones quede reducida en un 10 por ciento respecto a las velocidades genéricas que para estos vehículos se establecen en el artículo 48.

c) Que en ningún caso transporten personas en el vehículo remolcado. En circulación urbana se estará a lo dispuesto por las ordenanzas correspondientes.

*Sección 2ª. Transporte de mercancías o cosas*

**Artículo 13.** *Dimensiones del vehículo y su carga.–* 1. En ningún caso, la longitud, anchura y altura de los vehículos y su carga excederá de la señalada en las normas reguladoras de los vehículos o para la vía por la que circulen.

2. El transporte de cargas indivisibles que, inevitablemente, rebasen los límites señalados en el apartado anterior deberá realizarse mediante autorizaciones complementarias de circulación, que se regulan en el Reglamento General de Vehículos, conforme a las normas y condiciones de circulación que se establecen en el Anexo III del presente reglamento.

3. Las infracciones a las normas de este precepto serán sancionadas con arreglo a lo dispuesto en el artículo 67.2 del texto articulado de la Ley sobre tráfico, circulación de vehículos a motor y seguridad vial.

**Artículo 14.** *Disposición de la carga.–* 1. La carga transportada en un vehículo, así como los accesorios que se utilicen para su acondicionamiento o protección, deben estar dispuestos y, si fuera necesario, sujetos de tal forma que no puedan:

a) Arrastrar, caer total o parcialmente o desplazarse de manera peligrosa.

b) Comprometer la estabilidad del vehículo.

c) Producir ruido, polvo u otras molestias que puedan ser evitadas.

d) Ocultar los dispositivos de alumbrado o de señalización luminosa, las placas o distintivos obligatorios y las advertencias manuales de sus conductores.

2. El transporte de materias que produzcan polvo o puedan caer se efectuará siempre cubriéndolas total y eficazmente.

3. El transporte de cargas molestas, nocivas, insalubres o peligrosas, así como las que entrañen especialidades en su acondicionamiento o estiba, se atenderá, además, a las normas específicas que regulan la materia.

**Artículo 15.** *Dimensiones de la carga.–* 1. La carga no sobresaldrá de la proyección en planta del vehículo, salvo en los casos y condiciones previstos en los apartados siguientes. En los de tracción animal, se entiende por proyección la del vehículo propiamente dicho prolongada hacia adelante, con su misma anchura, sin sobrepasar la cabeza del animal de tiro más próximo a aquél.

2. En los vehículos destinados exclusivamente al transporte de mercancías, tratándose de cargas indivisibles y siempre que se cumplan las condiciones establecidas para su estiba y acondicionamiento, podrán sobresalir:

a) En el caso de vigas, postes, tubos u otras cargas de longitud indivisible:

1.º En vehículos de longitud superior a cinco metros, dos metros por la parte anterior y tres metros por la posterior.

2.º En vehículos de longitud igual o inferior a cinco metros, el tercio de la longitud del vehículo por cada extremo anterior y posterior.

b) En el caso de que la dimensión menor de la carga indivisible sea superior al ancho del vehículo, podrá sobresalir hasta 0,40 metros por cada lateral, siempre que el ancho total no sea superior a 2,55 metros.

3. En el resto de los vehículos no destinados exclusivamente al transporte de mercancías la carga podrá sobresalir por la parte posterior hasta un 10 por ciento de su longitud, y si fuera indivisible, un 15 por ciento.

4. En los vehículos de anchura inferior a un metro la carga no deberá sobresalir lateralmente más de 0,50 metros a cada lado de su eje longitudinal. No podrá sobresalir por la extremidad anterior, ni más de 0,25 metros por la posterior.

5. Cuando la carga sobresalga de la proyección en planta del vehículo, siempre dentro de los límites de los apartados anteriores, se deberán adoptar todas las precauciones convenientes para evitar daños o peligros a los demás usuarios de la vía pública, y deberá ir resguardada en la extremidad saliente para aminorar los efectos de un roce o choque posibles.

6. En todo caso, la carga que sobresalga por detrás de los vehículos a que se refieren los apartados 2 y 3 deberá ser señalizada por medio de la señal V-20 a que se refiere el artículo 173 y cuyas características se establecen en el Anexo XI del Reglamento General de Vehículos. Esta señal se deberá colocar en el extremo posterior de la carga de manera que quede constantemente perpendicular al eje del vehículo. Cuando la carga sobresalga longitudinalmente por toda la anchura de la parte posterior del vehículo, se colocarán transversalmente dos paneles de señalización, cada uno en un extremo de la carga o

de la anchura del material que sobresalga. Ambos paneles deberán colocarse de tal manera que formen una geometría de "v" invertida.

Cuando el vehículo circule entre la puesta y la salida del sol o bajo condiciones meteorológicas o ambientales que disminuyan sensiblemente la visibilidad, la carga deberá ir señalizada, además, con una luz roja. Cuando la carga sobresalga por delante, la señalización deberá hacerse por medio de una luz blanca.

7. Las cargas que sobresalgan lateralmente del gálibo del vehículo, de tal manera que su extremidad lateral se encuentre a más de 0,40 metros del borde exterior de la luz delantera o trasera de posición del vehículo, deberán estar entre la puesta y la salida del sol, así como cuando existan condiciones meteorológicas o ambientales que disminuyan sensiblemente la visibilidad, respectivamente, señalizadas, en cada una de sus extremidades laterales, hacia adelante, por medio de una luz blanca y un dispositivo reflectante de color blanco, y hacia atrás, por medio de una luz roja y de un dispositivo reflectante de color rojo.

8. En el caso de circulación de vehículos en régimen de transporte especial, se estará a lo dispuesto en su autorización.

**Artículo 16.** *Operaciones de carga y descarga.*– Las operaciones de carga o descarga deberán llevarse a cabo fuera de la vía.

Excepcionalmente, cuando sea inexcusable efectuarlas en ésta, deberán realizarse sin ocasionar peligros ni perturbaciones graves al tránsito de otros usuarios y teniendo en cuenta las normas siguientes:

a) Se respetarán las disposiciones sobre paradas y estacionamientos, y, además, en poblado, las que dicten las autoridades municipales sobre horas y lugares adecuados.

b) Se efectuarán, en lo posible, por el lado del vehículo más próximo al borde de la calzada.

c) Se llevarán a cabo con medios suficientes para conseguir la máxima celeridad, y procurando evitar ruidos y molestias innecesarias. Queda prohibido depositar la mercancía en la calzada, arcén y zonas peatonales.

d) Las operaciones de carga y descarga de mercancías molestas, nocivas, insalubres o peligrosas, así como las que entrañen especialidades en su manejo o estiba, se regirán, además, por las disposiciones específicas que regulan la materia.

## CAPÍTULO III. NORMAS GENERALES DE LOS CONDUCTORES

**Artículo 17.** *Control del vehículo o de animales.-* 1. Los conductores deberán estar en todo momento en condiciones de controlar sus vehículos o animales.

Al aproximarse a otros usuarios de la vía, deberán adoptar las precauciones necesarias para su seguridad, especialmente cuando se trate de niños, ancianos, invidentes u otras personas manifiestamente impedidas (artículo 11.1 del texto articulado).

2. A los conductores de caballerías, ganados y vehículos de carga de tracción animal les está prohibido llevarlos corriendo por la vía en las inmediaciones de otros de la misma especie o de las personas que van a pie, así como abandonar su conducción, dejándoles marchar libremente por el camino o detenerse en él.

**Artículo 18.** *Otras obligaciones del conductor.-* 1. El conductor de un vehículo está obligado a mantener su propia libertad de movimientos, el campo necesario de visión y la atención permanente a la conducción, que garanticen su propia seguridad, la del resto de los ocupantes del vehículo y la de los demás usuarios de la vía. A estos efectos, deberá cuidar especialmente de mantener la posición adecuada y que la mantengan el resto de los pasajeros, y la adecuada colocación de los objetos o animales transportados para que no haya interferencia entre el conductor y cualquiera de ellos (artículo 11.2 del texto articulado).

Se considera incompatible con la obligatoria atención permanente a la conducción el uso por el conductor con el vehículo en movimiento de dispositivos tales como pantallas con acceso a internet, monitores de televisión y reproductores de vídeo o DVD. Se exceptúan, a estos efectos, el uso de monitores que estén a la vista del conductor y cuya utilización sea necesaria para la visión de acceso o bajada de peatones o para la visión en vehículos con cámara de maniobras traseras, así como el dispositivo GPS.

2. Queda prohibido conducir y utilizar cascos o auriculares conectados a aparatos receptores o reproductores de sonido, excepto durante la correspondiente enseñanza y la realización de las pruebas de aptitud en circuito abierto para la obtención del permiso de conducción de motocicletas de dos ruedas cuando así lo exija el Reglamento General de Conductores.

Se prohíbe la utilización durante la conducción de dispositivos de telefonía móvil y cualquier otro medio o sistema de comunicación, excepto cuando el desarrollo de la comunicación tenga lugar sin emplear las manos ni usar cascos, auriculares o instrumentos similares (artículo 11.3, párrafo segundo, del texto articulado).

Quedan exentos de dicha prohibición los agentes de la autoridad en el ejercicio de las funciones que tengan encomendadas (artículo 11.3, párrafo tercero, del texto articulado).

3. Se prohíbe que en los vehículos se instalen mecanismos o sistemas, se lleven instrumentos o se acondicionen de forma encaminada a eludir la vigilancia de los agentes de tráfico, o que se emitan o hagan señales con dicha finalidad, así como la utilización de mecanismos de detección de radar.

4. Las infracciones a este precepto tendrán la consideración de graves conforme se prevé en el artículo 65.4.f) y g) del texto articulado de la Ley sobre tráfico, circulación de vehículos a motor y seguridad vial.

**Artículo 19.** *Visibilidad en el vehículo.–* 1. La superficie acristalada del vehículo deberá permitir, en todo caso, la visibilidad diáfana del conductor sobre toda la vía por la que circule, sin interferencias de láminas o adhesivos.

Únicamente se permitirá circular con láminas adhesivas o cortinillas contra el sol en las ventanillas posteriores cuando el vehículo lleve dos espejos retrovisores exteriores que cumplan las especificaciones técnicas necesarias.

No obstante, la utilización de láminas adhesivas en los vehículos se permitirá en las condiciones establecidas en la reglamentación de vehículos.

La colocación de los distintivos previstos en la legislación de transportes o en otras disposiciones deberá realizarse de forma que no impidan la correcta visión del conductor.

2. Queda prohibida, en todo caso, la colocación de vidrios tintados o coloreados no homologados.

3. Las infracciones a las normas de este precepto serán sancionadas con arreglo a lo dispuesto en el artículo 67.2 del texto articulado de la Ley sobre tráfico, circulación de vehículos a motor y seguridad vial.

## CAPÍTULO IV. NORMAS SOBRE BEBIDAS ALCOHÓLICAS

**Artículo 20.** *Tasas de alcohol en sangre y aire espirado.–* No podrán circular por las vías objeto de la legislación sobre tráfico, circulación de vehículos a motor y seguridad vial los conductores de vehículos ni los conductores de bicicletas con una tasa de alcohol en sangre superior a 0,5 gramos por litro, o de alcohol en aire espirado superior a 0,25 miligramos por litro.

Cuando se trate de vehículos destinados al transporte de mercancías con una masa máxima autorizada superior a 3.500 kilogramos, vehículos destinados al transporte de viajeros de más de nueve plazas, o de servicio público, al transporte escolar y de menores, al de mercancías peligrosas o de servicio de urgencia o transportes especiales, los conductores no podrán hacerlo con una tasa de alcohol en sangre superior a 0,3 gramos por litro, o de alcohol en aire espirado superior a 0,15 miligramos por litro.

Los conductores de cualquier vehículo no podrán superar la tasa de alcohol en sangre de 0,3 gramos por litro ni de alcohol en aire espirado de 0,15 miligramos por litro durante los dos años siguientes a la obtención del permiso o licencia que les habilita para conducir.

A estos efectos, sólo se computará la antigüedad de la licencia de conducción cuando se trate de la conducción de vehículos para los que sea suficiente dicha licencia.

**Artículo 21.** *Investigación de la alcoholemia. Personas obligadas.–* Todos los conductores de vehículos y de bicicletas quedan obligados a someterse a las pruebas que se establezcan para la detección de las posibles intoxicaciones por alcohol. Igualmente quedan obligados los demás usuarios de la vía cuando se hallen implicados en algún accidente de circulación (artículo 12.2, párrafo primero, del texto articulado).

Los agentes de la autoridad encargados de la vigilancia del tráfico podrán someter a dichas pruebas:

a) A cualquier usuario de la vía o conductor de vehículo implicado directamente como posible responsable en un accidente de circulación.

b) A quienes conduzcan cualquier vehículo con síntomas evidentes, manifestaciones que denoten o hechos que permitan razonablemente presumir que lo hacen bajo la influencia de bebidas alcohólicas.

c) A los conductores que sean denunciados por la comisión de alguna de las infracciones a las normas contenidas en este reglamento.

d) A los que, con ocasión de conducir un vehículo, sean requeridos al efecto por la autoridad o sus agentes dentro de los programas de controles preventivos de alcoholemia ordenados por dicha autoridad.

**Artículo 22.** *Pruebas de detección alcohólica mediante el aire espirado.*– 1. Las pruebas para detectar la posible intoxicación por alcohol se practicarán por los agentes encargados de la vigilancia de tráfico y consistirán, normalmente, en la verificación del aire espirado mediante etilómetros que, oficialmente autorizados, determinarán de forma cuantitativa el grado de impregnación alcohólica de los interesados.

A petición del interesado o por orden de la autoridad judicial, se podrán repetir las pruebas a efectos de contraste, que podrán consistir en análisis de sangre, orina u otros análogos (artículo 12.2, párrafo segundo, in fine, del texto articulado).

2. Cuando las personas obligadas sufrieran lesiones, dolencias o enfermedades cuya gravedad impida la práctica de las pruebas, el personal facultativo del centro médico al que fuesen evacuados decidirá las que se hayan de realizar.

**Artículo 23.** *Práctica de las pruebas.*– 1. Si el resultado de la prueba practicada diera un grado de impregnación alcohólica superior a 0,5 gramos de alcohol por litro de sangre o a 0,25 miligramos de alcohol por litro de aire espirado, o al previsto para determinados conductores en el artículo 20 o, aun sin alcanzar estos límites, presentara la persona examinada síntomas evidentes de encontrarse bajo la influencia de bebidas alcohólicas, el agente someterá al interesado, para una mayor garantía y a efecto de contraste, a la práctica de una segunda prueba de detección alcohólica por el aire espirado, mediante un procedimiento similar al que sirvió para efectuar la primera prueba, de lo que habrá de informarle previamente.

2. De la misma forma advertirá a la persona sometida a examen del derecho que tiene a controlar, por sí o por cualquiera de sus acompañantes o testigos presentes, que entre la realización de la primera y de la segunda prueba medie un tiempo mínimo de 10 minutos.

3. Igualmente, le informará del derecho que tiene a formular cuantas alegaciones u observaciones tenga por conveniente, por sí o por medio de su acompañante o defensor, si lo tuviese, las cuales se consignarán por diligencia, y a contrastar los resultados obtenidos mediante análisis de sangre, orina u otros análogos, que el personal facultativo del centro médico al que sea trasladado estime más adecuados.

4. En el caso de que el interesado decida la realización de dichos análisis, el agente de la autoridad adoptará las medidas más adecuadas para su traslado al centro sanitario más próximo al lugar de los hechos. Si el personal facultativo del centro apreciara que las pruebas solicitadas por el interesado son las adecuadas, adoptará las medidas tendentes a cumplir lo dispuesto en el artículo 26.

El importe de dichos análisis deberá ser previamente depositado por el interesado y con él se atenderá al pago cuando el resultado de la prueba de contraste sea positivo; será a cargo de los órganos periféricos del organismo autónomo Jefatura Central de Tráfico o de las autoridades municipales o autonómicas competentes cuando sea negativo, devolviéndose el depósito en este último caso.

**Artículo 24.** *Diligencias del agente de la autoridad.*– Si el resultado de la segunda prueba practicada por el agente, o el de los análisis efectuados a instancia del interesado, fuera positivo, o cuando el que condujese un vehículo de motor presentara síntomas evidentes de hacerlo bajo la influencia de bebidas alcohólicas o apareciera presuntamente implicado en una conducta delictiva, el agente de la autoridad, además de ajustarse, en todo caso, a lo establecido en la Ley de Enjuiciamiento Criminal, deberá:

a) Describir con precisión, en el boletín de denuncia o en el atestado de las diligencias que practique, el procedimiento seguido para efectuar la prueba o pruebas de detección alcohólica, haciendo constar los datos necesarios para la identificación del instrumento o instrumentos de detección empleados, cuyas características genéricas también detallará.

b) Consignar las advertencias hechas al interesado, especialmente la del derecho que le asiste a contrastar los resultados obtenidos en las pruebas de detección alcohólica por el aire espirado mediante análisis adecuados, y acreditar en las diligencias las pruebas o análisis practicados en el centro sanitario al que fue trasladado el interesado.

c) Conducir al sometido a examen, o al que se negase a someterse a las pruebas de detección alcohólica, en los supuestos en que los hechos revistan caracteres delictivos, de conformidad con lo dispuesto en la Ley de Enjuiciamiento Criminal, al juzgado correspondiente a los efectos que procedan.

**Artículo 25.** *Inmovilización del vehículo.*– 1. En el supuesto de que el resultado de las pruebas y de los análisis, en su caso, fuera positivo, el agente podrá proceder, además, a la inmediata inmovilización del vehículo, mediante su precinto u otro procedimiento efectivo que impida su circulación, a no ser que pueda hacerse cargo de su conducción otra persona debidamente habilitada, y proveerá cuanto fuese necesario en orden a la seguridad de la circulación, la de las personas transportadas en general, especialmente si se trata de niños, ancianos, enfermos o inválidos, la del propio vehículo y la de su carga.

2. También podrá inmovilizarse el vehículo en los casos de negativa a efectuar las pruebas de detección alcohólica (artículo 70, in fine, del texto articulado).

3. Salvo en los casos en que la autoridad judicial hubiera ordenado su depósito o intervención, en los cuales se estará a lo dispuesto por dicha autoridad, la inmovilización del vehículo se dejará sin efecto tan pronto como desaparezca la causa que la motivó o pueda sustituir al conductor otro habilitado para ello que ofrezca garantía suficiente a los agentes de la autoridad y cuya actuación haya sido requerida por el interesado.

4. Los gastos que pudieran ocasionarse por la inmovilización, traslado y depósito del vehículo serán de cuenta del conductor o de quien legalmente deba responder por él.

**Artículo 26.** *Obligaciones del personal sanitario.*– 1. El personal sanitario vendrá obligado, en todo caso, a proceder a la obtención de muestras y remitirlas al laboratorio correspondiente, y a dar cuenta, del resultado de las pruebas que se realicen, a la autoridad judicial, a los órganos periféricos del organismo autónomo Jefatura Central de Tráfico y, cuando proceda, a las autoridades municipales competentes (artículo 12.2, párrafo tercero, del texto articulado).

Entre los datos que comunique el personal sanitario a las mencionadas autoridades u órganos figurarán, en su caso, el sistema empleado en la investigación de la alcoholemia, la hora exacta en que se tomó la muestra, el método utilizado para su conservación y el porcentaje de alcohol en sangre que presente el individuo examinado.

2. Las infracciones a las distintas normas de este Capítulo, relativas a la conducción habiendo ingerido bebidas alcohólicas o a la obligación de someterse a las pruebas de detección alcohólica, tendrán la consideración de infracciones muy graves, conforme se prevé en el artículo 65.5.a) y b) del texto articulado.

## CAPÍTULO V. NORMAS SOBRE ESTUPEFACIENTES, PSICOTRÓPICOS, ESTIMULANTES U OTRAS SUSTANCIAS ANÁLOGAS

**Artículo 27.** *Estupefacientes, psicotrópicos, estimulantes u otras sustancias análogas.–* 1. No podrán circular por las vías objeto de la legislación sobre tráfico, circulación de vehículos a motor y seguridad vial los conductores de vehículos o bicicletas que hayan ingerido o incorporado a su organismo psicotrópicos, estimulantes u otras sustancias análogas, entre las que se incluirán, en cualquier caso, los medicamentos u otras sustancias bajo cuyo efecto se altere el estado físico o mental apropiado para circular sin peligro.

2. Las infracciones a las normas de este precepto tendrán la consideración de muy graves, conforme se prevé en el artículo 65.5.a) del texto articulado.

**Artículo 28.** *Pruebas para la detección de sustancias estupefacientes, psicotrópicos, estimulantes u otras sustancias análogas.–* 1. Las pruebas para la detección de estupefacientes, psicotrópicos, estimulantes u otras sustancias análogas, así como las personas obligadas a su realización, se ajustarán a lo dispuesto en los párrafos siguientes:

a) Las pruebas consistirán normalmente en el reconocimiento médico de la persona obligada y en los análisis clínicos que el médico forense u otro titular experimentado, o personal facultativo del centro sanitario o instituto médico al que sea trasladada aquélla, estimen más adecuados.

A petición del interesado o por orden de la autoridad judicial, se podrán repetir las pruebas a efectos de contraste, que podrán consistir en análisis de sangre, orina u otros análogos (artículo 12.2, párrafo segundo, in fine, del texto articulado).

b) Toda persona que se encuentre en una situación análoga a cualquiera de las enumeradas en el artículo 21, respecto a la investigación de la alcoholemia, queda obligada a someterse a las pruebas señaladas en el párrafo anterior. En los casos de negativa a efectuar dichas pruebas, el agente podrá proceder a la inmediata inmovilización del vehículo en la forma prevista en el artículo 25.

c) El agente de la autoridad encargado de la vigilancia del tráfico que advierta síntomas evidentes o manifestaciones que razonablemente denoten la presencia de cualquiera de las sustancias aludidas en el organismo de las personas a que se refiere el artículo anterior se ajustará a lo establecido en la Ley de Enjuiciamiento Criminal y a cuanto ordene, en su caso, la autoridad judicial, y deberá ajustar su actuación, en cuanto sea posible, a lo dispuesto en este reglamento para las pruebas para la detección alcohólica.

d) La autoridad competente determinará los programas para llevar a efecto los controles preventivos para la comprobación de estupefacientes, psicotrópicos, estimulantes u otras sustancias análogas en el organismo de cualquier conductor.

2. Las infracciones a este precepto relativas a la conducción bajo los efectos de estupefacientes, psicotrópicos, estimulantes u otras sustancias análogas, así como la infracción de la obligación de someterse a las pruebas para su detección, tendrán la consideración de infracciones muy graves, conforme se prevé en el artículo 65.5.a) y b) del texto articulado.

TÍTULO II. De la circulación de vehículos

## CAPÍTULO I. LUGAR EN LA VÍA

### Sección 1ª. Sentido de la circulación

**Artículo 29.** *Norma general.*– 1. Como norma general, y muy especialmente en las curvas y cambios de rasante de reducida visibilidad, los vehículos circularán en todas las vías objeto de la Ley sobre tráfico, circulación de vehículos a motor y seguridad vial por la derecha y lo más cerca posible del borde de la calzada, manteniendo la separación lateral suficiente para realizar el cruce con seguridad (artículo 13 del texto articulado).

Aun cuando no exista señalización expresa que los delimite, en los cambios de rasante y curvas de reducida visibilidad, todo conductor, salvo en los supuestos de rebasamiento previstos en el artículo 88, debe dejar completamente libre la mitad de la calzada que corresponda a los que puedan circular en sentido contrario.

2. Los supuestos de circulación por la izquierda, en sentido contrario al estipulado en una vía de doble sentido de la circulación, tendrán la consideración de infracciones muy graves, conforme se prevé en el artículo 65.5.f) del texto articulado.

*Sección 2ª. Utilización de los carriles*

**Artículo 30.** *Utilización de los carriles en calzadas con doble sentido de circulación.–* 1. El conductor de un automóvil o de un vehículo especial con masa máxima autorizada superior a 3.500 kilogramos circulará por la calzada y no por el arcén, salvo por razones de emergencia. Además, deberá atenerse a las reglas siguientes:

a) En las calzadas con doble sentido de circulación y dos carriles, separados o no por marcas viales, circulará por el de su derecha.

b) En calzadas con doble sentido de circulación y tres carriles separados por marcas longitudinales discontinuas, circulará también por el de su derecha y, en ningún caso, por el situado más a su izquierda.

En dichas calzadas, el carril central tan sólo se utilizará para efectuar los adelantamientos precisos y para cambiar de dirección hacia la izquierda.

2. Los supuestos de circulación por la izquierda, en sentido contrario al estipulado, tendrán la consideración de infracciones muy graves conforme se prevé en el artículo 65.5.f) del texto articulado.

**Artículo 31.** *Utilización de los carriles, fuera de poblado, en calzadas con más de un carril para el mismo sentido de marcha.–* El conductor de un automóvil o de un vehículo especial con masa máxima autorizada superior a 3.500 kilogramos circulará por la calzada y no por el arcén, salvo por razones de emergencia. Además, fuera de poblado, en las calzadas con más de un carril reservado para su sentido de marcha, circulará normalmente por el situado más a su derecha, si bien podrá utilizar el resto de los de dicho sentido cuando las circunstancias del tráfico o de la vía lo aconsejen, a condición de que no entorpezca la marcha de otro vehículo que le siga.

**Artículo 32.** *Utilización de los carriles, fuera de poblado, en calzadas con tres o más carriles para el mismo sentido de marcha.–* Cuando una de dichas calzadas tenga tres o más carriles en el sentido de su marcha, los conductores de camiones o furgones con masa máxima autorizada superior a 3.500 kilogramos, los de vehículos especiales que no estén obligados a circular por el arcén y los de conjuntos de vehículos de más de siete metros de longitud circularán normalmente por el situado más a su derecha, y podrán utilizar el inmediato con igual condición y en las mismas circunstancias citadas en el artículo 31.

**Artículo 33.** *Utilización de los carriles, en poblado, en calzadas con más de un carril reservado para el mismo sentido de marcha.-* Cuando se circule por calzadas de poblados con al menos dos carriles reservados para el mismo sentido, delimitados por marcas longitudinales, excepto si se trata de autopistas o autovías, el conductor de un automóvil o de un vehículo especial podrá utilizar el que mejor convenga a su destino, siempre que no sea un obstáculo a la circulación de los demás vehículos, y no deberá abandonarlo más que para prepararse a cambiar de dirección, adelantar, parar o estacionar.

**Artículo 34.** *Cómputo de carriles.-* Para el cómputo de carriles, a efectos de lo dispuesto en los artículos anteriores, no se tendrán en cuenta los reservados a determinados vehículos o a ciertas maniobras de acuerdo con lo dispuesto en el artículo siguiente.

**Artículo 35.** *Utilización de los carriles en función de la velocidad señalizada y de los reservados a determinados vehículos y a ciertas maniobras.-* 1. La utilización de los carriles en función de la velocidad y de los reservados a determinados vehículos y a ciertas maniobras se ajustará a lo que indiquen las señales correspondientes reguladas en este reglamento.

2. Se entenderá por vehículos con alta ocupación aquellos automóviles destinados exclusivamente al transporte de personas, cuya masa máxima autorizada no exceda de 3.500 kilogramos, que estén ocupados por el número de personas que para cada tramo de la red viaria se fije de acuerdo con lo dispuesto en el párrafo d) de este apartado. La utilización de los carriles para vehículos con alta ocupación (VAO) se atendrá a lo siguiente:

a) La utilización del carril habilitado para VAO queda limitada a motocicletas, turismos y vehículos mixtos adaptables, y está prohibida, por tanto, al resto de los vehículos y conjuntos de vehículos, incluidos los turismos con remolque, así como a peatones, ciclos, ciclomotores, vehículos de tracción animal y animales.

Los carriles para VAO podrán ser utilizados por los vehículos autorizados de acuerdo con el párrafo anterior, aun cuando sólo lo ocupe su conductor, si el vehículo ostenta la señal V-15, y por autobuses con masa máxima autorizada superior a 3.500 kilogramos y autobuses articulados, con independencia de su número de ocupantes, en las mismas condiciones de circulación establecidas para los VAO, de forma simultánea si así se indica en la relación de tramos a que se refiere el párrafo d).

b) La habilitación o reserva de uno o varios carriles para la circulación de VAO podrá ser permanente o temporal, con horario fijo o en función del estado de la circulación, según lo establezca el organismo autónomo Jefatura Central de Tráfico o, en su caso, la autoridad autonómica o local responsable de la regulación del tráfico, quien, en circunstancias no habituales y por razones de seguridad vial o fluidez de la circulación, podrá permitir, recomendar u ordenar a otros vehículos la utilización del carril reservado para aquellos, todo ello sin perjuicio de las competencias de los organismos titulares de las carreteras y, en su caso, de las sociedades concesionarias de aquéllas.

c) Los vehículos de policía, extinción de incendios, protección civil y salvamento y asistencia sanitaria en servicio de urgencia, así como los equipos de mantenimiento de las instalaciones y de la infraestructura de la vía, podrán utilizar los carriles reservados.

d) El organismo autónomo Jefatura Central de Tráfico o, en su caso, la autoridad autonómica o local responsable de la regulación del tráfico, previo informe vinculante del organismo titular de la carretera, determinará los tramos de la red viaria en los que funcionarán carriles reservados para VAO, fijará las condiciones de utilización y publicará, en la forma prevista en el artículo 39.4, la relación de tramos de la red viaria en los que se habiliten dichos carriles.

3. Las infracciones a las normas establecidas en el apartado 2 relativas a la circulación en sentido contrario al establecido tendrán la consideración de muy graves, conforme se prevé en el artículo 65.5.f) del texto articulado.

*Sección 3ª. Árcenes*

**Artículo 36.** *Conductores obligados a su utilización.–* 1. Los conductores de vehículos de tracción animal, vehículos especiales con masa máxima autorizada no superior a 3.500 kilogramos, ciclos, ciclomotores, vehículos para personas de movilidad reducida o vehículos en seguimiento de ciclistas, en el caso de que no exista vía o parte de ella que les esté especialmente destinada, circularán por el arcén de su derecha, si fuera transitable y suficiente para cada uno de éstos, y, si no lo fuera, utilizarán la parte imprescindible de la calzada. Deberán también circular por el arcén de su derecha, o, en las circunstancias a que se refiere este apartado, por la parte imprescindible de la calzada, los conductores de aquellos vehículos cuya masa máxima autorizada no exceda de 3.500 kilogramos que, por razones de emergencia, lo hagan a velocidad anormalmente reducida, perturbando con ello gravemente la circulación.

En los descensos prolongados con curvas, cuando razones de seguridad lo permitan, los conductores de bicicletas podrán abandonar el arcén y circular por la parte derecha de la calzada que necesiten.

2. Se prohíbe que los vehículos enumerados en el apartado anterior circulen en posición paralela, salvo las bicicletas, que podrán hacerlo en columna de a dos, orillándose todo lo posible al extremo derecho de la vía y colocándose en hilera en tramos sin visibilidad, y cuando formen aglomeraciones de tráfico. En las autovías sólo podrán circular por el arcén, sin invadir la calzada en ningún caso.

Excepcionalmente, cuando el arcén sea transitable y suficiente, los ciclomotores podrán circular en columna de a dos por éste, sin invadir la calzada en ningún caso.

3. El conductor de cualquiera de los vehículos enumerados en el apartado 1, excepto las bicicletas, no podrá adelantar a otro si la duración de la marcha de los vehículos colocados paralelamente excede los 15 segundos o el recorrido efectuado en dicha forma supera los 200 metros.

4. Por lo que respecta a los vehículos históricos se estará a lo dispuesto en su reglamento específico.

5. Las infracciones a lo dispuesto en el apartado 3 tendrán la consideración de graves, conforme lo dispuesto en el artículo 65.4.a) del texto articulado de la Ley sobre tráfico, circulación de vehículos a motor y seguridad vial.

*Sección 4ª. Supuestos especiales del sentido de circulación y de la utilización de calzadas, carriles y arcenes*

**Artículo 37.** *Ordenación especial del tráfico por razones de seguridad o fluidez de la circulación.–* 1. Cuando razones de seguridad o fluidez de la circulación lo aconsejen, podrá ordenarse por la autoridad competente otro sentido de circulación, la prohibición total o parcial de acceso a partes de la vía, bien con carácter general, bien para determinados vehículos o usuarios, el cierre de determinadas vías, el seguimiento obligatorio de itinerarios concretos o la utilización de arcenes o carriles en sentido opuesto al normalmente previsto (artículo 16.1 del texto articulado).

2. Para evitar entorpecimiento a la circulación y garantizar su fluidez, se podrán imponer restricciones o limitaciones a determinados vehículos y para vías concretas, que serán obligatorias para los usuarios afectados (artículo 16.2 del texto articulado).

3. El cierre a la circulación de una vía objeto de la legislación sobre tráfico, circulación de vehículos a motor y seguridad vial sólo se realizará con carácter excepcional y deberá ser expresamente autorizado por el organismo autónomo Jefatura Central de Tráfico o, en su caso, por la autoridad autonómica o local responsable de la regulación del tráfico, salvo que esté motivada por deficiencias físicas de la infraestructura o por la realización de obras en ésta; en tal caso la autorización corresponderá al titular de la vía, y deberá contemplarse, siempre que sea posible, la habilitación de un itinerario alternativo y su señalización. El cierre y la apertura al tráfico habrá de ser ejecutado, en todo caso, por los agentes de la autoridad responsable de la vigilancia y disciplina del tráfico o del personal dependiente del organismo titular de la vía responsable de la explotación de ésta. Las autoridades competentes a que se ha hecho referencia para autorizar el cierre a la circulación de una carretera se comunicarán los cierres que hayan acordado.

4. El organismo autónomo Jefatura Central de Tráfico o, en su caso, la autoridad autonómica o local responsable de la regulación del tráfico, así como los organismos titulares de las vías, podrán imponer restricciones o limitaciones a la circulación por razones de seguridad vial o fluidez del tráfico, a petición del titular de la vía o de otras entidades, como las sociedades concesionarias de autopistas de peaje, y quedará obligado el peticionario a la señalización del correspondiente itinerario alternativo fijado por la autoridad de tráfico, en todo su recorrido.

5. Los supuestos de circulación en sentido contrario al estipulado tendrán la consideración de falta muy grave conforme a lo establecido en el artículo 65.5.f) del texto articulado de la Ley sobre tráfico, circulación de vehículos a motor y seguridad vial.

La circulación sin la correspondiente autorización por vías sujetas a restricciones o limitaciones impuestas por razones de seguridad vial o fluidez del tráfico será sancionada con arreglo a lo establecido en el artículo 67.2 del texto articulado de la Ley sobre tráfico, circulación de vehículos a motor y seguridad vial.

**Artículo 38.** *Circulación en autopistas y autovías.–* 1. Se prohíbe circular por autopistas y autovías con vehículos de tracción animal, bicicletas, ciclomotores y vehículos para personas de movilidad reducida (artículo 18.1 del texto articulado).

No obstante lo dispuesto en el párrafo anterior, los conductores de bicicletas mayores de 14 años podrán circular por los arcenes de las autovías, salvo que por razones justificadas de seguridad vial se prohíba mediante la señalización correspondiente. Dicha prohibición se complementará con un panel que informe del itinerario alternativo.

2. Todo conductor que, por razones de emergencia, se vea obligado a circular con su vehículo por una autopista o autovía a velocidad anormalmente reducida, regulada en el artículo 49.1, deberá abandonarla por la primera salida.

3. Los vehículos especiales o en régimen de transporte especial que excedan de las masas o dimensiones establecidas en el Reglamento General de Vehículos podrán circular, excepcionalmente, por autopistas y autovías cuando así se indique en la autorización complementaria de la que deben ir provistos, y los que no excedan de dichas masas o dimensiones, cuando, con arreglo a sus características, puedan desarrollar una velocidad superior a 60 km/h en llano y cumplan las condiciones que se señalan en el Anexo III de este reglamento.

**Artículo 39.** *Limitaciones a la circulación.–* 1. Con sujeción a lo dispuesto en los apartados siguientes, se podrán establecer limitaciones de circulación, temporales o permanentes, en las vías objeto de la legislación sobre tráfico, circulación de vehículos a motor y seguridad vial, cuando así lo exijan las condiciones de seguridad o fluidez de la circulación.

2. En determinados itinerarios, o en partes o tramos de ellos comprendidos dentro de las vías públicas interurbanas, así como en tramos urbanos, incluso travesías, se podrán establecer restricciones temporales o permanentes a la circulación de camiones con masa máxima autorizada superior a 3.500 kilogramos, furgones, conjuntos de vehículos, vehículos articulados y vehículos

especiales, así como a vehículos en general que no alcancen o no les esté permitido alcanzar la velocidad mínima que pudiera fijarse, cuando, por razón de festividades, vacaciones estacionales o desplazamientos masivos de vehículos, se prevean elevadas intensidades de tráfico, o cuando las condiciones en que ordinariamente se desarrolle aquél lo hagan necesario o conveniente.

Asimismo por razones de seguridad podrán establecerse restricciones temporales o permanentes a la circulación de vehículos en los que su propia peligrosidad o la de su carga aconsejen su alejamiento de núcleos urbanos, de zonas ambientalmente sensibles o de tramos singulares como puentes o túneles, o su tránsito fuera de horas de gran intensidad de circulación.

3. Corresponde establecer las aludidas restricciones al organismo autónomo Jefatura Central de Tráfico o, en su caso, a la autoridad de tráfico de la Comunidad Autónoma que tenga transferida la ejecución de la referida competencia.

4. Las restricciones serán publicadas, en todo caso, con una antelación mínima de ocho días hábiles en el "Boletín Oficial del Estado" y, facultativamente, en los diarios oficiales de las Comunidades Autónomas citadas en el apartado anterior.

En casos imprevistos o por circunstancias excepcionales, cuando se estime necesario para lograr una mayor fluidez o seguridad de la circulación, serán los agentes de la autoridad responsable de la vigilancia y disciplina del tráfico los que, durante el tiempo necesario, determinen las restricciones mediante la adopción de las medidas oportunas.

5. En caso de reconocida urgencia podrán concederse autorizaciones especiales para la circulación de vehículos dentro de los itinerarios y plazos objeto de las restricciones impuestas conforme a lo establecido en los apartados anteriores, previa justificación de la necesidad ineludible de efectuar el desplazamiento por esos itinerarios y en los períodos objeto de restricción.

En estas autorizaciones especiales se hará constar la matrícula y características principales del vehículo a que se refieran, mercancía transportada, vías a las que afecta y las condiciones a que en cada caso deben sujetarse.

6. Corresponde otorgar las autorizaciones a que se refiere el apartado anterior a la autoridad que estableció las restricciones.

7. Las restricciones a la circulación reguladas en este artículo son independientes y no excluyen las que establezcan otras autoridades con arreglo a sus específicas competencias.

8. Los supuestos de circulación en vías restringidas sin la autorización contemplada en el apartado 5 tendrán la consideración de infracción, que se sancionará conforme prevé el artículo 67.2 del texto articulado de la Ley sobre tráfico, circulación de vehículos a motor y seguridad vial.

**Artículo 40.** *Carriles reversibles.–* 1. En las calzadas con doble sentido de la circulación, cuando las marcas dobles discontinuas delimiten un carril por ambos lados, indican que éste es reversible, es decir, que en él la circulación puede estar regulada en uno o en otro sentido mediante semáforos de carril u otros medios. Los conductores que circulen por dicho carril deberán llevar encendida, al menos, la luz de corto alcance o de cruce en sus vehículos tanto de día como de noche, de acuerdo con lo dispuesto en el artículo 104.

2. Los supuestos de circulación en sentido contrario al estipulado tendrán la consideración de infracciones muy graves, conforme se prevé en el artículo 65.5.f) del texto articulado.

**Artículo 41.** *Carriles de utilización en sentido contrario al habitual.–* 1. Cuando las calzadas dispongan de más de un carril de circulación en cada sentido de marcha, la autoridad encargada de la regulación del tráfico podrá habilitar, por razones de fluidez de la circulación, carriles para su utilización en sentido contrario al habitual, debidamente señalizados con arreglo a lo dispuesto en el artículo 144.

La utilización de los carriles habilitados para la circulación en sentido contrario al habitual queda limitada a las motocicletas y turismos, y está prohibida, por lo tanto, al resto de los vehículos, incluidos los turismos con remolque. Los usuarios de este tipo de carriles circularán siempre, al menos, con la luz de corto alcance o de cruce encendida, tanto de día como de noche, a una velocidad máxima de 80 kilómetros por hora y a una mínima de 60, o inferiores si así estuviera establecido o específicamente señalizado, y no podrán desplazarse lateralmente invadiendo el carril o carriles destinados al sentido normal de la circulación, ni siquiera para adelantar.

Los conductores de los vehículos que circulen por carriles destinados al sentido normal de circulación, contiguos al habilitado para circulación en sentido contrario al habitual, tampoco podrán desplazarse lateralmente invadiendo los habilitados para ser utilizados en sentido contrario al habitual; llevarán encendida la luz de corto alcance o cruce, al menos, tanto de día como de noche; y, además, si disponen de un solo carril en su sentido de circulación, lo harán a una velocidad máxima de 80 kilómetros por hora y a una mínima de 60, o inferiores si así estuviera establecido o específicamente señalizado, y si disponen de más de un carril en su sentido de circulación, lo harán a las velocidades que se establecen en los artículos 48.1 a) 1º y 2º, 49 y 50. Dichos usuarios y conductores pondrán especial cuidado en evitar alterar los elementos de balizamiento permanentes o móviles.

La autoridad titular de la carretera también podrá habilitar carriles para su utilización en sentido contrario al habitual, de acuerdo con el organismo autónomo Jefatura Central de Tráfico o, en su caso, con la autoridad autonómica responsable del tráfico, cuando la realización de trabajos en la calzada lo haga necesario, y, en este caso, podrán circular por dichos carriles todos los tipos de vehículos que estén autorizados a circular por la vía en obra, salvo prohibición expresa, en las mismas condiciones establecidas en los párrafos anteriores.

2. Los supuestos de circulación en sentido contrario al estipulado o con vulneración de los límites de velocidad tendrán la consideración de infracciones muy graves, en el primer caso, y de infracciones graves o muy graves, según corresponda, por el exceso de velocidad, conforme se prevé en los artículos 65.5.f), 65.4.a) y 65.5.c), respectivamente, todos ellos del texto articulado.

**Artículo 42.** *Carriles adicionales circunstanciales de circulación.–* 1. En las calzadas con doble sentido de la circulación y arcenes, cuando la anchura de la plataforma lo permita, la autoridad encargada de la regulación del tráfico podrá habilitar un carril adicional de circulación en uno de los sentidos de la marcha, mediante la utilización de elementos provisionales de señalización y balizamiento, que modifiquen la zona de rodadura de los vehículos en el centro de la calzada.

La habilitación de este carril adicional circunstancial de circulación supone, mediante la utilización de ambos arcenes, disponer de dos carriles en un sentido de circulación y de uno en el otro. En cualquier caso, esta circunstancia estará debidamente señalizada. Los vehículos que circulen por los arcenes y por dicho carril adicional lo harán a una velocidad máxima de 80 kilómetros por hora y a una mínima de 60, o inferiores si así estuviera establecido o específicamente señalizado, deberán utilizar al menos el alumbrado de corto alcance o de cruce tanto de día como de noche y deberán observarse, en cuanto sean aplicables, las normas contenidas en el artículo anterior.

2. Los supuestos de circulación en sentido contrario al estipulado o con vulneración de los límites de velocidad tendrán la consideración de infracciones muy graves, en el primer caso, y de infracciones graves o muy graves, según corresponda, por el exceso de velocidad, conforme se prevé en los artículos 65.5.f), 65.4.a) y 65.5.c), respectivamente, todos ellos del texto articulado.

*Sección 5ª. Refugios, isletas o dispositivos de guía o análogos*

**Artículo 43.** *Sentido de la circulación.–* 1. Cuando en la vía existan refugios, isletas o dispositivos de guía, se circulará por la parte de la calzada que quede a la derecha de éstos, en el sentido de la marcha, salvo cuando estén situados en una vía de sentido único o dentro de la parte correspondiente a un solo sentido de circulación, en cuyo caso podrá hacerse por cualquiera de los dos lados (artículo 17 del texto articulado).

2. En las plazas, glorietas y encuentros de vías los vehículos circularán dejando a su izquierda el centro de aquéllas.

3. Los supuestos de circulación en sentido contrario al estipulado tendrán la consideración de infracciones muy graves, aunque no existan refugios, isletas o dispositivos de vía, conforme se prevé en el artículo 65.5.f) del texto articulado.

*Sección 6ª. División de las vías en calzadas*

**Artículo 44.** *Utilización de las calzadas.–* 1. En las vías divididas en dos calzadas, en el sentido de su longitud, por medianas, separadores o dispositivos análogos los vehículos deben utilizar la calzada de la derecha, en relación con el sentido de su marcha.

2. Cuando la división determine tres calzadas, la central podrá estar destinada a la circulación en los dos sentidos, o en un sentido único, permanente o temporal, según se disponga mediante las correspondientes señales, y las laterales para la circulación en uno sólo, sin perjuicio de que el organismo autónomo Jefatura Central de Tráfico o, en su caso, la autoridad autonómica o local responsable de la regulación del tráfico pueda establecer para estas últimas o para alguno de los carriles otro sentido de circulación, que habrá de estar convenientemente señalizado.

3. Los supuestos de circulación en sentido contrario al estipulado tendrán la consideración de infracciones muy graves, conforme se prevé en el artículo 65.5.f) del texto articulado.

## CAPÍTULO II. VELOCIDAD

### Sección 1ª. Límites de velocidad

**Artículo 45.** *Adecuación de la velocidad a las circunstancias.-* Todo conductor está obligado a respetar los límites de velocidad establecidos y a tener en cuenta, además, sus propias condiciones físicas y psíquicas, las características y el estado de la vía, del vehículo y de su carga, las condiciones meteorológicas, ambientales y de circulación, y, en general, cuantas circunstancias concurran en cada momento, a fin de adecuar la velocidad de su vehículo a ellas, de manera que siempre pueda detenerlo dentro de los límites de su campo de visión y ante cualquier obstáculo que pueda presentarse (artículo 19.1 del texto articulado).

**Artículo 46.** *Moderación de la velocidad. Casos.-* 1. Se circulará a velocidad moderada y, si fuera preciso, se detendrá el vehículo cuando las circunstancias lo exijan, especialmente en los casos siguientes:

a) Cuando haya peatones en la parte de la vía que se esté utilizando o pueda preverse racionalmente su irrupción en ella, principalmente si se trata de niños, ancianos, invidentes u otras personas manifiestamente impedidas.

b) Al aproximarse a ciclos circulando, así como en las intersecciones y en las proximidades de vías de uso exclusivo de ciclos y de los pasos de peatones no regulados por semáforo o agentes de la circulación, así como al acercarse a mercados, centros docentes o a lugares en que sea previsible la presencia de niños.

c) Cuando haya animales en la parte de la vía que se esté utilizando o pueda preverse racionalmente su irrupción en ella.

d) En los tramos con edificios de inmediato acceso a la parte de la vía que se esté utilizando.

e) Al aproximarse a un autobús en situación de parada, principalmente si se trata de un autobús de transporte escolar.

f) Fuera de poblado al acercarse a vehículos inmovilizados en la calzada y a ciclos que circulan por ella o por su arcén.

g) Al circular por pavimento deslizante o cuando pueda salpicarse o proyectarse agua, gravilla u otras materias a los demás usuarios de la vía.

h) Al aproximarse a pasos a nivel, a glorietas e intersecciones en que no se goce de prioridad, a lugares de reducida visibilidad o a estrechamientos.

Si las intersecciones están debidamente señalizadas y la visibilidad de la vía es prácticamente nula, la velocidad de los vehículos no deberá exceder de 50 kilómetros por hora.

i) En el cruce con otro vehículo, cuando las circunstancias de la vía, de los vehículos o las meteorológicas o ambientales no permitan realizarlo con seguridad.

j) En caso de deslumbramiento, de conformidad con lo dispuesto en el artículo 102.3.

k) En los casos de niebla densa, lluvia intensa, nevada o nubes de polvo o humo.

2. Las infracciones a las normas de este precepto tendrán la consideración de graves o muy graves, según corresponda por el exceso de velocidad, conforme se prevé en los artículos 65.4.a) y 65.5.c), ambos del texto articulado.

**Artículo 47.** *Velocidades máximas y mínimas.–* Los titulares de la vía fijarán, mediante el empleo de la señalización correspondiente, las limitaciones de velocidad específicas que correspondan con arreglo a las características del tramo de la vía. En defecto de señalización específica, se cumplirá la genérica establecida para cada vía.

El organismo autónomo Jefatura Central de Tráfico o, en su caso, la autoridad autonómica o local responsable de la regulación y control del tráfico, cuando las condiciones bajo las que se desarrolla la circulación así lo aconsejen, podrá fijar limitaciones de velocidad con carácter temporal mediante la correspondiente señalización circunstancial o variable.

**Artículo 48.** *Velocidades máximas en vías fuera de poblado.–* 1. Las velocidades máximas que no deberán ser rebasadas, salvo en los supuestos previstos en el artículo 51, son las siguientes:

1.a) Para automóviles:

1º En autopistas y autovías: turismos y motocicletas, 120 kilómetros por hora; autobuses, vehículos derivados de turismo y vehículos mixtos adaptables, 100 kilómetros por hora; camiones, vehículos articulados, tractocamiones, furgones y automóviles con remolque de hasta 750 kilogramos, 90 kilómetros por hora; restantes automóviles con remolque, 80 kilómetros por hora.

2º En carreteras convencionales señalizadas como vías para automóviles y en el resto de carreteras convencionales, siempre que estas últimas tengan un arcén pavimentado de 1,50 metros o más de anchura, o más de un carril para alguno de los sentidos de circulación: turismos y motocicletas, 100 kilómetros por hora; autobuses, vehículos derivados de turismo y vehículos mixtos adaptables, 90 kilómetros por hora; camiones, tractocamiones, furgones, vehículos articulados y automóviles con remolque, 80 kilómetros por hora.

3º En el resto de las vías fuera de poblado: turismos y motocicletas, 90 kilómetros por hora; autobuses, vehículos derivados de turismo y vehículos mixtos adaptables, 80 kilómetros por hora; camiones, tractocamiones, furgones, vehículos articulados y automóviles con remolque, 70 kilómetros por hora.

4º En cualquier tipo de vía donde esté permitida su circulación: vehículos de tres ruedas y cuadriciclos, 70 kilómetros por hora.

b) Para los vehículos que realicen transporte escolar y de menores o que transporten mercancías peligrosas, se reducirá en 10 kilómetros por hora la velocidad máxima fijada en el párrafo a) en función del tipo de vehículo y de la vía por la que circula.

En el supuesto de que en un autobús viajen pasajeros de pie porque así esté autorizado, la velocidad máxima, cualquiera que sea el tipo de vía fuera de poblado, será de 80 kilómetros por hora.

c) Para vehículos especiales y conjuntos de vehículos, también especiales, aunque sólo tenga tal naturaleza uno de los que integran el conjunto:

1º Si carecen de señalización de frenado, llevan remolque o son motocultores: 25 kilómetros por hora.

2º Los restantes vehículos especiales: 40 kilómetros por hora, salvo cuando puedan desarrollar una velocidad superior a los 60 kilómetros por hora en llano con arreglo a sus características, y cumplan las condiciones que se señalan en las normas reguladoras de los vehículos; en tal caso, la velocidad máxima será de 70 kilómetros por hora.

d) Para vehículos en régimen de transporte especial, la señalada en el anexo III de este reglamento.

e) Para ciclos, ciclomotores de dos y tres ruedas y cuadriciclos ligeros: 45 kilómetros por hora. No obstante, los conductores de bicicletas podrán superar dicha velocidad máxima en aquellos tramos en los que las circunstancias de la vía permitan desarrollar una velocidad superior.

f) Los vehículos en los que su conductor circule a pie no sobrepasarán la velocidad del paso humano, y los animales que arrastren un vehículo, la del trote.

g) Los vehículos a los que, por razones de ensayo o experimentación, les haya sido concedido un permiso especial para ensayos podrán rebasar las velocidades establecidas como máximas en 30 kilómetros por hora, pero sólo dentro del itinerario fijado y en ningún caso cuando circulen por vías urbanas, travesías o por tramos en los que exista señalización específica que limite la velocidad.

2. Las infracciones a las normas de este precepto tendrán la consideración de graves o muy graves, según corresponda por el exceso de velocidad, conforme se prevé en los artículos 65.4.a) y 65.5.c), ambos del Texto Articulado de la Ley sobre tráfico, circulación de vehículos a motor y seguridad vial.

**Artículo 49.** *Velocidades mínimas en poblado y fuera de poblado.–* 1. No se deberá entorpecer la marcha normal de otro vehículo circulando sin causa justificada a velocidad anormalmente reducida. A estos efectos, se prohíbe la circulación en autopistas y autovías de vehículos a motor a una velocidad inferior a 60 kilómetros por hora, y en las restantes vías, a una velocidad inferior a la mitad de la genérica señalada para cada categoría de vehículos de cada una de ellas en este Capítulo, aunque no circulen otros vehículos.

2. Se podrá circular por debajo de los límites mínimos de velocidad en los casos de vehículos especiales y de vehículos en régimen de transporte especial o cuando las circunstancias del tráfico, del vehículo o de la vía impidan el mantenimiento de una velocidad superior a la mínima sin riesgo para la circulación, así como en los supuestos de protección o acompañamiento a otros vehículos en que se adecuará la velocidad a la del vehículo acompañado.

En estos casos los vehículos de acompañamiento deberán llevar en la parte superior las señales V-21 o V-22, según proceda, previstas en el artículo 173.

3. Cuando un vehículo no pueda alcanzar la velocidad mínima exigida y exista peligro de alcance, se deberán utilizar durante la circulación las luces indicadoras de dirección con señal de emergencia.

4. Las infracciones a las normas de este precepto tendrán la consideración de graves, conforme se prevé en los artículos 65.4.ñ) del texto articulado.

**Artículo 50.** *Límites de velocidad en vías urbanas y travesías.*– 1. La velocidad máxima que no deberán rebasar los vehículos en vías urbanas y travesías se establece, con carácter general, en 50 kilómetros por hora, salvo para los vehículos que transporten mercancías peligrosas, que circularán como máximo a 40 kilómetros por hora.

Estos límites podrán ser rebajados en travesías especialmente peligrosas por acuerdo de la autoridad municipal con el titular de la vía, y en las vías urbanas, por decisión del órgano competente de la corporación municipal.

En las mismas condiciones, los límites podrán ser ampliados mediante el empleo de la correspondiente señalización, en las travesías y en las autopistas y autovías dentro de poblado, sin rebasar en ningún caso los límites genéricos establecidos para dichas vías fuera de poblado. En defecto de señalización, la velocidad máxima que no deberán rebasar los vehículos en autopistas y autovías dentro de poblado será de 80 kilómetros por hora.

Los autobuses que transporten pasajeros de pie con autorización no podrán superar en ninguna circunstancia la velocidad máxima establecida en el artículo 48.1.b) para los casos contemplados en el párrafo anterior.

2. Las infracciones a las normas de este precepto tendrán la consideración de graves conforme se prevé en el artículo 65.4.a), salvo que tengan la consideración de muy graves, de conformidad con lo dispuesto en el artículo 65.5.e), ambos del texto articulado de la Ley sobre tráfico, circulación de vehículos a motor y seguridad vial.

**Artículo 51.** *Velocidades máximas en adelantamientos.*– 1. Las velocidades máximas fijadas para las carreteras convencionales que no discurran por suelo urbano sólo podrán ser rebasadas en 20 kilómetros por hora por turismos y motocicletas cuando adelanten a otros vehículos que circulen a velocidad inferior a aquéllas (artículo 19.4 del texto articulado).

2. Las infracciones a las normas de este precepto tendrán la consideración de graves conforme se prevé en el artículo 65.4.a), salvo que tengan la consideración de muy graves, de conformidad con lo dispuesto en el artículo 65.5.c), ambos del texto articulado de la Ley sobre tráfico, circulación de vehículos a motor y seguridad vial.

**Artículo 52.** *Velocidades prevalentes.*– 1. Sobre las velocidades máximas indicadas en los artículos anteriores prevalecerán las que se fijen:

a) A través de las correspondientes señales.

b) A determinados conductores en razón a sus circunstancias personales.

c) A los conductores noveles.

d) A determinados vehículos o conjuntos de vehículos por sus especiales características o por la naturaleza de su carga.

2. En los supuestos comprendidos en el párrafo b) del apartado anterior y en el artículo 48.1.c) y d), será obligatorio llevar en la parte posterior del vehículo, visible en todo momento, la señal de limitación de velocidad a que se refiere el artículo 173.

3. Las infracciones a las normas de este precepto tendrán la consideración de graves o muy graves, según corresponda por el exceso de velocidad, conforme se prevé en los artículos 65.4.a) y 65.5.c), ambos del texto articulado.

*Sección 2ª. Reducción de velocidad y distancias entre vehículos*

**Artículo 53.** *Reducción de velocidad.*– 1. Salvo en caso de inminente peligro, todo conductor, para reducir considerablemente la velocidad de su vehículo, deberá cerciorarse de que puede hacerlo sin riesgo para otros conductores y estará obligado a advertirlo previamente del modo previsto en el artículo 109, sin que pueda realizarlo de forma brusca, para que no produzca riesgo de colisión con los vehículos que circulan detrás del suyo.

2. Las infracciones a las normas de este precepto tendrán la consideración de graves, conforme se prevé en el artículo 65.4.a) del texto articulado.

**Artículo 54.** *Distancias entre vehículos.*– 1. Todo conductor de un vehículo que circule detrás de otro deberá dejar entre ambos un espacio libre que le permita detenerse, en caso de frenado brusco, sin colisionar con él, teniendo en cuenta especialmente la velocidad y las condiciones de adherencia y frenado. No obstante, se permitirá a los conductores de bicicletas circular en grupo sin mantener tal separación, extremando en esta ocasión la atención, a fin de evitar alcances entre ellos (artículo 20.2 del texto articulado).

2. Además de lo dispuesto en el apartado anterior, la separación que debe guardar todo conductor de vehículo que circule detrás de otro sin señalar su propósito de adelantamiento deberá ser tal que permita al que a su vez le siga adelantarlo con seguridad, excepto si se trata de ciclistas que circulan en

grupo. Los vehículos con masa máxima autorizada superior a 3.500 kilogramos y los vehículos y conjuntos de vehículos de más de 10 metros de longitud total deberán guardar, a estos efectos, una separación mínima de 50 metros (artículo 20.3 del texto articulado).

3. Lo dispuesto en el apartado anterior no será de aplicación:

a) En poblado.

b) Donde estuviese prohibido el adelantamiento.

c) Donde hubiese más de un carril destinado a la circulación en su mismo sentido.

d) Cuando la circulación estuviese tan saturada que no permita el adelantamiento (artículo 20.4 del texto articulado).

4. Las infracciones a las normas de este precepto tendrán la consideración de graves, conforme a lo dispuesto en el artículo 65.4.a) del texto articulado de la Ley sobre tráfico, circulación de vehículos a motor y seguridad vial.

*Sección 3ª. Competiciones*

**Artículo 55.** *Pruebas deportivas, marchas ciclistas y otros eventos.–* 1. La celebración de pruebas deportivas cuyo objeto sea competir en espacio o tiempo por las vías o terrenos objeto de la legislación sobre tráfico, circulación de vehículos a motor y seguridad vial, así como la realización de marchas ciclistas u otros eventos, requerirá autorización previa que será expedida conforme a las normas indicadas en el Anexo II de este reglamento, las cuales regularán dichas actividades.

2. Se prohíbe entablar competiciones de velocidad en las vías públicas o de uso público, salvo que, con carácter excepcional, se hubieran acotado para ello por la autoridad competente (artículo 20.5 del texto articulado).

3. Las infracciones a las normas de este precepto tendrán la consideración de muy graves, conforme se prevé en el artículo 65.5.g) del texto articulado, sin perjuicio de las medidas que adopten los agentes encargados de la vigilancia del tráfico para suspender, interrumpir o disolver las pruebas deportivas no autorizadas.

## CAPÍTULO III. PRIORIDAD DE PASO

*Sección 1ª. Normas de prioridad en las intersecciones*

**Artículo 56.** *Intersecciones señalizadas.–* 1. En las intersecciones la preferencia de paso se verificará siempre ateniéndose a la señalización que la regule (artículo 21.1 del texto articulado).

2. Los conductores de vehículos que se aproximen a una intersección regulada por un agente de la circulación deberán detener sus vehículos cuando así lo ordene éste mediante las señales previstas en el artículo 143.

3. Todo conductor de un vehículo que se aproxime a una intersección regulada por semáforos deberá actuar en la forma ordenada en el artículo 146.

4. Los conductores de los vehículos que se aproximen a una intersección señalizada con señal de intersección con prioridad, o que circulen por una vía señalizada con señal de calzada con prioridad, previstas en los artículos 149 y 151, tendrán prioridad de paso sobre los vehículos que circulen por otra vía o procedan de ella.

5. En las intersecciones de vías señalizadas con señal de "ceda el paso" o "detención obligatoria o stop", previstas en los artículos 151 y 169, los conductores cederán siempre el paso a los vehículos que transiten por la vía preferente, cualquiera que sea el lado por el que se aproximen, llegando a detener por completo su marcha cuando sea preciso y, en todo caso, cuando así lo indique la señal correspondiente.

6. Las infracciones a las normas de este precepto relativas a la prioridad de paso tendrán la consideración de graves, conforme lo dispuesto en el artículo 65.4.a) del texto articulado.

**Artículo 57.** *Intersecciones sin señalizar.–* 1. En defecto de señal que regule la preferencia de paso, el conductor está obligado a cederlo a los vehículos que se aproximen por su derecha, salvo en los siguientes supuestos:

a) Tendrán derecho de preferencia de paso los vehículos que circulen por una vía pavimentada frente a los procedentes de otra sin pavimentar.

b) Los vehículos que circulen por raíles tienen derecho de prioridad de paso sobre los demás usuarios.

c) En las glorietas, los que se hallen dentro de la vía circular tendrán preferencia de paso sobre los que pretendan acceder a aquéllas (artículo 21.2 del texto articulado).

d) Los vehículos que circulen por una autopista o autovía tendrán preferencia de paso sobre los que pretenden acceder a aquélla.

2. Las infracciones a las normas de este precepto tendrán la consideración de graves, conforme se prevé en el artículo 65.4.a) del texto articulado.

**Artículo 58.** *Normas generales.–* 1. El conductor de un vehículo que haya de ceder el paso a otro no deberá iniciar o continuar su marcha o su maniobra, ni reemprenderlas, hasta haberse asegurado de que con ello no fuerza al conductor del vehículo que tiene la prioridad a modificar bruscamente la trayectoria o la velocidad de éste, y debe mostrar con suficiente antelación, por su forma de circular y especialmente con la reducción paulatina de la velocidad que efectivamente va a cederlo (artículo 24.1 del texto articulado).

2. En todos los preceptos de este Capítulo que regulan la prioridad de paso deberán tenerse en cuenta, en su caso, las normas previstas en el apartado anterior.

3. Las infracciones a las normas de este precepto tendrán la consideración de graves, conforme se prevé en el artículo 65.4.a) del texto articulado.

**Artículo 59.** *Intersecciones.–* 1. Aun cuando goce de prioridad de paso, ningún conductor deberá penetrar con su vehículo en una intersección o en un paso para peatones o para ciclistas si la situación de la circulación es tal que, previsiblemente, pueda quedar detenido de forma que impida u obstruya la circulación transversal (artículo 24.2 del texto articulado).

2. Todo conductor que tenga detenido su vehículo en una intersección regulada por semáforo y su situación constituya obstáculo para la circulación deberá salir de aquélla sin esperar a que se permita la circulación en la dirección que se propone tomar, siempre que al hacerlo no entorpezca la marcha de los demás usuarios que avancen en el sentido permitido (artículo 24.3 del texto articulado).

3. Las infracciones a las normas de este precepto tendrán la consideración de graves, conforme se prevé en el artículo 65.4.c) del texto articulado.

*Sección 2ª. Tramos en obras, estrechamientos y tramos de gran pendiente*

**Artículo 60.** *Tramos en obras y estrechamientos.–* 1. En los tramos de la vía en los que por su estrechez sea imposible o muy difícil el paso simultáneo de dos vehículos que circulen en sentido contrario, donde no haya señalización expresa al efecto, tendrá derecho de preferencia de paso el que hubiese entrado primero (artículo 22.1 del texto articulado).

En caso de duda sobre dicha circunstancia, tendrá la preferencia el vehículo con mayores dificultades de maniobra, de acuerdo con lo que se determina en el artículo 62.

2. Cuando en una vía se estén efectuando obras de reparación, los vehículos, caballerías y toda especie de ganado marcharán por el sitio señalado al efecto.

3. Siempre que sea posible efectuarlo sin peligro ni daño a la obra realizada, se permitirá el paso por el trozo de vía en reparación a los vehículos de servicios de policía, extinción de incendios, protección civil y salvamento, y de asistencia sanitaria, pública o privada, que circulen en servicio urgente y cuyos conductores lo adviertan mediante el uso de la correspondiente señalización.

4. En todo caso, cualquier vehículo que se acerque a una obra de reparación de la vía y encuentre esperando a otro llegado con anterioridad y en el mismo sentido, se colocará detrás de el, lo más arrimado que sea posible al borde de la derecha, y no intentará pasar sino siguiendo al que tiene delante.

5. En todos los casos previstos en este artículo, los usuarios de la vía están obligados a seguir las indicaciones del personal destinado a la regulación del paso de vehículos.

6. Las infracciones a las normas de este precepto tendrán la consideración de graves, conforme lo dispuesto en el artículo 65.4.a) del texto articulado de la Ley sobre tráfico, circulación de vehículos a motor y seguridad vial.

**Artículo 61.** *Paso de puentes u obras de paso señalizado.–* 1. El orden de preferencia de paso por puentes u obras de paso cuya anchura no permita el cruce de vehículos se realizará conforme a la señalización que lo regule.

2. En caso de encuentro de dos vehículos que no se puedan cruzar en puentes u obras de paso en uno de cuyos extremos se hubiera colocado la señal de prioridad en sentido contrario o la de ceda el paso, el que llegue por ese extremo habrá de retroceder para dejar paso al otro.

En ausencia de señalización, el orden de preferencia entre los distintos tipos de vehículos se ajustará a lo establecido en el artículo 62.

3. Los vehículos que necesitan autorización especial para circular no podrán cruzarse en los puentes si el ancho de la calzada es inferior a seis metros, de suerte que para cada vehículo pueda contarse con un ancho de vía no inferior a tres metros. En caso de encuentro o cruce entre dichos vehículos, se estará a lo dispuesto en el apartado anterior.

4. Las infracciones a las normas de este precepto tendrán la consideración de graves, conforme se prevé en el artículo 65.4.a) del texto articulado.

**Artículo 62.** *Orden de preferencia en ausencia de señalización.–* 1. Sin perjuicio de lo que pueda ordenar el agente de la autoridad o, en su caso, indicar el personal de obras y el de acompañamiento de vehículos especiales o en régimen de transporte especial, el orden de preferencia entre los distintos tipos de vehículos cuando uno de ellos tenga que dar marcha atrás es el siguiente:

a) Vehículos especiales y en régimen de transporte especial que excedan de las masas o dimensiones establecidas en las normas reguladoras de los vehículos.

b) Conjunto de vehículos, excepto los contemplados en el párrafo d).

c) Vehículos de tracción animal.

d) Turismos que arrastran remolques de hasta 750 kilogramos de masa máxima autorizada y autocaravanas.

e) Vehículos destinados al transporte colectivo de viajeros.

f) Camiones, tractocamiones y furgones.

g) Turismos y vehículos derivados de turismos.

h) Vehículos especiales que no excedan de las masas o dimensiones establecidas en las normas reguladoras de los vehículos, cuadriciclos y cuadriciclos ligeros.

i) Vehículos de tres ruedas, motocicletas con sidecar y ciclomotores de tres ruedas.

j) Motocicletas, ciclomotores de dos ruedas y bicicletas.

Cuando se trate de vehículos del mismo tipo o de supuestos no enumerados, la preferencia de paso se decidirá a favor del que tuviera que dar marcha atrás mayor distancia y, en caso de igualdad, del que tenga mayor anchura, longitud o masa máxima autorizada.

2. Las infracciones a las normas de este precepto tendrán la consideración de graves, conforme se prevé en el artículo 65.4.a) del texto articulado.

**Artículo 63.** *Tramos de gran pendiente.*– 1. En los tramos de gran pendiente, en los que se den las circunstancias de estrechez señaladas en el artículo 60, la preferencia de paso la tendrá el vehículo que circule en sentido ascendente, salvo si éste pudiera llegar antes a un apartadero establecido al efecto. En caso de duda sobre la inclinación de la pendiente o la distancia al apartadero, se estará a lo establecido en el artículo 62 (artículo 22.2 del texto articulado).

Se entienden por tramos de gran pendiente los que tienen una inclinación mínima del siete por ciento.

2. Las infracciones a las normas de este precepto tendrán la consideración de graves, conforme se prevé en el artículo 65.4.a) del texto articulado.

*Sección 3ª. Normas de comportamiento de los conductores respecto a los ciclistas, peatones y animales*

**Artículo 64.** *Normas generales y prioridad de paso de ciclistas.*– Como regla general, y siempre que sus trayectorias se corten, los conductores tienen prioridad de paso para sus vehículos en la calzada y en el arcén, respecto de los peatones y animales, salvo en los casos enumerados en los artículos 65 y 66, en que deberán dejarlos pasar, llegando a detenerse si fuera necesario.

Los conductores de bicicletas tienen prioridad de paso respecto a los vehículos de motor:

a) Cuando circulen por un carril bici, paso para ciclistas o arcén debidamente señalizados.

b) Cuando para entrar en otra vía el vehículo de motor gire a derecha o izquierda, en los supuestos permitidos, y haya un ciclista en sus proximidades.

c) Cuando circulando en grupo, el primero haya iniciado ya el cruce o haya entrado en una glorieta.

En los demás casos serán aplicables las normas generales sobre prioridad de paso entre vehículos.

**Artículo 65.** *Prioridad de paso de los conductores sobre los peatones.*– 1. Los conductores tienen prioridad de paso para sus vehículos, respecto de los peatones, salvo en los casos siguientes:

a) En los pasos para peatones debidamente señalizados.

b) Cuando vayan a girar con su vehículo para entrar en otra vía y haya peatones cruzándola, aunque no exista paso para éstos.

c) Cuando el vehículo cruce un arcén por el que estén circulando peatones que no dispongan de zona peatonal (artículo 23.1 del texto articulado).

2. En las zonas peatonales, cuando los vehículos las crucen por los pasos habilitados al efecto, los conductores tienen la obligación de dejar pasar a los peatones que circulen por ellas (artículo 23.2 del texto articulado).

3. También deberán ceder el paso:

a) A los peatones que vayan a subir o hayan bajado de un vehículo de transporte colectivo de viajeros, en una parada señalizada como tal, cuando se encuentren entre dicho vehículo y la zona peatonal o refugio más próximo.

b) A las tropas en formación, filas escolares o comitivas organizadas (artículo 23.3 del texto articulado).

4. Las infracciones a las normas de este precepto tendrán la consideración de graves, conforme se prevé en el artículo 65.4.a) del texto articulado.

**Artículo 66.** *Prioridad de paso de los conductores sobre los animales.–* 1. Los conductores tienen prioridad de paso para sus vehículos, respecto de los animales, salvo en los casos siguientes:

a) En las cañadas debidamente señalizadas.

b) Cuando vayan a girar con su vehículo para entrar en otra vía y haya animales cruzándola, aunque no exista paso para éstos.

c) Cuando el vehículo cruce un arcén por el que estén circulando animales que no dispongan de cañada (artículo 23.4 del texto articulado).

2. Las cañadas o pasos de ganado de carácter general se señalizarán por medio de paneles complementarios con la inscripción "cañada", que se colocarán debajo de la señal "paso de animales domésticos", recogida en el artículo 149, con su plano perpendicular a la dirección de la circulación y al lado derecho de ésta de forma fácilmente visible para los conductores de los vehículos afectados.

Dicha señalización deberá ser complementada con las correspondientes señales de limitación de velocidad.

3. Las infracciones a las normas de este precepto tendrán la consideración de graves, conforme se prevé en el artículo 65.4.c) del texto articulado.

*Sección 4ª. Vehículos en servicios de urgencia*

**Artículo 67.** *Vehículos prioritarios.–* 1. Tendrán prioridad de paso sobre los demás vehículos y otros usuarios de la vía los vehículos de servicios de urgencia, públicos o privados, cuando se hallen en servicio de tal carácter. Podrán circular por encima de los límites de velocidad y estarán exentos de cumplir otras normas o señales en los casos y con las condiciones que se determinan en esta Sección (artículo 25 del texto articulado).

2. Los conductores de los vehículos destinados a los referidos servicios harán uso ponderado de su régimen especial únicamente cuando circulen en prestación de un servicio urgente y cuidarán de no vulnerar la prioridad de paso en las intersecciones de vías o las señales de los semáforos, sin antes adoptar extremadas precauciones, hasta cerciorarse de que no existe riesgo de atropello a peatones y de que los conductores de otros vehículos han detenido su marcha o se disponen a facilitar la suya.

3. La instalación de aparatos emisores de luces y señales acústicas especiales en vehículos prioritarios requerirá autorización de la Jefatura Provincial de Tráfico correspondiente, de conformidad con lo dispuesto en las normas reguladoras de los vehículos.

**Artículo 68.** *Facultades de los conductores de los vehículos prioritarios.–* 1. Los conductores de los vehículos prioritarios deberán observar los preceptos de este reglamento, si bien, a condición de haberse cerciorado de que no ponen en peligro a ningún usuario de la vía, podrán dejar de cumplir bajo su exclusiva responsabilidad las normas de los Títulos II, III y IV, salvo las órdenes y señales de los agentes, que son siempre de obligado cumplimiento.

Los conductores de dichos vehículos podrán igualmente, con carácter excepcional, cuando circulen por autopista o autovía en servicio urgente y no comprometan la seguridad de ningún usuario, dar media vuelta o marcha atrás, circular en sentido contrario al correspondiente a la calzada, siempre que lo hagan por el arcén, o penetrar en la mediana o en los pasos transversales de ésta.

Los agentes de la autoridad responsable de la vigilancia, regulación y control del tráfico podrán utilizar o situar sus vehículos en la parte de la vía que resulte necesaria cuando presten auxilio a los usuarios de ésta o lo requieran las necesidades del servicio o de la circulación. Asimismo, determinarán en cada caso concreto los lugares donde deben situarse los vehículos de servicios de urgencia o de otros servicios especiales.

2. Tendrán el carácter de prioritarios los vehículos de los servicios de policía, extinción de incendios, protección civil y salvamento, y de asistencia sanitaria, pública o privada, que circulen en servicio urgente y cuyos conductores adviertan de su presencia mediante la utilización simultánea de la señal luminosa, a que se refiere el artículo 173, y del aparato emisor de señales acústicas especiales, al que se refieren las normas reguladoras de los vehículos.

Por excepción de lo dispuesto en el párrafo anterior, los conductores de los vehículos prioritarios deberán utilizar la señal luminosa aisladamente cuando la omisión de las señales acústicas especiales no entrañe peligro alguno para los demás usuarios.

3. Las infracciones a las normas de este precepto tendrán la consideración de graves, conforme se prevé en el artículo 65.4.a) del texto articulado.

**Artículo 69.** *Comportamiento de los demás conductores respecto de los vehículos prioritarios.*– Tan pronto perciban las señales especiales que anuncien la proximidad de un vehículo prioritario, los demás conductores adoptarán las medidas adecuadas, según las circunstancias del momento y lugar, para facilitarles el paso, apartándose normalmente a su derecha o deteniéndose si fuera preciso.

Cuando un vehículo de policía que manifiesta su presencia según lo dispuesto en el artículo 68.2 se sitúa detrás de cualquier otro vehículo y activa además un dispositivo de emisión de luz amarilla hacia adelante de forma intermitente o destellante, el conductor de éste deberá detenerlo con las debidas precauciones en el lado derecho, delante del vehículo policial, en un lugar donde no genere mayores riesgos o molestias para el resto de los usuarios, y permanecerá en su interior. En todo momento el conductor ajustará su comportamiento a las instrucciones que imparta el agente a través de la megafonía o por cualquier otro medio que pueda ser percibido claramente por aquél.

**Artículo 70.** *Vehículos no prioritarios en servicio de urgencia.*– 1. Si, como consecuencia de circunstancias especialmente graves, el conductor de un vehículo no prioritario se viera forzado, sin poder recurrir a otro medio, a efectuar un servicio de los normalmente reservados a los prioritarios, procurará que los demás usuarios adviertan la especial situación en que circula, utilizando para ello el avisador acústico en forma intermitente y conectando la luz de emergencia, si se dispusiera de ella, o agitando un pañuelo o procedimiento similar.

2. Los conductores a que se refiere el apartado anterior deberán respetar las normas de circulación, sobre todo en las intersecciones, y los demás usuarios de la vía darán cumplimiento a lo dispuesto en el artículo 69.

3. En cualquier momento, los agentes de la autoridad podrán exigir la justificación de las circunstancias a que se alude en el apartado 1.

4. Las infracciones a las normas de este precepto tendrán la consideración de graves, conforme se prevé en el artículo 65.4.a) del texto articulado.

## CAPÍTULO IV. VEHÍCULOS Y TRANSPORTES ESPECIALES

**Artículo 71.** *Normas de circulación y señalización.*– 1. Las normas de circulación serán las establecidas en el Anexo III de este reglamento, además de las generales que les sean de aplicación.

Los vehículos especiales sólo pueden utilizar las vías objeto de la legislación de tráfico para desplazarse, no pudiendo realizar las tareas para las que estén destinados en función de sus características técnicas, con excepción de los que realicen trabajo de construcción, reparación o conservación de las vías exclusivamente en las zonas donde se lleven a cabo dichos trabajos y de los específicamente destinados a remolcar vehículos accidentados, averiados o mal estacionados. Tampoco podrán circular los vehículos especiales transportando carga alguna, salvo los específicamente destinados a prestar servicios de transporte especial, para lo cual deberán proveerse de la oportuna autorización.

Los conductores de vehículos especiales y, excepcionalmente, de los que no lo sean, empleados para trabajos de construcción, reparación o conservación de vías, no están obligados a la observancia de las normas de circulación, siempre que se encuentren realizando dichos trabajos en la zona donde se lleven a cabo, tomen las precauciones necesarias y la circulación sea convenientemente regulada.

2. Durante los trabajos, los conductores de vehículos destinados a obras o servicios utilizarán la señal luminosa V-2 a que se refiere el artículo 173.2:

a) Cuando interrumpan u obstaculicen la circulación, únicamente para indicar su situación a los demás usuarios, si se trata de vehículos específicamente destinados a remolcar a los accidentados, averiados o mal estacionados.

b) Cuando trabajen en operaciones de limpieza, conservación, señalización o, en general, de reparación de las vías, únicamente para indicar su situación a los demás usuarios, si ésta puede suponer un peligro para éstos; los vehículos especiales destinados a estos fines, si se trata de una autopista o autovía, también, desde su entrada en ella hasta llegar al lugar donde se realicen los citados trabajos.

3. Durante la circulación, los conductores de vehículos especiales o en régimen de transporte especial deberán utilizar la referida señal luminosa tanto de día como de noche, siempre que circulen por vías de uso público a una velocidad que no supere los 40 km/h. En caso de avería de esta señal, deberá utilizarse la luz de cruce junto con las luces indicadoras de dirección con señal de emergencia.

4. Las infracciones a las normas de este precepto en cuanto a la obligación de llevar instalado en el vehículo la señalización luminosa será sancionado con arreglo a lo dispuesto en el artículo 67.2 del texto articulado.

## CAPÍTULO V. INCORPORACIÓN A LA CIRCULACIÓN

**Artículo 72.** *Obligaciones de los conductores que se incorporen a la circulación.*– 1. El conductor de un vehículo parado o estacionado en una vía o procedente de las vías de acceso a ésta, de sus zonas de servicio o de una propiedad colindante, que pretenda incorporarse a la circulación, deberá cerciorarse previamente, incluso siguiendo las indicaciones de otra persona en caso necesario, de que puede hacerlo sin peligro para los demás usuarios, cediendo el paso a otros vehículos y teniendo en cuenta la posición, trayectoria y velocidad de éstos, y lo advertirá con las señales obligatorias para estos casos. Si la vía a la que se accede está dotada de un carril de aceleración, el conductor que se incorpora a aquélla procurará hacerlo con velocidad adecuada a la vía (artículo 26 del texto articulado).

2. Siempre que un conductor salga a una vía de uso público por un camino exclusivamente privado, debe asegurarse previamente de que puede hacerlo sin peligro para nadie y efectuarlo a una velocidad que le permita detenerse en el acto, cediendo el paso a los vehículos que circulen por aquélla, cualquiera que sea el sentido en que lo hagan.

3. El conductor que se incorpore a la circulación advertirá ópticamente la maniobra en la forma prevista en el artículo 109.

4. En vías dotadas de un carril de aceleración, el conductor de un vehículo que pretenda utilizarlo para incorporarse a la calzada deberá cerciorarse, al principio de dicho carril, de que puede hacerlo sin peligro para los demás usuarios que transiten por dicha calzada, teniendo en cuenta la posición, trayectoria y velocidad de éstos, e incluso deteniéndose, en caso necesario. A continuación, acelerará hasta alcanzar la velocidad adecuada al final del carril de aceleración para incorporarse a la circulación de la calzada.

5. Los supuestos de incorporación a la circulación sin ceder el paso a otros vehículos tendrán la consideración de infracciones graves, conforme se prevé en el artículo 65.4.c) del texto articulado.

**Artículo 73.** *Obligación de los demás conductores de facilitar la maniobra.–* 1. Con independencia de la obligación de los conductores de los vehículos que se incorporen a la circulación de cumplir las prescripciones del artículo anterior, los demás conductores facilitarán, en la medida de lo posible, dicha maniobra, especialmente si se trata de un vehículo de transporte colectivo de viajeros que pretende incorporarse a la circulación desde una parada señalizada (artículo 27 del texto articulado).

2. En los poblados, con el fin de facilitar la circulación de los vehículos de transporte colectivo de viajeros, los conductores de los demás vehículos deberán desplazarse lateralmente, siempre que fuera posible, o reducir su velocidad, dando cumplimiento a lo dispuesto en el artículo 53, llegando a detenerse, si fuera preciso, para que los vehículos de transporte colectivo puedan efectuar la maniobra necesaria para proseguir su marcha a la salida de las paradas señalizadas como tales.

3. Lo dispuesto en el apartado anterior no modifica la obligación que tienen los conductores de vehículos de transporte colectivo de viajeros de adoptar las precauciones necesarias para evitar todo riesgo de accidente, después de haber anunciado por medio de sus indicadores de dirección su propósito de reanudar la marcha.

## CAPÍTULO VI. CAMBIOS DE DIRECCIÓN Y DE SENTIDO, Y MARCHA ATRÁS

*Sección 1ª. Cambios de vía, calzada y carril*

**Artículo 74.** *Normas generales.–* 1. El conductor de un vehículo que pretenda girar a la derecha o a la izquierda para utilizar vía distinta de aquella por la que circula, para tomar otra calzada de la misma vía o para salir de ella deberá advertirlo previamente y con suficiente antelación a los conductores de los vehículos que circulan detrás del suyo y cerciorarse de que la velocidad y la distancia de los vehículos que se acerquen en sentido contrario le permiten efectuar la maniobra sin peligro, absteniéndose de realizarla de no darse estas circunstancias. También deberá abstenerse de realizar la maniobra cuando se trate de un cambio de dirección a la izquierda y no exista visibilidad suficiente (artículo 28.1 del texto articulado).

2. Toda maniobra de desplazamiento lateral que implique cambio de carril deberá llevarse a efecto respetando la prioridad del que circule por el carril que se pretende ocupar (artículo 28.2 del texto articulado).

3. Las infracciones a las normas de este precepto tendrán la consideración de graves, conforme se prevé en el artículo 65.4.a) del texto articulado.

**Artículo 75.** *Ejecución de la maniobra de cambio de dirección.–* 1. Para efectuar la maniobra, el conductor:

a) Advertirá su propósito en la forma prevista en el artículo 109.

b) Salvo que la vía esté acondicionada o señalizada para realizarla de otra manera, se ceñirá todo lo posible al borde derecho de la calzada, si el cambio de dirección es a la derecha, y al borde izquierdo, si es a la izquierda y la calzada es de un solo sentido. Si es a la izquierda, pero la calzada por la que circula es de doble sentido de la circulación, se ceñirá a la marca longitudinal de separación entre sentidos o, si ésta no existiera, al eje de la calzada, sin invadir la zona destinada al sentido contrario; cuando la calzada sea de doble sentido de circulación y tres carriles, separados por líneas longitudinales discontinuas, deberá colocarse en el carril central. En cualquier caso, la colocación del vehículo en el lugar adecuado se efectuará con la necesaria antelación y la maniobra en el menor espacio y tiempo posibles.

c) Si el cambio de dirección es a la izquierda, dejará a la izquierda el centro de la intersección, a no ser que ésta esté acondicionada o señalizada para dejarlo a su derecha.

2. Las infracciones a las normas de este precepto tendrán la consideración de graves, conforme se prevé en el artículo 65.4.a) del texto articulado.

**Artículo 76.** *Supuestos especiales.–* 1. Por excepción, si, por las dimensiones del vehículo o por otras circunstancias que lo justificaran, no fuera posible realizar el cambio de dirección con estricta sujeción a lo dispuesto en el artículo anterior, el conductor deberá adoptar las precauciones necesarias para evitar todo peligro al llevarlo a cabo.

2. En vías interurbanas, los ciclos y ciclomotores de dos ruedas, si no existe un carril especialmente acondicionado para el giro a la izquierda, deberán situarse a la derecha, fuera de la calzada siempre que sea posible, e iniciarlo desde ese lugar.

3. Las infracciones a las normas de este precepto tendrán la consideración de graves, conforme se prevé en el artículo 65.4.c) del texto articulado.

**Artículo 77.** *Carril de deceleración.–* Para abandonar una autopista, autovía o cualquier otra vía, los conductores deberán circular con suficiente antelación por el carril más próximo a la salida y penetrar lo antes posible en el carril de deceleración, si existe.

### Sección 2ª. Cambio de sentido

**Artículo 78.** *Ejecución de la maniobra.–* 1. El conductor de un vehículo que pretenda invertir el sentido de su marcha deberá elegir un lugar adecuado para efectuar la maniobra, de forma que se intercepte la vía el menor tiempo posible, advertir su propósito con las señales preceptivas con la antelación suficiente y cerciorarse de que no va a poner en peligro u obstaculizar a otros usuarios de la vía. En caso contrario, deberá abstenerse de realizar dicha maniobra y esperar el momento oportuno para efectuarla. Cuando su permanencia en la calzada, mientras espera para efectuar la maniobra de cambio de sentido, impida continuar la marcha de los vehículos que circulan detrás del suyo, deberá salir de ella por su lado derecho, si fuera posible, hasta que las condiciones de la circulación le permitan efectuarlo (artículo 29 del texto articulado).

2. Las señales con las que el conductor del vehículo debe advertir su propósito de invertir el sentido de su marcha son las previstas en el artículo 109.

3. Las infracciones a las normas de este precepto tendrá la consideración de graves, conforme se prevé en el artículo 65.4.a) del texto articulado.

**Artículo 79.** *Prohibiciones.–* 1. Se prohíbe efectuar el cambio de sentido en toda situación que impida comprobar las circunstancias a que alude el artículo anterior, en los pasos a nivel, en los túneles, pasos inferiores y tramos de vía afectados por la señal "Túnel" (S-5), así como en las autopistas y autovías, salvo en los lugares habilitados al efecto y, en general, en todos los tramos de la vía en que esté prohibido el adelantamiento, salvo que el cambio de sentido esté expresamente autorizado (artículo 30 del texto articulado).

2. Las infracciones a las normas de este precepto tendrán la consideración de graves, conforme se prevé en el artículo 65.4.a) del texto articulado.

### Sección 3ª. Marcha hacia atrás

**Artículo 80.** *Normas generales.*– 1. Se prohíbe circular hacia atrás, salvo en los casos en que no sea posible marchar hacia adelante ni cambiar de dirección o sentido de marcha, y en las maniobras complementarias de otra que la exija, y siempre con el recorrido mínimo indispensable para efectuarla (artículo 31.1 del texto articulado).

2. El recorrido hacia atrás, como maniobra complementaria de la parada, el estacionamiento o la incorporación a la circulación, no podrá ser superior a 15 metros ni invadir un cruce de vías.

3. Se prohíbe la maniobra de marcha atrás en autovías y autopistas (artículo 31.3 del texto articulado).

4. Las infracciones a las normas de este precepto, cuando constituyan un supuesto de circulación en sentido contrario al estipulado, tendrá la consideración de muy graves, conforme se prevé en el artículo 65.5.f) del texto articulado.

**Artículo 81.** *Ejecución de la maniobra.*– 1. La maniobra de marcha hacia atrás deberá efectuarse lentamente, después de haberlo advertido con las señales preceptivas y de haberse cerciorado, incluso apeándose o siguiendo las indicaciones de otra persona, si fuera necesario, de que, por las circunstancias de visibilidad, espacio y tiempo necesarios para efectuarla, no va a constituir peligro para los demás usuarios de la vía (artículo 31.2 del texto articulado).

2. El conductor de un vehículo que pretenda dar marcha hacia atrás deberá advertir su propósito en la forma prevista en el artículo 109.

3. Igualmente, deberá efectuar la maniobra con la máxima precaución y detendrá el vehículo con toda rapidez si oyera avisos indicadores o se apercibiera de la proximidad de otro vehículo o de una persona o animal, o tan pronto lo exija la seguridad, desistiendo de la maniobra si fuera preciso.

## CAPÍTULO VII. ADELANTAMIENTO

*Sección 1ª. Adelantamiento y circulación paralela*

**Artículo 82.** *Adelantamiento por la izquierda. Excepciones.–* 1. En todas las vías objeto de la legislación sobre tráfico, circulación de vehículos a motor y seguridad vial, como norma general, el adelantamiento deberá efectuarse por la izquierda del vehículo que se pretende adelantar (artículo 32.1 del texto articulado).

2. Por excepción, y si existe espacio suficiente para ello, el adelantamiento se efectuará por la derecha y adoptando las máximas precauciones, cuando el conductor del vehículo al que se pretenda adelantar esté indicando claramente su propósito de cambiar de dirección a la izquierda o parar en ese lado, así como, en las vías con circulación en ambos sentidos, a los tranvías que marchen por la zona central (artículo 32.2 del texto articulado).

3. Dentro de los poblados, en las calzadas que tengan, por lo menos, dos carriles reservados a la circulación en el mismo sentido de marcha, delimitados por marcas longitudinales, se permite el adelantamiento por la derecha a condición de que el conductor del vehículo que lo efectúe se cerciore previamente de que puede hacerlo sin peligro para los demás usuarios.

4. En todos los casos en que el adelantamiento implique un desplazamiento lateral, deberá advertirse la maniobra mediante la correspondiente señal óptica a que se refiere el artículo 109.

5. Las infracciones a las normas de este precepto tendrán la consideración de graves, conforme se prevé en el artículo 65.4.a) del texto articulado.

**Artículo 83.** *Adelantamiento en calzadas de varios carriles.–* 1. En las calzadas que tengan, por lo menos, dos carriles reservados a la circulación en el sentido de su marcha, el conductor que vaya a efectuar un nuevo adelantamiento podrá permanecer en el carril que haya utilizado para el anterior, a condición de cerciorarse de que puede hacerlo sin molestia indebida para los conductores de vehículos que circulen detrás del suyo más velozmente.

2. Cuando la densidad de la circulación sea tal que los vehículos ocupen toda la anchura de la calzada y sólo puedan circular a una velocidad que dependa de la del que los precede en su carril, el hecho de que los de un

carril circulen más rápidamente que los de otro no será considerado como un adelantamiento.

En esta situación, ningún conductor deberá cambiar de carril para adelantar ni para efectuar cualquier otra maniobra que no sea prepararse a girar a la derecha o a la izquierda, salir de la calzada o tomar determinada dirección.

3. En todo tramo de vía en que existan carriles de aceleración o deceleración o carriles o partes de la vía destinadas exclusivamente al tráfico de determinados vehículos, tampoco se considerará adelantamiento el hecho de que se avance más rápidamente por aquellos que por los normales de circulación, o viceversa.

4. Las infracciones a las normas de este precepto tendrán la consideración de graves, conforme se prevé en el artículo 65.4.a) del texto articulado.

*Sección 2ª. Normas generales del adelantamiento*

**Artículo 84.** *Obligaciones del que adelanta antes de iniciar la maniobra.–* 1. Antes de iniciar un adelantamiento que requiera desplazamiento lateral, el conductor que se proponga adelantar deberá advertirlo con suficiente antelación con las señales preceptivas y comprobar que en el carril que pretende utilizar para el adelantamiento existe espacio libre suficiente para que la maniobra no ponga en peligro ni entorpezca a quienes circulen en sentido contrario, teniendo en cuenta la velocidad propia y la de los demás usuarios afectados. En caso contrario, deberá abstenerse de efectuarla (artículo 33.1 del texto articulado).

Ningún conductor deberá de adelantar a varios vehículos si no tiene la total seguridad de que, al presentarse otro en sentido contrario, puede desviarse hacia el lado derecho sin causar perjuicios o poner en situación de peligro a alguno de los vehículos adelantados.

En calzadas con doble sentido de circulación y tres carriles separados por marcas longitudinales discontinuas, el adelantamiento solamente se podrá efectuar cuando los conductores que circulen en sentido contrario no hayan ocupado el carril central para efectuar un adelantamiento a su vez.

2. También deberá cerciorarse de que el conductor del vehículo que le precede en el mismo carril no ha indicado su propósito de desplazamiento hacia el mismo lado; en tal caso, deberá respetar la preferencia que le asiste. No obstante, si después de un tiempo prudencial el conductor del citado vehículo no ejerciera su derecho prioritario, se podrá iniciar la maniobra de adelanta-

miento, advirtiéndoselo previamente con señal acústica u óptica (artículo 33.2 del texto articulado).

Se prohíbe, en todo caso, adelantar a los vehículos que ya estén adelantando a otro si el conductor del tercer vehículo, para efectuar dicha maniobra, ha de invadir la parte de la calzada reservada a la circulación en sentido contrario.

3. Asimismo, deberá asegurarse de que ningún conductor que le siga por el mismo carril ha iniciado la maniobra de adelantar a su vehículo, y de que dispone de espacio suficiente para reintegrarse a su carril cuando termine el adelantamiento (artículo 33.3 del texto articulado).

4. Las señales preceptivas que el conductor deberá utilizar antes de iniciar su desplazamiento lateral serán las prescritas en el artículo 109.

5. A los efectos de este artículo, no se consideran adelantamientos los producidos entre ciclistas que circulen en grupo (artículo 33.4 del texto articulado).

6. Las infracciones a las normas de este artículo tendrán la consideración de graves, conforme se prevé en el artículo 65.4.a) del texto articulado.

*Sección 3ª. Ejecución del adelantamiento*

**Artículo 85.** *Obligaciones del que adelanta durante la ejecución de la maniobra.*– 1. Durante la ejecución del adelantamiento, el conductor que lo efectúe deberá llevar su vehículo a una velocidad notoriamente superior a la del que pretende adelantar y dejar entre ambos una separación lateral suficiente para realizarlo con seguridad (artículo 34.1 del texto articulado).

2. Si después de iniciar la maniobra de adelantamiento advirtiera que se producen circunstancias que puedan hacer difícil su finalización sin provocar riesgos, reducirá rápidamente su marcha, regresará de nuevo a su carril y lo advertirá a los que le siguen con las señales preceptivas (artículo 34.2 del texto articulado).

3. El conductor del vehículo que ha efectuado el adelantamiento deberá reintegrarse a su carril tan pronto como le sea posible y de modo gradual, sin obligar a otros usuarios a modificar su trayectoria o velocidad, y advertirlo a través de las señales preceptivas (artículo 34.3 del texto articulado).

4. Cuando se adelante fuera de poblado a peatones, animales o a vehículos de dos ruedas o de tracción animal, se deberá realizar la maniobra ocupando

parte o la totalidad del carril contiguo de la calzada, siempre y cuando existan las condiciones precisas para realizar el adelantamiento en las condiciones precisas para realizar el adelantamiento en las condiciones previstas en este reglamento; en todo caso, la separación lateral no será inferior a 1,50 metros. Queda expresamente prohibido adelantar poniendo en peligro o entorpeciendo a ciclistas que circulen en sentido contrario.

Cuando el adelantamiento se efectúe a cualquier otro vehículo distinto de los aludidos en el párrafo anterior, o tenga lugar en poblado, el conductor del vehículo que ha de adelantar dejará un margen lateral de seguridad proporcional a la velocidad y a la anchura y características de la calzada.

5. El conductor de un vehículo de dos ruedas que pretenda adelantar fuera de poblado a otro cualquiera lo hará de forma que entre aquél y las partes más salientes del vehículo que adelanta quede un espacio no inferior a 1,50 metros.

6. Las infracciones a las normas de este precepto tendrán la consideración de graves, conforme se prevé en el artículo 65.4.a) del texto articulado.

*Sección 4ª. Vehículo adelantado*

**Artículo 86.** *Obligaciones de su conductor.–* 1. El conductor que advierta que otro que le sigue tiene el propósito de adelantar a su vehículo estará obligado a ceñirse al borde derecho de la calzada, salvo en los supuestos de giros o cambios de dirección a la izquierda o de parada en ese mismo lado a que se refiere el artículo 82.2, en que deberá ceñirse a la izquierda todo lo posible, pero sin interferir la marcha de los vehículos que puedan circular en sentido contrario (artículo 35.1 del texto articulado).

En el caso de que no sea posible ceñirse por completo al borde derecho de la calzada y, sin embargo, el adelantamiento pueda efectuarse con seguridad, el conductor de cualquiera de los vehículos a que se refiere el apartado 3 que vaya a ser adelantado indicará la posibilidad de ello al que se acerque, extendiendo el brazo horizontalmente y moviéndolo repetidas veces de atrás adelante, con el dorso de la mano hacia atrás, o poniendo en funcionamiento el intermitente derecho, cuando no crea conveniente hacer la señal con el brazo.

2. Se prohíbe al conductor del vehículo que va a ser adelantado aumentar la velocidad o efectuar maniobras que impidan o dificulten el adelantamiento.

También estará obligado a disminuir la velocidad de su vehículo cuando, una vez iniciada la maniobra de adelantamiento, se produzca alguna situación que entrañe peligro para su propio vehículo, para el vehículo que la está efectuando, para los que circulan en sentido contrario o para cualquier otro usuario de la vía (artículo 35.2 del texto articulado).

No obstante lo dispuesto en el párrafo anterior, cuando el adelantante diera muestras inequívocas de desistir de la maniobra reduciendo su velocidad, el conductor del vehículo al que se pretende adelantar no estará obligado a disminuir la suya, si con ello pone en peligro la seguridad de la circulación, aunque sí estará obligado a facilitar al conductor adelantante la vuelta a su carril.

3. Los conductores de vehículos pesados, de grandes dimensiones u obligados a respetar un límite específico de velocidad deberán bien aminorar la marcha o apartarse cuanto antes al arcén, si resulta practicable, para dejar paso a los que le siguen, cuando la densidad de la circulación en sentido contrario, la anchura insuficiente de la calzada, su perfil o estado no permitan ser adelantados con facilidad y sin peligro.

4. Las infracciones a las normas de este precepto tendrán la consideración de graves, conforme se prevé en el artículo 65.4.a) del texto articulado.

*Sección 5ª. Maniobras de adelantamiento que atentan a la seguridad vial*

**Artículo 87.** *Prohibiciones.*– 1. Queda prohibido adelantar:

a) En las curvas y cambios de rasante de visibilidad reducida y, en general, en todo lugar o circunstancia en que la visibilidad disponible no sea suficiente para poder efectuar la maniobra o desistir de ella una vez iniciada, a no ser que los dos sentidos de la circulación estén claramente delimitados y la maniobra pueda efectuarse sin invadir la zona reservada al sentido contrario (artículo 36.1 del texto articulado).

De conformidad con lo dispuesto en el párrafo anterior, se prohíbe, en concreto, el adelantamiento detrás de un vehículo que realiza la misma maniobra, cuando las dimensiones del vehículo que la efectúa en primer lugar impide la visibilidad de la parte delantera de la vía al conductor del vehículo que le sigue.

b) En los pasos para peatones señalizados como tales, en las intersecciones con vías para ciclistas, en los pasos a nivel y en sus proximidades (artículo 36.2 del texto articulado).

No obstante, dicha prohibición no será aplicable cuando el adelantamiento se realice a vehículos de dos ruedas que por sus reducidas dimensiones no impidan la visibilidad lateral, en un paso a nivel o sus proximidades, previas las oportunas señales acústicas u ópticas. Tampoco será aplicable dicha prohibición en un paso para peatones señalizado cuando el adelantamiento a cualquier vehículo se realice a una velocidad tan suficientemente reducida que permita detenerse a tiempo si surgiera peligro de atropello.

c) En las intersecciones y en sus proximidades, salvo cuando:

1.º Se trate de una plaza de circulación giratoria o glorieta.

2.º El adelantamiento deba efectuarse por la derecha, según lo previsto en el artículo 82.2.

3.º La calzada en que se realice goce de prioridad en la intersección y haya señal expresa que lo indique.

4.º El adelantamiento se realice a vehículos de dos ruedas (artículo 36.3 del texto articulado).

d) En los túneles, pasos inferiores y tramos de vía afectados por la señal "Túnel" (S-5) en los que sólo se disponga de un carril para el sentido de circulación del vehículo que pretende adelantar.

2. Las infracciones a las normas de este precepto tendrán la consideración de graves, conforme se prevé en el artículo 65.4.a) del texto articulado.

*Sección 6ª. Supuestos excepcionales de ocupación del sentido contrario*

**Artículo 88.** *Vehículos inmovilizados.–* 1. Cuando en un tramo de vía en el que esté prohibido el adelantamiento se encuentre inmovilizado un vehículo que, en todo o en parte, ocupe la calzada en el carril del sentido de la marcha, salvo que la inmovilización venga impuesta por las necesidades del tráfico, podrá ser rebasado, aunque para ello haya que ocupar la parte de la calzada reservada al sentido contrario, después de haberse cerciorado de que se puede realizar la maniobra sin peligro. Con idénticos requisitos se podrá adelantar a conductores de bicicletas, ciclos, ciclomotores, peatones, animales y vehículos de tracción animal, cuando por la velocidad a que circulen puedan ser adelantados sin riesgo para ellos ni para la circulación en general.

2. Las infracciones a las normas de este precepto tendrán la consideración de graves, conforme se prevé en el artículo 65.4.a) del texto articulado.

**Artículo 89.** *Obstáculos.–* 1. Igualmente, en las circunstancias señaladas en el artículo anterior, todo vehículo que encuentre cualquier obstáculo en su camino que le obligue a ocupar el espacio dispuesto para el sentido contrario de su marcha podrá rebasarlo, siempre que se haya cerciorado de que puede efectuarlo sin peligro. La misma precaución se observará cuando el obstáculo o el vehículo inmovilizado se encuentren en un tramo de vía en el que esté permitido el adelantamiento.

2. Las infracciones a las normas de este precepto tendrán la consideración de graves, conforme se prevé en el artículo 65.4.b) del texto articulado.

CAPÍTULO VIII. PARADA Y ESTACIONAMIENTO

*Sección 1ª. Normas generales de paradas y estacionamientos*

**Artículo 90.** *Lugares en que deben efectuarse.–* 1. La parada o el estacionamiento de un vehículo en vías interurbanas deberá efectuarse siempre fuera de la calzada, en el lado derecho de ésta y dejando libre la parte transitable del arcén (artículo 38.1 del texto articulado).

Cuando por razones de emergencia no sea posible situar el vehículo fuera de la calzada y de la parte transitable del arcén, se observarán las normas contenidas en los artículos siguientes de este Capítulo y las previstas en el artículo 130, en cuanto sean aplicables.

2. Cuando en vías urbanas tenga que realizarse en la calzada o en el arcén, se situará el vehículo lo más cerca posible de su borde derecho, salvo en las vías de único sentido, en las que se podrá situar también en el lado izquierdo (artículo 38.2 del texto articulado).

Debe, asimismo, observarse lo dispuesto al efecto en las ordenanzas que dicten las autoridades municipales de acuerdo con lo establecido en el artículo 93.

**Artículo 91.** *Modo y forma de ejecución.–* 1. La parada y el estacionamiento deberán efectuarse de tal manera que el vehículo no obstaculice la circulación ni constituya un riesgo para el resto de los usuarios de la vía, cuidando especialmente la colocación del vehículo y evitar que pueda ponerse en movimiento en ausencia del conductor (artículo 38.3 del texto articulado).

2. Se consideran paradas o estacionamientos en lugares peligrosos o que obstaculizan gravemente la circulación los que constituyan un riesgo u obstáculo a la circulación en los siguientes supuestos:

a) Cuando la distancia entre el vehículo y el borde opuesto de la calzada o una marca longitudinal sobre ella que indique prohibición de atravesarla sea inferior a tres metros o, en cualquier caso, cuando no permita el paso de otros vehículos.

b) Cuando se impida incorporarse a la circulación a otro vehículo debidamente parado o estacionado.

c) Cuando se obstaculice la utilización normal del paso de salida o acceso a un inmueble de personas o animales, o de vehículos en un vado señalizado correctamente.

d) Cuando se obstaculice la utilización normal de los pasos rebajados para disminuidos físicos.

e) Cuando se efectúe en las medianas, separadores, isletas u otros elementos de canalización del tráfico.

f) Cuando se impida el giro autorizado por la señal correspondiente.

g) Cuando el estacionamiento tenga lugar en una zona reservada a carga y descarga, durante las horas de utilización.

h) Cuando el estacionamiento se efectúe en doble fila sin conductor.

i) Cuando el estacionamiento se efectúe en una parada de transporte público, señalizada y delimitada.

j) Cuando el estacionamiento se efectúe en espacios expresamente reservados a servicios de urgencia y seguridad.

k) Cuando el estacionamiento se efectúe en espacios prohibidos en vía pública calificada de atención preferente, específicamente señalizados.

l) Cuando el estacionamiento se efectúe en medio de la calzada.

m) Las paradas o estacionamientos que, sin estar incluidos en los párrafos anteriores, constituyan un peligro u obstaculicen gravemente el tráfico de peatones, vehículos o animales.

3. Los supuestos de paradas o estacionamientos en lugares peligrosos o que obstaculicen gravemente la circulación tienen la consideración de infracciones graves, conforme se prevé en el artículo 65.4.b) del texto articulado.

**Artículo 92.** *Colocación del vehículo.–* 1. La parada y el estacionamiento se realizarán situando el vehículo paralelamente al borde de la calzada. Por excepción, se permitirá otra colocación cuando las características de la vía u otras circunstancias así lo aconsejen.

2. Todo conductor que pare o estacione su vehículo deberá hacerlo de forma que permita la mejor utilización del restante espacio disponible.

3. Cuando se trate de un vehículo a motor o ciclomotor y el conductor tenga que dejar su puesto, deberá observar, además, en cuanto le fuesen de aplicación, las siguientes reglas:

a) Parar el motor y desconectar el sistema de arranque y, si se alejara del vehículo, adoptar las precauciones necesarias para impedir su uso sin autorización.

b) Dejar accionado el freno de estacionamiento.

c) En un vehículo provisto de caja de cambios, dejar colocada la primera velocidad, en pendiente ascendente, y la marcha hacia atrás, en descendente, o, en su caso, la posición de estacionamiento.

d) Cuando se trate de un vehículo de más de 3.500 kilogramos de masa máxima autorizada, de un autobús o de un conjunto de vehículos y la parada o el estacionamiento se realice en un lugar con una sensible pendiente, su conductor deberá, además, dejarlo debidamente calzado, bien sea por medio de la colocación de calzos, sin que puedan emplear a tales fines elementos como piedras u otros no destinados de modo expreso a dicha función, bien por apoyo de una de las ruedas directrices en el bordillo de la acera, inclinando aquéllas hacia el centro de la calzada en las pendientes ascendentes, y hacia fuera en las pendientes descendentes. Los calzos, una vez utilizados, deberán ser retirados de las vías al reanudar la marcha.

**Artículo 93.** *Ordenanzas municipales.–* 1. El régimen de parada y estacionamiento en vías urbanas se regulará por ordenanza municipal, y podrán adoptarse las medidas necesarias para evitar el entorpecimiento del tráfico, entre ellas limitaciones horarias de duración del estacionamiento, así como las medidas correctoras precisas, incluida la retirada del vehículo o su inmovilización cuando no se halle provisto de título que habilite el estacionamiento en zonas limitadas en tiempo o excedan de la autorización concedida hasta que se logre la identificación del conductor (artículo 38.4 del texto articulado).

2. En ningún caso podrán las ordenanzas municipales oponerse, alterar, desvirtuar o inducir a confusión con los preceptos de este reglamento.

*Sección 2ª. Normas especiales de paradas y estacionamientos*

**Artículo 94.** *Lugares prohibidos.–* 1. Queda prohibido parar:

a) En las curvas y cambios de rasante de visibilidad reducida, en sus proximidades y en los túneles, pasos inferiores y tramos de vías afectados por la señal "Túnel".

b) En pasos a nivel, pasos para ciclistas y pasos para peatones.

c) En los carriles o parte de las vías reservados exclusivamente para la circulación o para el servicio de determinados usuarios.

d) En las intersecciones y en sus proximidades si se dificulta el giro a otros vehículos, o en vías interurbanas, si se genera peligro por falta de visibilidad.

e) Sobre los raíles de tranvías o tan cerca de ellos que pueda entorpecerse su circulación.

f) En los lugares donde se impida la visibilidad de la señalización a los usuarios a quienes les afecte u obligue a hacer maniobras.

g) En autopistas y autovías, salvo en las zonas habilitadas para ello.

h) En los carriles destinados al uso exclusivo del transporte público urbano, o en los reservados para las bicicletas.

i) En las zonas destinadas para estacionamiento y parada de uso exclusivo para el transporte público urbano.

j) En zonas señalizadas para uso exclusivo de minusválidos y pasos para peatones (artículo 39.1 del texto articulado).

2. Queda prohibido estacionar en los siguientes casos:

a) En todos los descritos en el apartado anterior en los que está prohibida la parada.

b) En los lugares habilitados por la autoridad municipal como de estacionamiento con limitación horaria sin colocar el distintivo que lo autoriza o cuando, colocado el distintivo, se mantenga estacionado el vehículo en exceso sobre el tiempo máximo permitido por la ordenanza municipal.

c) En zonas señalizadas para carga y descarga.

d) En zonas señalizadas para uso exclusivo de minusválidos.

e) Sobre las aceras, paseos y demás zonas destinadas al paso de peatones.

f) Delante de los vados señalizados correctamente.

g) En doble fila (artículo 39.2 del texto articulado).

3. Las paradas o estacionamientos en los lugares enumerados en los párrafos a), d), e), f), g) e i) del apartado 1, en los pasos a nivel y en los carriles destina-

dos al uso del transporte público urbano tendrán la consideración de infracciones graves, conforme se prevé en el artículo 65.4.b) del texto articulado.

## CAPÍTULO IX. CRUCE DE PASOS A NIVEL, PUENTES MÓVILES Y TÚNELES

*Sección 1ª. Normas generales sobre pasos a nivel, puentes móviles y túneles*

**Artículo 95.** *Obligaciones de los usuarios y titulares de las vías.*– 1. Todos los conductores deben extremar la prudencia y reducir la velocidad por debajo de la máxima permitida al aproximarse a un paso a nivel o a un puente móvil (artículo 40.1 del texto articulado).

2. Los usuarios que al llegar a un paso a nivel o a un puente móvil lo encuentren cerrado o con la barrera o semibarrera en movimiento deberán detenerse uno detrás de otro en el carril correspondiente hasta que tengan paso libre (artículo 40.2 del texto articulado).

3. El cruce de la vía férrea deberá realizarse sin demora y después de haberse cerciorado de que, por las circunstancias de la circulación o por otras causas, no existe riesgo de quedar inmovilizado dentro del paso (artículo 40.3 del texto articulado).

4. Los pasos a nivel y puentes móviles estarán debidamente señalizados por el titular de la vía, del modo previsto en los artículos 144, 146 y 149.

5. Los túneles de cualquier longitud y los pasos inferiores cuya longitud sea superior a 200 metros estarán debidamente señalizados.

6. En los túneles o pasos inferiores, el conductor deberá aplicar rigurosamente todas las normas de circulación relativas a ellos contenidas en este reglamento y especialmente las referidas a la prohibición de parar, estacionar, cambiar el sentido de la marcha, marchar hacia atrás y adelantar. Además, deberá utilizar el alumbrado correspondiente.

Cuando no se pretenda adelantar, deberá mantenerse en todo momento una distancia de seguridad con el vehículo precedente de, al menos, 100 metros o un intervalo mínimo de cuatro segundos. En el caso de vehículos cuya masa máxima autorizada sea superior a 3.500 kilogramos, la distancia de seguridad que deberá guardar con el vehículo precedente será de, al menos, 150 metros o un intervalo mínimo de seguridad de seis segundos.

En los túneles o pasos inferiores con circulación en ambos sentidos, está prohibido el adelantamiento, salvo que exista más de un carril para su sentido de circulación, en los que se podrá adelantar sin invadir el sentido contrario.

7. En todo momento, los conductores y usuarios que circulen por un túnel o paso inferior deberán obedecer las indicaciones de los semáforos y los paneles de mensaje variable, y seguir las instrucciones que les lleguen a través de megafonía o cualquier otro medio.

**Artículo 96.** *Barreras, semibarreras y semáforos.–* 1. Ningún usuario de la vía deberá penetrar en un paso a nivel cuyas barreras o semibarreras estén atravesadas en la vía o en movimiento para levantarse o colocarse atravesadas, o cuando sus semáforos impidan el paso con sus indicaciones de detención.

2. Ningún usuario de la vía deberá penetrar en un paso a nivel desprovisto de barreras, semibarreras o semáforos, sin antes haberse cerciorado de que no se acerca ningún vehículo que circule sobre raíles.

3. Ningún usuario deberá penetrar en un túnel o paso inferior si en la boca de éste un semáforo no le permite el paso, con excepción de los equipos de los servicios de urgencia, asistencia mecánica y conservación de carreteras.

*Sección 2ª. Bloqueo de pasos a nivel, puentes móviles y túneles*

**Artículo 97.** *Detención de un vehículo en paso a nivel, puente móvil o túnel.–* 1. Cuando por razones de fuerza mayor quede un vehículo detenido en un paso a nivel o se produzca la caída de su carga dentro de aquél, el conductor estará obligado a adoptar las medidas adecuadas para el rápido desalojo de los ocupantes del vehículo y para dejar el paso expedito en el menor tiempo posible. Si no lo consiguiese, adoptará inmediatamente todas las medidas a su alcance para que tanto los maquinistas de los vehículos que circulen por raíles como los conductores del resto de los vehículos que se aproximen sean advertidos de la existencia del peligro con la suficiente antelación (artículo 41 del texto articulado).

2. Las normas contenidas en el apartado anterior serán aplicables, si concurren las mismas circunstancias, cuando la detención del vehículo o la caída de su carga tenga lugar en un puente móvil.

3. Si por motivos de emergencia un conductor queda inmovilizado con su vehículo dentro de un túnel o paso inferior, deberá:

a) Apagar el motor, conectar la señal de emergencia y mantener encendidas las luces de posición.

b) Si es posible, dirigir el vehículo hacia la zona reservada para emergencia más próxima en el sentido de su marcha. De no existir, inmovilizará el vehículo lo más cerca posible al borde derecho de la calzada.

c) Colocar correctamente sobre la calzada los dispositivos de preseñalización de peligro.

d) Solicitar auxilio sin demora a través del poste de socorro (poste SOS) más próximo, si existe, y seguir las instrucciones que a través de él se le hagan llegar.

e) Tanto el conductor como los demás ocupantes abandonarán el vehículo, dirigiéndose rápidamente al refugio o salida más próximos, sin que en ningún caso se transite por la calzada si existen zonas excluidas a la circulación de vehículos.

f) Si se trata de una avería que permite la marcha del vehículo, deberá continuar hasta la salida del túnel o paso inferior y, si ello no fuera posible, hasta una zona reservada para emergencia.

En caso de incendio, el conductor aproximará su vehículo todo lo posible hacia su derecha para no obstruir el paso a los vehículos de emergencia. Apagará el motor y dejará la llave puesta y las puertas abiertas. Tanto el conductor como los demás ocupantes abandonarán el vehículo dirigiéndose rápidamente al refugio o salida más próximos, en sentido contrario al del fuego, sin que en ningún caso se transite por la calzada si existen zonas excluidas a la circulación de vehículos.

Si por necesidades de la circulación un vehículo queda inmovilizado en el interior de un túnel o paso inferior, el conductor y los pasajeros no deben abandonar el vehículo. En este caso se debe de conectar la señal de emergencia temporalmente para advertir a otros conductores que circulen detrás, mantener encendidas las luces de posición y apagar el motor. Deberá detenerse lo más lejos posible del vehículo que le precede.

## CAPÍTULO X. UTILIZACIÓN DEL ALUMBRADO

*Sección 1ª. Uso obligatorio del alumbrado*

**Artículo 98.** *Normas generales.–* 1. Todos los vehículos que circulen entre el ocaso y la salida del sol o a cualquier hora del día en los túneles, pasos inferiores y tramos de vía afectados por la señal "Túnel" (S-5) deben llevar encendido el alumbrado que corresponda de acuerdo con lo que se determina en esta Sección.

2. La regulación de los sistemas de alumbrado que no estén prohibidos, o en todo lo que no esté expresamente previsto en este Capítulo o en otros preceptos de este reglamento, se ajustará a lo dispuesto en las normas reguladoras de los vehículos.

3. Las bicicletas, además, estarán dotadas de los elementos reflectantes que, debidamente homologados, se determinan en el Reglamento General de Vehículos.

Cuando sea obligatorio el uso del alumbrado, los conductores de bicicletas llevarán, además, colocada alguna prenda reflectante que permita a los conductores y demás usuarios distinguirlos a una distancia de 150 metros, si circulan por vía interurbana.

**Artículo 99.** *Alumbrados de posición y de gálibo.–* 1. Todo vehículo que circule entre el ocaso y la salida del sol o bajo las condiciones a las que se refiere el artículo 106 y en el paso por túneles, pasos inferiores o tramos de vías afectados por la señal "Túnel" (S-5) deberá llevar encendidas las luces de posición y, si la anchura del vehículo excede de 2,10 metros, también la de gálibo.

2. La circulación sin alumbrado en situaciones de falta o disminución de visibilidad tendrá la consideración de infracción grave, conforme se prevé en el artículo 65.4.e) del texto articulado.

**Artículo 100.** *Alumbrado de largo alcance o carretera.–* 1. Todo vehículo equipado con luz de largo alcance o carretera que circule a más de 40 kilómetros por hora, entre el ocaso y la salida del sol, fuera de poblado, por vías insuficientemente iluminadas o a cualquier hora del día por túneles, pasos inferiores y tramos de vía afectados por la señal "Túnel" (S-5) insuficientemente iluminados, la llevará encendida, excepto cuando haya de utilizarse la de corto alcance o de cruce, de acuerdo con lo previsto en los artículos 101 y 102, especialmente para evitar los deslumbramientos.

La luz de largo alcance o de carretera podrá utilizarse aisladamente o con la de corto alcance.

2. Se prohíbe la utilización de la luz de largo alcance o de carretera siempre que el vehículo se encuentre parado o estacionado, así como el empleo alternativo, en forma de destellos de la luz de largo alcance o de carretera y

de la luz de corto alcance o de cruce, con finalidades distintas a las previstas en este reglamento.

3. Se entiende por vía insuficientemente iluminada aquella en la que, con vista normal, en algún punto de su calzada, no pueda leerse la placa de matrícula a 10 metros o no se distinga un vehículo pintado de oscuro a 50 metros de distancia.

4. Los supuestos de circulación en los que se produzca deslumbramiento al resto de los usuarios de la vía y de circulación sin alumbrado en situaciones de falta o disminución de visibilidad tendrán la consideración de infracciones graves, conforme se prevé en el artículo 65.4.e) del texto articulado.

**Artículo 101.** *Alumbrado de corto alcance o de cruce.–* 1. Todo vehículo de motor y ciclomotor que circule entre el ocaso y la salida del sol por vías urbanas o interurbanas suficientemente iluminadas, o a cualquier hora del día por túneles, pasos inferiores y tramos de vías afectados por la señal "Túnel" (S-5) suficientemente iluminados, llevará encendido, además del alumbrado de posición, el alumbrado de corto alcance o de cruce.

Igualmente, llevará encendido dicho alumbrado en los poblados, cuando la vía esté insuficientemente iluminada.

2. Todo vehículo de motor y ciclomotor debe llevar encendido el alumbrado de corto alcance o de cruce al circular entre el ocaso y la salida del sol por vías interurbanas insuficientemente iluminadas o a cualquier hora del día por túneles, pasos inferiores y demás tramos afectados por la señal de "Túnel" insuficientemente iluminados, cuando concurra alguna de las siguientes circunstancias:

a) No disponer de alumbrado de largo alcance.

b) Circular a velocidad no superior a 40 kilómetros por hora y no estar utilizando el alumbrado de largo alcance.

c) Posibilidad de producir deslumbramiento a otros usuarios de la vía pública.

3. Los supuestos de circulación en los que se produzca deslumbramiento al resto de los usuarios de la vía y de circulación sin alumbrado en situación de falta o disminución de visibilidad tendrán la consideración de infracciones graves, conforme se prevé en el artículo 65.4.e) del texto articulado.

**Artículo 102.** *Deslumbramiento.–* 1. El alumbrado de largo alcance o de carretera deberá ser sustituido por el de corto alcance o de cruce tan pronto como se aprecie la posibilidad de producir deslumbramiento a otros usuarios de la misma vía o de cualquier otra vía de comunicación, y muy especialmente a los conductores de vehículos que circulen en sentido contrario y aunque éstos no cumplan esta prescripción, y no se restablecerá el alumbrado de carretera hasta rebasar, en el cruce, la posición del vehículo cruzado.

2. La misma precaución se guardará respecto a los vehículos que circulen en el mismo sentido y cuyos conductores puedan ser deslumbrados a través del espejo retrovisor.

3. En caso de deslumbramiento, el conductor que lo sufra reducirá la velocidad lo necesario, incluso hasta la detención total, para evitar el alcance de vehículos o peatones que circulen en el mismo sentido.

4. Las infracciones a las normas de este precepto tendrán la consideración de graves, conforme se prevé en el artículo 65.4.e) del texto articulado.

**Artículo 103.** *Alumbrado de placa de matrícula.–* Todo vehículo que se encuentre en las circunstancias aludidas en los artículos 99 ó 106 debe llevar siempre iluminada la placa posterior de matrícula y, en su caso, las otras placas o distintivos iluminados de los que reglamentariamente haya de estar dotado, teniendo en cuenta sus características o el servicio que preste.

**Artículo 104.** *Uso del alumbrado durante el día.–* Deberán llevar encendida durante el día la luz de corto alcance o cruce:

a) Las motocicletas que circulen por cualquier vía objeto de la legislación sobre tráfico, circulación de vehículos a motor y seguridad vial.

b) Todos los vehículos que circulen por un carril reversible, por un carril adicional circunstancial o por un carril habilitado para circular en sentido contrario al normalmente utilizado en la calzada donde se encuentre situado, bien sea un carril que les esté exclusivamente reservado, bien esté abierto excepcionalmente a la circulación en dicho sentido, así como aquellos obligados en virtud de lo establecido en los artículos 41 y 42.

**Artículo 105.** *Inmovilizaciones.–* 1. Todo vehículo que, por cualquier circunstancia, se encuentre inmovilizado entre la puesta y la salida del sol o bajo las condiciones a que se refiere el artículo 106, en calzada o arcén de una vía, deberá tener encendidas las luces de posición y, en su caso, las de gálibo.

2. Todo vehículo parado o estacionado entre la puesta y la salida del sol en calzada o arcén de una travesía insuficientemente iluminada deberá tener encendidas las luces de posición, que podrá sustituir por las de estacionamiento, o por las dos de posición del lado correspondiente a la calzada, cuando se halle estacionado en línea.

3. En vías urbanas que no sean travesías no será obligatorio que los vehículos estacionados tengan encendidas las luces de posición cuando la iluminación permita a otros usuarios distinguirlos a una distancia suficiente.

4. La inmovilización, la parada o el estacionamiento de un vehículo sin alumbrado en situaciones de falta o disminución de visibilidad tendrán la consideración de infracciones graves, conforme se prevé en el artículo 65.4.e) del texto articulado.

*Sección 2ª. Supuestos especiales de alumbrado*

**Artículo 106.** *Condiciones que disminuyen la visibilidad.–* 1. También será obligatorio utilizar el alumbrado cuando existan condiciones meteorológicas o ambientales que disminuyan sensiblemente la visibilidad, como en caso de niebla, lluvia intensa, nevada, nubes de humo o de polvo o cualquier otra circunstancia análoga (artículo 43 del texto articulado).

2. En los casos a que se refiere el apartado anterior deberá utilizarse la luz antiniebla delantera o la luz de corto o largo alcance.

La luz antiniebla delantera puede utilizarse aislada o simultáneamente con la de corto alcance o, incluso, con la de largo alcance.

La luz antiniebla delantera sólo podrá utilizarse en dichos casos o en tramos de vías estrechas con muchas curvas, entendiéndose por tales las que, teniendo una calzada de 6,50 metros de anchura o inferior, estén señalizadas con señales que indiquen una sucesión de curvas próximas entre sí, reguladas en el artículo 149.

La luz antiniebla trasera solamente deberá llevarse encendida cuando las condiciones meteorológicas o ambientales sean especialmente desfavorables, como en caso de niebla espesa, lluvia muy intensa, fuerte nevada o nubes densas de polvo o humo.

3. El hecho de circular sin alumbrado en situaciones de falta o disminución de la visibilidad tendrá la consideración de infracción grave, conforme se prevé en el artículo 65.4.e) del texto articulado.

**Artículo 107.** *Inutilización o avería del alumbrado.–* Si, por inutilización o avería irreparable en ruta del alumbrado correspondiente, se hubiera de circular con alumbrado de intensidad inferior, se deberá reducir la velocidad hasta la que permita la detención del vehículo dentro de la zona iluminada.

## CAPÍTULO XI. ADVERTENCIAS DE LOS CONDUCTORES

### *Sección 1ª. Normas generales*

**Artículo 108.** *Obligación de advertir las maniobras.–* 1. Los conductores están obligados a advertir al resto de los usuarios de la vía acerca de las maniobras que vayan a efectuar con sus vehículos (artículo 44.1 del texto articulado).

2. Como norma general, dichas advertencias se harán utilizando la señalización luminosa del vehículo o, en su defecto, con el brazo (artículo 44.2 del texto articulado).

La validez de las realizadas con el brazo quedará subordinada a que sean perceptibles por los demás usuarios de la vía y se efectúen de conformidad con lo dispuesto en el artículo siguiente, y anularán cualquier otra indicación óptica que las contradiga.

**Artículo 109.** *Advertencias ópticas.–* 1. El conductor debe advertir mediante señales ópticas toda maniobra que implique un desplazamiento lateral o hacia atrás de su vehículo, así como su propósito de inmovilizarlo o de frenar su marcha de modo considerable. Tales advertencias ópticas se efectuarán con antelación suficiente a la iniciación de la maniobra, y, si son luminosas, permanecerán en funcionamiento hasta que termine aquélla.

2. A los efectos del apartado anterior, deberá tenerse en cuenta, además, lo siguiente:

a) El desplazamiento lateral será advertido utilizando la luz indicadora de dirección correspondiente al lado hacia el que se va a realizar, o el brazo, en posición horizontal con la palma de la mano extendida hacia abajo, si el desplazamiento va a ser hacia el lado que la mano indica, o doblado hacia arriba, también con la palma de la mano extendida, si va a ser hacia el contrario.

En las maniobras que impliquen un desplazamiento lateral, es éste el que exclusivamente se avisa, por lo que la advertencia deberá concluir tan pronto como el vehículo haya adoptado su nueva trayectoria.

b) La marcha hacia atrás será advertida con la correspondiente luz de marcha atrás, si dispone de ella, o, en caso contrario, extendiendo el brazo horizontalmente con la palma de la mano hacia atrás.

c) La intención de inmovilizar el vehículo o de frenar su marcha de modo considerable, aun cuando tales hechos vengan impuestos por las circunstancias del tráfico, deberá advertirse, siempre que sea posible, mediante el empleo reiterado de las luces de frenado o bien moviendo el brazo alternativamente de arriba abajo con movimientos cortos y rápidos.

Cuando la inmovilización tenga lugar en una autopista o autovía, o en lugares o circunstancias que disminuyan sensiblemente la visibilidad, se deberá señalizar la presencia del vehículo mediante la utilización de la luz de emergencia, si se dispone de ella, y, en su caso, con las luces de posición.

Si la inmovilización se realiza para parar o estacionar deberá utilizarse, además, el indicador luminoso de dirección correspondiente al lado hacia el que vaya a efectuarse aquélla, si el vehículo dispone de dicho dispositivo.

3. Con la misma finalidad que para las acústicas se señala en el artículo siguiente y para sustituirlas podrán efectuarse advertencias luminosas, incluso en poblado, utilizando en forma intermitente los alumbrados de corto o de largo alcance, o ambos alternativamente, a intervalos muy cortos y de modo que se evite el deslumbramiento.

**Artículo 110.** *Advertencias acústicas.*– 1. Excepcionalmente o cuando así lo prevea alguna norma de la legislación sobre tráfico, circulación de vehículos a motor y seguridad vial, podrán emplearse señales acústicas de sonido no estridente, y queda prohibido su uso inmotivado o exagerado.

2. Las advertencias acústicas sólo se podrán hacer por los conductores de vehículos no prioritarios:

a) Para evitar un posible accidente y, de modo especial, en vías estrechas con muchas curvas.

b) Para advertir, fuera de poblado, al conductor de otro vehículo el propósito de adelantarlo.

c) Para advertir su presencia a los demás usuarios de la vía, de conformidad con lo dispuesto en el artículo 70.

*Sección 2ª. Advertencias de los vehículos de servicios de urgencia y de otros servicios especiales*

**Artículo 111.** *Normas generales.–* Los vehículos de servicios de urgencia, públicos o privados, vehículos especiales y transportes especiales podrán utilizar otras señales ópticas y acústicas en los casos y en las condiciones que se determinan en los artículos siguientes de esta Sección.

**Artículo 112.** *Advertencias de los vehículos de servicios de urgencia.–* Los conductores de vehículos de los servicios de policía, extinción de incendios, protección civil y salvamento, y asistencia sanitaria, pública o privada, cuando circulen en servicio urgente, advertirán su presencia de conformidad con lo dispuesto en el artículo 68.2.

**Artículo 113.** *Advertencias de otros vehículos.–* De conformidad con lo dispuesto en el artículo 71, los conductores de vehículos destinados a obras o servicios y los de tractores y maquinaria agrícola y demás vehículos o transportes especiales advertirán su presencia mediante la utilización de la señal luminosa V-2 a que se refiere el artículo 173, o mediante la utilización del alumbrado que se determine en las normas reguladoras de los vehículos.

## TÍTULO III. OTRAS NORMAS DE CIRCULACIÓN

### CAPÍTULO I. PUERTAS Y APAGADO DE MOTOR

**Artículo 114.** *Puertas.–* 1. Se prohíbe llevar abiertas las puertas del vehículo, abrirlas antes de su completa inmovilización y abrirlas o apearse de aquél sin haberse cerciorado previamente de que ello no implica peligro o entorpecimiento para otros usuarios, especialmente cuando se refiere a conductores de bicicletas (artículo 45 del texto articulado).

2. Como norma general, se entrará y saldrá del vehículo por el lado más próximo al borde de la vía y sólo cuando aquél se halle parado.

3. Toda persona no autorizada se abstendrá de abrir las puertas de los vehículos destinados al transporte colectivo de viajeros, así como cerrarlas en las paradas, entorpeciendo la entrada de viajeros.

**Artículo 115.** *Apagado de motor.–* 1. Aun cuando el conductor no abandone su puesto, deberá parar el motor siempre que el vehículo se encuentre detenido en el interior de un túnel o en lugar cerrado y durante la carga de combustible (artículo 46 del texto articulado).

2. Todo conductor que se vea obligado a permanecer con su vehículo detenido en el interior de un túnel u otro lugar cerrado, por un período de tiempo superior a dos minutos, deberá interrumpir el funcionamiento del motor hasta que pueda proseguir la marcha, conservando encendido el alumbrado de posición.

3. Para cargar combustible en el depósito de un vehículo, éste debe hallarse con el motor parado.

Los propietarios de aparatos distribuidores de combustibles o empleados de estos últimos no podrán facilitar los combustibles para su carga si no está parado el motor y apagadas las luces de los vehículos, los sistemas eléctricos como la radio y los dispositivos emisores de radiación electromagnética como los teléfonos móviles.

4. En ausencia de los propietarios de aparatos distribuidores de combustibles o empleados de estos últimos, el conductor del vehículo o, en su caso, la persona que vaya a cargar el combustible en el vehículo deberá cumplir los mismos requisitos establecidos en el apartado anterior.

## CAPÍTULO II. CINTURÓN, CASCO Y RESTANTES ELEMENTOS DE SEGURIDAD

**Artículo 116.** *Obligatoriedad de su uso y excepciones.–* 1. Los conductores y ocupantes de vehículos a motor y ciclomotores están obligados a utilizar el cinturón de seguridad, el casco y demás elementos de protección en los casos y condiciones que se determinan en este capítulo y en las normas reguladoras de los vehículos, con las excepciones que igualmente se fijan en dicho capítulo, de acuerdo con las recomendaciones internacionales en la materia y atendiendo a las especiales condiciones de los conductores discapacitados.

2. Las infracciones a las normas de utilización de los cinturones de seguridad, el casco y otros dispositivos de seguridad de uso obligatorio previstos

en este capítulo tendrán la consideración de graves, conforme se establece en el artículo 65.4.h) del Texto Articulado de la Ley sobre tráfico, circulación de vehículos a motor y seguridad vial.

**Artículo 117.** *Cinturones de seguridad y sistemas de retención infantil homologados.–* 1. El conductor y los ocupantes de los vehículos estarán obligados a utilizar, debidamente abrochados, los cinturones de seguridad homologados, tanto en la circulación por vías urbanas como interurbanas. Esta obligación, en lo que se refiere a los cinturones de seguridad, no será exigible en aquellos vehículos que no los tengan instalados.

En todo caso, los menores de edad de estatura igual o inferior a 135 centímetros deberán utilizar sistemas de retención infantil y situarse en el vehículo de acuerdo con lo dispuesto en los apartados siguientes.

2. En los vehículos de más de nueve plazas, incluido el conductor, se informará a los pasajeros de la obligación de llevar abrochados los cinturones de seguridad u otros sistemas de retención infantil homologados, por el conductor, por el guía o por la persona encargada del grupo, a través de medios audiovisuales o mediante letreros o pictogramas, de acuerdo con el modelo que figura en el Anexo IV, colocado en lugares visibles de cada asiento.

En estos vehículos, los ocupantes a que se refiere el párrafo segundo del apartado 1 de tres o más años deberán utilizar sistemas de retención infantil homologados debidamente adaptados a su talla y peso. Cuando no se disponga de estos sistemas utilizarán los cinturones de seguridad, siempre que sean adecuados a su talla y peso.

3. En los vehículos de hasta nueve plazas, incluido el conductor, los ocupantes a que se refiere el párrafo segundo del apartado 1 deberán utilizar sistemas de retención infantil homologados debidamente adaptados a su talla y peso.

Dichos ocupantes deberán situarse en los asientos traseros. Excepcionalmente podrán ocupar el asiento delantero, siempre que utilicen sistemas de retención infantil homologados debidamente adaptados a su talla y peso, en los siguientes casos:

1.º Cuando el vehículo no disponga de asientos traseros.

2.º Cuando todos los asientos traseros estén ya ocupados por los menores a que se refiere el párrafo segundo del apartado 1.

3.º Cuando no sea posible instalar en dichos asientos todos los sistemas de retención infantil.

En caso de que ocupen los asientos delanteros y el vehículo disponga de airbag frontal, únicamente podrán utilizar sistemas de retención orientados hacia atrás si el airbag ha sido desactivado.

4. Los sistemas de retención infantil se instalarán en el vehículo siempre de acuerdo con las instrucciones que haya facilitado su fabricante a través de un manual, folleto o publicación electrónica. Las instrucciones indicarán de qué forma y en qué tipo de vehículos se pueden utilizar de forma segura.

5. La falta de instalación y la no utilización de los cinturones de seguridad y otros sistemas de retención infantil homologados tendrá la consideración de infracción grave o muy grave, conforme a lo establecido en el artículo 65, apartados 4.h) y 5.ll), respectivamente, del texto articulado.

**Artículo 118.** *Cascos y otros elementos de protección.*– 1. Los conductores y pasajeros de motocicletas o motocicletas con sidecar, de vehículos de tres ruedas y cuadriciclos, de ciclomotores y de vehículos especiales tipo "quad", deberán utilizar adecuadamente cascos de protección homologados o certificados según la legislación vigente, cuando circulen tanto en vías urbanas como en interurbanas.

Cuando las motocicletas, los vehículos de tres ruedas o los cuadriciclos y los ciclomotores cuenten con estructuras de autoprotección y estén dotados de cinturones de seguridad y así conste en la correspondiente tarjeta de inspección técnica o en el certificado de características de ciclomotor, sus conductores y viajeros quedarán exentos de utilizar el casco de protección, viniendo obligados a usar el referido cinturón de seguridad cuando circulen tanto en vías urbanas como interurbanas.

Los conductores de bicicletas y, en su caso, los ocupantes estarán obligados a utilizar cascos de protección homologados o certificados según la legislación vigente, cuando circulen en vías interurbanas, salvo en rampas ascendentes prolongadas, o por razones médicas que se acreditarán conforme establece el artículo 119.3, o en condiciones extremas de calor.

Los conductores de bicicletas en competición, y los ciclistas profesionales, ya sea durante los entrenamientos o en competición, se regirán por sus propias normas.

2. La instalación, en cualquier vehículo, de apoya-cabezas u otros elementos de protección estará subordinada a que cumplan las condiciones que se determinen en las normas reguladoras de vehículos.

3. Los conductores de turismos, de autobuses, de automóviles destinados al transporte de mercancías, de vehículos mixtos, de conjuntos de vehículos no agrícolas, así como los conductores y personal auxiliar de los vehículos piloto de protección y acompañamiento deberán utilizar un chaleco reflectante de alta visibilidad, certificado según el Real Decreto 1407/1992, de 20 de noviembre, por el que se regulan las condiciones para la comercialización y libre circulación intracomunitaria de los equipos de protección individual, que figura entre la dotación obligatoria del vehículo, cuando salgan de éste y ocupen la calzada o el arcén de las vías interurbanas.

**Artículo 119.** *Exenciones.–* 1. No obstante lo dispuesto en el artículo 117, podrán circular sin los cinturones u otros sistemas de retención homologados:

a) Los conductores, al efectuar la maniobra de marcha atrás o de estacionamiento.

b) Las personas provistas de un certificado de exención por razones médicas graves o discapacitadas. Este certificado deberá ser presentado cuando lo requiera cualquier agente de la autoridad responsable del tráfico.

Todo certificado de este tipo expedido por la autoridad competente de un Estado miembro de la Unión Europea será válido en España acompañado de su traducción oficial.

2. La exención alcanzará igualmente cuando circulen en poblado, pero en ningún caso cuando lo hagan por autopistas, autovías o carreteras convencionales, a:

a) Los conductores de taxis cuando estén de servicio. Asimismo, cuando circulen en tráfico urbano o áreas urbanas de grandes ciudades, podrán transportar a personas cuya estatura no alcance los 135 centímetros sin utilizar un dispositivo de retención homologado adaptado a su talla y a su peso, siempre que ocupen un asiento trasero.

b) Los distribuidores de mercancías, cuando realicen sucesivas operaciones de carga y descarga de mercancías en lugares situados a corta distancia unos de otros.

c) Los conductores y pasajeros de los vehículos en servicios de urgencia.

d) Las personas que acompañen a un alumno o aprendiz durante el aprendizaje de la conducción o las pruebas de aptitud y estén a cargo de los mandos adicionales del automóvil, responsabilizándose de la seguridad de la circulación.

3. Se eximirá de lo dispuesto en el artículo 118.1 a las personas provistas de un certificado de exención por razones médicas graves, expedido de conformidad con lo dispuesto en el apartado 1.b) anterior. Este certificado deberá expresar su período de validez y estar firmado por un facultativo colegiado en ejercicio. Deberá, además, llevar o incorporar el símbolo establecido por la normativa vigente.

## CAPÍTULO III. TIEMPOS DE CONDUCCIÓN Y DESCANSO

**Artículo 120.** *Normas generales.-* 1. Se considerará que afecta a la seguridad vial el exceso en más del 50 por ciento en los tiempos de conducción o la minoración en más del 50 por ciento en los tiempos de descanso establecidos en la legislación sobre transportes terrestres.

2. Las infracciones a lo dispuesto en este precepto se calificarán de muy graves, conforme se prevé en el artículo 65.5.h) del texto articulado.

## CAPÍTULO IV. PEATONES

**Artículo 121.** *Circulación por zonas peatonales. Excepciones.-* 1. Los peatones están obligados a transitar por la zona peatonal, salvo cuando ésta no exista o no sea practicable; en tal caso, podrán hacerlo por el arcén o, en su defecto, por la calzada, de acuerdo con las normas que se determinan en este Capítulo (artículo 49.1 del texto articulado).

2. Sin embargo, aun cuando haya zona peatonal, siempre que adopte las debidas precauciones, podrá circular por el arcén o, si éste no existe o no es transitable, por la calzada:

a) El que lleve algún objeto voluminoso o empuje o arrastre un vehículo de reducidas dimensiones que no sea de motor, si su circulación por la zona peatonal o por el arcén pudiera constituir un estorbo considerable para los demás peatones.

b) Todo grupo de peatones dirigido por una persona o que forme cortejo.

c) El impedido que transite en silla de ruedas con o sin motor, a velocidad del paso humano.

3. Todo peatón debe circular por la acera de la derecha con relación al sentido de su marcha, y cuando circule por la acera o paseo izquierdo debe ceder siempre el paso a los que lleven su mano y no debe detenerse de forma que impida el paso por la acera a los demás, a no ser que resulte inevitable para cruzar por un paso de peatones o subir a un vehículo.

4. Los que utilicen monopatines, patines o aparatos similares no podrán circular por la calzada, salvo que se trate de zonas, vías o partes de éstas que les estén especialmente destinadas, y sólo podrán circular a paso de persona por las aceras o por las calles residenciales debidamente señalizadas con la señal regulada en el artículo 159, sin que en ningún caso se permita que sean arrastrados por otros vehículos.

5. La circulación de toda clase de vehículos en ningún caso deberá efectuarse por las aceras y demás zonas peatonales.

**Artículo 122.** *Circulación por la calzada o el arcén.–* 1. Fuera de poblado, en todas las vías objeto de la ley, y en tramos de poblado incluidos en el desarrollo de una carretera que no disponga de espacio especialmente reservado para peatones, como norma general, la circulación de éstos se hará por la izquierda (artículo 49.2 del texto articulado).

2. No obstante lo dispuesto en el apartado anterior, la circulación de peatones se hará por la derecha cuando concurran circunstancias que así lo justifiquen por razones de mayor seguridad.

3. En poblado, la circulación de peatones podrá hacerse por la derecha o por la izquierda, según las circunstancias concretas del tráfico, de la vía o de la visibilidad.

4. No obstante lo dispuesto en los apartados 1 y 3, deberán circular siempre por su derecha los que empujen o arrastren un ciclo o ciclomotor de dos ruedas, carros de mano o aparatos similares, todo grupo de peatones dirigido por una persona o que forme cortejo y los impedidos que se desplacen en silla de ruedas, todos los cuales habrán de obedecer las señales dirigidas a los conductores de vehículos: las de los agentes y semáforos, siempre; las demás, en cuanto les sean aplicables.

5. La circulación por el arcén o por la calzada se hará con prudencia, sin entorpecer innecesariamente la circulación, y aproximándose cuanto sea posible al borde exterior de aquéllos. Salvo en el caso de que formen un cortejo, deberán marchar unos tras otros si la seguridad de la circulación así lo

requiere, especialmente en casos de poca visibilidad o de gran densidad de circulación de vehículos.

6. Cuando exista refugio, zona peatonal u otro espacio adecuado, ningún peatón debe permanecer detenido en la calzada ni en el arcén, aunque sea en espera de un vehículo, y para subir a éste, sólo podrá invadir aquélla cuando ya esté a su altura.

7. Al apercibirse de las señales ópticas y acústicas de los vehículos prioritarios, despejarán la calzada y permanecerán en los refugios o zonas peatonales.

8. La circulación en las calles residenciales debidamente señalizadas con la señal S-28 regulada en el artículo 159 se ajustará a lo dispuesto en dicha señal.

**Artículo 123.** *Circulación nocturna.*– Fuera del poblado, entre el ocaso y la salida del sol o en condiciones meteorológicas o ambientales que disminuyan sensiblemente la visibilidad, todo peatón, cuando circule por la calzada o el arcén, deberá ir provisto de un elemento luminoso o retrorreflectante homologado y que responda a las prescripciones técnicas contenidas en el Real Decreto 1407/1992, de 20 de noviembre, por el que se regulan las condiciones para la comercialización y libre circulación intracomunitaria de los equipos de protección individual, que sea visible a una distancia mínima de 150 metros para los conductores que se le aproximen, y los grupos de peatones dirigidos por una persona o que formen cortejo llevarán, además, en el lado más próximo al centro de la calzada, las luces necesarias para precisar su situación y dimensiones, las cuales serán de color blanco o amarillo hacia adelante y rojo hacia atrás y, en su caso, podrán constituir un solo conjunto.

**Artículo 124.** *Pasos para peatones y cruce de calzadas.*– 1. En zonas donde existen pasos para peatones, los que se dispongan a atravesar la calzada deberán hacerlo precisamente por ellos, sin que puedan efectuarlo por las proximidades, y cuando tales pasos sean a nivel, se observarán, además, las reglas siguientes:

a) Si el paso dispone de semáforos para peatones, obedecerán sus indicaciones.

b) Si no existiera semáforo para peatones pero la circulación de vehículos estuviera regulada por agente o semáforo, no penetrarán en la calzada mientras la señal del agente o del semáforo permita la circulación de vehículos por ella.

c) En los restantes pasos para peatones señalizados mediante la correspondiente marca vial, aunque tienen preferencia, sólo deben penetrar en la calzada cuando

la distancia y la velocidad de los vehículos que se aproximen permitan hacerlo con seguridad.

2. Para atravesar la calzada fuera de un paso para peatones, deberán cerciorarse de que pueden hacerlo sin riesgo ni entorpecimiento indebido.

3. Al atravesar la calzada, deben caminar perpendicularmente al eje de ésta, no demorarse ni detenerse en ella sin necesidad y no entorpecer el paso a los demás.

4. Los peatones no podrán atravesar las plazas y glorietas por su calzada, por lo que deberán rodearlas.

**Artículo 125.** *Normas relativas a autopistas y autovías.–* 1. Queda prohibida la circulación de peatones por autopistas y autovías, salvo en los casos y condiciones que se determinan en los apartados siguientes.

Los conductores de vehículos que circulen por autopistas o autovías deberán hacer caso omiso a las peticiones de pasaje que reciban en cualquier tramo de ellas, incluidas las explanadas de estaciones de peaje.

2. Si por accidente, avería, malestar físico de sus ocupantes u otra emergencia tuviera que inmovilizarse un vehículo en una autopista o autovía y fuese necesario solicitar auxilio, se utilizará el poste de socorro más próximo, y si la vía no estuviese dotada de este servicio, podrá requerirse el auxilio de los usuarios, sin que ninguno de los ocupantes del vehículo pueda transitar por la calzada.

3. Los ocupantes o servidores de los vehículos de los servicios de urgencia o especiales podrán circular por las autopistas y autovías siempre que sea estrictamente indispensable para la prestación del correspondiente servicio y adopten las medidas oportunas para no comprometer la seguridad de ningún usuario.

## CAPÍTULO V. CIRCULACIÓN DE ANIMALES

**Artículo 126.** *Normas generales.*– En las vías objeto de la legislación sobre tráfico, circulación de vehículos a motor y seguridad vial, sólo se permitirá el tránsito de animales de tiro, carga o silla, cabezas de ganado aisladas, en manada o rebaño, cuando no exista itinerario practicable por vía pecuaria y siempre que vayan custodiados por alguna persona. Dicho tránsito se efectuará por la vía alternativa que tenga menor intensidad de circulación de vehículos y de acuerdo con lo que se establece en este Capítulo (artículo 50.1 del texto articulado).

**Artículo 127.** *Normas especiales.*– 1. Los animales a que se refiere el artículo anterior deben ir conducidos, al menos, por una persona mayor de 18 años, capaz de dominarlos en todo momento, la cual observará, además de las normas establecidas para los conductores de vehículos que puedan afectarle, las siguientes prescripciones:

a) No invadirán la zona peatonal.

b) Los animales de tiro, carga o silla o el ganado suelto circularán por el arcén del lado derecho, y si tuvieran que utilizar la calzada, lo harán aproximándose cuanto sea posible al borde derecho de ésta; por excepción, se permite conducir uno solo de tales animales por el borde izquierdo, si razones de mayor seguridad así lo aconsejan.

c) Los animales conducidos en manada o rebaño irán al paso, lo más cerca posible del borde derecho de la vía y de forma que nunca ocupen más de la mitad derecha de la calzada, divididos en grupos de longitud moderada, cada uno de los cuales con un conductor al menos y suficientemente separados para entorpecer lo menos posible la circulación; en el caso de que se encuentren con otro ganado que transite en sentido contrario, sus conductores cuidarán de que el cruce se haga con la mayor rapidez y en zonas de visibilidad suficiente, y, si circunstancialmente esto no se hubiera podido conseguir, adoptarán las precauciones precisas para que los conductores de los vehículos que eventualmente se aproximen puedan detenerse o reducir la velocidad a tiempo.

d) Sólo atravesarán las vías por pasos autorizados y señalizados al efecto o por otros lugares que reúnan las necesarias condiciones de seguridad.

e) Si circulan de noche por vía insuficientemente iluminada o bajo condiciones meteorológicas o ambientales que disminuyan sensiblemente la visibilidad, su conductor o conductores llevarán en el lado más próximo al centro de la calzada luces en número necesario para precisar su situación y dimensiones, que serán de color blanco o amarillo hacia delante, y rojo hacia atrás, y, en su caso, podrán constituir un solo conjunto.

f) En estrechamientos, intersecciones y demás casos en que las respectivas trayectorias se crucen o corten, cederán el paso a los vehículos, salvo en los supuestos contemplados en el artículo 66.

2. Se prohíbe dejar animales sin custodia en cualquier clase de vía o en sus inmediaciones, siempre que exista la posibilidad de que éstos puedan invadir la vía.

**Artículo 128.** *Normas relativas a autopistas y autovías.–* Se prohíbe la circulación de animales por autopistas o autovías (artículo 50.2 del texto articulado).

Dicha prohibición incluye la circulación de vehículos de tracción animal.

## CAPÍTULO VI. COMPORTAMIENTO EN CASO DE EMERGENCIA

**Artículo 129.** *Obligación de auxilio.–* 1. Los usuarios de las vías que se vean implicados en un accidente de tráfico, lo presencien o tengan conocimiento de él estarán obligados a auxiliar o solicitar auxilio para atender a las víctimas, si las hubiera, prestar su colaboración para evitar mayores peligros o daños, restablecer, en la medida de lo posible, la seguridad de la circulación y esclarecer los hechos (artículo 51.1 del texto articulado).

2. Todo usuario de la vía implicado en un accidente de circulación deberá, en la medida de lo posible:

a) Detenerse de forma que no cree un nuevo peligro para la circulación.

b) Hacerse una idea de conjunto de las circunstancias y consecuencias del accidente, que le permita establecer un orden de preferencias, según la situación, respecto a las medidas a adoptar para garantizar la seguridad de la circulación, auxiliar a las víctimas, facilitar su identidad y colaborar con la autoridad o sus agentes.

c) Esforzarse por restablecer o mantener la seguridad de la circulación y si, aparentemente, hubiera resultado muerta o gravemente herida alguna persona o se hubiera avisado a la autoridad o sus agentes, evitar la modificación del estado de las cosas y de las huellas u otras pruebas que puedan ser útiles para determinar la responsabilidad, salvo que con ello se perjudique la seguridad de los heridos o de la circulación.

d) Prestar a los heridos el auxilio que resulte más adecuado, según las circunstancias, y, especialmente, recabar auxilio sanitario de los servicios que pudieran existir al efecto.

e) Avisar a la autoridad o a sus agentes si, aparentemente, hubiera resultado herida o muerta alguna persona, así como permanecer o volver al lugar del accidente hasta su llegada, a menos que hubiera sido autorizado por éstos a abandonar el lugar o debiera prestar auxilio a los heridos o ser él mismo atendido; no será necesario, en cambio, avisar a la autoridad o a sus agentes, ni permanecer en el lugar del hecho, si sólo se han producido heridas claramente leves, la seguridad de la circulación está restablecida y ninguna de las personas implicadas en el accidente lo solicita.

f) Comunicar, en todo caso, su identidad a otras personas implicadas en el accidente, si se lo pidiesen; cuando sólo se hubieran ocasionado daños materiales y alguna parte afectada no estuviera presente, tomar las medidas adecuadas para proporcionarle, cuanto antes, su nombre y dirección, bien directamente, bien, en su defecto, por intermedio de los agentes de la autoridad.

g) Facilitar los datos del vehículo a otras personas implicadas en el accidente, si lo pidiesen.

3. Salvo en los casos en que, manifiestamente, no sea necesaria su colaboración, todo usuario de la vía que advierta que se ha producido un accidente de circulación, sin estar implicado en él, deberá cumplimentar, en cuanto le sea posible y le afecten, las prescripciones establecidas en el apartado anterior, a no ser que se hubieran personado en el lugar del hecho la autoridad o sus agentes.

**Artículo 130.** *Inmovilización del vehículo y caída de la carga.–* 1. Si por causa de accidente o avería el vehículo o su carga obstaculizasen la calzada, los conductores, tras señalizar convenientemente el vehículo o el obstáculo creado, adoptarán las medidas necesarias para que sea retirado en el menor tiempo posible, deberán sacarlo de la calzada y situarlo cumpliendo las normas de estacionamiento siempre que sea factible (artículo 51.2 del texto articulado).

2. Siempre que, por cualquier emergencia, un vehículo quede inmovilizado en la calzada o su carga haya caído sobre ésta, el conductor o, en la medida

de lo posible, los ocupantes del vehículo procurarán colocar uno y otra en el lugar donde cause menor obstáculo a la circulación, para lo cual podrán, en su caso, utilizarse, si fuera preciso, el arcén o la mediana; asimismo, adoptarán la medidas oportunas para que el vehículo y la carga sean retirados de la vía en el menor tiempo posible.

3. En los supuestos a los que se refiere el apartado anterior, sin perjuicio de encender la luz de emergencia si el vehículo la lleva y, cuando proceda, las luces de posición y de gálibo, en tanto se deja expedita la vía, todo conductor deberá emplear los dispositivos de preseñalización de peligro reglamentarios para advertir dicha circunstancia, salvo que las condiciones de la circulación no permitieran hacerlo. Tales dispositivos se colocarán, uno por delante y otro por detrás del vehículo o la carga, como mínimo a 50 metros de distancia y en forma tal que sean visibles desde 100 metros, al menos, por los conductores que se aproximen. En calzadas de sentido único, o de más de tres carriles, bastará la colocación de un solo dispositivo, situado como mínimo 50 metros antes en la forma anteriormente indicada.

4. Si fuera preciso pedir auxilio, se utilizará el poste de socorro más próximo, si la vía dispone de ellos; en caso contrario, podrá solicitarse de otros usuarios. En todo caso y en cuanto sea posible, nadie deberá invadir la calzada.

5. El remolque de un vehículo accidentado o averiado sólo deberá realizarse por otro específicamente destinado a este fin. Excepcionalmente, y siempre en condiciones de seguridad, se permitirá el arrastre por otros vehículos, pero sólo hasta el lugar más próximo donde pueda quedar convenientemente inmovilizado y sin entorpecer la circulación. En ningún caso será aplicable dicha excepción en las autopistas o autovías.

6. Cuando la emergencia ocurra en un vehículo destinado al transporte de mercancías peligrosas, se aplicarán, además, sus normas específicas.

## TÍTULO IV. DE LA SEÑALIZACIÓN

### CAPÍTULO I. NORMAS GENERALES

**Artículo 131.** *Concepto.*– La señalización es el conjunto de señales y órdenes de los agentes de circulación, señales circunstanciales que modifican el régimen normal de utilización de la vía y señales de balizamiento fijo, semáforos, señales verticales de circulación y marcas viales, destinadas a los usuarios de la vía y que tienen por misión advertir e informar a éstos u ordenar o reglamentar su comportamiento con la necesaria antelación de determinadas circunstancias de la vía o de la circulación.

**Artículo 132.** *Obediencia de las señales.–* 1. Todos los usuarios de las vías objeto de la ley están obligados a obedecer las señales de la circulación que establezcan una obligación o una prohibición y a adaptar su comportamiento al mensaje del resto de las señales reglamentarias que se encuentran en las vías por las que circulan.

A estos efectos, cuando la señal imponga una obligación de detención, no podrá reanudar su marcha el conductor del vehículo así detenido hasta haber cumplido la prescripción que la señal establece.

En los peajes dinámicos o telepeajes, los vehículos que los utilicen deberán estar provistos del medio técnico que posibilite su uso en condiciones operativas (artículo 53.1 del texto articulado).

2. Salvo circunstancias especiales que lo justifiquen, los usuarios deben obedecer las prescripciones indicadas por las señales, aun cuando parezcan estar en contradicción con las normas de comportamiento en la circulación (artículo 53.2 del texto articulado).

3. Los usuarios deben obedecer las indicaciones de los semáforos y de las señales verticales de circulación situadas inmediatamente a su derecha, encima de la calzada o encima de su carril, y si no existen en los citados emplazamientos y pretendan girar a la izquierda o seguir de frente, las de los situados inmediatamente a su izquierda.

Si existen semáforos o señales verticales de circulación con indicaciones distintas a la derecha y a la izquierda, quienes pretendan girar a la izquierda o seguir de frente sólo deben obedecer las de los situados inmediatamente a su izquierda.

## CAPÍTULO II. PRIORIDAD ENTRE SEÑALES

**Artículo 133.** *Orden de prioridad.–* 1. El orden de prioridad entre los distintos tipos de señales de circulación es el siguiente:

a) Señales y órdenes de los agentes de circulación.

b) Señalización circunstancial que modifique el régimen normal de utilización de la vía y señales de balizamiento fijo.

c) Semáforos.

d) Señales verticales de circulación.

e) Marcas viales.

2. En el caso de que las prescripciones indicadas por diferentes señales parezcan estar en contradicción entre sí, prevalecerá la prioritaria, según el orden a que se refiere el apartado anterior, o la más restrictiva, si se trata de señales del mismo tipo (artículo 54.2 del texto articulado).

## CAPÍTULO III. FORMATO DE LAS SEÑALES

**Artículo 134.** *Catálogo oficial de señales de circulación.–* 1. El Catálogo oficial de señales de circulación debe ajustarse a lo establecido en las reglamentaciones y recomendaciones internacionales en la materia, así como a la regulación básica establecida al efecto por los Ministerios del Interior y de Fomento.

2. En dicho catálogo se especifica la forma y el significado de las señales y, en su caso, su color y diseño, así como sus dimensiones y sus sistemas de colocación.

3. Las señales que pueden ser utilizadas en las vías objeto de la legislación sobre tráfico, circulación de vehículos a motor y seguridad vial deberán cumplir las normas y especificaciones que se establecen en este reglamento y en el Catálogo oficial de señales de circulación.

4. La forma, símbolos y nomenclatura de las señales, así como los documentos que constituyen el Catálogo oficial de señales de circulación, son los que figuran en el Anexo I.

## CAPÍTULO IV. APLICACIÓN DE LAS SEÑALES

### Sección 1ª. Generalidades

**Artículo 135.** *Aplicación.–* Toda señal se aplicará a toda la anchura de la calzada que estén autorizados a utilizar los conductores a quienes se dirija esa señal. No obstante, su aplicación podrá limitarse a uno o más carriles, mediante marcas en la calzada.

**Artículo 136.** *Visibilidad.–* Con el fin de que sean más visibles y legibles por la noche, las señales viales, especialmente las de advertencia de peligro y las de reglamentación, deben estar iluminadas o provistas de materiales o dispositivos reflectantes, según lo dispuesto en la regulación básica establecida a estos fines por el Ministerio de Fomento.

**Artículo 137.** *Inscripciones.*– 1. Para facilitar la interpretación de las señales, se podrá añadir una inscripción en un panel complementario rectangular colocado debajo de aquéllas o en el interior de un panel rectangular que contenga la señal.

2. Excepcionalmente, cuando las autoridades competentes estimen conveniente concretar el significado de una señal o de un símbolo o, respecto de las señales de reglamentación, limitar su alcance a ciertas categorías de usuarios de la vía o a determinados períodos, y no se pudieran dar las indicaciones necesarias por medio de un símbolo adicional o de cifras en las condiciones definidas en el Catálogo oficial de señales de circulación, se colocará una inscripción debajo de la señal, en un panel complementario rectangular, sin perjuicio de la posibilidad de sustituir o completar esas inscripciones mediante uno o varios símbolos expresivos colocados en la misma placa.

En el caso de que la señal esté colocada en un cartel fijo o de mensaje variable, la inscripción a la que se hace referencia podrá ir situada junto a ella.

**Artículo 138.** *Idioma de las señales.*– Las indicaciones escritas que se incluyan o acompañen a los paneles de señalización de las vías públicas, e inscripciones, figurarán en idioma castellano y, además, en la lengua oficial de la Comunidad Autónoma reconocida en el respectivo estatuto de autonomía, cuando la señal esté ubicada en el ámbito territorial de dicha comunidad.

Los núcleos de población y demás topónimos serán designados en su denominación oficial y, cuando fuese necesario a efectos de identificación, en castellano.

*Sección 2ª. Responsabilidad de la señalización en las vías*

**Artículo 139.** *Responsabilidad.*– 1. Corresponde al titular de la vía la responsabilidad de su mantenimiento en las mejores condiciones posibles de seguridad para la circulación y la instalación y conservación en ella de las adecuadas señales y marcas viales. También corresponde al titular de la vía la autorización previa para la instalación en ella de otras señales de circulación.

En caso de emergencia, los agentes de la autoridad podrán instalar señales circunstanciales sin autorización previa (artículo 57.1 del texto articulado).

2. La autoridad encargada de la regulación del tráfico será responsable de la señalización de carácter circunstancial en razón de las contingencias de aquél y de la señalización variable necesaria para su control, de acuerdo con la legislación de carreteras (artículo 57.2 del texto articulado).

En tal sentido, corresponde al organismo autónomo Jefatura Central de Tráfico o, en su caso, a la autoridad autonómica o local responsable de la regulación del tráfico la determinación de las clases o tramos de carreteras que deban contar con señalización circunstancial o variable o con otros medios de vigilancia, regulación, control y gestión telemática del tráfico; la de las características de los elementos físicos y tecnológicos que tengan como finalidad auxiliar a la autoridad de tráfico; la instalación y mantenimiento de dicha señalización y elementos físicos o tecnológicos, así como la determinación en cada momento de los usos y mensajes de los paneles de mensaje variable, sin perjuicio de las competencias que, en cada caso, puedan corresponder a los órganos titulares de la vía.

3. La responsabilidad de la señalización de las obras que se realicen en las vías objeto de la legislación sobre tráfico, circulación de vehículos a motor y seguridad vial corresponderá a los organismos que las realicen o a las empresas adjudicatarias de aquéllas. Los usuarios de la vía están obligados a seguir las indicaciones del personal destinado a la regulación del paso de vehículos en dichas obras, según lo dispuesto en el artículo 60.5.

Cuando las obras sean realizadas por empresas adjudicatarias o por entidades distintas del titular, éstas, con anterioridad a su inicio, lo comunicarán al organismo autónomo Jefatura Central de Tráfico o, en su caso, a la autoridad autonómica o local responsable del tráfico, que dictará las instrucciones que resulten procedentes en relación a la regulación, gestión y control del tráfico.

4. La realización de las obras sin autorización previa del titular de la vía se regirá por lo dispuesto en la legislación de carreteras o, en su caso, en las normas municipales (artículo 10.1 del texto articulado).

La realización y señalización de las obras que incumpla las instrucciones dictadas tendrá la consideración de infracción grave, de conformidad con lo establecido en el artículo 65.4.d) del texto articulado de la Ley sobre tráfico, circulación de vehículos a motor y seguridad vial.

**Artículo 140.** *Señalización de las obras.–* Las obras que dificulten de cualquier modo la circulación vial deberán hallarse señalizadas, tanto de día como de noche, y balizadas luminosamente durante las horas nocturnas, o cuando las condiciones meteorológicas o ambientales lo exijan, a cargo del realizador de la obra, según la regulación básica establecida a estos fines por el Ministerio de Fomento.

Cuando se señalicen tramos de obras, las marcas viales serán de color amarillo.

Asimismo tendrán el fondo amarillo las señales verticales siguientes:

a) Las señales de advertencia de peligro P-1, P-2, P-3, P-4, P-13, P-14, P-15, P-17, P-18, P-19, P-25, P-26, P-28, P-30 y P-50.

b) Las señales de reglamentación R-5, R-102, R-103, R-104, R-105, R-106, R-107, R-200, R-201, R-202, R-203, R-204, R-205, R-300, R-301, R-302, R-303, R-304, R-305, R-306, R-500, R-501, R-502 y R-503.

c) Las señales de indicación: todas las señales de carriles y de orientación.

Su significado será el mismo que el de las equivalentes que se utilizan cuando no hay obras.

La forma, color, diseño, símbolos, significado y dimensiones de las señales de obra son las que figuran en el Catálogo oficial de señales de circulación. La forma, símbolos y nomenclatura figuran también en el Anexo I de este reglamento.

**Artículo 141.** *Objeto y tipo de señales.–* Salvo justificación en contrario, en cualquier tipo de obras y actividades en las vías deberán utilizarse exclusivamente los elementos y dispositivos de señalización, balizamiento y defensa incluidos en la regulación básica establecida a estos fines por los Ministerios de Fomento e Interior, según se indica en el Anexo I.

CAPÍTULO V. RETIRADA, SUSTITUCIÓN Y ALTERACIÓN DE SEÑALES

**Artículo 142.** *Obligaciones relativas a la señalización.–* 1. El titular de la vía o, en su caso, la autoridad encargada de la regulación del tráfico ordenará la inmediata retirada y, en su caso, la sustitución por las que sean adecuadas de las señales antirreglamentariamente instaladas, de las que hayan perdido su objeto y de las que no lo cumplan por causa de su deterioro (artículo 58.1 del texto articulado).

2. Salvo por causa justificada, nadie debe instalar, retirar, trasladar, ocultar o modificar la señalización de una vía sin permiso de su titular o, en su caso, de la autoridad encargada de la regulación del tráfico o de la responsable de las instalaciones (artículo 58.2 del texto articulado).

3. Se prohíbe modificar el contenido de las señales o colocar sobre ellas o en sus inmediaciones placas, carteles, marcas u otros objetos que puedan inducir a confusión, reducir su visibilidad o su eficacia, deslumbrar a los usuarios de la vía o distraer su atención, sin perjuicio de las competencias de los titulares de las vías (artículo 58.3 del texto articulado).

El organismo autónomo Jefatura Central de Tráfico o, en su caso, la autoridad autonómica o local responsable de la regulación del tráfico podrá alterar, en todo momento, el contenido de las señales contempladas en el artículo 144.1 para adaptarlas a las circunstancias cambiantes del tráfico, sin perjuicio de las competencias de los titulares de las vías.

4. Los supuestos de retirada o deterioro de la señalización permanente u ocasional tendrán la consideración de infracciones graves, conforme se prevé en el artículo 65.4.d) del texto articulado.

## CAPÍTULO VI. DE LOS TIPOS Y SIGNIFICADOS DE LAS SEÑALES DE CIRCULACIÓN Y MARCAS VIALES

*Sección 1ª. De las señales y órdenes de los agentes de circulación*

**Artículo 143.** *Señales con el brazo y otras.–* 1. Los agentes de la autoridad responsable del tráfico que estén regulando la circulación lo harán de forma que sean fácilmente reconocibles como tales a distancia, tanto de día como de noche, y sus señales, que han de ser visibles, y sus órdenes deben ser inmediatamente obedecidas por los usuarios de la vía.

Tanto los agentes de la autoridad que regulen la circulación como la Policía Militar, el personal de obras y el de acompañamiento de los vehículos en régimen de transporte especial, que regulen el paso de vehículos y, en su caso, las patrullas escolares, el personal de protección civil y el de organizaciones de actividades deportivas o de cualquier otro acto, habilitado a los efectos contemplados en el apartado 4 de este artículo, deberán utilizar prendas de colores llamativos y dispositivos o elementos retrorreflectantes que permitan a los conductores y demás usuarios de la vía que se aproximen distinguirlos a una distancia mínima de 150 metros.

2. Como norma general, los agentes de la autoridad responsable del tráfico utilizarán las siguientes señales:

a) Brazo levantado verticalmente: obliga a detenerse a todos los usuarios de la vía que se acerquen al agente, salvo a los conductores que no puedan hacerlo en condiciones de seguridad suficiente. Si esta señal se efectúa en una intersección, no obligará a detenerse a los conductores que hayan entrado ya en ella.

La detención debe efectuarse ante la línea de detención más cercana o, en su defecto, inmediatamente antes del agente. En una intersección, la detención debe efectuarse antes de entrar en ella.

Con posterioridad a esta señal, el agente podrá indicar, en su caso, el lugar donde debe efectuarse la detención.

b) Brazo o brazos extendidos horizontalmente: obliga a detenerse a todos los usuarios de la vía que se acerquen al agente desde direcciones que corten la indicada por el brazo o los brazos extendidos y cualquiera que sea el sentido de su marcha. Esta señal permanece en vigor aunque el agente baje el brazo o los brazos, siempre que no cambie de posición o efectúe otra señal.

c) Balanceo de una luz roja o amarilla: obliga a detenerse a los usuarios de la vía hacia los que el agente dirija la luz.

d) Brazo extendido moviéndolo alternativamente de arriba abajo: esta señal obliga a disminuir la velocidad de su vehículo a los conductores que se acerquen al agente por el lado correspondiente al brazo que ejecuta la señal y perpendicularmente a dicho brazo.

e) Otras señales: cuando las circunstancias así lo exijan, los agentes podrán utilizar cualquier otra indicación distinta a las anteriores realizada de forma clara.

Los agentes podrán ordenar la detención de vehículos con una serie de toques de silbato cortos y frecuentes, y la reanudación de la marcha con un toque largo.

3. Los agentes podrán dar órdenes o indicaciones a los usuarios mientras hacen uso de la señal V-1 que establece el Reglamento General de Vehículos, a través de la megafonía o por cualquier otro medio que pueda ser percibido claramente por aquéllos, entre los cuales están los siguientes:

a) Bandera roja: indica que a partir del paso del vehículo que la porta, calzada queda temporalmente cerrada al tráfico de todos los vehículos y usu rios, excepto para aquellos que son acompañados o escoltados por los agent de la autoridad responsable de la regulación, gestión y control del tráfico.

b) Bandera verde: indica que, a partir del paso del vehículo que la port la calzada queda de nuevo abierta al tráfico.

c) Bandera amarilla: indica al resto de los conductores y usuarios la neces dad de extremar la atención o la proximidad de un peligro. Esta bandera pod ser también utilizada por el personal auxiliar habilitado que realice funcion de orden, control o seguridad durante el desarrollo de marchas ciclistas o cualquiera otra actividad, deportiva o no, en las vías objeto de la legislaci sobre tráfico, circulación de vehículos a motor y seguridad vial.

d) Brazo extendido hacia abajo inclinado y fijo: el agente desde un veh culo indica la obligación de detenerse en el lado derecho a aquellos usuarios los que va dirigida la señal.

e) Luz roja o amarilla intermitente o destellante hacia delante: el agen desde un vehículo indica al conductor del que le precede que debe detener vehículo en el lado derecho, delante del vehículo policial, en un lugar don no genere mayores riesgos o molestias para el resto de los usuarios, y siguie do las instrucciones que imparta el agente mediante la megafonía.

4. En ausencia de agentes de la circulación o para auxiliar a éstos, y las circunstancias y condiciones establecidas en este reglamento, la Polic Militar podrá regular la circulación, y el personal de obras en la vía y el acompañamiento de los vehículos en régimen de transporte especial pod regular el paso de vehículos mediante el empleo de las señales verticales R y R-400 incorporadas a una paleta, y, por este mismo medio, las patrull escolares invitar a los usuarios de la vía a que detengan su marcha. Cuan la autoridad competente autorice la celebración de actividades deportivas actos que aconsejen establecer limitaciones a la circulación en vías urbanas interurbanas, la autoridad responsable del tráfico podrá habilitar al person de protección civil o de la organización responsable para impedir el acce de vehículos o peatones a la zona o itinerario afectados, en los términos c Anexo II.

Cuando las Fuerzas y Cuerpos de Seguridad del Estado, en el ámbito sus funciones, establezcan controles policiales de seguridad ciudadana en vía pública, podrán regular el tráfico exclusivamente en el caso de ausencia de agentes de la circulación.

La forma y significado de las señales y órdenes de los agentes de la circulación se ajustará a lo que establece el Catálogo oficial de señales de circulación. Estas señales figuran también en el Anexo I.

*Sección 2ª. De la señalización circunstancial, que modifica el régimen normal de utilización de la vía, y de las señales de balizamiento*

**Artículo 144.** *Señales circunstanciales y de balizamiento.–* 1. Los paneles de mensaje variable tienen por objeto regular la circulación adaptándola a las circunstancias cambiantes del tráfico. Se utilizarán para dar información a los conductores, advertirles de posibles peligros y dar recomendaciones o instrucciones de obligado cumplimiento. El contenido de los textos y gráficos de los paneles de señalización de mensaje variable se ajustará a lo dispuesto en el Catálogo oficial de señales de circulación.

Las modificaciones que estos paneles de mensaje variable introducen respecto de la habitual señalización vertical y horizontal terminan cuando lo establezca el propio panel o las causas que motivaron su imposición, momento a partir del cual aquellas vuelven a regir.

2. Las señales de balizamiento podrán ser:

a) Dispositivos de barrera: prohíben el paso a la parte de la vía que delimitan y son los siguientes:

1.º Barrera fija: prohíbe el paso a la vía o parte de ésta que delimita.

2.º Barrera o semibarrera móviles: prohíbe temporalmente el paso, mientras se encuentre en posición transversal a la calzada en un paso a nivel, puesto de peaje o de aduana, acceso a un establecimiento u otros.

3.º Panel direccional provisional: prohíbe el paso e informa, además, sobre el sentido de la circulación.

4.º Banderitas, conos o dispositivos análogos: prohíben el paso a través de la línea real o imaginaria que los une.

5.º Luz roja fija: indica que la calzada está totalmente cerrada al tránsito.

6.º Luces amarillas fijas o intermitentes: prohíben el paso a través de la línea imaginaria que las une.

b) Dispositivos de guía: tienen por finalidad indicar el borde de la calzada, la presencia de una curva y el sentido de circulación, los límites de obras de fábrica u otros obstáculos. Son los siguientes:

1.º Hito de vértice: elemento de balizamiento en forma semicilíndrica en su cara frontal, provisto de triángulos simétricamente opuestos, de material retrorreflectante, que indica el punto en el que se separan dos corrientes de tráfico.

2.º Hito de arista: elemento cuya finalidad primordial es balizar los bordes de las carreteras principalmente durante las horas nocturnas o de baja visibilidad.

3.º Paneles direccionales permanentes: dispositivos de balizamiento implantados con vistas a guiar y señalar a los usuarios un peligro puntual, mediante el cual se informa sobre el sentido de circulación.

4.º Captafaros horizontales (ojos de gato).

5.º Captafaros de barrera.

6.º Balizas planas: indican el borde de la calzada, los límites de obras de fábrica u otros obstáculos en la vía.

7.º Balizas cilíndricas: refuerzan cualquier medida de seguridad, y no puede franquearse la línea, imaginaria o no, que las une.

8.º Barreras laterales: rígidas, semirrígidas y desplazables. Indican el borde de la plataforma y protegen frente a salidas de la vía.

3. La forma, color, diseño, símbolos, significado y dimensiones de las señales de balizamiento se ajustarán a lo que se establece en el Catálogo oficial de señales de circulación.

*Sección 3ª. De los semáforos*

**Artículo 145.** *Semáforos reservados para peatones.*– El significado de las luces de estos semáforos es el siguiente:

a) Una luz roja no intermitente, en forma de peatón inmóvil, indica a los peatones que no deben comenzar a cruzar la calzada.

b) Una luz verde no intermitente, en forma de peatón en marcha, indica a los peatones que pueden comenzar a atravesar la calzada. Cuando dicha luz pase a intermitente, significa que el tiempo de que aún disponen para terminar de atravesar la calzada está a punto de finalizar y que se va a encender la luz roja.

**Artículo 146.** *Semáforos circulares para vehículos.*– El significado de sus luces y flechas es el siguiente:

a) Una luz roja no intermitente prohíbe el paso. Mientras permanece encendida, los vehículos no deben rebasar el semáforo ni, si existe, la línea de detención anterior más próxima a aquél. Si el semáforo estuviese dentro o al lado opuesto de una intersección, los vehículos no deben internarse en ésta ni, si existe, rebasar la línea de detención situada antes de aquélla.

b) Una luz roja intermitente, o dos luces rojas alternativamente intermitentes, prohíben temporalmente el paso a los vehículos antes de un paso a nivel, una entrada a un puente móvil o a un pontón trasbordador, en las proximidades de una salida de vehículos de extinción de incendios o con motivo de la aproximación de una aeronave a escasa altura.

c) Una luz amarilla no intermitente significa que los vehículos deben detenerse en las mismas condiciones que si se tratara de una luz roja fija, a no ser que, cuando se encienda, el vehículo se encuentre tan cerca del lugar de detención que no pueda detenerse antes del semáforo en condiciones de seguridad suficientes.

d) Una luz amarilla intermitente o dos luces amarillas alternativamente intermitentes obligan a los conductores a extremar la precaución y, en su caso, ceder el paso. Además, no eximen del cumplimiento de otras señales que obliguen a detenerse.

e) Una luz verde no intermitente significa que está permitido el paso con prioridad, excepto en los supuestos a que se refiere el artículo 59.1.

f) Una flecha negra sobre una luz roja no intermitente o sobre una luz amarilla no cambia el significado de dichas luces, pero lo limita exclusivamente al movimiento indicado por la flecha.

g) Una flecha verde que se ilumina sobre un fondo circular negro significa que los vehículos pueden tomar la dirección y sentido indicados por aquélla, cualquiera que sea la luz que esté simultáneamente encendida en el mismo semáforo o en otro contiguo.

Cualquier vehículo que, al encenderse la flecha verde, se encuentre en un carril reservado exclusivamente para la circulación en la dirección y sentidos indicados por la flecha o que, sin estar reservado, sea el que esta circulación tenga que utilizar, deberá avanzar en dicha dirección y sentido.

Los vehículos que avancen siguiendo la indicación de una flecha verde deben hacerlo con precaución, dejando pasar a los vehículos que circulen por el carril al que se incorporen y no poniendo en peligro a los peatones que estén cruzando la calzada.

**Artículo 147.** *Semáforos cuadrados para vehículos, o de carril.–* Los semáforos de ocupación de carril afectan exclusivamente a los vehículos que circulen por el carril sobre el que están situados o en el que se indique en el panel de señalización variable, y el significado de sus luces es el siguiente:

a) Una luz roja en forma de aspa determina la prohibición de ocupar el carril indicado. Los conductores de los vehículos que circulen por este carril deberán abandonarlo en el tiempo más breve posible.

b) Una luz verde en forma de flecha apuntada hacia abajo indica que está permitido circular por el carril correspondiente. Esta autorización de utilizar el carril no exime de la obligación de detenerse ante una luz roja circular o, por excepción a lo dispuesto sobre el orden de preeminencia en el artículo 133, de obedecer cualquier otra señal o marca vial que obligue a detenerse o a ceder el paso, o, en su ausencia, del cumplimiento de las normas generales sobre prioridad de paso.

c) Una luz blanca o amarilla en forma de flecha, intermitente o fija, apuntada hacia abajo en forma oblicua, indica a los usuarios del carril correspondiente la necesidad de irse incorporando en condiciones de seguridad al carril hacia el que apunta la flecha, toda vez que aquel por el que circula va a quedar cerrado en corto espacio.

**Artículo 148.** *Semáforos reservados a determinados vehículos.–* 1. Cuando las luces de los semáforos presentan la silueta iluminada de un ciclo, sus indicaciones se refieren exclusivamente a ciclos y ciclomotores.

2. Cuando, excepcionalmente, el semáforo consista en una franja blanca iluminada sobre fondo circular negro, sus indicaciones se refieren exclusivamente a los tranvías y a los autobuses de líneas regulares, a no ser que exista un carril reservado para autobuses o para autobuses, taxis y otros vehículos; en tal caso, sólo se refieren a los que circulen por él. El significado de estos semáforos es el siguiente:

a) Una franja blanca horizontal iluminada prohíbe el paso en las mismas condiciones que la luz roja no intermitente.

b) Una franja blanca vertical iluminada permite el paso de frente.

c) Una franja blanca oblicua, hacia la izquierda o hacia la derecha, iluminada, indica que está permitido el paso para girar a la izquierda o a la derecha, respectivamente.

d) Una franja blanca, vertical u oblicua, iluminada intermitentemente, indica que los citados vehículos deben detenerse en las mismas condiciones que si se tratara de una luz amarilla fija.

*Sección 4ª. De las señales verticales de circulación*

Subsección 1ª. De las señales de advertencia de peligro

**Artículo 149.** *Objeto y tipos.–* 1. Las señales de advertencia de peligro tienen por objeto indicar a los usuarios de la vía la proximidad y la naturaleza de un peligro difícil de ser percibido a tiempo, con objeto de que se cumplan las normas de comportamiento que, en cada caso, sean procedentes.

2. La distancia entre la señal y el principio del tramo peligroso podrá indicarse en un panel complementario del modelo recogido en el Catálogo oficial de señales de circulación.

3. Si una señal de advertencia de peligro llevara un panel complementario que indique una longitud, se entenderá que ésta se refiere a la del tramo de vía afectado por el peligro, como una sucesión de curvas peligrosas o un tramo de calzada en mal estado.

4. Cuando se trate de señales luminosas, podrá admitirse que los símbolos aparezcan iluminados en blanco sobre fondo oscuro no luminoso.

5. Los tipos de señales de advertencia de peligro, con su nomenclatura y significado respectivos, son los siguientes:

P-1 Intersección con prioridad. Peligro por la proximidad de una intersección con una vía, cuyos usuarios deben ceder el paso.

P-1 a. Intersección con prioridad sobre vía a la derecha. Peligro por la proximidad de una intersección con una vía a la derecha, cuyos usuarios deben ceder el paso.

P-1 b. Intersección con prioridad sobre vía a la izquierda. Peligro por la proximidad de una intersección con una vía a la izquierda, cuyos usuarios deben ceder el paso.

P-1 c. Intersección con prioridad sobre incorporación por la derecha. Peligro por la proximidad de una incorporación por la derecha de una vía, cuyos usuarios deben ceder el paso.

P-1 d. Intersección con prioridad sobre incorporación por la izquierda. Peligro por la proximidad de una incorporación por la izquierda de una vía, cuyos usuarios deben ceder el paso.

P-2. Intersección con prioridad de la derecha. Peligro por la proximidad de una intersección en la que rige la regla general de prioridad de paso.

P-3. Semáforos. Peligro por la proximidad de una intersección aislada o tramo con la circulación regulada por semáforos.

P-4. Intersección con circulación giratoria. Peligro por la proximidad de una intersección donde la circulación se efectúa de forma giratoria en el sentido de las flechas.

P-5. Puente móvil. Peligro ante la proximidad de un puente que puede ser levantado o girado, interrumpiéndose así temporalmente la circulación.

P-6. Cruce de tranvía. Peligro por la proximidad de cruce con una línea de tranvía, que tiene prioridad de paso.

P-7. Paso a nivel con barreras. Peligro por la proximidad de un paso a nivel provisto de barreras o semibarreras.

P-8. Paso a nivel sin barreras. Peligro por la proximidad de un paso a nivel no provisto de barreras o semibarreras.

P-9 a. Proximidad de un paso a nivel, puente móvil o muelle (lado derecho). Indica, en el lado derecho, la proximidad de peligro señalizado de un paso a nivel, de un puente móvil o de un muelle. Esta baliza va siempre acompañada de la señal P-5, P-7, P-8 o P-27.

P-9 b. Aproximación a un paso a nivel, puente móvil o muelle (lado derecho). Indica, en el lado derecho, la aproximación a un paso a nivel, puente móvil o muelle, que dista de éste al menos dos tercios de la distancia entre él y la correspondiente señal de advertencia del peligro.

P-9 c. Cercanía de un paso a nivel, puente móvil o muelle (lado derecho). Indica, en el lado derecho, la cercanía de un paso a nivel, puente móvil o muelle, que dista de éste al menos un tercio de la distancia entre él y la correspondiente señal de advertencia del peligro.

P-10 a. Proximidad de un paso a nivel, puente móvil o muelle (lado izquierdo). Indica, en el lado izquierdo, la proximidad de peligro señalizado de un paso a nivel, de un puente móvil o de un muelle. Esta baliza va siempre acompañada de la señal P-5, P-7, P-8 o P-27.

P-10 b. Aproximación a un paso a nivel, puente móvil o muelle (lado izquierdo). Indica, en el lado izquierdo, la aproximación a un paso a nivel, puente móvil o muelle, que dista de éste al menos dos tercios de la distancia entre él y la correspondiente señal de advertencia del peligro.

P-10 c. Cercanía de un paso a nivel, puente móvil o muelle (lado izquierdo). Indica, en el lado izquierdo, la cercanía de un paso a nivel, puente móvil o muelle, que dista de éste al menos un tercio de la distancia entre él y la correspondiente señal de advertencia del peligro.

P-11. Situación de un paso a nivel sin barreras. Peligro por la presencia inmediata de un paso a nivel sin barreras.

P-11 a. Situación de un paso a nivel sin barreras de más de una vía férrea. Peligro por la presencia inmediata de un paso a nivel sin barreras con más de una vía férrea.

P-12. Aeropuerto. Peligro por la proximidad de un lugar donde frecuentemente vuelan aeronaves a baja altura sobre la vía y que pueden originar ruidos imprevistos.

P-13 a. Curva peligrosa hacia la derecha. Peligro por la proximidad de una curva peligrosa hacia la derecha.

P-13 b. Curva peligrosa hacia la izquierda. Peligro por la proximidad de una curva peligrosa hacia la izquierda.

P-14 a. Curvas peligrosas hacia la derecha. Peligro por la proximidad de una sucesión de curvas próximas entre sí; la primera, hacia la derecha.

P-14 b. Curvas peligrosas hacia la izquierda. Peligro por la proximidad de una sucesión de curvas próximas entre sí; la primera, hacia la izquierda.

P-15. Perfil irregular. Peligro por la proximidad de un resalto o badén en la vía o pavimento en mal estado.

P-15 a. Resalto. Peligro por la proximidad de un resalto en la vía.

P-15 b. Badén. Peligro por la proximidad de un badén en la vía.

P-16 a. Bajada con fuerte pendiente. Peligro por la existencia de un tramo de vía con fuerte pendiente descendente. La cifra indica la pendiente en porcentaje.

P-16 b. Subida con fuerte pendiente. Peligro por la existencia de un tramo de vía con fuerte pendiente ascendente. La cifra indica la pendiente en porcentaje.

P-17. Estrechamiento de calzada. Peligro por la posibilidad de una zona de la vía en la que se estrecha la calzada.

P 17 a. Estrechamiento de calzada por la derecha. Peligro por la proximidad de una zona de la vía en la que la calzada se estrecha por el lado de la derecha.

P-17 b. Estrechamiento de calzada por la izquierda. Peligro por la proximidad de una zona de la vía en la que la calzada se estrecha por el lado de la izquierda.

P-18. Obras. Peligro por la proximidad de un tramo de vía en obras.

P-19. Pavimento deslizante. Peligro por la proximidad de una zona de la calzada cuyo pavimento puede resultar muy deslizante.

P-20. Peatones. Peligro por la proximidad de un lugar frecuentado por peatones.

P-21. Niños. Peligro por la proximidad de un lugar frecuentado por niños, tales como escuelas, zona de juegos, etc.

P-22. Ciclista. Peligro por la proximidad de un paso para ciclistas o de un lugar donde frecuentemente los ciclistas salen a la vía o la cruzan.

P-23. Paso de animales domésticos. Peligro por la proximidad de un lugar donde frecuentemente la vía puede ser atravesada por animales domésticos.

P-24. Paso de animales en libertad. Peligro por la proximidad de un lugar donde frecuentemente la vía puede ser atravesada por animales en libertad.

P-25. Circulación en los dos sentidos. Peligro por la proximidad de una zona de la calzada donde la circulación se realiza provisional o permanentemente en los dos sentidos.

P-26. Desprendimiento. Peligro por la proximidad a una zona con desprendimientos frecuentes y la consiguiente posible presencia de obstáculos en la calzada.

P-27. Muelle. Peligro debido a que la vía desemboca en un muelle o en una corriente de agua.

P-28. Proyección de gravilla. Peligro por la proximidad de un tramo de vía donde existe el riesgo de que se proyecte gravilla al pasar los vehículos.

P-29. Viento transversal. Peligro por la proximidad de una zona donde sopla frecuentemente viento fuerte en dirección transversal.

P-30. Escalón lateral. Peligro por la existencia de un desnivel a lo largo de la vía en el lado que indique el símbolo.

P-31. Congestión. Peligro por la proximidad de un tramo en que la circulación se encuentra detenida o dificultada por congestión del tráfico.

P-32. Obstrucción en la calzada. Peligro por la proximidad de un lugar en que hay vehículos que obstruyen la calzada debido a avería, accidente u otras causas.

P-33. Visibilidad reducida. Peligro por la proximidad de un tramo en que la circulación se ve dificultada por una pérdida notable de visibilidad debida a niebla, lluvia, nieve, humos, etc.

P-34. Pavimento deslizante por hielo o nieve. Peligro por la proximidad de una zona de calzada cuyo pavimento puede resultar especialmente deslizante a causa del hielo o nieve.

P-50. Otros peligros. Indica la proximidad de un peligro distinto de los advertidos por otras señales.

6. La forma, color, diseño, símbolos, significado y dimensiones de las señales de advertencia de peligro son los que figuran en el Catálogo oficial de señales de circulación. La forma, símbolos y nomenclatura figuran también en el Anexo I de este reglamento.

*Subsección 2ª. De las señales de reglamentación*

**Artículo 150.** *Objeto, clases y normas comunes.–* 1. Las señales de reglamentación tienen por objeto indicar a los usuarios de la vía las obligaciones, limitaciones o prohibiciones especiales que deben observar.

2. Las señales de reglamentación se subdividen en:

a) Señales de prioridad.

b) Señales de prohibición de entrada.

c) Señales de restricción de paso.

d) Otras señales de prohibición o restricción.

e) Señales de obligación.

f) Señales de fin de prohibición o restricción.

3. Las señales de reglamentación colocadas al lado o en la vertical de una señal que indique el nombre del poblado significan que la reglamentación se aplica a todo el poblado, excepto si en éste se indicara otra reglamentación distinta mediante otras señales en ciertos tramos de la vía.

4. Las obligaciones, limitaciones o prohibiciones especiales establecidas por las señales de reglamentación regirán a partir de la sección transversal donde estén colocadas dichas señales, salvo que mediante un panel comple-

mentario colocado debajo de ellas se indique la distancia a la sección donde empiecen a regir las citadas señales.

**Artículo 151.** *Señales de prioridad.*– 1. Las señales de prioridad están destinadas a poner en conocimiento de los usuarios de la vía reglas especiales de prioridad en las intersecciones o en los pasos estrechos.

2. La nomenclatura y significado de las señales de prioridad son los siguientes:

R-1. Ceda el paso. Obligación para todo conductor de ceder el paso en l próxima intersección a los vehículos que circulen por la vía a la que se aproxime o al carril al que pretende incorporarse.

R-2. Detención obligatoria o stop. Obligación para todo conductor de detener su vehículo ante la próxima línea de detención o, si no existe, inmediatamente antes de la intersección, y ceder el paso en ella a los vehículos que circulen por la vía a la que se aproxime.

Si, por circunstancias excepcionales, desde el lugar donde se ha efectuado la detención no existe visibilidad suficiente, el conductor deberá detenerse de nuevo en el lugar desde donde tenga visibilidad, sin poner en peligro a ningún usuario de la vía.

R-3. Calzada con prioridad. Indica a los conductores de los vehículos que circulen por una calzada su prioridad en las intersecciones sobre los vehículos que circulen por otra calzada.

R-4. Fin de prioridad. Indica la proximidad del lugar en que la calzada por la que se circula pierde su prioridad respecto a otra calzada.

R-5. Prioridad en sentido contrario. Prohibición de entrada en un paso estrecho mientras no sea posible atravesarlo sin obligar a los vehículos que circulen en sentido contrario a detenerse.

R-6. Prioridad respecto al sentido contrario. Indica a los conductores que en un próximo paso estrecho, tienen prioridad con relación a los vehículos que circulen en sentido contrario.

3. Aunque no responden a los requisitos del artículo 150.1, son también señales de prioridad las P-1, P-1 a, P-1 b, P-1 c, P-1 d, P-2, P-6, P-7 y P-8.

**Artículo 152.** *Señales de prohibición de entrada.*– Las señales de prohibición de entrada, para quienes se las encuentren de frente en el sentido su marcha y a partir del lugar en que están situadas, prohíben el acceso a los vehículos o usuarios, en la forma que a continuación se detalla:

R-100. Circulación prohibida. Prohibición de circulación de toda clase de vehículos en ambos sentidos.

R-101. Entrada prohibida. Prohibición de acceso a toda clase de vehículos.

R-102. Entrada prohibida a vehículos de motor. Prohibición de acceso a vehículos de motor.

R-103. Entrada prohibida a vehículos de motor, excepto motocicletas de dos ruedas sin sidecar. Prohibición de acceso a vehículos de motor. No prohíbe el acceso a motocicletas de dos ruedas.

R-104. Entrada prohibida a motocicletas. Prohibición de acceso a motocicletas.

R-105. Entrada prohibida a ciclomotores. Prohibición de acceso a ciclomotores de dos y tres ruedas y cuadriciclos ligeros. Igualmente prohíbe la entrada a vehículos para personas de movilidad reducida.

R-106. Entrada prohibida a vehículos destinados al transporte de mercancías. Prohibición de acceso a vehículos destinados al transporte de mercancías, entendiéndose como tales camiones y furgones independientemente de su masa.

R-107. Entrada prohibida a vehículos destinados al transporte de mercancías con mayor masa autorizada que la indicada. Prohibición de acceso a toda clase de vehículos destinados al transporte de mercancías si su masa máxima autorizada es superior a la indicada en la señal, entendiéndose como tales los camiones y furgones con mayor masa autorizada que la indicada en la señal. Prohíbe el acceso aunque circulen vacíos.

R-108. Entrada prohibida a vehículos que transporten mercancías peligrosas. Prohibición de paso a toda clase de vehículos que transporten mercancías peligrosas y que deban circular de acuerdo con su reglamentación especial.

R-109. Entrada prohibida a vehículos que transporten mercancías explosivas o inflamables. Prohibición de paso a toda clase de vehículos que transporten mercancías explosivas o fácilmente inflamables y que deban circular de acuerdo con su reglamentación especial.

R-110. Entrada prohibida a vehículos que transporten productos contaminantes del agua. Prohibición de paso a toda clase de vehículos que transporten más de 1.000 litros de productos capaces de contaminar el agua.

R-111. Entrada prohibida a vehículos agrícolas de motor. Prohibición de acceso a tractores y otras máquinas agrícolas autopropulsadas.

R-112. Entrada prohibida a vehículos de motor con remolque, que no sea un semirremolque o un remolque de un solo eje. La inscripción de una cifra de tonelaje, ya sea sobre la silueta del remolque, ya sea en una placa suplementaria, significa que la prohibición de paso sólo se aplica cuando la masa máxima autorizada del remolque supere dicha cifra.

R-113. Entrada prohibida a vehículos de tracción animal. Prohibición de acceso a vehículos de tracción animal.

R-114. Entrada prohibida a ciclos. Prohibición de acceso a ciclos.

R-115. Entrada prohibida a carros de mano. Prohibición de acceso a carros de mano.

R-116. Entrada prohibida a peatones. Prohibición de acceso a peatones.

R-117. Entrada prohibida a animales de montura. Prohibición de acceso a animales de montura.

**Artículo 153.** *Señales de restricción de paso.–* Las señales de restricción de paso, para quienes se las encuentren de frente en el sentido de su marcha y a partir del lugar en que están situadas, prohíben o limitan el acceso de los vehículos en la forma que a continuación se detalla:

R-200. Prohibición de pasar sin detenerse. Indica el lugar donde es obligatoria la detención por la proximidad, según la inscripción que contenga, de un puesto de aduana, de policía, de peaje u otro, y que tras ellos pueden estar instalados medios mecánicos de detención. En todo caso, el conductor así detenido no podrá reanudar su marcha hasta haber cumplido la prescripción que la señal establece.

R-201. Limitación de masa. Prohibición de paso de los vehículos cuya masa en carga supere la indicada en toneladas.

R-202. Limitación de masa por eje. Prohibición de paso a los vehículos cuya masa por eje transmitida por la totalidad de las ruedas acopladas a algún eje supere a la indicada en la señal.

R-203. Limitación de longitud. Prohibición de paso de los vehículos o conjunto de vehículos cuya longitud máxima, incluida la carga, supere la indicada.

R-204. Limitación de anchura. Prohibición de paso de los vehículos cuya anchura máxima, incluida la carga, supere la indicada.

R-205. Limitación de altura. Prohibición de paso de los vehículos cuya altura máxima, incluida la carga, supere la indicada.

**Artículo 154.** *Otras señales de prohibición o restricción.–* La nomenclatura y significado de estas señales son las siguientes:

R-300. Separación mínima. Prohibición de circular sin mantener con el vehículo precedente una separación igual o mayor a la indicada en la señal, excepto para adelantar. Si aparece sin la indicación en metros, recuerda de forma genérica que debe guardarse la distancia de seguridad entre vehículos establecida en el artículo 54.

R-301. Velocidad máxima. Prohibición de circular a velocidad superior, en kilómetros por hora, a la indicada en la señal. Obliga desde el lugar en que esté situada hasta la próxima señal "Fin de limitación de velocidad", de "Fin de prohibiciones" u otra de "Velocidad máxima", salvo que esté colocada en el mismo poste que una señal de advertencia de peligro o en el mismo panel que ésta, en cuyo caso la prohibición finaliza cuando termine el peligro señalado. Situada en una vía sin prioridad, deja de tener vigencia al salir de una intersección con una vía con prioridad. Si el límite indicado por la señal coincide con la velocidad máxima permitida para el tipo de vía, recuerda de forma genérica la prohibición de superarla.

R-302. Giro a la derecha prohibido. Prohibición de girar a la derecha.

R-303. Giro a la izquierda prohibido. Prohibición de girar a la izquierda. Incluye, también, la prohibición del cambio de sentido de marcha.

R-304. Media vuelta prohibida. Prohibición de efectuar la maniobra de cambio de sentido de la marcha.

R-305. Adelantamiento prohibido. Por añadidura a los principios generales sobre adelantamiento, indica la prohibición a todos los vehículos de adelantar a los vehículos de motor que circulen por la calzada, salvo que éstos sean motocicletas de dos ruedas y siempre que no se invada la zona reservada al sentido contrario, a partir del lugar en que esté situada la señal y hasta la próxima señal de "Fin de prohibición de adelantamiento" o de "Fin de prohibiciones". Colocada en aquellos lugares donde por norma esté prohibido el adelantamiento, recuerda de forma genérica la prohibición de efectuar esta maniobra.

R-306. Adelantamiento prohibido para camiones. Prohibición a los camiones cuya masa máxima autorizada exceda de 3.500 kilogramos de adelantar a los vehículos de motor que circulen por la calzada, salvo que éstos sean motocicletas de dos ruedas y siempre que no se invada la zona reservada al sentido contrario, a partir del lugar en que esté situada la señal y hasta la próxima señal de "Fin de prohibición de adelantamiento para camiones" o de "Fin de prohibiciones".

R-307. Parada y estacionamiento prohibido. Prohibición de parada y estacionamiento en el lado de la calzada en que esté situada la señal. Salvo indicación en contrario, la prohibición comienza en la vertical de la señal y termina en la intersección más próxima.

R-308. Estacionamiento prohibido. Prohibición de estacionamiento en el lado de la calzada en que esté situada la señal. Salvo indicación en contrario, la prohibición comienza en la vertical de la señal y termina en la intersección más próxima. No prohíbe la parada.

R-308 a. Estacionamiento prohibido los días impares. Prohibición de estacionamiento, en el lado de la calzada en que esté situada la señal, los días impares.

Salvo indicación en contrario, la prohibición comienza en la vertical de la señal y termina en la intersección más próxima. No prohíbe la parada.

R-308 b. Estacionamiento prohibido los días pares. Prohibición de estacionamiento, en el lado de la calzada en que esté situada la señal, los días pares. Salvo indicación en contrario, la prohibición comienza en la vertical de la señal y termina en la intersección más próxima. No prohíbe la parada.

R-308 c. Estacionamiento prohibido la primera quincena. Prohibición de estacionamiento, en el lado de la calzada en que esté situada la señal, desde las nueve horas del día 1 hasta las nueve horas del día 16. Salvo indicación en contrario, la prohibición comienza en la vertical de la señal y termina en la intersección más próxima. No prohíbe la parada.

R-308 d. Estacionamiento prohibido la segunda quincena. Prohibición de estacionamiento en el lado de la calzada en que esté situada la señal, desde las nueve horas del día 16 hasta las nueve horas del día 1. Salvo indicación en contrario, la prohibición comienza en la vertical de la señal y termina en la intersección más próxima. No prohíbe la parada.

R-308 e. Estacionamiento prohibido en vado. Prohíbe el estacionamiento delante de un vado.

R-309. Zona de estacionamiento limitado. Zona de estacionamiento de duración limitada y obligación para el conductor de indicar, de forma reglamentaria, la hora del comienzo del estacionamiento. Se podrá incluir el tiempo máximo autorizado de estacionamiento y el horario de vigencia de la limitación. También se podrá incluir si el estacionamiento está sujeto a pago.

R-310. Advertencias acústicas prohibidas. Recuerda la prohibición general de efectuar señales acústicas, salvo para evitar un accidente.

**Artículo 155.** *Señales de obligación.–* Son aquellas señales que señalan una norma de circulación obligatoria. Su nomenclatura y significado son los siguientes:

R-400 a, b, c, d y e. Sentido obligatorio. La flecha señala la dirección y sentido que los vehículos tienen la obligación de seguir.

R-401 a, b y c. Paso obligatorio. La flecha señala el lado o los lados del refugio por los que los vehículos han de pasar.

R-402. Intersección de sentido giratorio-obligatorio. Las flechas señalan la dirección y sentido del movimiento giratorio que los vehículos deben seguir.

R-403 a, b y c. Únicas direcciones y sentidos permitidos. Las flechas señalan las únicas direcciones y sentidos que los vehículos pueden tomar.

R-404. Calzada para automóviles, excepto motocicletas sin sidecar. Obligación para los conductores de automóviles, excepto motocicletas, de circular por la calzada a cuya entrada esté situada.

R-405. Calzada para motocicletas sin sidecar. Obligación para los conductores de motocicletas de circular por la calzada a cuya entrada esté situada.

R-406. Calzada para camiones, furgones y furgonetas. Obligación para los conductores de toda clase de camiones y furgones, independientemente de su masa, de circular por la calzada a cuya entrada esté situada. La inscripción de una cifra de tonelaje, ya sea sobre la silueta del vehículo, ya sea en otra placa suplementaria, significa que la obligación sólo se aplica cuando la masa máxima autorizada del vehículo o del conjunto de vehículos supere la citada cifra.

R-407 a. Vía reservada para ciclos o vía ciclista. Obligación para los conductores de ciclos de circular por la vía a cuya entrada esté situada y prohibición a los demás usuarios de la vía de utilizarla.

R-407 b. Vía reservada a ciclomotores. Obligación para los conductores de ciclomotores de circular por la vía a cuya entrada esté situada y prohibición a los demás usuarios de la vía de utilizarla.

R-408. Camino para vehículos de tracción animal. Obligación para los conductores de vehículos de tracción animal de utilizar el camino a cuya entrada esté situada.

R-409. Camino reservado para animales de montura. Obligación para los jinetes de utilizar con sus animales de montura el camino a cuya entrada esté situada y prohibición a los demás usuarios de la vía de utilizarlo.

R-410. Camino reservado para peatones. Obligación para los peatones de transitar por el camino a cuya entrada esté situada y prohibición a los demás usuarios de la vía de utilizarlo.

R-411. Velocidad mínima. Obligación para los conductores de vehículos de circular, por lo menos, a la velocidad indicada por la cifra, en kilómetros por hora, que figure en la señal, desde el lugar en que esté situada hasta otra de velocidad mínima diferente, o de fin de velocidad mínima o de velocidad máxima de valor igual o inferior.

R-412. Cadenas para nieve. Obligación de no proseguir la marcha sin cadenas para nieve u otros dispositivos autorizados, que actúen al menos en una rueda a cada lado del mismo eje motor.

R-413. Alumbrado de corto alcance. Obligación para los conductores de circular con el alumbrado de corto alcance al menos, con independencia de las condiciones de visibilidad e iluminación de la vía, desde el lugar en que esté situada la señal hasta otra de fin de esta obligación.

R-414. Calzada para vehículos que transporten mercancías peligrosas. Obligación para los conductores de toda clase de vehículos que transporten mercancías peligrosas de circular por la calzada a cuya entrada esté situada y que deben circular de acuerdo con su reglamentación especial.

R-415. Calzada para vehículos que transporten productos contaminantes del agua. Obligación para los conductores de toda clase de vehículos que transporten más de 1.000 litros de productos capaces de contaminar el agua de circular por la calzada a cuya entrada esté situada.

R-416. Calzada para vehículos que transportan mercancías explosivas o inflamables. Obligación para los conductores de toda clase de vehículos que transporten mercancías explosivas o fácilmente inflamables de circular por la calzada a cuya entrada esté situada y que deben circular de acuerdo con su reglamentación especial.

R-417. Uso obligatorio del cinturón de seguridad. Obligación de utilización del cinturón de seguridad.

R-418. Vía exclusiva para vehículos dotados de equipo de telepeaje operativo. Telepeaje obligatorio. Obligación de efectuar el pago del peaje mediante el sistema de peaje dinámico o telepeaje; el vehículo que circule por el carril carriles así señalizados deberá estar provisto del medio técnico que posibilite su uso en condiciones operativas de acuerdo con las disposiciones legales en la materia.

**Artículo 156.** *Señales de fin de prohibición o restricción.*– La nomenclatura y significado de las señales de fin de prohibición o restricción son los siguientes:

R-500. Fin de prohibiciones. Señala el lugar desde el que todas las prohibiciones específicas indicadas por anteriores señales de prohibición para vehículos en movimiento dejan de tener aplicación.

R-501. Fin de la limitación de velocidad. Señala el lugar desde donde deja de ser aplicable una anterior señal de velocidad máxima.

R-502. Fin de la prohibición de adelantamiento. Señala el lugar desde donde deja de ser aplicable una anterior señal de adelantamiento prohibido.

R-503. Fin de la prohibición de adelantamiento para camiones. Señala el lugar desde donde deja de ser aplicable una anterior señal de adelantamiento prohibido para camiones.

R-504. Fin de zona de estacionamiento limitado. Señala el lugar desde donde deja de ser aplicable una anterior señal de zona de estacionamiento limitado.

R-505. Fin de vía reservada para ciclos. Señala el lugar desde donde deja de ser aplicable una anterior señal de vía reservada para ciclos.

R-506. Fin de velocidad mínima. Señala el lugar desde donde deja de ser aplicable una anterior señal de velocidad mínima.

**Artículo 157.** *Formato de las señales de reglamentación.*– 1. La forma, color, diseño, símbolos, significado y dimensiones de las señales de reglamentación son los que figuran en el Catálogo oficial de señales de circulación. La forma, símbolos y nomenclatura figuran también en el Anexo I de este reglamento.

2. Cuando las señales a que se refieren los artículos 151, 152, 153, 154 y 156 sean luminosas, podrá admitirse que los símbolos aparezcan iluminados en blanco sobre fondo oscuro no luminoso.

*Subsección 3ª. De las señales de indicación*

**Artículo 158.** *Objeto y tipos.–* 1. Las señales de indicación tienen por objeto facilitar al usuario de las vías ciertas indicaciones que pueden serle de utilidad.

2. Las señales de indicación pueden ser:

a) Señales de indicaciones generales.

b) Señales de carriles.

c) Señales de servicio.

d) Señales de orientación.

e) Paneles complementarios.

f) Otras señales.

3. Los paneles complementarios colocados debajo de una señal de indicación podrán expresar la distancia entre dicha señal y el lugar así señalado. La indicación de esta distancia podrá figurar también, en su caso, en la parte inferior de la propia señal.

**Artículo 159.** *Señales de indicaciones generales.–* La nomenclatura y significado de las señales de indicaciones generales son los siguientes:

S-1. Autopista. Indica el principio de una autopista y, por tanto, el lugar a partir del cual se aplican las reglas especiales de circulación en este tipo de vía. El símbolo de esta señal puede anunciar la proximidad de una autopista o indicar el ramal de una intersección que conduce a una autopista.

S-1 a. Autovía. Indica el principio de una autovía y, por tanto, el lugar a partir del cual se aplican las reglas especiales de circulación en este tipo de vía. El símbolo de esta señal puede anunciar la proximidad de una autovía o indicar el ramal de una intersección que conduce a una autovía.

S-2. Fin de autopista. Indica el final de una autopista.

S-2 a. Fin de autovía. Indica el final de una autovía.

S-3. Vía reservada para automóviles. Indica el principio de una vía reservada a la circulación de automóviles.

S-4. Fin de vía reservada para automóviles. Indica el final de una vía reservada para automóviles.

S-5. Túnel. Indica el principio y eventualmente el nombre de un túnel, de un paso inferior o de un tramo de vía equiparado a túnel. Podrá llevar en su parte inferior la indicación de la longitud del túnel en metros.

S-6. Fin de túnel. Indica el final de un túnel, de un paso inferior o de un tramo de vía equiparado a túnel.

S-7. Velocidad máxima aconsejable. Recomienda una velocidad aproximada de circulación, en kilómetros por hora, que se aconseja no sobrepasar, aunque las condiciones meteorológicas y ambientales de la vía y de la circulación sean favorables. Cuando está colocada bajo una señal de advertencia de peligro, la recomendación se refiere al tramo en que dicho peligro subsista.

S-8. Fin de velocidad máxima aconsejada. Indica el final de un tramo en el que se recomienda circular a la velocidad en kilómetros por hora indicada en la señal.

S-9. Intervalo aconsejado de velocidades. Recomienda mantener la velocidad entre los valores indicados, siempre que las condiciones meteorológicas y ambientales de la vía y de la circulación sean favorables. Cuando está colocada debajo de una señal de advertencia de peligro, la recomendación se refiere al tramo en que dicho peligro subsista.

S-10. Fin de intervalo aconsejado de velocidades. Indica el lugar desde donde deja de ser aplicable una anterior señal de intervalo aconsejado de velocidades.

S-11. Calzada de sentido único. Indica que, en la calzada que se prolonga en la dirección de la flecha, los vehículos deben circular en el sentido indicado por ésta, y que está prohibida la circulación en sentido contrario.

S-11 a. Calzada de sentido único. Indica que, en la calzada que se prolonga en la dirección de las flechas (dos carriles), los vehículos deben circular en el sentido indicado por éstas, y que está prohibida la circulación en sentido contrario.

S-11 b. Calzada de sentido único. Indica que, en la calzada que se prolonga en la dirección de las flechas (tres carriles), los vehículos deben circular en el sentido indicado por éstas, y que está prohibida la circulación en sentido contrario.

S-12. Tramo de calzada de sentido único. Indica que, en el tramo de calzada que se prolonga en la dirección de la flecha, los vehículos deben circular en el sentido indicado por ésta, y que está prohibida la circulación en sentido contrario.

S-13. Situación de un paso para peatones. Indica la situación de un paso para peatones.

S-14 a. Paso superior para peatones. Indica la situación de un paso superior para peatones.

S-14 b. Paso inferior para peatones. Indica la situación de un paso inferior para peatones.

S-15 a, b, c y d. Preseñalización de calzada sin salida. Indican que, de la calzada que figura en la señal con un recuadro rojo, los vehículos sólo pueden salir por el lugar de entrada.

S-16. Zona de frenado de emergencia. Indica la situación de una zona de escape de la calzada, acondicionada para que un vehículo pueda ser detenido en caso de fallo de su sistema de frenado.

S-17. Estacionamiento. Indica un emplazamiento donde está autorizado el estacionamiento de vehículos. Una inscripción o un símbolo, que representa ciertas clases de vehículos, indica que el estacionamiento está reservado a esas clases. Una inscripción con indicaciones de tiempo limita la duración del estacionamiento señalado.

S-18. Lugar reservado para taxis. Indica el lugar reservado a la parada y al estacionamiento de taxis libres y en servicio. La inscripción de un número indica el número total de espacios reservados a este fin.

S-19. Parada de autobuses. Indica el lugar reservado para parada de autobuses.

S-20. Parada de tranvías. Indica el lugar reservado para parada de tranvías.

S-21. Transitabilidad en tramo o puerto de montaña. Indica la situación de transitabilidad del puerto o tramo definido en la parte superior de la señal.

S-21.1 a, b, c, d y e. Transitabilidad en tramo o puerto de montaña. El panel 1 puede ir en blanco con la inscripción "ABIERTO"; en tal caso, indica que pueden circular todos los vehículos sin restricción; en verde, que indica que el puerto está transitable, si bien existe prohibición de adelantar para los camiones con masa máxima autorizada mayor de 3.500 kilogramos; amarillo, que indica que el puerto está transitable, excepto para los camiones con masa máxima autorizada mayor de 3.500 kilogramos y vehículos articulados, y los turismos y autobuses circularán a una velocidad máxima de 60 km/h; rojo, que indica que para circular es obligatorio el uso de cadenas o neumáticos especiales a una velocidad máxima de 30 km/h y que está prohibida la circulación de vehículos articulados, camiones y autobuses; y en negro con la inscripción "CERRADO", que indica que la carretera se encuentra intransitable para cualquier tipo de vehículo.

S-21.2 a, b, c y d. Transitabilidad en tramo o puerto de montaña. El panel 2 será de color blanco y podrá llevar las siguientes inscripciones: la señal R-306 cuando el panel 1 vaya en verde; las señales R-106 y R-301 con la limitación a 60 km/h cuando el panel 1 sea amarillo y la señal R-107 con la inscripción 3,5 toneladas y R-412 cuando el panel 1 sea rojo.

S-21.3 a y b. Transitabilidad en tramo o puerto de montaña. El panel 3 puede llevar una inscripción del lugar a partir del cual se aplican las indicaciones del panel 1 y 2.

S-22. Cambio de sentido al mismo nivel. Indica la proximidad de un lugar en el que se puede efectuar un cambio de sentido al mismo nivel.

S-23. Hospital. Indica, además, a los conductores de vehículos la conveniencia de tomar las precauciones que requiere la proximidad de establecimientos médicos, especialmente la de evitar la producción de ruido.

S-24. Fin de obligación de alumbrado de corto alcance (cruce). Indica el final de un tramo en que es obligatorio el alumbrado de cruce o corto alcance y recuerda la posibilidad de prescindir de éste, siempre que no venga impuesto por circunstancias de visibilidad, horario o iluminación de la vía.

S-25. Cambio de sentido a distinto nivel. Indica la proximidad de una salida a través de la cual se puede efectuar un cambio de sentido a distinto nivel.

S-26 a, b y c. Paneles de aproximación a salida. Indica en una autopista, en una autovía o en una vía para automóviles que la próxima salida está situada, aproximadamente, a 300 metros, 200 metros y 100 metros, respectivamente.

Si la salida fuera por la izquierda, la diagonal o diagonales serían descendentes de izquierda a derecha y las señales se situarían a la izquierda de la calzada.

S-27. Auxilio en carretera. Indica la situación del poste o puesto de socorro más próximo desde el que se puede solicitar auxilio en caso de accidente o avería.

La señal puede indicar la distancia a la que éste se halla.

S-28. Calle residencial. Indica las zonas de circulación especialmente acondicionadas que están destinadas en primer lugar a los peatones y en las que se aplican las normas especiales de circulación siguientes: la velocidad máxima de los vehículos está fijada en 20 kilómetros por hora y los conductores deben conceder prioridad a los peatones. Los vehículos no pueden estacionarse más que en los lugares designados por señales o por marcas.

Los peatones pueden utilizar toda la zona de circulación. Los juegos y los deportes están autorizados en ella. Los peatones no deben estorbar inútilmente a los conductores de vehículos.

S-29. Fin de calle residencial. Indica que se aplican de nuevo las normas generales de circulación.

S-30. Zona a 30. Indica la zona de circulación especialmente acondicionada que está destinada en primer lugar a los peatones. La velocidad máxima de los vehículos está fijada en 30 kilómetros por hora. Los peatones tienen prioridad.

S-31. Fin de zona a 30. Indica que se aplican de nuevo las normas generales de circulación.

S-32. Telepeaje. Indica que el vehículo que circule por el carril o carriles así señalizados puede efectuar el pago del peaje mediante el sistema de peaje dinámico o telepeaje, siempre que esté provisto del medio técnico que posibilite su uso.

S-33. Senda ciclable. Indica la existencia de una vía para peatones y ciclos, segregada del tráfico motorizado, y que discurre por espacios abiertos, parques, jardines o bosques.

S-34. Apartadero en túneles. Indica la situación de un lugar donde se puede apartar el vehículo en un túnel, a fin de dejar libre el paso.

S-34 a. Apartadero en túneles. Indica la situación de un lugar donde se puede apartar el vehículo en un túnel, a fin de dejar libre el paso, y que dispone de teléfono de emergencia.

**Artículo 160.** *Señales de carriles.*– Las señales de carriles indican una reglamentación especial para uno o más carriles de la calzada.

Se pueden citar las siguientes:

S-50 a, b, c, d y e. Carriles reservados para el tráfico en función de la velocidad señalizada. Indica que el carril sobre el que está situada la señal de velocidad mínima sólo puede ser utilizado por los vehículos que circulen a velocidad igual o superior a la indicada, aunque si las circunstancias lo permiten deben circular por el carril de la derecha. El final de la obligatoriedad de velocidad mínima vendrá establecido por la señal S-52 o R-506.

S-51. Carril reservado para autobuses. Indica la prohibición a los conductores de los vehículos que no sean de transporte colectivo de circular por el carril indicado.

La mención taxi autoriza también a los taxis la utilización de este carril. En los tramos en que la marca blanca longitudinal esté constituida, en el lado exterior de este carril, por una línea discontinua, se permite su utilización general exclusivamente para realizar alguna maniobra que no sea la de parar, estacionar, cambiar el sentido de la marcha o adelantar, dejando siempre preferencia a los autobuses y, en su caso, a los taxis.

S-52. Final de carril destinado a la circulación. Preseñaliza el carril que va a cesar de ser utilizable, indicando el cambio de carril preciso.

S-52 a y b. Final de carril destinado a la circulación. Preseñaliza, en una calzada de doble sentido de circulación, el carril que va a cesar de ser utilizable, e indica el cambio de carril preciso.

S-53. Paso de uno a dos carriles de circulación. Indica, en un tramo con un solo carril en un sentido de circulación, que en el próximo tramo se va a pasar a disponer de dos carriles en el mismo sentido de la circulación.

S-53 a. Paso de uno a dos carriles de circulación con especificación de la velocidad máxima en cada uno de ellos. Indica, en un tramo con un solo carril de circulación en un sentido, que en el próximo tramo se va a pasar a disponer de dos carriles en el mismo sentido de circulación. También indica la velocidad máxima que está permitido alcanzar en cada uno de ellos.

S-53 b. Paso de dos a tres carriles de circulación. Indica, en un tramo con dos carriles en un sentido de circulación, que en el próximo tramo se va a pasar a disponer de tres carriles en el mismo sentido de circulación.

S-53 c. Paso de dos a tres carriles de circulación con especificación de la velocidad máxima en cada uno de ellos. Indica, en un tramo con dos carriles en un sentido de circulación, que en el próximo tramo se va a pasar a disponer de tres carriles en el mismo sentido de circulación. También indica la velocidad máxima que está permitido alcanzar en cada uno de ellos.

S-60 a. Bifurcación hacia la izquierda en calzada de dos carriles. Indica, en una calzada de dos carriles de circulación en el mismo sentido, que en el próximo tramo el carril de la izquierda se bifurcará hacia ese mismo lado.

S-60 b. Bifurcación hacia la derecha en calzada de dos carriles. Indica, en una calzada de dos carriles de circulación en el mismo sentido, que en el próximo tramo el carril de la derecha se bifurcará hacia ese mismo lado.

S-61 a. Bifurcación hacia la izquierda en calzada de tres carriles. Indica, en una calzada con tres carriles de circulación en el mismo sentido, que en el próximo tramo el carril de la izquierda se bifurcará hacia ese mismo lado.

S-61 b. Bifurcación hacia la derecha en calzada de tres carriles. Indica, en una calzada con tres carriles de circulación en el mismo sentido, que en el próximo tramo el carril de la derecha se bifurcará hacia ese mismo lado.

S-62 a. Bifurcación hacia la izquierda en calzada de cuatro carriles. Indica, en una calzada con cuatro carriles de circulación en el mismo sentido, que en el próximo tramo el carril de la izquierda se bifurcará hacia ese mismo lado.

S-62 b. Bifurcación hacia la derecha en calzada de cuatro carriles. Indica, en una calzada con cuatro carriles de circulación en el mismo sentido, que en el próximo tramo el carril de la derecha se bifurcará hacia ese mismo lado.

S-63. Bifurcación en calzada de cuatro carriles. Indica, en una calzada con cuatro carriles de circulación en el mismo sentido, que en el próximo tramo los dos carriles de la izquierda se bifurcarán hacia la izquierda y los dos de la derecha hacia la derecha.

S-64. Carril bici o vía ciclista adosada a la calzada. Indica que el carril sobre el que está situada la señal de vía ciclista sólo puede ser utilizado por ciclos. Las flechas indicarán el número de carriles de la calzada, así como su sentido de la circulación.

**Artículo 161.** *Señales de servicio.–* Las señales de servicio informan de un servicio de posible utilidad para los usuarios de la vía. El significado y nomenclatura de las señales de servicio son los siguientes:

S-100. Puesto de socorro. Indica la situación de un centro, oficialmente reconocido, donde puede realizarse una cura de urgencia.

S-101. Base de ambulancia. Indica la situación de una ambulancia en servicio permanente para cura y traslado de heridos en accidentes de circulación.

S-102. Servicio de inspección técnica de vehículos. Indica la situación de una estación de inspección técnica de vehículos.

S-103. Taller de reparación. Indica la situación de un taller de reparación de automóviles.

S-104. Teléfono. Indica la situación de un aparato telefónico.

S-105. Surtidor de carburante. Indica la situación de un surtidor o estación de servicio de carburante.

S-106. Taller de reparación y surtidor de carburante. Indica la situación de una instalación que dispone de taller de reparación y surtidor de carburante.

S-107. Campamento. Indica la situación de un lugar (campamento) donde puede acamparse.

S-108. Agua. Indica la situación de una fuente con agua.

S-109. Lugar pintoresco. Indica un sitio pintoresco o el lugar desde el que se divisa.

S-110. Hotel o motel. Indica la situación de un hotel o motel.

S-111. Restauración. Indica la situación de un restaurante.

S-112. Cafetería. Indica la situación de un bar o cafetería.

S-113. Terreno para remolques-vivienda. Indica la situación de un terreno en el que puede acamparse con remolque-vivienda (caravana).

S-114. Merendero. Indica el lugar que puede utilizarse para el consumo de comidas o bebidas.

S-115. Punto de partida para excursiones a pie. Indica un lugar apropiado para iniciar excursiones a pie.

S-116. Campamento y terreno para remolques-vivienda. Indica la situación de un lugar donde puede acamparse con tienda de campaña o con remolque-vivienda.

S-117. Albergue de juventud. Indica la situación de un albergue cuya utilización está reservada a organizaciones juveniles.

S-118. Información turística. Indica la situación de una oficina de información turística.

S-119. Coto de pesca. Indica un tramo del río o lago en el que la pesca está sujeta a autorización especial.

S-120. Parque nacional. Indica la situación de un parque nacional cuyo nombre no figura inscrito.

S-121. Monumento. Indica la situación de una obra histórica o artística declarada monumento.

S-122. Otros servicios. Señal genérica para cualquier otro servicio, que se inscribirá en el recuadro blanco.

S-123. Área de descanso. Indica la situación de un área de descanso.

S-124. Estacionamiento para usuarios del ferrocarril. Indica la situación de una zona de estacionamiento conectada con una estación de ferrocarril y destinada principalmente para los vehículos de los usuarios que realizan una parte de su viaje en vehículo privado y la otra en ferrocarril.

S-125. Estacionamiento para usuarios del ferrocarril inferior. Indica la situación de una zona de estacionamiento conectada con una estación de ferrocarril inferior y destinada principalmente para los vehículos de los usuarios que realizan una parte de su viaje en vehículo privado y la otra en ferrocarril inferior.

S-126. Estacionamiento para usuarios de autobús. Indica la situación de una zona de estacionamiento conectada con una estación o una terminal de autobuses y destinada principalmente para los vehículos privados de los usuarios que realizan una parte de su viaje en vehículo privado y la otra en autobús.

S-127. Área de servicio. Indica en autopista o autovía la situación de un área de servicio.

**Artículo 162.** *Señales de orientación.*– 1. Las señales de orientación se subdividen en: señales de preseñalización, señales de dirección, señales de identificación de carreteras, señales de localización, señales de confirmación y señales de uso específico en poblado.

2. Las señales de preseñalización se colocarán a una distancia adecuada de la intersección para que su eficacia sea máxima, tanto de día como de noche, teniendo en cuenta las condiciones viales y de circulación, especialmente la velocidad habitual de los vehículos y la distancia a la que sea visible dicha señal. Esta distancia podrá reducirse a unos 50 metros en los poblados pero deberá ser, por lo menos, de 500 metros en las autopistas y autovías. Estas señales podrán repetirse. La distancia entre la señal y la intersección podrá indicarse por medio de un panel complementario colocado encima de la señal; esa distancia se podrá indicar también en la parte superior de la propia señal.

La nomenclatura y significado de las señales de preseñalización son los siguientes:

S-200. Preseñalización de glorieta. Indica las direcciones de las distintas salidas de la próxima glorieta. Si alguna inscripción figura sobre fondo azul, indica que la salida conduce hacia una autopista o autovía.

S-220. Preseñalización de direcciones hacia una carretera convencional. Indica, en una carretera convencional, las direcciones de los distintos ramales de la próxima intersección cuando uno de ellos conduce a una carretera convencional.

S-222. Preseñalización de direcciones hacia una autopista o una autovía. Indica, en una carretera convencional, las direcciones de los distintos ramales de la próxima intersección cuando uno de ellos conduce a una autopista o una autovía.

S-222 a. Preseñalización de direcciones hacia una autopista o una autovía y dirección propia. Indica, en una carretera convencional, las direcciones de los distintos ramales de la próxima intersección cuando uno de ellos conduce a una autopista o una autovía. También indica la dirección propia de la carretera convencional.

S-225. Preseñalización de direcciones en una autopista o una autovía hacia cualquier carretera. Indica en una autopista o en una autovía las direcciones de los distintos ramales en la próxima intersección. También indica la distancia, el número y, en su caso, la letra del enlace y ramal.

S-230. Preseñalización con señales sobre la calzada en carretera convencional hacia carretera convencional. Indica las direcciones del ramal de la próxima salida y la distancia a la que se encuentra.

S-230 a. Preseñalización con señales sobre la calzada en carretera convencional hacia carretera convencional y dirección propia. Indica las direcciones del ramal de la próxima salida y la distancia a la que se encuentra. También indica la dirección propia de la carretera convencional.

S-232. Preseñalización con señales sobre la calzada en carretera convencional hacia autopista o autovía. Indica las direcciones del ramal de la próxima salida y la distancia a la que se encuentra.

S-232 a. Preseñalización con señales sobre la calzada en carretera convencional hacia autopista o autovía y dirección propia. Indica las direcciones del ramal de la próxima salida y la distancia a la que se encuentra. También indica la dirección propia de la carretera convencional.

S-235. Preseñalización con señales sobre la calzada en autopista o autovía hacia cualquier carretera. Indica las direcciones del ramal de la próxima salida, la distancia a la que se encuentra y el número del enlace.

S-235 a. Preseñalización con señales sobre la calzada en autopista o autovía hacia cualquier carretera y dirección propia. Indica las direcciones del ramal de la próxima salida, la distancia a la que se encuentra y el número del enlace. También indica la dirección propia de la autopista o autovía.

S-242. Preseñalización en autopista o autovía de dos salidas muy próximas hacia cualquier carretera. Indica las direcciones de los ramales de las dos salidas consecutivas de la autopista o autovía, la distancia, el número del enlace y la letra de cada salida.

S-242 a. Preseñalización en autopista o autovía de dos salidas muy próximas hacia cualquier carretera y dirección propia. Indica las direcciones de los ramales de las dos salidas consecutivas de la autopista o autovía, la distancia, el número del enlace y la letra de cada salida. También indica la dirección propia de la autopista o autovía.

S-250. Preseñalización de itinerario. Indica el itinerario que es preciso seguir para tomar la dirección que señala la flecha.

S-260. Preseñalización de carriles. Indica las únicas direcciones permitidas, en la próxima intersección, a los usuarios que circulan por los carriles señalados.

S-261. Preseñalización en carretera convencional de zona o área de servicio. Indica, en una carretera convencional, la proximidad de una salida hacia una zona o área de servicio.

S-263. Preseñalización en autopista o autovía de una zona o área de servicio con salida compartida. Indica, en autopista o autovía, la proximidad de una salida hacia una zona o área de servicio, y que ésta coincide con una salida hacia una o varias poblaciones.

S-263 a. Preseñalización en autopista o autovía de una zona o área de servicio con salida exclusiva. Indica, en autopista o autovía, la proximidad de una salida hacia una zona o área de servicio.

S-264. Preseñalización en carretera convencional de una vía de servicio. Indica, en carretera convencional, la proximidad de una salida hacia una vía de servicio desde la que puede accederse a los servicios indicados.

S-266. Preseñalización en autopista o autovía de una vía de servicio, con salida compartida. Indica, en autopista o autovía, la proximidad de una salida hacia una vía de servicio desde la que puede accederse a los servicios indicados, y que ésta coincide con una salida hacia una o varias poblaciones.

S-266 a. Preseñalización en autopista o autovía de una vía de servicio, con salida exclusiva. Indica, en autopista o autovía, la proximidad de una salida hacia una vía de servicio desde la que puede accederse a los servicios indicados.

S-270. Preseñalización de dos salidas muy próximas. Indica la proximidad de dos salidas consecutivas entre las que, por carecer de distancia suficiente entre sí, no es posible instalar otras señales de orientación individualizadas para cada salida.

Las letras o, en su caso, los números corresponden a los de las señales de preseñalización inmediatamente anteriores.

S-271. Preseñalización de área de servicio. Indica, en autopista o autovía, la salida hacia un área de servicio.

3. El significado y nomenclatura de las señales de dirección son los siguientes:

S-300. Poblaciones de un itinerario por carretera convencional. Indica los nombres de poblaciones situadas en un itinerario constituido por una carretera convencional y el sentido por el que aquéllas se alcanzan. El cajetín situado dentro de la señal define la categoría y número de la carretera. Las cifras inscritas dentro de la señal indican la distancia en kilómetros.

S-301. Poblaciones en un itinerario por autopista o autovía. Indica los nombres de poblaciones situadas en un itinerario constituido por una autopista o autovía y el sentido por el que aquéllas se alcanzan. El cajetín situado dentro de la señal define la categoría y número de la carretera. Las cifras inscritas dentro de la señal indican la distancia en kilómetros.

S-310. Poblaciones de varios itinerarios. Indica las carreteras y poblaciones que se alcanzan en el sentido que indica la flecha.

S-320. Lugares de interés por carretera convencional. Indica lugares de interés general que no son poblaciones situados en un itinerario constituido por una carretera convencional. Las cifras inscritas dentro de la señal indican la distancia en kilómetros.

S-321. Lugares de interés por autopista o autovía. Indica lugares de interés que no son poblaciones situados en un itinerario constituido por una autopista o autovía. Las cifras inscritas dentro de la señal indican la distancia en kilómetros.

S-322. Señal de destino hacia una vía ciclista o senda ciclable. Indica la existencia en la dirección apuntada por la flecha de una vía ciclista o senda ciclable. Las cifras escritas dentro de la señal indican la distancia en kilómetros.

S-341. Señales de destino de salida inmediata hacia carretera convencional. Indica el lugar de salida de una autopista o autovía hacia una carretera convencional.

La cifra indica el número del enlace que se corresponde con el punto kilométrico de la carretera.

S-342. Señales de destino de salida inmediata hacia autopista o autovía. Indica el lugar de salida de una autopista o autovía hacia una autopista o autovía. La cifra indica el número del enlace que se corresponde con el punto kilométrico de la carretera.

S-344. Señales de destino de salida inmediata hacia una zona, área o vía de servicio. Indica el lugar de salida de cualquier carretera hacia una zona, área o vía de servicio.

S-347. Señales de destino de salida inmediata hacia una zona, área o vía de servicio, con salida compartida hacia una autopista o autovía. Indica el lugar de salida de cualquier carretera hacia una zona, área o vía de servicio, y que ésta coincide con una salida hacia una autopista o autovía.

S-348 a. Señal de destino en desvío. Indica que, por el itinerario provisional de desvío y en el sentido indicado por la flecha, se alcanza el destino que aparece en la señal.

S-348 b. Señal variable de destino. Indica que en el sentido apuntado por la flecha se alcanza el destino que aparece en la señal.

S-350. Señal sobre la calzada, en carretera convencional. Salida inmediata hacia carretera convencional. Indica, en la carretera convencional, en el lugar en que se inicia el ramal de salida, las direcciones que se alcanzan por la salida inmediata por una carretera convencional y, en su caso, el número de ésta.

S-351. Señal sobre la calzada en autopista y autovía. Salida inmediata hacia carretera convencional. Indica, en autopista y autovía, en el lugar en que se inicia el ramal de salida de cualquier carretera, las direcciones que se alcanzan por la salida inmediata por una carretera convencional y, en su caso, el número de ésta. También indica el número y, en su caso, la letra del enlace y ramal.

S-354. Señal sobre la calzada, en carretera convencional. Salida inmediata hacia autopista o autovía. Indica, en el lugar en que se inicia el ramal de salida, las direcciones que se alcanzan por la salida inmediata por una autopista o una autovía y, en su caso, el número de éstas.

S-355. Señal sobre la calzada en autopista y autovía. Salida inmediata hacia autopista o autovía. Indica, en el lugar en que se inicia el ramal de salida, las direcciones que se alcanzan por la salida inmediata por una autopista o autovía y, en su caso, el número de éstas. También indica el número y, en su caso, la letra del enlace y ramal.

S-360. Señales sobre la calzada en carretera convencional. Salida inmediata hacia carretera convencional y dirección propia. Indica, en una carretera convencional, las direcciones que se alcanzan por la salida inmediata hacia otra carretera convencional. También indica la dirección propia de la carretera convencional y su número.

S-362. Señales sobre la calzada en carretera convencional. Salida inmediata hacia autopista o autovía y dirección propia. Indica, en una carretera convencional, las direcciones que se alcanzan por la salida inmediata hacia una autopista o una autovía. También indica la dirección propia de la carretera convencional.

S-366. Señales sobre la calzada en autopista o autovía. Salida inmediata hacia carretera convencional y dirección propia. Indica, en una autopista o una autovía, las direcciones que se alcanzan por la salida inmediata hacia una carretera convencional, así como el número del enlace y, en su caso, la letra del ramal. También indica la dirección propia de la autopista o la autovía.

S-368. Señales sobre la calzada en autopista o autovía. Salida hacia autopista o autovía y dirección propia. Indica, en una autopista o una autovía, las direcciones que se alcanzan por la salida inmediata hacia una autopista o una autovía, así como el número del enlace y, en su caso, la letra del ramal. También indica la dirección propia de la autopista o de la autovía.

S-371. Señales sobre calzada en carretera convencional. Dos salidas inmediatas muy próximas hacia carretera convencional y dirección propia.

S-373. Señales sobre la calzada en autopista o autovía. Dos salidas inmediatas muy próximas hacia carretera convencional y dirección propia. Indica las direcciones de los ramales de las dos salidas consecutivas de la autopista o autovía, la distancia de la segunda, el número del enlace y la letra de cada salida. También indica la dirección propia de la autopista o autovía.

S-375. Señales sobre la calzada en autopista o autovía. Dos salidas inmediatas muy próximas hacia autopista o autovía y dirección propia. Indica las direcciones de los ramales de las dos salidas consecutivas de la autopista o autovía, la distancia de la segunda, el número del enlace y la letra de cada salida. También indica la dirección propia de la autopista o autovía.

4. Las señales destinadas a identificar las vías, sea por su número, compuesto en cifras, letras o una combinación de ambas, sea por su nombre, estarán constituidas por este número o este nombre encuadrados en un rectángulo o en un escudo. Tienen la nomenclatura y el significado siguientes:

S-400. Itinerario europeo. Identifica un itinerario de la red europea.

S-410. Autopista y autovía. Identifica una autopista o autovía. Cuando ésta es de ámbito autonómico, además de la letra A y a continuación del número correspondiente o bien encima de la señal con un panel complementario, pueden incluirse las siglas de identificación de la Comunidad Autónoma.

Ninguna carretera que no tenga características de autopista o autovía podrá ser identificada con la letra A. Cuando la autopista o autovía es una ronda o circunvalación la letra A podrá sustituirse por las letras indicativas de la ciudad, de acuerdo con el código establecido al efecto por los Ministerios de Fomento e Interior.

S-410 a. Autopista de peaje. Identifica una autopista de peaje.

S-420. Carretera de la red general del Estado. Identifica una carretera de la red general del Estado que no sea autopista o autovía.

S-430. Carretera autonómica de primer nivel. Identifica una carretera de primer nivel, que no sea autopista o autovía, de la red autonómica de la comunidad a la que corresponden las siglas de identificación.

S-440. Carretera autonómica de segundo nivel. Identifica una carretera del segundo nivel, que no sea autopista o autovía, de la red autonómica de la comunidad a la que corresponden las siglas de identificación.

S-450. Carretera autonómica de tercer nivel. Identifica una carretera de tercer nivel, que no sea autopista o autovía, de la red autonómica de la comunidad a la que corresponden las siglas de identificación.

5. Las señales de localización podrán utilizarse para indicar la frontera entre dos Estados o el límite entre dos divisiones administrativas del mismo Estado o el nombre de un poblado, un río, un puerto, un lugar u otra circunstancia de naturaleza análoga.

La nomenclatura y significado de las señales de localización son los siguientes:

S-500. Entrada a poblado. Indica el lugar a partir del cual rigen las normas de comportamiento en la circulación relativas a poblado.

S-510. Fin de poblado. Indica el lugar desde donde dejan de ser aplicables las normas de comportamiento en la circulación relativas a poblado.

S-520. Situación de punto característico de la vía. Indica un lugar de interés general en la vía.

S-540. Situación de límite de provincia. Indica el lugar a partir del cual la vía entra en una provincia.

S-550. Situación de límite de Comunidad Autónoma. Indica el lugar a partir del cual la vía entra en una Comunidad Autónoma.

S-560. Situación de límite de Comunidad Autónoma y provincia. Indica el lugar a partir del cual la vía entra en una Comunidad Autónoma y provincia.

S-570. Hito kilométrico en autopista y autovía. Indica el punto kilométrico de la autopista o autovía cuya identificación aparece en la parte superior.

S-570 a. Hito kilométrico en autopista de peaje. Indica el punto kilométrico de la autopista de peaje cuya identificación aparece en la parte superior.

S-571. Hito kilométrico en autopista y autovía que, además, forma parte de un itinerario europeo. Indica el punto kilométrico de la autopista o autovía que, además, forma parte de un itinerario europeo, cuya identificación aparece en la parte superior de la señal.

S-572. Hito kilométrico en carretera convencional. Indica el punto kilométrico de una carretera convencional cuya identificación aparece en la parte superior sobre el fondo del color que corresponda a la red de carreteras a la que pertenezca.

S-573. Hito kilométrico en itinerario europeo. Indica el punto kilométrico de una carretera convencional y que forma parte de un itinerario europeo, cuyas letras y números aparecen en la parte superior de la señal.

S-574. Hito miriamétrico en autopista o autovía. Indica el punto kilométrico de una autopista o autovía cuando aquel es múltiplo de 10.

S-574 a. Hito miriamétrico en carretera convencional. Indica el punto kilométrico de una carretera convencional cuando aquel es múltiplo de 10.

S-574 b. Hito miriamétrico en autopista de peaje. Indica el punto kilométrico de una autopista de peaje cuando aquel es múltiplo de 10.

S-575. Hito miriamétrico. Indica el punto kilométrico de una carretera que no es autopista ni autovía cuando aquel es múltiplo de 10. Su color se corresponderá con el de la red de la que forma parte dicha carretera.

6. Las señales de confirmación tienen por objeto recordar, cuando las autoridades competentes lo estimen necesario, como puede ser a la salida de los poblados importantes, la dirección de la vía.

Cuando se indiquen distancias, las cifras que las expresen se colocarán después del nombre de la localidad. Su nomenclatura y significado son los siguientes:

S-600. Confirmación de poblaciones en un itinerario por carretera convencional. Indica, en carretera convencional, los nombres y distancias en kilómetros a las poblaciones expresadas.

S-602. Confirmación de poblaciones en un itinerario por autopista o autovía. Indica, en autopista o autovía, los nombres y distancias en kilómetros a las poblaciones expresadas.

7. Las señales de uso específico en poblado están constituidas por módulos, utilizados conjunta o separadamente, cuya finalidad común es comunicar que los lugares a que se refieren se alcanzan siguiendo el sentido marcado por la flecha, y cuya nomenclatura y significado respectivos son los siguientes:

S-700. Lugares de la red viaria urbana. Indica los nombres de calles, avenidas, plazas, glorietas o de cualquier otro punto de la red viaria.

S-710. Lugares de interés para viajeros. Indica los lugares de interés para los viajeros, tales como estaciones, aeropuertos, zonas de embarque de los puertos, hoteles, campamentos, oficinas de turismo y automóvil club.

S-720. Lugares de interés deportivo o recreativo. Indica los lugares en que predomina un interés deportivo o recreativo.

S-730. Lugares de carácter geográfico o ecológico. Indica los lugares de tipo geográfico o de interés ecológico.

S-740. Lugares de interés monumental o cultural. Indica los lugares de interés monumental, histórico, artístico o, en general, cultural.

S-750. Zonas de uso industrial. Indica las zonas de importante atracción de camiones, mercancías y, en general, tráfico industrial pesado.

S-760. Autopistas y autovías. Indica las autopistas y autovías y los lugares a los que por ellas puede accederse.

S-770. Otros lugares y vías. Indica las carreteras que no sean autopistas o autovías, los poblados a los que por ellas pueda accederse, así como otros lugares de interés público no comprendidos en las señales S-700 a S-760.

**Artículo 163.** *Paneles complementarios.–* Los paneles complementarios precisan el significado de la señal que complementan. Su nomenclatura y significado son los siguientes:

S-800. Distancia al comienzo del peligro o prescripción. Indica la distancia desde el lugar donde está la señal a aquél en que comienza el peligro o comienza a regir la prescripción de aquélla. En el caso de que esté colocada bajo la señal de advertencia de peligro por estrechamiento de calzada, puede indicar la anchura libre del citado estrechamiento.

S-810. Longitud del tramo peligroso o sujeto a prescripción. Indica la longitud en que existe el peligro o en que se aplica la prescripción.

S-820 y S-821. Extensión de la prohibición, a un lado. Colocada bajo una señal de prohibición, indica la distancia en que se aplica esta prohibición en el sentido de la flecha.

S-830. Extensión de la prohibición, a ambos lados. Colocada bajo una señal de prohibición, indica las distancias en que se aplica esta prohibición en cada sentido indicado por las flechas.

S-840. Preseñalización de detención obligatoria. Colocada bajo la señal de ceda el paso, indica la distancia a que se encuentra la señal de detención obligatoria o stop de la próxima intersección.

S-850 a S-853. Itinerario con prioridad. Panel adicional de la señal R-3, que indica el itinerario con prioridad.

S-860. Genérico. Panel para cualquier otra aclaración o delimitación de la señal o semáforo bajo el que este colocado.

S-870. Aplicación de la señalización. Indica, bajo la señal de prohibición o prescripción, que la señal se refiere exclusivamente al ramal de salida cuya dirección coincide aproximadamente con la de la flecha. Colocada bajo otra señal, indica que ésta se aplica solamente en el ramal de salida.

S-880. Aplicación de señalización a determinados vehículos. Indica, bajo la señal vertical correspondiente, que la señal se refiere exclusivamente a los vehículos que figuran en el panel, y que pueden ser camiones, vehículos con remolque, autobuses o ciclos.

S-890. Panel complementario de una señal vertical. Indica, bajo otra señal vertical, que ésta se refiere a las circunstancias que se señalan en el panel como nieve, lluvia o niebla.

**Artículo 164.** *Otras señales.–* Otras señales de indicación son las siguientes:

S-900. Peligro de incendio. Advierte del peligro que representa encender un fuego.

S-910. Extintor. Indica la situación de un extintor de incendios.

S-920. Entrada a España. Indica que se ha entrado en territorio español por una carretera procedente de otro país.

S-930. Confirmación del país. Indica el nombre del país hacia el que se dirige la carretera. La cifra en la parte inferior indica la distancia a la que se encuentra la frontera.

S-940. Limitaciones de velocidad en España. Indica los límites genéricos de velocidad en las distintas clases de carreteras y en zona urbana en España.

S-950. Radiofrecuencia de emisoras específicas de información sobre carreteras. Indica la frecuencia a que hay que conectar el receptor de radiofrecuencia para recibir información.

S-960. Teléfono de emergencia. Indica la situación de un teléfono de emergencia.

S-970. Apartadero. Indica la situación en un apartadero de un extintor de incendios y teléfono de emergencia.

S-980. Salidas de emergencias. Indica la situación de una salida de emergencia.

S-990. Cartel flecha indicativa señal de emergencia en túneles. Indica la dirección y distancia a una salida de emergencia.

**Artículo 165.** *Formato de las señales de indicación.–* La forma, color, diseño, símbolos, significado y dimensiones de las señales de indicación figuran en el Catálogo oficial de señales de circulación. La forma, símbolos y nomenclatura de las correspondientes señales figuran también en el Anexo I de este reglamento.

*Sección 5ª. De las marcas viales*

**Artículo 166.** *Objeto y clases.–* 1. Las marcas sobre el pavimento, o marcas viales, tienen por objeto regular la circulación y advertir o guiar a los usuarios de la vía, y pueden emplearse solas o con otros medios de señalización, a fin de reforzar o precisar sus indicaciones.

2. Las marcas viales pueden ser: marcas blancas longitudinales, marcas blancas transversales, señales horizontales de circulación, otras marcas e inscripciones de color blanco y marcas de otros colores.

**Artículo 167.** *Marcas blancas longitudinales.–* La nomenclatura y significado de las marcas blancas longitudinales son los siguientes:

a) Marca longitudinal continua. Una marca longitudinal consistente en una línea continua sobre la calzada significa que ningún conductor con su vehículo o animal debe atravesarla ni circular con su vehículo sobre ella ni, cuando la marca separe los dos sentidos de circulación, circular por la izquierda de aquélla.

Una marca longitudinal constituida por dos líneas continuas adosadas tiene el mismo significado.

Una línea blanca continua sobre la calzada también puede indicar la existencia de un carril especial, y los conductores de los vehículos que circulen por el carril especial pueden sobrepasarla con las debidas precauciones para abandonarlo cuando así lo exija la maniobra o el destino que pretenden seguir. En este caso la marca es sensiblemente más ancha que en el caso general.

b) Marca longitudinal discontinua. Una línea discontinua en la calzada está destinada a delimitar los carriles con el fin de guiar la circulación, y significa que ningún conductor debe circular con su vehículo o animal sobre ella, salvo, cuando sea necesario y la seguridad de la circulación lo permita, en calzadas con carriles estrechos (de menos de tres metros de anchura).

Puede además estar destinada a:

1.º Anunciar al conductor que se aproxima a una marca longitudinal continua la prohibición que esta marca implica o la proximidad de un tramo de vía que presente un riesgo especial; en estos casos, la separación entre los trazos de la línea es sensiblemente más corta que en el caso general.

2.º Indicar la existencia de un carril especial (para determinar la clase de vehículos, de entrada o salida, u otro); en este caso la marca es sensiblemente más ancha que en el caso general.

c) Marcas longitudinales discontinuas dobles. Como caso especial de línea discontinua, las dobles que delimitan un carril por ambos lados significan que éste es reversible, es decir, que en él la circulación puede estar reglamentada en uno u otro sentido mediante semáforos de carril u otros medios.

d) Marcas longitudinales continuas adosadas a discontinuas. Cuando una marca consista en una línea longitudinal continua adosada a otra discontinua, los conductores no deben tener en cuenta más que la línea situada en el lado por el que circulan. Cuando estas marcas separen sentidos distintos de circulación, esta disposición no impide que los conductores que hayan efectuado un adelantamiento vuelvan a ocupar su lugar normal en la calzada.

e) Marcas de guía en la intersección. Indican a los conductores cómo se debe realizar determinada maniobra en una intersección.

f) Líneas de borde y estacionamiento. A los efectos de este artículo, no se consideran incluidas las líneas longitudinales que delimitan, para hacerlos mas visibles, los bordes de la calzada o los lugares de estacionamiento contemplados en el artículo 170.

**Artículo 168.** *Marcas blancas transversales.–* La nomenclatura y significado de las marcas blancas transversales son los siguientes:

a) Marca transversal continua. Una línea continua, dispuesta a lo ancho de uno o varios carriles, es una línea de detención que indica que ningún vehículo o animal ni su carga debe franquearla en cumplimiento de la obligación impuesta por una señal horizontal o vertical de detención obligatoria, una señal de prohibición de pasar sin detenerse, un paso para peatones indicado por una marca vial, un semáforo o una señal de detención efectuada por un agente de la circulación o por la existencia de un paso a nivel o puente móvil.

Si, por circunstancias excepcionales, desde el lugar donde se ha efectuado la detención no existe visibilidad suficiente, el conductor deberá detenerse de nuevo en el lugar desde donde tenga visibilidad, sin poner en peligro a ningún usuario de la vía.

b) Marca transversal discontinua. Una línea discontinua dispuesta a lo ancho de uno o varios carriles es una línea de detención que indica que, salvo en circunstancias anormales que reduzcan la visibilidad, ningún vehículo o animal ni su carga deben franquearla, cuando tengan que ceder el paso, en cumplimiento de la obligación impuesta por una señal vertical u horizontal de "Ceda el paso", por una flecha verde de giro de un semáforo, o cuando no haya ninguna señal de prioridad por aplicación de las normas que rigen ésta.

c) Marca de paso para peatones. Una serie de líneas de gran anchura, dispuestas sobre el pavimento de la calzada en bandas paralelas al eje de ésta y que forman un conjunto transversal a la calzada, indica un paso para peatones, donde los conductores de vehículos o animales deben dejarles paso. No podrán utilizarse líneas de otros colores que alternen con las blancas.

d) Marca de paso para ciclistas. Una marca consistente en dos líneas transversales discontinuas y paralelas sobre la calzada indica un paso para ciclistas, donde éstos tienen preferencia.

**Artículo 169.** *Señales horizontales de circulación.–* La nomenclatura de las señales horizontales de circulación es la siguiente:

a) Ceda el paso. Un triángulo, marcado sobre la calzada con el vértice opuesto al lado menor y dirigido hacia el vehículo que se acerca, indica a su conductor la obligación que tiene en la próxima intersección de ceder el paso a otros vehículos. Si el mencionado triángulo está situado en un carril delimitado por líneas longitudinales, la anterior obligación se refiere exclusivamente a los vehículos que circulen por el citado carril.

b) Detención obligatoria o stop. El símbolo "stop", marcado sobre la calzada, indica al conductor la obligación de detener su vehículo ante una próxima línea de detención o, si esta no existiera, inmediatamente antes de la calzada a la que se aproxima, y de ceder el paso a los vehículos que circulen por esa calzada.

Si el citado símbolo está situado en un carril delimitado por líneas longitudinales, la anterior obligación se refiere exclusivamente a los vehículos que circulen por el citado carril.

c) Señal de limitación de velocidad. Indica que ningún vehículo debe sobrepasar la velocidad expresada en kilómetros por hora. Si la cifra está situada en un carril delimitado por líneas longitudinales, la anterior prohibición se refiere exclusivamente a los vehículos que circulen por el citado carril. La limitación establecida se aplica hasta la próxima señal de "Fin de limitación", "Fin de limitación de velocidad" u otra señal de velocidad máxima diferente.

d) Flecha de selección de carriles. Una flecha situada en un carril delimitado por líneas longitudinales indica que todo conductor debe seguir la dirección, o una de las direcciones, indicada por la flecha en el carril en que aquél se halle o, si la señalización lo permite, cambiarse a otro carril. Esta flecha puede ir complementada con una inscripción de destino.

e) Flecha de salida. Indica a los conductores el lugar donde pueden iniciar el cambio de carril para tomar una salida y la dirección propia de ésta.

f) Flecha de fin de carril. Indica que el carril en que está situada termina próximamente y es preciso seguir su indicación.

g) Flecha de retorno. Una flecha, situada aproximadamente en el eje de una calzada de doble sentido de circulación y que apunta hacia la derecha, anuncia la proximidad de una línea continua que implica la prohibición de circular por su izquierda, e indica, por tanto, que todo conductor debe circular con su vehículo cuanto antes por el carril a la derecha de la flecha.

**Artículo 170.** *Otras marcas e inscripciones de color blanco.*– La nomenclatura y significado de otras marcas e inscripciones de color blanco son los siguientes:

a) Marca de bifurcación. Anuncia al conductor que se aproxima a una bifurcación en la calzada por la que transita, con posible reajuste del número total de carriles antes y después de ella.

b) Marca de paso a nivel. Las letras "P" y "N", una a cada lado de un aspa, indican la proximidad de un paso a nivel.

c) Inscripción de carril o zona reservada. Indica que un carril o zona de la vía están reservados, temporal o permanentemente, para la circulación, parada o estacionamiento de determinados vehículos tales como autobuses (bus), taxis y ciclos.

d) Marca de comienzo de carril reservado. Indica el comienzo de un carril reservado para determinados vehículos.

e) Marca de vía ciclista. Indica una vía ciclista o senda ciclable.

f) Líneas y marcas de estacionamiento. Delimitan los lugares o zonas de estacionamiento, así como la forma en que los vehículos deben ocuparlos.

g) Cebreado. Una zona marcada por franjas oblicuas paralelas enmarcadas por una línea continua significa que ningún conductor debe entrar con su vehículo o animal en la citada zona, excepto los obligados a circular por el arcén.

h) Línea de borde de calzada. Delimita para hacerlo más visible el borde de la calzada.

i) Otras marcas o inscripciones de color blanco en la calzada repiten indicaciones de señales o proporcionan a los usuarios indicaciones útiles.

**Artículo 171.** *Marcas de otros colores.*– La nomenclatura y significado de marcas de otros colores son los siguientes:

a) Marca amarilla zigzag. Indica el lugar de la calzada en que el estacionamiento está prohibido a los vehículos en general, por estar reservado para algún uso especial que no implique larga permanencia de ningún vehículo. Generalmente se utilizará en zonas de parada (no estacionamiento) de autobuses o destinadas a la carga y descarga de vehículos.

b) Marca amarilla longitudinal continua. Una línea continua de color amarillo, en el bordillo o junto al borde de la calzada, significa que la parada y el estacionamiento están prohibidos o sometidos a alguna restricción temporal, indicada por señales, en toda la longitud de la línea y en el lado en que esté dispuesta.

c) Marca amarilla longitudinal discontinua. Una línea discontinua de color amarillo, en el bordillo o junto al borde de la calzada, significa que el estacionamiento está prohibido o sometido a alguna restricción temporal, indicada por señales, en toda la longitud de la línea y en el lado en que esté dispuesta.

d) Cuadrícula de marcas amarillas. Un conjunto de líneas amarillas entrecruzadas recuerda a los conductores la prohibición establecida en el artículo 59.1.

e) Damero blanco y rojo. Una cuadrícula de marcas blancas y rojas indica el lugar donde empieza una zona de frenado de emergencia y prohíbe la parada, el estacionamiento o la utilización de esta parte de la calzada con otros fines.

f) Marcas azules. Las marcas que delimitan los lugares en que el estacionamiento está permitido, que sean de color azul en lugar del normal color blanco, indican que, en ciertos periodos del día, la duración del estacionamiento autorizado está limitada.

**Artículo 172.** *Formato de las marcas viales.–* La forma, color, diseño, símbolos, significado y dimensiones de las marcas viales figuran en el Catálogo oficial de señales de circulación. La forma, símbolos y nomenclatura de las correspondientes marcas figuran también en el Anexo I de este reglamento.

## TÍTULO V. SEÑALES EN LOS VEHÍCULOS

**Artículo 173.** *Objeto, significado y clases.–* 1. Las señales en los vehículos están destinadas a dar a conocer a los usuarios de la vía determinadas circunstancias o características del vehículo en que están colocadas, del servicio que presta, de la carga que transporta o de su propio conductor.

2. Con independencia de las exigidas por otras reglamentaciones específicas, la nomenclatura y significado de las señales en los vehículos son las siguientes:

V-1. Vehículo prioritario. Indica que se trata de un vehículo de los servicios de policía, de extinción de incendios, protección civil y salvamento o de asistencia sanitaria, en servicio urgente, si se utiliza de forma simultánea con el aparato emisor de señales acústicas especiales, al que se refieren las normas reguladoras de los vehículos.

V-2. Vehículos para obras o servicios, tractores agrícolas, maquinaria agrícola automotriz, demás vehículos especiales, transportes especiales y columnas militares.

Indica que se trata de un vehículo de esta clase, en servicio, o de un transporte especial o columna militar.

V-3. Vehículo de policía. Señaliza un vehículo de esta clase en servicio no urgente.

V-4. Limitación de velocidad. Indica que el vehículo no debe circular a velocidad superior, en kilómetros por hora, a la cifra que figura en la señal.

V-5. Vehículo lento. Indica que se trata de un vehículo de motor, o conjunto de vehículos, que, por construcción, no puede sobrepasar la velocidad de 40 kilómetros por hora.

V-6. Vehículo largo. Indica que el vehículo o conjunto de vehículos tiene una longitud superior a 12 metros.

V-7. Distintivo de nacionalidad española. Indica que el vehículo está matriculado en España.

V-8. Distintivo de nacionalidad extranjera. Indica que el vehículo está matriculado en el país al que corresponden las siglas que contiene, y que su instalación es obligatoria para circular por España.

V-9. Servicio público. Indica que el vehículo está dedicado a prestar servicios públicos. El uso de esta señal sólo será exigible cuando así lo disponga la normativa reguladora del servicio público de que se trate.

V-10. Transporte escolar. Indica que el vehículo está realizando esta clase de transporte.

V-11. Transporte de mercancías peligrosas. Indica que el vehículo transporta mercancías peligrosas.

V-12. Placa de ensayo o investigación. Indica que el vehículo está efectuando pruebas especiales o ensayos de investigación.

V-13. Conductor novel. Indica que el vehículo está conducido por una persona cuyo permiso de conducción tiene menos de un año de antigüedad.

V-14. Aprendizaje de la conducción. Indica que el vehículo circula en función del aprendizaje de la conducción o de las pruebas de aptitud.

V-15. Minusválido. Indica que el conductor del vehículo es una persona con discapacidades que reducen su movilidad y que, por tanto, puede beneficiarse de las facilidades que se le otorguen con carácter general o específico.

V-16. Dispositivo de preseñalización de peligro. Indica que el vehículo ha quedado inmovilizado en la calzada o que su cargamento se encuentra caído sobre ella.

V-17. Alumbrado indicador de libre. Indica que los autotaxis circulan en condiciones de ser alquilados.

V-18. Alumbrado de taxímetro. Es el destinado, en los automóviles de turismo de servicio público de viajeros, a iluminar el contador taxímetro tan pronto se produzca la bajada de bandera.

V-19. Distintivo de inspección técnica periódica del vehículo. Indica que el vehículo ha superado favorablemente la inspección técnica periódica, así como la fecha en que deben pasar la próxima inspección.

V-20. Panel para cargas que sobresalen. Indica que la carga del vehículo sobresale posteriormente.

V-21. Cartel avisador de acompañamiento de transporte especial. Indica la circulación próxima de un transporte especial.

V-22. Cartel avisador de acompañamiento de ciclistas. Indica la circulación próxima de ciclistas.

V-23. Distintivo de vehículos de transporte de mercancías. Señaliza un vehículo de esta clase. Estará constituida por marcas reflectantes utilizadas para incrementar la visibilidad y el reconocimiento de camiones y vehículos largos y pesados y sus remolques. El distintivo de los vehículos de transporte debe ajustarse a lo establecido para esta señal en el Anexo XI del Reglamento General de Vehículos.

3. La forma, color, diseño, símbolos, dimensiones, significado y colocación de las señales en los vehículos se ajustarán a lo establecido en el Anexo XI del Reglamento General de Vehículos.

**Disposición adicional primera.** *Comunidades Autónomas.–* Lo dispuesto en este reglamento, de conformidad con lo establecido en el artículo 4 de la Ley sobre tráfico, circulación de vehículos a motor y seguridad vial, se entenderá sin perjuicio de las competencias que tengan asumidas las Comunidades Autónomas que ostentan y ejercen conforme a sus Estatutos.

**Disposición adicional segunda.** *Uso obligatorio de cinturones de seguridad u otros sistemas de retención homologados.–* El cumplimiento de la obligación de utilizar cinturones de seguridad u otros sistemas de retención homologados, correctamente abrochados o colocados, tanto en la circulación por vías urbanas como interurbanas, impuesta a los conductores y a los pasajeros en el artículo 117.1, 2 y 3 sólo será exigible respecto de aquellos vehículos que, de acuerdo con la normativa vigente en el momento de su matriculación, deban llevar instalados cinturones de seguridad u otros sistemas de retención homologados.

No obstante, en aquellos vehículos que aun no estando obligados, llevasen instalados cinturones de seguridad u otros sistemas de retención homologados, será obligatoria su utilización en las condiciones establecidas por este Reglamento.

**Disposición adicional tercera.** *Sistemas de retención infantiles.–* El Gobierno, dentro del plazo previsto en la Directiva 2003/20/CE del Parlamento Europeo y del Consejo, de 8 de abril de 2003, por la que se modifica la Directiva 91/67/CEE del Consejo, sobre el uso obligatorio de cinturones de seguridad en vehículos de menos de 3,5 toneladas, continuará avanzando en el proceso de su transposición completa.

**Disposición adicional cuarta.** *Utilización de cinturones de seguridad y de dispositivos de retención en los vehículos destinados al transporte escolar y de menores.–* La utilización de los cinturones de seguridad y de dispositivos de retención en los vehículos destinados al transporte escolar y de menores se ajustará a lo establecido en este Reglamento, con la particularidad de que los asientos enfrentados a pasillo en los vehículos de más de nueve plazas dedicados a esa clase de transporte sólo podrán ser ocupados por menores de dieciséis años cuando dichos asientos lleven instalados cinturones de seguridad, que serán utilizados en las condiciones indicadas en el presente Reglamento.

**Disposición final primera.** *Obligación de utilizar los chalecos reflectantes de alta visibilidad.–* La obligación de que los conductores de turismos deban utilizar el chaleco reflectante de alta visibilidad, impuesta en el artículo 118.3, será exigible transcurridos seis meses desde su entrada en vigor. Para los restantes conductores aludidos en dicho precepto, así como para los conductores y personal auxiliar de los vehículos pilotos de protección y acompañamiento, será exigible al día siguiente de su entrada en vigor.

**Disposición final segunda.** *Obligaciones sobre sistemas de retención infantiles.–* Las obligaciones impuestas en el artículo 117.2, párrafo tercero, serán exigibles a los seis meses desde su entrada en vigor.

**Disposición final tercera.** *Referencias al Texto Articulado de la Ley sobre tráfico, circulación de vehículos a motor y seguridad vial, aprobado por Real Decreto Legislativo 339/1990, de 2 de marzo.–* Las siguientes referencias al artículo 65 del Texto Articulado de la Ley sobre tráfico, circulación de vehículos a motor y seguridad vial se sustituyen, a lo largo de todo el texto de este Reglamento, como a continuación se indican:

Las referencias al artículo 65.4.a) se entenderán hechas al artículo 65.4.ñ).

Las referencias al artículo 65.4.b) se entenderán hechas al artículo 65.4.o).

Las referencias al artículo 65.4.c) se entenderán hechas al artículo 65.4.a).

Las referencias al artículo 65.4.d) se entenderán hechas al artículo 65.4.b).

Las referencias al artículo 65.4.f) se entenderán hechas al artículo 65.4.d).

Las referencias al artículo 65.5.c) se entenderán hechas al artículo 65.5.d).

Las referencias al artículo 65.5.d) se entenderán hechas al artículo 65.5.e).

Las referencias al artículo 65.5.e) se entenderán hechas al artículo 65.5.c).

## ANEXO I

El Catálogo oficial de señales de circulación está constituido por los documentos que se relacionan a continuación:

Norma de carreteras 8.1-I.C Señalización vertical.

Norma de carreteras 8.2-I.C Marcas viales.

Norma de carreteras 8.3.I.C Señalización de obras.

Catálogo de señales verticales de circulación tomos I y II.

Los documentos indicados forman parte de la regulación básica estableci
da por la Dirección General de Carreteras del Ministerio de Fomento.

## SEÑALES DE CIRCULACIÓN

### *Índice*

1.  Señales y órdenes de los agentes de circulación.
    1.1. Señales con el brazo y otras.
    1.2. Señales desde los vehículos.
    1.3. Señales portátiles a utilizar por los agentes de circulación.
    1.4. Dimensiones señales y bastidores.
2. Paneles de mensaje variable.
    Grupo 1. Mensajes preceptivos.
    Grupo 2. Mensajes de advertencia de peligro.
    Grupo 3. Mensajes informativos.
3. Señales de balizamiento.
    3.1. Dispositivos de barrera.
    3.2. Dispositivos de guía.
4. Semáforos.
    4.1. Semáforos reservados para peatones.
    4.2. Semáforos circulares para vehículos.
    4.3. Semáforos cuadrados para vehículos o de carril.
    4.4. Semáforos reservados a determinados vehículos.
5. Señales verticales de circulación.
    5.1. Señales de advertencia de peligro.
    5.2. Señales de prioridad.
    5.3. Señales de prohibición de entrada.
    5.4. Señales de restricción de paso.

5.5. Otras señales de prohibición o restricción.
5.6. Señales de obligación.
5.7. Señales de fin de prohibición o restricción.
5.8. Señales de indicaciones generales.
5.9. Señales de carriles.
5.10. Señales de servicio.
5.11. Señales de preseñalización.
5.12. Señales de dirección.
5.13. Señales de identificación de carreteras.
5.14. Señales de localización.
5.15. Señales de confirmación.
5.16. Señales de uso específico en poblado.
5.17. Paneles complementarios.
5.18. Otras señales.
6. Marcas viales.
6.1. Marcas blancas longitudinales.
6.2. Marcas blancas transversales.
6.3. Señales horizontales de circulación.
6.4. Otras marcas e inscripciones de color blanco.
6.5. Marcas de otros colores.

## 1. SEÑALES Y ÓRDENES DE LOS AGENTES DE CIRCULACIÓN

### 1.1. SEÑALES CON EL BRAZO Y OTRAS

**Brazo levantado verticalmente**          **Brazo o brazos extendidos horizontalmente**          **Balanceo de una luz roja o amarilla**

**Brazo extendido moviéndolo alternativamente de arriba a abajo**          **Otras señales**          **Brazo levantado verticalmente**

### 1.2. SEÑALES DESDE LOS VEHÍCULOS

**Bandera roja**          **Bandera verde**          **Bandera amarilla**          **Brazo extendido hacia abajo inclinado y fijo**

**Luz roja o amarilla intermitente o destellante hacia adelante**

**Regulación del paso**

## 1.3. SEÑALES PORTÁTILES A UTILIZAR POR LOS AGENTES DE CIRCULACIÓN

**P-17**
**Estrechamiento de la calzada**

**P-50**
**Otros peligros**

**R-200**
**Prohibición de pasar sin detenerse**

**R-301**
**Velocidad máxima**

**R-305**
**Adelantamiento prohibido**

**R-400a**
**Sentido obligatorio**

**R-400b**
**Sentido obligatorio**

**R-500**
**Fin de prohibiciones**

## 1.4. DIMENSIONES SEÑALES Y BASTIDORES

Las dimensiones de las señales a utilizar por los agentes de circulación en cualquier tipo de vía serán las siguientes:

Señales circulares: 50 cm de diámetro.

Señales triangulares: 70 cm de lado.

Altura de la señal en el bastidor (dos posiciones)

Máxima 132 cm.

Mínima: 93 cm.

(Dimensión obtenida desde el suelo hasta la parte superior de la señal.)

## 2. PANELES DE MENSAJE VARIABLE

### Grupo 1. Mensajes preceptivos

#### 1.1. Variación en la adherencia

1.1.1. Firme deslizante

1.1.1.1. Limitación de velocidad

1.1.1.2 Limitación de distancia

1.1.1.3. Prohibición de adelantamiento a camiones

1.1.2. Nieve
   1.1.2.1. Nieve nivel negro
      1.1.2.1.1. Mensaje general

      1.1.2.1.2. Mensaje estratégico

   1.1.2.2. Nieve nivel rojo
      1.1.2.2.1. General (alternante)

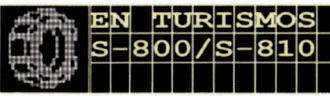 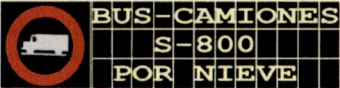

      1.1.2.2.2. Sólo vehículos pesados

      1.1.2.2.3. PMV en nieve

   1.1.2.3. Nieve nivel amarillo
      1.1.2.3.1. General: limitación de velocidad y distancia entre vehículos

 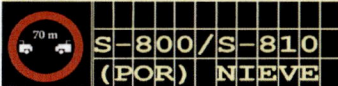

1.1.2.3.2. General (alternante)

1.1.2.3.3. Salida camión (alternante)

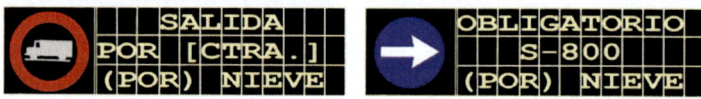

1.1.2.4. Nieve nivel verde
1.1.2.4.1. En autopista o autovía

1.1.2.4.2. En carretera convencional

1.1.2.4.3. Específico camiones

## 1.2. Variación en los niveles del tráfico
1.2.1. Tráfico negro
1.2.1.1. General

1.2.1.2. Estratégico

1.2.2. Tráfico rojo y amarillo

1.2.2.1. Limitación de velocidad y distancia entre vehículos
1.2.3. Tráfico verde

**1.3. Variación en la visibilidad**
1.3.1. Luz de cruce

1.3.2. Distancia entre vehículos

1.3.3. Limitaciones de velocidad

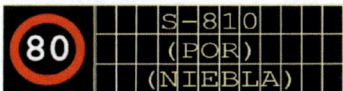

## 1.4. Variación en el viento
### 1.4.1. Limitaciones de velocidad

### 1.4.2. Prohibición de adelantamiento a camiones

## 1.5. Variación en la capacidad de la vía
### 1.5.1. Aumento
#### 1.5.1.1. Por carril directo
##### 1.5.1.1.1. Antes del c. Directo
##### 1.5.1.1.2. Durante el c. Directo

#### 1.5.1.2. Por circulación en arcén
##### 1.5.1.2.1. Antes
##### 1.5.1.2.2. Durante

1.5.1.2.3. Final
1.5.2. Disminución
 1.5.2.1. Estrechamiento /corte de carril /es
  1.5.2.1.1. Por carril directo en sentido contrario
   1.5.2.1.1.1. Antes

     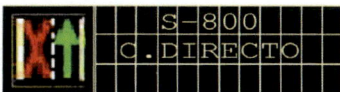

1.5.2.1.1.2. Durante

1.5.2.1.2. Otros

1.5.2.2. Ocupación de arcén
 1.5.2.2.1. Por obras

1.5.2.2.2. Por accidente

## 1.6. Variación en el itinerario

1.6.1. Salida obligatoria
1.6.2. Gestión
1.6.3. Información
    1.6.3.1. Gráficos en tiempo real
    1.6.3.2. Tiempos de recorrido
        1.6.3.2.1. General
        1.6.3.2.2. Eventos (Causas)

### Grupo 2. Mensajes de advertencia de peligro

## 2.1. Variación en la adherencia

2.1.1. Firme deslizante
2.1.2. Nieve

## 2.2. Variación en los niveles del tráfico
2.2.1. Tráfico negro
2.2.2. Tráfico rojo y amarillo
    2.2.2.1. Antes

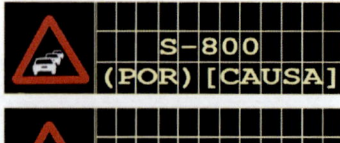 

2.2.2.2. Durante

2.2.3. Tráfico verde

## 2.3. Variación en la visibilidad
2.3.1. Niebla

## 2.4. Variación en el viento
2.4.1. Viento: rachas

2.4.2. Viento: lateral

## 2.5. Variación en la capacidad de la vía
2.5.1. Aumento: circulación por arcén
2.5.1.1. Antes

2.5.1.2. Durante
2.5.1.3. Final
2.5.2. Disminución

2.5.2.1. Estrechamiento /corte de carril /es

2.5.2.1.1. Por retorno de carril directo

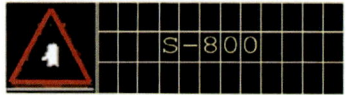

2.5.2.1.1.1. Retorno a la vía
2.5.2.1.1.2. Antes

2.5.2.1.1.3. Antes/durante

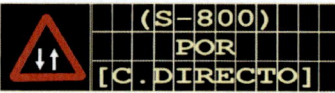 

2.5.2.1.2. Otros

2.5.2.2. Ocupación de arcén
2.5.2.2.1. Por obras

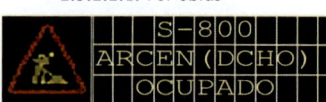 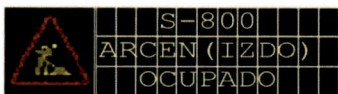

2.5.2.2.2. Por accidente

**2.6. Variación en el itinerario**
   2.6.1. Obligatorio
   2.6.2. Gestión
   2.6.3. Información

**Grupo 3. Mensajes informativos**

**3.1. Variación en la adherencia**

**3.2. Variación en los niveles del tráfico**

3.2.1. Tráfico rojo y amarillo

**3.3. Variación en la visibilidad**

**3.4. Variación en el viento**

**3.5. Variación en la capacidad de la vía**
   3.5.1. Aumento
     3.5.1.1. Por carril directo

      3.5.1.1.1. Antes
      3.5.1.1.2. Durante
     3.5.1.2. Por circulación por arcén
      3.5.1.2.1. Antes

      3.5.1.2.2. Durante

3.5.1.2.3. Final

3.5.2. Disminución

## 3.6. Variación en el itinerario
3.6.1. Obligatoria
3.6.2. Recomendada: reencaminamiento
3.6.3. Información
    3.6.3.1. Gráficos en tiempo real: Mímicos
    3.6.3.2. Tiempo de recorrido

3.6.3.2.1. General

3.6.3.2.2. Causas
    3.6.3.2.2.1. Retenciones

3.6.3.2.2.2. Obras

3.6.3.2.2.3 Accidente

(*): Las indicaciones S-800 y S-810 hacen referencia al contenido de los paneles complementarios de señalización vertical del mismo nombre.

### Instrucciones complementarias:

1.º Cualquier mensaje diferente de los establecidos deberá ser expresamente aprobado por el organismo autónomo Jefatura Central de Tráfico o en su caso la autoridad autonómica responsable de la regulación de tráfico.

2.º En ningún caso el texto de un mensaje debe contener más de siete (7) palabras.

3.º Nunca se utilizarán más de dos mensajes alternados.

4.º En el caso de utilizarse paneles de mensajes variable que dispongan de dos áreas gráficas, se podrá complementar el mensaje incluyendo en la segunda otro de los pictogramas del tipo.

## 3. SEÑALES DE BALIZAMIENTO

### 3.1. DISPOSITIVOS DE BARRERA

**Barrera fija**          **Barrera o semibarrera móvil**          **Panel direccional provisional**

**Banderitas, conos o dispositivos análogos**          **Luz roja fija**          **Luces amarillas fijas o intermitentes**

## 3.2. DISPOSITIVOS DE GUÍA

**Hitos de vértice**         **Hitos de arista**

**Panel direccional permanente**     **Captafaros horizontales (ojos de gato)**     **Captafaros de barrera**

**Balizas planas**    **Balizas cilíndricas**    **Barrera lateral rígida**    **Barrera lateral semirrígida**

**Barrera lateral desplazable**

# 4. SEMÁFOROS

## 4.1. SEMÁFOROS RESERVADOS PARA PEATONES

Luz roja no intermitente en forma de peatón inmóvil

Luz verde no intermitente en forma de peatón en marcha

## 4.2. SEMÁFOROS CIRCULARES PARA VEHÍCULOS

Luz roja no intermitente

Luz roja intermitente

Luz amarilla no intermitente

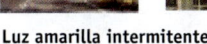

Luz amarilla intermitente

Luz verde no intermitente

Flecha negra               Fecha verde

### 4.3. SEMÁFOROS CUADRADOS PARA VEHÍCULOS O DE CARRIL

**Luz roja en forma de aspa**    **Luz verde en forma de flecha**    **Luz blanca o amarilla en forma de flecha**

### 4.4. SEMÁFOROS RESERVADOS A DETERMINADOS VEHÍCULOS

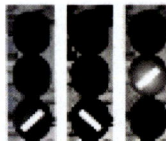  

**Semáforos para ciclos**    **Semáforos reservados para ciclomotores, tranvías y autobuses**

### 5. SEÑALES VERTICULARES DE CIRCULACIÓN

### 5.1. SEÑALES DE ADVERTENCIA DE PELIGRO

**P-1 Intersección con prioridad**    **P-1a Intersección con prioridad sobre vía a la derecha**    **P-1b Intersección con prioridad sobre vía a la izquierda**    **P-1c Intersección con prioridad sobre incorporación por la derecha**

**P-1d Intersección con prioridad sobre incorporación por la izquierda**

**P-2 Intersección con prioridad a la derecha**

**P-3 Semáforos**

**P-4 Intersección con circulación giratoria**

**P-5 Puente móvil**

**P-6 Cruce de tranvía**

**P-7 Paso a nivel con barreras**

**P-8 Paso a nivel sin barreras**

**P-9a Proximidad de un paso a nivel, puente móvil o muelle (lado derecho)**

**P-9b Aproximación a un paso a nivel, puente móvil o muelle (lado derecho)**

**P-9c Cercanía de un paso a nivel, puente móvil o muelle (lado derecho)**

**P-10a Proximidad de un paso a nivel, puente móvil o muelle (lado izquierdo)**

**P-10b Aproximación a un paso a nivel, puente móvil o muelle (lado izquierdo)**

**P-10c Cercanía de un paso a nivel, puente móvil o muelle (lado izquierdo)**

**P-11 Situación de un paso a nivel sin barreras**

**P-11a Situación de un paso a nivel sin barreras de más de una vía férrea**

**P-12 Aeropuerto**

**P-13a Curva peligrosa hacia la derecha**

**P-13b Curva peligrosa hacia la izquierda**

**P-14a Curvas peligrosas hacia la derecha**

**P-14b Curvas peligrosas hacia la izquierda**

**P-15 Perfil irregular**

**P-15a Resalto**

**P-15b Badén**

**P-16a Bajada con fuerte pendiente**

**P-16b Subida con fuerte pendiente**

**P-17 Estrechamiento de la calzada**

**P-17a Estrechamiento de la calzada por la derecha**

**P-17b Estrecha-miento de la calzada por la izquierda**

**P-18 Obras**

**P-19 Pavimento deslizante**

**P-20 Peatones**

**P-21 Niños**

**P-22 Ciclistas**

**P-23 Paso
de animales
domésticos**

**P-24 Paso de
animales en
libertad**

**P-25 Circulación en
los dos sentidos**

**P-26
Desprendimiento**

**P-27 Muelle**

**P-28 Proyección de
gravilla**

**P-29 Viento
transversal**

**P-30 Escalón lateral**

**P-31 Congestión**

**P-32 Obstrucción
en la calzada**

**P-33 Visibilidad
reducida**

**P-34 Pavimento
deslizante por hielo
o nieve**

**P-50 Otros peligros**

## 5.2. SEÑALES DE PRIORIDAD

**R-1 Ceda el paso**

**R-2 Detención obligatoria o STOP**

**R-3 Calzada con prioridad**

**R-4 Fin de proridad**

**R-5 Prioridad en sentido contrario**

**R-6 Prioridad respecto al sentido contrario**

## 5.3. SEÑALES DE PROHIBICIÓN DE ENTRADA

**R-100 Circulación prohibida**

**R-101 Entrada prohibida**

**R-102 Entrada prohibida a vehículos de motor**

**R-103 Entrada prohibida a vehículos de motor, excepto motocicletas de dos ruedas**

**R-104 Entrada
prohibida a
motocictocicletas**

**R-105 Entrada
prohibida a
ciclomotores**

**R-106 Entrada
prohibida a
vehículos destinados
al transporte de
mercancías**

**R-107 Entrada
prohibida a
vehículos destinados
al transporte de
mercancías con
mayor masa
autorizada que la
indicada**

**R-108 Entrada
prohibida a
vehículos que
transporten
mercancías
peligrosas**

**R-109 Entrada
prohibida a
vehículos que
transporten
mercancías
explosivas o
inflamables**

**R-110 Entrada
prohibida a
vehículos que
transporten
productos
contaminantes del
agua**

**R-111 Entrada
prohibida a
vehículos agrícolas
de motor**

**R-112 Entrada
prohibida a
vehículos de motor
con remolque, que
no sea un
semirremolque o un
remolque de un solo
eje**

**R-113 Entrada
prohibida a
vehículos de tracción
animal**

**R-114 Entrada
prohibida a ciclos**

**R-115 Entrada
prohibida a carros
de mano**

**R-116 Entrada prohibida a peatones**

**R-117 Entrada prohibida a animales de montura**

## 5.4. SEÑALES DE RESTRICCIÓN DE PASO

**R-200 Prohibición de pasar sin deternerse**

**R-201 Limitación de masa**

**R-202 Limitación de masa por eje**

**R-203 Limitación de longitud**

**R-204 Limitación de anchura**

**R-205 Limitación de altura**

## 5.5. OTRAS SEÑALES DE PROHIBICIÓN O RESTRICCIÓN

**R-300 Separación mínima**

**R-301 Velocidad máxima**

**R-302 Giro a la derecha prohibido**

**R-303 Giro a la izquierda prohibido**

**R-304 Media vuelta prohibida**

**R-305 Adelantamiento prohibido**

**R-306 Adelantamiento prohibido para camiones**

**R-307 Parada y estacionamiento prohibido**

**R-308 Estacionamiento prohibido**

**R-308 a Estacionamiento prohibido los días impares**

**R-308 b Estacionamiento prohibido los días pares**

**R-308c Estacionamiento prohibido la primera quincena**

**R-308 d Estacionamiento prohibido la segunda quincena**

**R-308 e Estacionamiento prohibido en vado**

**R-309 Zona de estacionamiento limitado**

**R-310 Advertencias acústicas prohibidas**

## 5.6. SEÑALES DE OBLIGACIÓN

**R-400a Sentido obligatorio**

**R-400b Sentido obligatorio**

**R-400c Sentido obligatorio**

**R-400d Sentido obligatorio**

**R-400e Sentido obligatorio**

**R-401a Paso obligatorio**

**R-401b Paso obligatorio**

**R-401c Paso obligatorio**

**R-402 Intersección de sentido giratorio-obligatorio**

**R-403a Únicas direcciones y sentidos permitidos**

**R-403b Únicas direcciones y sentidos permitidos**

**R-403c Únicas direcciones y sentidos permitidos**

**R-404 Calzada para automóviles, excepto motocicletas**

**R-405 Calzada para motocicletas**

**R-406 Calzada para camiones y furgones**

**R-407 a) Vía reservada para ciclos o vía ciclista**

**R-407b) Vía reservada para ciclomotores**

**R-408 Camino para vehículos de tracción animal**

**R-409 Camino reservado para animales de montura**

**R-410 Camino reservado para peatones**

R-411 Velocidad
mínima

R-412 Cadenas
para nieve

R-413 Alumbrado
de corto alcance

R-414 Calzada para
vehículos que
transporten
mercancías
peligrosas

R-415 Calzada para
vehículos que
transporten
productos
contaminantes del
agua

R-416 Calzada para
vehículos que
transporten
mercancías
explosivas o
inflamables

R-417 Uso
obligatorio del
cinturón de
seguridad

R-418. Vía
exclusiva para
vehículos dotados
de equipo de
telepeaje operativo

## 5.7. SEÑALES DE FIN DE PROHIBICIÓN O RESTRICCIÓN

R-500 Fin de
prohibiciones

R-501. Fin de la
limitación de
velocidad

R-502 Fin de la
prohibición de
adelantamiento

R-503 Fin de la
prohibición de
adelantamiento
para camiones

R-504 Fin de zona de
estacionamiento limitado

R-505 Fin de vía reservada
para ciclos

R-506 Fin de velocidad
mínima

## 5.8. SEÑALES DE INDICACIONES GENERALES

**S-1 Autopista**

**S-2 Fin de Autopista**

**S-1a Autovía**

**S-2a Fin de autovía**

**S-3 Vía reservada para automóviles**

**S-4 Fin de vía reservada para automóviles**

**S-5 Túnel**

**S-6 Fin de túnel**

**S-7 Velocidad máxima aconsejable**

**S-8 Fin de velocidad máxima aconsejada**

**S-9 Intervalo aconsejado de velocidades**

**S-10 Fin de intervalo aconsejado de velocidades**

**S-11 Calzada de sentido único**

**S-11a Calzada de sentido único**

**S-11b Calzada de sentido único**

**S-12 Tramo de calzada de sentido único**

S-13 Situación de
un paso para
peatones

S-14 a Paso superior
para peatones

S-14 b Paso inferior
para peatones

S-15a
Preseñalización de
calzada sin salida

S-15b
Preseñalización de
calzada sin salida

S-15c
Preseñalización de
calzada sin salida

S-15d
Preseñalización de
calzada sin salida

S-16 Zona de
frenado de
emergencia

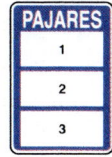

S-21 Transitabilidad
en tramo o puerto
de montaña

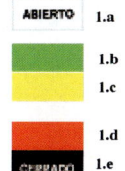

S-21. 1
Transitabilidad en
tramo o puerto de
montaña

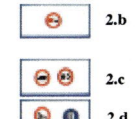

S-21.2
Transitabilidad en
tramo o puerto de
montaña

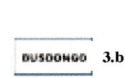

S-21.3
Transitabilidad en
tramo o puerto de
montaña

**S-22 Cambio de sentido al mismo nivel**

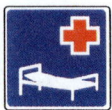

**S-23 Hospital**

**S-24 Fin de obligación de alumbrado de corto alcance (cruce)**

**S-25 Cambio de sentido a distinto nivel**

**S-26a (300 m) Panel de aproximación a salida**

**S-26b (200 m) Panel de aproximación a salida**

**S-26c (100 m.) Panel de aproximación a salida**

**S-27 Auxilio en carretera**

**S-28 Calle residencial**

**S-29 Fin de calle residencial**

**S-30 Zona a 30**

**S-31 Fin de zona a 30**

**S-32 Telepeaje**

**S-33 Senda ciclable**

**S-34 Apartadero**

**S-34 a Apartadero**

## 5.9. SEÑALES DE CARRILES

**S-50a Carriles reservados para el tráfico en función de la velocidad señalizada**

**S-50b Carriles reservados para el tráfico en función de la velocidad señalizada**

**S-50c Carriles reservados para el tráfico en función de la velocidad señalizada**

**S-50d Carriles reservados para el tráfico en función de la velocidad señalizada**

**S-50e Carriles reservados para el tráfico en función de la velocidad señalizada**

**S-51 Carril reservado para autobuses**

**S-52 Final de carril destinado a la circulación**

**S-52a Final del carril destinado a circulación**

**S-52b Final del carril destinado a circulación**

**S-53 Paso de uno a dos carriles de circulación**

**S-53 a Paso de uno a dos carriles de circulación con especificación de la velocidad máxima en cada uno de ellos**

**S-53 b Paso de dos a tres carriles de circulación**

**S-53 c Paso de dos a tres carriles de circulación con especificación de la velocidad máxima en cada uno de ellos**

**S-60 a Bifurcación hacia la izquierda en calzada de dos carriles**

**S-60 b Bifurcación hacia la derecha en calzada de dos carriles**

**S-61 a Bifurcación hacia la izquierda en calzada de tres carriles**

**S-61 b Bifurcación hacia la derecha en calzada de tres carriles**

**S-62 a Bifurcación hacia la izquierda en calzada de cuatro carriles**

**S-62 b Bifurcación hacia la derecha en calzada de cuatro carriles**

**S-63 Bifurcación en calzada de cuatro carriles**

**S-64 Carril bici o vía ciclista adosada a la calzada**

## 5.10. SEÑALES DE SERVICIO

**S-100 Puesto de socorro**

**S-101 Base de ambulancia**

**S-102 Servicio de inspección técnica de vehículos**

**S-103 Taller de reparación**

**S-104 Teléfono**

**S-105 Surtidor de carburante**

**S-106 Taller de reparación y surtidor de carburante**

**S-107 Campamento**

**S-108 Agua**

**S-109 Lugar pintoresco**

**S-110 Hotel o motel**

**S-111 Restauración**

**S-112 Cafetería**

**S-113 Terreno para remolques-vivienda**

**S-114 Merendero**

**S-115 Punto de partida para excursiones a pie**

**S-116 Campamento y terreno para remolques-vivienda**

**S-117 Albergue de juventud**

**S-118 Información turística**

**S-119 Coto de pesca**

**S-120 Parque nacional**

**S-121 Monumento**

**S-122 Otros servicios**

**S-123 Área de descanso.**

**S-124 Estacionamiento para usuarios del ferrocarril**

**S-125 Estacionamiento para usuarios del ferrocarril inferior**

**S-126 Estacionamiento para usuarios de autobús**

**S-127 Área de Servicio**

## 5.11. SEÑALES DE PRESEÑALIZACIÓN

**S-200 Preseñalización de glorieta**

**S-220 Preseñalización de direcciones hacia una carretera convencional**

**S-222 Preseñalización de direcciones hacia una autopista o autovía**

**S-222 a Preseñalización de direcciones hacia una autopista o una autovía y dirección propia**

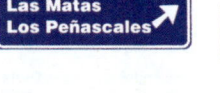

**S-225 Preseñalización de direcciones en una autopista o una autovía hacia cualquier carretera**

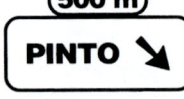

**S-230 Preseñalización con señales sobre la calzada en carretera convencional hacia carretera convencional**

**S-230a Preseñalización con señales sobre la calzada en carretera convencional hacia carretera convencional y dirección propia**

**S-232 Preseñalización con señales sobre la calzada en carretera convencional hacia autopista o autovía**

**S-232a Preseñalización con señales sobre la calzada en carretera convencional hacia autopista o autovía y dirección propia**

**S-235 Preseñalización con señales sobre la calzada en autopista o autovía hacia cualquier carretera**

**S-235a Preseñalización con señales sobre la calzada en autopista o autovía hacia cualquier carretera y dirección propia**

**S-242 Preseñalización en autopista o autovía de dos salidas muy próximas hacia cualquier carretera**

**S-242a Preseñalización en autopista o autovía de dos salidas muy próximas hacia cualquier carretera y dirección propia**

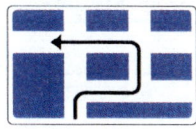

**S-250 Preseñalización de itinerario**

**S-260 Preseñalización de carriles**

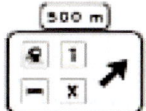

**S-261 Preseñalización en carretera convencional de zona o área de servicios**

**S-263 Preseñalización en autopista o autovía de una zona o área de servicios con salida compartida**

**S-263a Preseñalización en autopista o autovía de una zona o área de servicios con salida exclusiva**

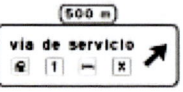

**S-264 Preseñalización en carretera convencional de una vía de servicio**

**S-266 Preseñalización en autopista o autovía de una vía de servicio con salida compartida**

**S-266a Preseñalización en autopista o autovía de una vía de servicio con salida exclusiva**

**S-270 Preseñalización de dos salidas muy próximas**

**S-271 Preseñalización de área de servicio**

## 5.12. SEÑALES DE DIRECCIÓN

**S-300 Poblaciones de un itinerario por carretera convencional**

**S-301 Poblaciones en un itinerario por autopista o autovía**

**S-310 Poblaciones de varios itinerarios**

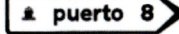

**S-320 Lugares de interés por carretera convencional**

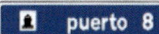

**S-321 Lugares de interés por autopista o autovía**

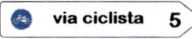

**S-322 Señal de destino hacia una vía ciclista o senda ciclable**

**S-341 Señal de destino de salida inmediata hacia carretera convencional**

**S-342 Señal de destino de salida inmediata hacia autopista o autovía**

**S-344 Señal de destino de salida inmediata hacia una zona, área o vía de servicios**

**S-347 Señal de destino de salida inmediata hacia una zona, área o vía de servicios, con salida compartida hacia una autopista o autovía**

**S-348 a Señal de destino en desvío**

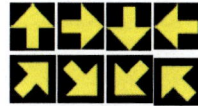

**S-348 b Señal variable de destino**

**S-350 Señal sobre la calzada, en carretera convencional. Salida inmediata hacia carretera convencional**

**S-351 Señal sobre la calzada, en autopista o autovía. Salida inmediata hacia carretera convencional**

**S-354 Señal sobre la calzada, en carretera convencional. Salida inmediata hacia autopista o autovía**

**S-355** Señal sobre la calzada, en autopista y aotovía. Salida inmediata hacia autopista o autovía

**S-360** Señales sobre la calzada en carretera convencional. Salida inmediata hacia carretera convencional y dirección propia

**S-362** Señales sobre la calzada en carretera convencional. Salida inmediata hacia autopista o autovía y dirección propia

**S-366** Señales sobre la calzada en autopista o autovía. Salida inmediata hacia carretera convencional y dirección propia

**S-368** Señales sobre la calzada en autopista o autovía. Salida hacia autopista o autovía y dirección propia

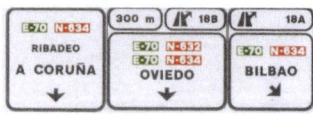

**S-371** Señales sobre calzada en carretera convencional, dos salidas inmediatas muy próximas hacia carretera convencional y dirección propia

**S-373** Señales sobre la calzada en autopista o autovía. Dos salidas inmediatas muy próximas hacia carretera convencional y dirección propia

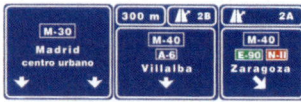

**S-375** Señales sobre la calzada en autopista o autovía. Dos salidas inmediatas muy próximas hacia autopista o autovía y dirección propia

## 5.13. SEÑALES DE IDENTIFICACIÓN DE CARRETERAS

**S-400 Itinerario europeo**

**S-410 Autopista y Autovía**

**S-410 a Autopista de Peaje**

**S-420 Carretera de la Red General del Estado**

**C-607**

**S-430 Carretera autonómica de primer nivel**

**C-170**

**S-440 Carretera autonómica de segundo nivel**

**C-241**

**S-450 Carretera autonómica de tercer nivel**

## 5.14. SEÑALES DE LOCALIZACIÓN

LOS CORRALES
DE BUELNA

**S-500 Entrada a poblado**

**S-510 Fin de población**

puerto de
Navacerrada   1700 m

**S-520 Situación de punto característico de la vía**

PROVINCIA DE
HUESCA

**S-540 Situación de límite de provincia**

COMUNIDAD DE
ARAGÓN

**S-550 Situación de límite de Comunidad Autónoma**

**S-560 Situación de límite de Comunidad Autónoma y Provincia**

A-68
km
275

**S-570 Hito kilométrico en autopista y autovía**

AP-7
km
225

**S- 570 a Hito kilométrico en Autopista de Peaje**

E-804
A-68
km
275

**S-571 Hito kilométrico en autopista y autovía que, además, forma parte de un itinerario europeo**

**S-572 Hito kilométrico en carretera convencional**

**S-573 Hito kilométrico en itinerario europeo**

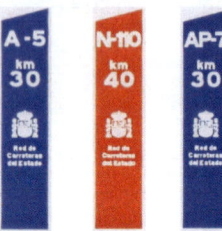

**S-574, S-574 a y S-574b Hito miriamétrico
en autopista, autovía, carretera
convencional y autopista de peaje**

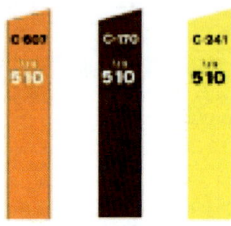

**S-575 Hito miriamétrico**

## 5.15. SEÑALES DE CONFIRMACIÓN

**S-600 Confirmación de poblaciones en un
itinerario por carretera convencional**

**S-602 Confirmación de poblaciones en un
itinerario por autopista o autovía**

## 5.16. SEÑALES DE USO ESPECÍFICO EN POBLADO

S-700
Lugares de la red viaria urbana

S-710
Lugares de interés para viajeros

S-720
Lugares de interés deportivo o
recreativo

S-730
Lugares de carácter geográfico o
ecológico

S-740
Lugares de interés monumental o
cultural

S-750
Zonas de uso industrial

S-760
Autopistas y autovías

S-770
Otros lugares y vías

## 5.17. PANELES COMPLEMENTARIOS

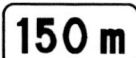

**S-800** Distancia al comienzo del peligro o prescripción

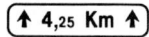

**S-810** Longitud del tramo peligroso o sujeto a prescripción

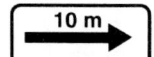

**S-820** Extensión de la prohibición, a un lado

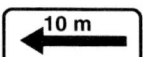

**S-821** Extensión de la prohibición, a un lado

**S-830** Extensión de la prohibición a ambos lados

**S-840** Preseñalización de detención obligatoria

**S-850** Itinerario con prioridad

**S-851** Itinerario con prioridad

**S-852** Itinerario con prioridad

**S-853** Itinerario con prioridad

**S-860** Genérico

**S-870** Aplicación de la señalización

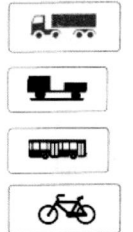

**S-880** Aplicación de señalización a determinados vehículos

**S-890** Panel complementario de una señal vertical

## 5.18. OTRAS SEÑALES

**S-900 Peligro de incendio**

**S-910 Extintor**

**S-920 Entrada a España**

**S-930 Confirmación del país**

**S-940 Limitaciones de velocidad en España**

**S-950 Radiofrecuencia de emisoras específicas de información sobre carreteras**

**S-960. Teléfono de emergencia**

**S-970 Apartadero**

**S-980 Salida de Emergencia**

**S-990 Salida Emergencia**

## 6. SEÑALIZCIÓN HORIZONTAL Y MARCAS VIALES

## 6.1. MARCAS BLANCAS LONGITUDINALES

**Marcas
longitudinales
discontinuas dobles**

**Marcas
longitudinales
continuas adosadas
a discontinuas**

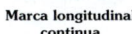

**Marca longitudinal
continua**

**Marca longitudinal
discontinua**

**Marca de guía en la intersección**

## 6.2. MARCAS BLANCAS TRANSVERSALES

**Marca transversal
continua**

**Marca transversal
discontinua**

**Marca de paso para
peatones**

**Marca de paso para
ciclistas**

## 6.3. SEÑALES HORIZONTALES DE CIRCULACIÓN

**Ceda el paso**

**Detención obligatoria o STOP**

**Señal de limitación de velocidad**

**Flechas de selección de carriles**

**Flecha de salida**

**Flecha fin de carril**

**Flecha de retorno**

## 6.4. OTRAS MARCAS E INSCRICIONES DE COLOR BLANCO

**Marca de bifurcación**

**Marca de paso a nivel**

**Marcas de estacionamiento**

**Marca de comienzo de carril reservado**

**Inscripción de carril o zona reservada**

**Marca de vía ciclista**

**Cebreado**

**Línea de borde**

**Otras marcas**

## 6.5. MARCAS DE OTROS COLORES

**Marca amarilla en zig-zag**

**Marca amarilla longitudinal continua**

**Marca amarilla longitudinal discontinua**

**Cuadrícula de marcas amarillas**

**Damero blanco y rojo**

**Marcas azules**

## ANEXO II. PRUEBAS DEPORTIVAS, MARCHAS CICLISTAS Y OTROS EVENTOS

*Sección 1ª. Pruebas deportivas*

**Artículo 1.** *Objeto.–* Esta normativa tiene por objeto establecer una regulación de la utilización de la vía para la realización de pruebas deportivas competitivas organizadas.

**Artículo 2.** *Tramitación de las solicitudes de autorización.–* La tramitación para solicitar la autorización de las pruebas deportivas por parte de la autoridad gubernativa correspondiente será la siguiente:

1. Competencias.

La competencia para expedir la autorización para celebrar una prueba deportiva corresponderá:

a) Al organismo autónomo Jefatura Central de Tráfico, cuando el recorrido de la prueba se desarrolle por vías de más de una Comunidad Autónoma.

b) A la Comunidad Autónoma correspondiente y a las Ciudades de Ceuta y Melilla, cuando la prueba se desarrolle íntegramente por vías situadas dentro de su ámbito territorial.

c) Al ayuntamiento, cuando la prueba se desarrolle íntegramente dentro del casco urbano, con exclusión de las travesías.

2. Informes.

a) Del titular de la vía: los organismos titulares de las vías por las que vayan a discurrir las pruebas deportivas emitirán informe sobre su viabilidad.

b) Del organismo autónomo Jefatura Central de Tráfico: cuando la competencia para autorizar las pruebas esté atribuida a una Comunidad Autónoma, ésta solicitará informe de las Jefaturas de Tráfico de las provincias por cuyo territorio discurran, y, en el caso de que la competencia esté atribuida a las Ciudades de Ceuta o de Melilla, éstas solicitarán informe de la Jefatura Local de Tráfico, siempre que la vigilancia y regulación del tráfico esté atribuida a la Administración General del Estado. En las Comunidades Autónomas que tengan transferida la competencia de ejecución en materia de vigilancia de la circulación, el informe se solicitará al órgano que la ejerza. Los informes fijarán los servicios de vigilancia.

c) Los informes previstos en los párrafos a) y b) tendrán carácter vinculante cuando se opongan a la realización de la prueba deportiva o la condicionen al cumplimiento de determinadas prescripciones técnicas.

3. Documentación.

La solicitud de autorización especial para celebrar pruebas deportivas se presentará dirigida al órgano competente con, al menos, 30 días de antelación, acompañada de los siguientes documentos:

a) Permiso de organización expedido por la federación deportiva correspondiente, cuando así lo exija la legislación deportiva.

b) Memoria de la prueba en el que se hará constar:

1.º Nombre de la actividad y, en su caso, número cronológico de la edición.

2.º Reglamento de la prueba.

3.º Croquis preciso del recorrido, fecha de celebración, itinerario, perfil, horario probable de paso por los distintos puntos determinantes del recorrido y promedio previsto tanto de la cabeza de la prueba como del cierre de ésta.

4.º Identificación de los responsables de la organización, y concretamente del director ejecutivo, y del responsable de seguridad vial, que dirigirá la actividad del personal auxiliar habilitado.

5.º Número aproximado de participantes previstos.

6.º Proposición de medidas de señalización de la prueba y del resto de los dispositivos de seguridad previstos en los posibles lugares peligrosos, así como la función que deba desempeñar el personal auxiliar habilitado, todo ello mediante informe detallado y que será comunicado en su momento por el responsable de la seguridad vial de la prueba o las fuerzas del orden al personal responsable de la vigilancia de estos puntos conflictivos.

El responsable de seguridad vial de la prueba deberá conocer las normas de circulación, para lo cual deberá poseer permiso de conducción en vigencia.

Las autoridades competentes redactarán una instrucción específica que contendrá nociones básicas sobre regulación de tráfico, y cuyo contenido será de obligado conocimiento para el responsable de seguridad vial de la prueba.

7.º Justificante de la contratación de los seguros de responsabilidad civil y de accidentes a los que se refiere el artículo 14 de este Anexo.

4. Resolución.

La autoridad competente dictará y notificará la resolución en el plazo de 10 días hábiles desde la presentación de la solicitud. Transcurrido este plazo sin que se haya dictado la resolución, se entenderá concedido el permiso para la organización de la prueba. Contra la resolución podrán interponerse los recursos que procedan. La resolución que se dicte fijará los servicios de vigilancia, cuyo coste correrá a cargo de los organizadores de la prueba.

**Artículo 3.** *Normativa aplicable.*– La actividad de las pruebas deportivas se regirá por las normas establecidas en esta normativa especial, por los reglamentos deportivos y demás normas que resulten de aplicación.

**Artículo 4.** *Uso de las vías.*– Las pruebas deportivas se disputarán con el tráfico completamente cerrado a los usuarios ajenos a dicha prueba, y gozarán del uso exclusivo de las vías en el espacio comprendido entre el vehículo de apertura con bandera roja y el de cierre con bandera verde.

**Artículo 5.** *Control de las pruebas deportivas.*– El control y orden de la prueba, tanto por lo que respecta a los participantes como al resto de usuarios de la vía, estará encomendado a los agentes de la autoridad o al personal de la organización habilitado, que actuará siguiendo las directrices de los agentes o del responsable de seguridad vial.

**Artículo 6.** *Obligaciones de los participantes.*– 1. Todos los participantes en una prueba deportiva, con las excepciones previstas en este reglamento, están obligados al cumplimiento de las normas particulares del reglamento de la prueba y a las que en un momento determinado establezca o adopte, por seguridad, el responsable de la prueba o la autoridad competente, no obstante estar eximidos del cumplimiento de las normas generales de circulación.

2. Cuando un participante no se encuentre en condiciones para mantener el horario previsto para el último de los participantes o sobrepase el tiempo previsto de cierre de control de la actividad, será superado por el vehículo con bandera verde, que indica el final de la zona de competición, por lo que deberá abandonar la prueba con el fin de no entorpecer el tráfico automovilístico y el desarrollo de la propia actividad. En caso de continuar deberá cumplir las normas y señales, y será considerado un usuario más de la vía.

**Artículo 7.** *Vehículos de apoyo.*– La organización dispondrá de vehículos de apoyo suficientes, banderines y medios adecuados para la señalización del recorrido, tanto por lo que respecta a los participantes como al resto de usuarios de la vía, así como de los servicios necesarios para retirar la señalización al terminar la actividad, y desperdicios que ocasionen los avituallamientos, dejando la vía y sus alrededores en el mismo estado que antes de su celebración.

**Artículo 8.** *Señalización de itinerarios.–* Los itinerarios deben señalizarse en los lugares peligrosos, incluso con la presencia de personal de la organización y con instrucciones precisas del responsable de seguridad vial. Las señalizaciones deberán ser retiradas o borradas una vez que pase el último participante y nunca serán colocadas de manera que provoquen confusión para la circulación rodada ajena a la actividad deportiva. Cuando las indicaciones se hagan sobre la calzada, se deberán utilizar materiales que se borren después de pocas horas.

**Artículo 9.** *Condiciones de la circulación.–* 1. Todas las pruebas irán precedidas por un agente de la autoridad con una bandera roja y finalizadas por otro con una bandera verde, las cuales acotarán para los participantes y el resto de usuarios de la vía el inicio y fin del espacio ocupado para la prueba. Estará prohibida la circulación de vehículos en el espacio comprendido entre la bandera roja y la verde, excepto los vehículos autorizados expresamente y con la autorización situada en lugar visible.

Entre una y otra bandera, el personal auxiliar habilitado que realice funciones de orden, control o seguridad irá provisto de una bandera de color amarillo en indicación de atención o peligro, así como con vestimenta de alta visibilidad homologada y que responda a las prescripciones técnicas contenidas en el Real Decreto 1407/1992, de 20 de noviembre.

2. Sin perjuicio de ello, la organización incorporará vehículos pilotos de protección que estarán dotados de carteles que anuncien el comienzo y el final de la prueba, y deberán, en su caso, situar el coche de apertura y cierre de la prueba como mínimo 200 metros por delante y por detrás del primer participante y del último, respectivamente.

3. Las características de los vehículos piloto a que se hace referencia en el apartado anterior serán las siguientes:

a) Vehículos de apertura:

Portador de cartel con la inscripción «Atención: prueba deportiva. STOP», sin que en ningún caso exceda la anchura del vehículo.

Bandera roja.

Rotativo de señalización de color naranja.

Luces de avería y de cruce encendidas.

b) Vehículo de cierre:

Portador de cartel con la inscripción «Fin de carrera. CONTINÚE», sin que en ningún caso exceda la anchura del vehículo.

Bandera verde.

Rotativo de señalización de color naranja.

Luces de avería y de cruce encendidas.

**Artículo 10.** *Servicios sanitarios.–* 1. La organización dispondrá la existencia durante la celebración de la actividad de la presencia obligatoria, como mínimo, de una ambulancia y de un médico para la asistencia de todos los participantes, sin perjuicio de su ampliación con más personal sanitario en la medida que se estime necesario.

2. En las pruebas cuya participación supere los 750 deportistas, se contará con un mínimo de dos médicos, dos socorristas y dos ambulancias, y deberá añadirse, como mínimo, una ambulancia y un médico por cada fracción suplementaria de 1.000 participantes.

**Artículo 11.** *Condición de los participantes.–* Los participantes que circulen fuera del espacio delimitado por los vehículos de señalización de inicio y fin de la prueba serán considerados usuarios normales de la vía, y no les será de aplicación esta normativa especial.

**Artículo 12.** *Requisitos de los responsables de la prueba.–* El director ejecutivo y el responsable de seguridad vial de la prueba deportiva deberán ser mayores de edad y tener conocimientos de las normas de circulación, para lo que será suficiente poseer la licencia o el permiso de conducción en vigor, así como conocimiento del reglamento de la prueba.

El responsable de seguridad vial deberá indicar de modo preciso a cada uno de los miembros del personal auxiliar habilitado la función que deban desempeñar, de acuerdo con la memoria aprobada por la autoridad gubernativa competente.

**Artículo 13.** *Personal auxiliar.–* El personal auxiliar para el mantenimiento del orden y control de la actividad deberá ser en número razonable, en función de las características de la actividad, dependerá del responsable de seguridad vial y deberá tener, como mínimo, las siguientes características:

a) Ser mayor de 18 años y poseer permiso de conducción.

b) Disponer por escrito de las instrucciones precisas dadas por el responsable de seguridad vial de la prueba y que habrán sido explicadas previamente por éste o por los agentes de la autoridad que den cobertura a la prueba.

c) Disponer de un sistema de comunicación eficaz que permita al responsable de seguridad vial entrar en contacto con el personal habilitado durante la celebración de la prueba.

d) Disponer de material de señalización adecuado, integrado, como mínimo, por conos y banderas verde, amarilla y/o roja, para indicar a los usuarios si la ruta está o no libre, o una situación de peligrosidad.

e) Deberá poder desplazarse de un punto a otro del recorrido para el ejercicio de sus funciones.

**Artículo 14.** *Obligaciones de los participantes.-* Todos los participantes de la prueba deben estar cubiertos por un seguro de responsabilidad civil que cubra los posibles daños a terceros hasta los mismos límites que para daños personales y materiales establece el Real Decreto 7/2001, de 12 de enero, para el seguro de responsabilidad civil de vehículos a motor de suscripción obligatoria, y un seguro de accidentes que tenga, como mínimo, las coberturas del seguro obligatorio deportivo regulado en el Real Decreto 849/1993, de 4 de junio, sin cuya preceptiva contratación no se podrá celebrar prueba alguna.

*Sección 2ª. Marchas ciclistas*

**Artículo 15.** *Objeto y ámbito de aplicación.-* 1. Esta normativa tiene por objeto establecer una regulación de las marchas ciclistas organizadas, concebidas como un ejercicio físico con fines deportivos, turísticos o culturales.

2. Se entenderá por marchas ciclistas organizadas aquellas actividades de más de 50 ciclistas.

**Artículo 16.** *Marchas ciclistas organizadas.-* Las normas establecidas en esta Sección sólo regulan con carácter vinculante las marchas ciclistas organizadas.

**Artículo 17.** *Requisitos de las marchas ciclistas organizadas.-* Las marchas ciclistas organizadas deberán cumplimentar los requisitos administrativos indicados en el artículo 2 de la Sección 1ª. de este Anexo.

**Artículo 18.** *Comunicación a las autoridades competentes.–* La organización estará obligada a comunicar la celebración de la marcha ciclista a los ayuntamientos de las localidades por los que aquélla discurra.

**Artículo 19.** *Control de las marchas ciclistas.–* El control y orden de la marcha, tanto en lo que respecta a los participantes como al resto de usuarios de la vía, estará encomendado a los agentes de la autoridad o personal de la organización habilitado. Las órdenes o instrucciones emanadas de dicho personal durante el desarrollo de la actividad, que actuarán siguiendo las directrices de los agentes, tendrán la misma consideración que la de dichos agentes, al actuar como auxiliar de éstos.

**Artículo 20.** *Obligaciones de los participantes.–* Todos los participantes de una actividad ciclista organizada, con las excepciones previstas en este reglamento, podrán circular y agruparse libremente, siempre por su carril, excepto que por seguridad el responsable de la prueba o la autoridad competente puntualmente indique otro criterio durante el desarrollo de la marcha.

En general, los participantes deberán cumplir la normativa de circulación, especialmente cuando marchen desagrupados de los demás.

**Artículo 21.** *Vehículos piloto de apoyo.–* La organización dispondrá de vehículos piloto de apoyo suficiente, banderines y medios adecuados para la señalización del recorrido, tanto por lo que respecta a los participantes como al resto de usuarios de la vía, así como de los servicios necesarios para retirar la señalización al término de la actividad, y desperdicios que ocasionen los avituallamientos, dejando la carretera y sus alrededores en el mismo estado que antes de su celebración.

**Artículo 22.** *Señalización de itinerarios.–* Los itinerarios deben señalizarse en los lugares peligrosos, incluso con la presencia de personal de la organización habilitado y con instrucciones precisas del responsable de la organización. Las señalizaciones deberán ser retiradas o borradas una vez que pase el último participante y nunca serán colocadas de manera que provoquen confusión para la circulación rodada ajena a la actividad ciclista. Cuando las indicaciones se hagan sobre la calzada, se deberán utilizar materiales que se borren después de pocas horas.

**Artículo 23.** *Condiciones de la circulación.–* 1. Todas las pruebas irán precedidas por un agente de la autoridad con una bandera roja y finalizadas por otro con una bandera verde, las cuales acotarán para los participantes y el resto de usuarios de la vía el inicio y el fin del espacio ocupado para la prueba. Entre una y otra el personal auxiliar habilitado que realice funciones de orden, control o seguridad irá provisto de una bandera de color amarillo en indicación de precaución.

2. Sin perjuicio de ello, la organización incorporará vehículos piloto de protección que estarán dotados de carteles que anuncien el comienzo y el final de la prueba, y deberán, en su caso, situar el coche de apertura y cierre de la prueba como mínimo 200 metros por delante y por detrás del primer participante y del último, respectivamente.

3. Las características de los vehículos piloto a los que se hace referencia en el apartado anterior serán las siguientes:

a) Vehículos de apertura:

Portador de cartel con la inscripción "Atención: marcha ciclista", sin que en ningún caso exceda la anchura del vehículo.

Bandera roja.

Rotativo de señalización de color naranja.

Luces de avería y de cruce encendidas.

b) Vehículo de cierre:

Portador de cartel con la inscripción "Fin marcha ciclista", sin que en ningún caso exceda la anchura del vehículo.

Bandera verde.

Rotativo de señalización de color naranja.

Luces de avería y de cruce encendidas.

**Artículo 24.** *Servicios sanitarios.–* 1. La organización dispondrá durante la celebración de la actividad de la presencia obligatoria, como mínimo, de una ambulancia y de un médico para la asistencia de todos los participantes, sin perjuicio de su ampliación con más personal sanitario en la medida que se estime necesario.

2. En las pruebas cuya participación supere los 750 ciclistas, se contará con un mínimo de dos médicos, dos socorristas y dos ambulancias, y deberá añadirse, como mínimo, una ambulancia y un médico por cada fracción suplementaria de 1.000 participantes.

**Artículo 25.** *Comportamiento de los participantes.*– Los agentes de la autoridad y el personal auxiliar habilitado podrán impedir su continuidad en la actividad a aquellas personas que con sus acciones constituyan un peligro para el resto de los participantes o usuarios de las vías.

**Artículo 26.** *Requisitos de los responsables de la marcha.*– El director ejecutivo y el responsable de seguridad vial de la prueba deportiva deberán ser mayores de edad. Este último deberá conocer las normas de circulación, para lo cual deberá poseer permiso de conducción en vigencia.

El responsable de seguridad vial deberá indicar de modo preciso a cada uno de los miembros del personal auxiliar habilitado la función que deban desempeñar, de acuerdo con el reglamento particular aprobado por la autoridad gubernativa competente.

**Artículo 27.** *Personal auxiliar.*– El personal auxiliar para el mantenimiento del orden y control de la actividad deberá ser en número razonable, en función de las características de la actividad, dependerá del responsable de seguridad vial y deberá tener, como mínimo, las siguientes características:

a) Ser mayor de 18 años y poseer permiso de conducción.

b) Disponer por escrito de las instrucciones precisas dadas por el responsable de seguridad vial de la prueba y que habrán sido explicadas previamente por éste o por los agentes de la autoridad que den cobertura a la prueba.

c) Estar debidamente identificado con petos y ropa visible. Disponer de un sistema de comunicación eficaz que permita al responsable de seguridad vial entrar en contacto con el personal habilitado durante la celebración de la prueba.

d) Disponer de material de señalización adecuado, integrado, como mínimo, por conos y banderas verde, amarilla y/o roja, para indicar a los usuarios si la ruta está o no libre, o una situación de peligrosidad.

e) Deberá desplazarse de un punto a otro del recorrido para el ejercicio de sus funciones.

**Artículo 28.** *Obligaciones de los participantes.*– Todos los participantes de la marcha deben estar amparados por un seguro de responsabilidad civil que cubra los posibles daños a terceros y por un seguro de accidentes que tenga, como mínimo, las coberturas del seguro obligatorio deportivo, sin cuya preceptiva contratación no se podrá celebrar prueba alguna.

**Artículo 29.** *Prohibiciones.*– Como norma general, está prohibido el seguimiento de coches de los participantes. Sólo los vehículos autorizados expresamente y con la autorización situada en lugar visible pueden circular detrás de los grupos de ciclistas.

**Artículo 30.** *Desarrollo de las marchas.*– Las marchas se desarrollarán con el tráfico abierto, sin perjuicio de que en ciertas circunstancias o momentos pueda considerarse la opción de cerrar al tráfico determinadas zonas mientras dura el paso de los ciclistas.

**Artículo 31.** *Formación y habilitación del personal auxiliar.*– Por los Ministerios del Interior y de Educación, Cultura y Deporte se fijarán las condiciones, formación y habilitación del personal auxiliar de los agentes de la autoridad que pueda actuar en competiciones deportivas en carretera y marchas ciclistas.

*Sección 3ª. Otros eventos*

**Artículo 32.** *Participación de vehículos históricos.*– Aquellos eventos en que participen vehículos históricos conceptuados como tales de acuerdo con el Real Decreto 1247/1995, de 14 de julio, por el que se aprueba su reglamento regulador, o de más de 25 años de antigüedad en número superior a 10, en los que se establezca una clasificación de velocidad o regularidad inferior a 50 kilómetros por hora de media, así como su participación en acontecimientos o manifestaciones turísticas, concentraciones, concursos de conservación o elegancia y, en general, cualquier clase de evento en los que no se establezca clasificación alguna sobre la base del movimiento de los vehículos, ya sea en función de su velocidad o de la regularidad, precisarán de autorización administrativa.

**Artículo 33.** *Normativa aplicable.*– Las exhibiciones de vehículos antiguos a los que se refiere el artículo anterior se regirán, en lo que resulte de aplicación, por el artículo 2.3 de la Sección 1ª., si bien sólo será exigible el seguro de responsabilidad civil. La circulación por la vía pública de estas agrupaciones de vehículos deberá estar precedida y seguida de un vehículo piloto.

## ANEXO III. NORMAS Y CONDICIONES DE CIRCULACIÓN DE LOS VEHÍCULOS ESPECIALES Y DE LOS VEHÍCULOS EN RÉGIMEN DE TRANSPORTE ESPECIAL

Las normas y condiciones de circulación de los vehículos especiales y de los vehículos en régimen de transporte especial se agrupan y sistematizan de la siguiente forma:

*Sección 1ª. Condiciones de circulación comunes para los grupos 1, 2 y 3*

1. Mantendrá una separación mínima de 50 m con el vehículo que le preceda y permitirá y facilitará el adelantamiento a los vehículos de marcha más rápida, y se detendrá si ello fuera preciso, y sin obligar en ningún caso a los conductores de otros vehículos a modificar bruscamente su velocidad o trayectoria.

2. Las detenciones y estacionamientos se efectuarán fuera de la calzada y del arcén.

3. El vehículo piloto está autorizado para utilizar la señal V-2 mientras preste el servicio, la cual deberá ser visible tanto hacia delante como hacia atrás y será desconectada al finalizar el servicio.

Entre el personal del vehículo piloto y el de la cabina del vehículo especial o en régimen de transporte especial deberán poder establecerse comunicaciones por radio y por teléfono en una lengua conocida por ambas partes.

4. Los vehículos especiales y los vehículos en régimen de transporte especial, además de los dispositivos de señalización que determina el Reglamento General de Vehículos para la categoría del vehículo en cuestión, deberán disponer de señales luminosas V-2 distribuidas de tal forma que quede perfectamente delimitado el contorno de la sección transversal de los vehículos, en sus frontales anterior y posterior, así como de señales V-4, V-5 (optativa de la V-4), V-6, V-16, V-20 y de las contempladas en el artículo 15.6 y 7 del Reglamento General de Circulación, cuando proceda. Asimismo utilizarán permanentemente el alumbrado de cruce.

5. En todo momento se cumplirán las disposiciones restrictivas de tránsito especialmente establecidas, las que se hallen señalizadas en la vía o las que sean indicadas por los agentes de la autoridad encargados de la vigilancia del tráfico.

6. La circulación deberá suspenderse saliendo de la plataforma, con ocasión de la existencia de fenómenos atmosféricos adversos que supongan un

riesgo para la circulación, o cuando no exista una visibilidad de 150 m, como mínimo, tanto hacia delante como hacia atrás.

7. El titular del vehículo deberá cerciorarse, incluso recorriendo el itinerario previamente a la realización de cada viaje, de la no existencia de limitaciones u obstáculos físicos que lo impidan.

8. Los vehículos especiales o en régimen de transporte especial cuya anchura supere los cinco m precisarán acompañamiento de los agentes de la autoridad encargados de la vigilancia del tráfico. El titular deberá dar cuenta, con un mínimo de 72 horas de antelación, a los agentes de la autoridad encargados de la vigilancia del tráfico de la provincia de partida, del lugar, hora, fecha de la iniciación por cada uno de los viajes autorizados, indicará la matrícula del vehículo o las del conjunto de vehículos que realizarán el viaje y adjuntará copia de la autorización. Asimismo se dirigirá idéntico aviso al órgano designado para su recepción por el titular de la vía.

Además de éstas, deberán cumplirse para cada uno de los citados grupos las siguientes normas y condiciones de circulación:

**Grupo 1.** *Normas y condiciones de circulación para vehículos en régimen de transporte especial al superar, por razón de la carga indivisible transportada, las masas o dimensiones máximas.*– 1. La puesta en circulación de estos vehículos deberá estar amparada por la autorización complementaria previa, contemplada en el artículo 14.2 del Reglamento General de Vehículos. Su circulación se ajustará a las normas generales de este reglamento que les sean de aplicación. Sobre ellas prevalecerán las condiciones de circulación que se fijen en la autorización complementaria de circulación.

2. En vías urbanas deberán seguir el itinerario determinado por la autoridad municipal.

3. Acompañamiento de vehículo piloto:

a) Por dimensiones: cuando el vehículo en régimen de transporte especial supere los tres m de anchura o su longitud supere los 20,55 m, deberá situarse detrás, a una distancia mínima de 50 m, en autopistas y autovías; y delante, en el resto de carreteras.

b) Por velocidad: además de lo dispuesto en el caso anterior, en el supuesto de que la velocidad de circulación sea inferior a la mitad de la genérica de la vía, en carreteras convencionales, se situará otro vehículo piloto detrás a una distancia mínima de 50 m.

4. Velocidades:

a) Vehículo con autorización genérica: la velocidad máxima de circulación permitida será de 70 km/h. Sobre estas limitaciones prevalecerán las más restrictivas que figuren en la tarjeta ITV.

b) Vehículo con autorización específica: la velocidad máxima de circulación permitida será de 60 km/h. Sobre estas limitaciones prevalecerán las más restrictivas que figuren en la tarjeta ITV.

c) Vehículo con autorización excepcional: la velocidad máxima de circulación permitida será la fijada en la autorización, que en ningún caso superará los 60 km/h. Sobre estas limitaciones prevalecerán las mas restrictivas que figuren en la tarjeta ITV.

5. Horario de circulación: todo vehículo que circule en régimen de transporte especial con autorización de carácter genérico o específico podrá hacerlo tanto de día como de noche; no obstante, para el de carácter excepcional podrá ser permitida entre la puesta y salida del sol cuando así conste en la autorización que se expida.

6. En el caso de los vehículos que circulen en régimen de transporte especial amparados por autorización específica o excepcional, el titular de esta autorización deberá dar cuenta el día antes a la realización de cada viaje, a los agentes de la autoridad encargados de la vigilancia del tráfico, de la provincia de partida, del lugar, fecha y hora de la iniciación del viaje, y remitirá copia de la autorización. Asimismo y en idénticos términos, se comunicará el viaje a los servicios del titular de la vía designados al efecto.

**Grupo 2.** *Normas y condiciones de circulación para los vehículos especiales agrícolas y sus conjuntos que, por construcción, superan permanentemente las masas o dimensiones máximas.–* 1. Podrán circular por autovías, aunque no alcancen la velocidad de 60 km/h en llano, cuando no exista itinerario alternativo o vía de servicio adecuada.

2. Llevarán en todo momento el peine o corte desmontado si dispusieran de él.

3. Acompañamiento de vehículo piloto:

a) Por dimensiones: cuando se superen los 3,50 metros de anchura deberá situarse detrás, a una distancia mínima de 50 m, en autovías, y delante, en el resto de carreteras.

b) Por velocidad: en el supuesto de que la velocidad de circulación sea inferior a la mitad de la genérica de la vía, se situará detrás a dicha distancia mínima.

**Grupo 3.** *Normas y condiciones de circulación para vehículos especiales y sus conjuntos de obras y de servicios que, por construcción, superan permanentemente las masas o dimensiones máximas.*– 1. Acompañamiento de vehículo piloto:

a) Por dimensiones: cuando se superen los 3,50 metros de anchura o su longitud supere los 30 metros, deberá situarse detrás, a una distancia mínima de 50 metros, en autopistas y autovías, y delante, en el resto de carreteras.

b) Por velocidad: en el supuesto de que la velocidad de circulación sea inferior a la mitad de la genérica de la vía, se situará detrás a dicha distancia mínima.

**Grupo 4.** *Normas y condiciones de circulación para los demás vehículos especiales.*– 1. Circularán de acuerdo con las establecidas con carácter general para los vehículos especiales en el articulado de este reglamento.

2. El itinerario de los trenes turísticos será determinado por la autoridad competente en materia de regulación y vigilancia del tráfico, teniendo en cuenta las características de la vía, del tráfico y la concurrencia con otros usuarios.

*Sección 2ª. Régimen específico de circulación de convoyes y columnas militares, transportes especiales de material militar en vehículos pertenecientes al Ministerio de Defensa o al servicio de los cuarteles generales militares internacionales de la OTAN*

1. A los efectos de esta Sección, se entenderá por:

a) Autoridad militar ordenante del desplazamiento: la persona legítimamente habilitada para firmar el documento que autoriza un transporte, determinando la modalidad y condiciones del movimiento y, en su caso, el órgano designado para la gestión del desplazamiento.

b) Jefe del convoy: personal que forma parte de un convoy y ejerce de autoridad sobre éste.

c) Jefe del transporte: el jefe de los medios de transporte que conforman la columna militar y responsable técnico.

d) Columna militar: un grupo de vehículos que se mueven bajo un único jefe de columna por la misma ruta, al mismo tiempo y en la misma dirección. Las columnas pueden estar compuestas de varios elementos organizados que se denominan "convoyes o unidades de marcha".

e) Convoy: todo grupo de vehículos, constituido al menos por tres unidades, de las cuales dos serán los vehículos señalizadores de cabeza y cola. Estos vehículos de cabeza y cola deberán montar la señal V-2 (tal como establece el Anexo XI, señal V-2, del Reglamento General de Vehículos, aprobado por el Real Decreto 2822/1998, de 23 de diciembre).

2. La circulación de vehículos, columnas y convoyes militares se realizará evitando, en la medida de lo posible, el entorpecimiento al resto de usuarios. Salvo casos de urgencia, la autoridad militar ordenante del desplazamiento comunicará al organismo autónomo Jefatura Central de Tráfico, con al menos 48 horas de antelación, el itinerario y el horario previsto.

En situaciones de urgencia, esta comunicación se realizará directamente al Centro de Gestión de Tráfico de los servicios centrales de la Dirección General de Tráfico.

El jefe del convoy controlará y será responsable de que el movimiento se desarrolle con sujeción a lo establecido en esta Sección y en el resto de la normativa que desarrolla el texto articulado de la Ley sobre tráfico, circulación de vehículos a motor y seguridad vial, y velará especialmente para que, tanto los conductores como los vehículos, porten la documentación exigida.

3. La circulación de vehículos especiales y vehículos en régimen de transporte especial no requerirá la autorización contemplada en el artículo 14 del Reglamento General de Vehículos, y será realizada en todo caso bajo la responsabilidad de la autoridad militar ordenante del desplazamiento.

Se exceptúa de la prohibición contenida en el artículo 18.2 de este reglamento a los conductores de vehículos militares que por su naturaleza precisen un sistema de comunicaciones internas.

4. La autoridad militar ordenante del desplazamiento podrá recabar la colaboración de los organismos titulares de las vías por las que vaya a realizarse el desplazamiento y solicitar la de las autoridades competentes en materia de vigilancia, regulación y control de tráfico.

Los responsables técnicos de las unidades encargadas de conservación, explotación y vialidad de carreteras de las distintas Administraciones titulares de las vías públicas y de la vigilancia, control y regulación del tráfico prestarán con carácter prioritario y urgente la información y el apoyo que les fuera solicitado para hacer posible, si procede, la circulación de los vehículos especiales o en régimen de transporte especial a lo largo de las carreteras o en puntos concretos de ellas, de modo que aquella pueda realizarse sin menoscabo de la infraestructura viaria y con la menor repercusión para el resto de los usuarios.

La Policía Militar, Naval o Aérea, en su caso, regulará la circulación, siempre que sea necesario, a lo largo del desplazamiento.

5. La autoridad militar ordenante comunicará los movimientos de estos vehículos especiales o en régimen de transporte especial a las autoridades autonómicas y locales responsables de la vigilancia, regulación y control del tráfico en alguno de los tramos incluidos en el itinerario. Asimismo, deberá comunicarse, en su caso, a las sociedades concesionarias de autopistas de peaje.

6. Todo convoy de unidades de transporte que incluya vehículos especiales o en régimen de transporte especial estará sometido a las condiciones más restrictivas de circulación impuestas reglamentariamente a cada uno de los vehículos que lo compongan, y podrán circular por debajo de los límites mínimos de velocidad incluso los vehículos de protección o de acompañamiento.

La velocidad máxima del convoy no estará limitada por la impuesta a los vehículos especiales que lo integren, pues sólo vinculará a éstos cuando circulen aisladamente o en grupos de vehículos análogos.

No obstante lo anterior, salvo circunstancias excepcionales debidamente justificadas y de seguridad nacional, la circulación de estos vehículos se ajustará a lo establecido en la resolución por la que se establecen medidas especiales de regulación del tráfico que anualmente publica el organismo autónomo Jefatura Central de Tráfico y a lo que puedan disponer los órganos competentes de las Comunidades Autónomas que tengan transferidas competencias ejecutivas en materia de tráfico y circulación de vehículos a motor, así como las dictadas por los alcaldes. Igualmente, se estará a cuanto se contemple en la resolución anual del organismo autónomo Jefatura Central de Tráfico por la que se da publicidad a las limitaciones de paso para la circulación de vehículos especiales y en régimen de transporte especial en la red de carreteras de España.

7. Esta Sección será, asimismo, aplicable a los vehículos militares de otros países que, en virtud de los acuerdos internacionales suscritos por el Reino de España, circulen por el territorio nacional.

### ANEXO IV. PICTOGRAMA INDICATIVO DEL USO OBLIGATORIO DEL CINTURÓN DE SEGURIDAD EN LOS ASIENTOS DE LOS VEHÍCULOS DESTINADOS AL TRANSPORTE DE PERSONAS DE MÁS DE NUEVE PLAZAS, INCLUIDO EL CONDUCTOR, EN LOS QUE FIGURE EL MISMO

(Color: personaje blanco sobre fondo azul)

# §3. Real Decreto 818/2009, de 8 de mayo, por el que se aprueba el Reglamento General de Conductores[1]

## (BOE núm. 138, de 8 de junio de 2009)

El texto articulado de la Ley sobre Tráfico, Circulación de Vehículos a Motor y Seguridad Vial, aprobado por Real Decreto legislativo 339/1990, de 2 de marzo, fue desarrollo por el Reglamento General de Conductores, aprobado por el Real Decreto 772/1997, de 30 de mayo. Las múltiples modificaciones parciales que ha sufrido el citado Reglamento, como por ejemplo la última realizada mediante el Real Decreto 62/2006, de 27 de enero, que la adaptó al sistema del permiso y licencia de conducción por puntos, hace necesario dictar un nuevo Reglamento General de Conductores que sustituya al vigente y que facilite su conocimiento y aplicación.

Por otra parte, la Directiva 2006/126/CE del Parlamento Europeo y del Consejo, de 20 de diciembre, sobre el Permiso de Conducción, en aras de una mayor claridad, ha procedido a refundir las distintas modificaciones de la Directiva 91/439/CEE del Consejo, de 29 de julio de 1991, sobre el Permiso de Conducción, que a su vez fue incorporada a nuestro derecho interno a través del vigente Reglamento General de Conductores.

---

[1]    Texto consolidado después de la reforma operada en la redacción original del Reglamento por Orden PRE/2356/2010, de 3 de septiembre, por la que se modifica el Anexo IV del Reglamento General de Conductores, aprobado por el Real Decreto 818/2009, de 8 de mayo; Orden INT/1407/2012, de 25 de junio, por la que se modifica el Anexo I del Reglamento General de Conductores, aprobado por el Real Decreto 818/2009, de 8 de mayo; Real Decreto 475/2013, de 21 de junio, por el que se modifica el Reglamento General de Conductores, aprobado por el Real Decreto 818/2009, de 8 de mayo, en materia de transporte de mercancías peligrosas; Orden INT/2229/2013, de 25 de noviembre, por la que se modifican los Anexos I, V, VI y VII del Reglamento General de Conductores, aprobado por Real Decreto 818/2009, de 8 de mayo, y la Orden INT/2323/2011, de 29 de julio, que regula la formación para el acceso progresivo al permiso de conducción de la clase A; Real Decreto 1055/2015, de 20 de noviembre, por el que se modifica el Reglamento General de Conductores, aprobado por Real Decreto 818/2009, de 8 de mayo; Orden INT/1676/2016, de 19 de octubre, por la que se modifica el Anexo I del Reglamento General de Conductores, aprobado por Real Decreto 818/2009, de 8 de mayo; y, Orden PRA/375/2018, de 11 de abril, por la que se modifica el Anexo IV del Reglamento General de Conductores, aprobado por Real Decreto 818/2009, de 8 de mayo.

La Directiva 2006/126/CE, publicada en el Diario Oficial de la Unión Europea el 30 de diciembre de 2006, señala como uno de sus primordiales objetivos profundizar en su afán armonizador de las normas sobre el permiso de conducción, perseguido ya, aunque más tímidamente, por la Directiva 91/439/CEE, de 29 de julio. Pese a los avances conseguidos desde entonces, subsisten diferencias significativas entre los Estados miembros, particularmente las relativas a la periodicidad en la renovación de los permisos de conducción, las subcategorías de vehículos o el modelo comunitario de permiso. En este último punto, hay que tener en cuenta que actualmente coexisten más de 110 modelos y es preciso establecer definitivamente un modelo único, todo ello como elemento indispensable de la política común que contribuya a aumentar la seguridad de la circulación vial facilitando, además, la libre circulación de las personas que se establecen en un Estado miembro distinto de aquel que ha expedido el permiso.

Es, por tanto, objeto de este reglamento, por una parte, hacer un desarrollo actualizado de los artículos 5 párrafos a), b) y h) del texto articulado de la Ley sobre Tráfico, Circulación de Vehículos a Motor y Seguridad Vial, aprobado por Real Decreto legislativo 339/1990, de 2 de marzo, tras su última modificación por la Ley 17/2005, de 19 de julio, y de parte de su Título IV, «De las autorizaciones administrativas», en concreto de los artículos 59, 60, 63, 64, 65 y 67 y, por otra, transponer a la normativa española la Directiva 2006/126/CE, de 20 de diciembre, del Parlamento Europeo y del Consejo, en una manifiesta voluntad de asumir con celeridad los principios que la inspiran.

Son novedades y objetivos de la citada Directiva y, por lo tanto, de este reglamento:

El reconocimiento recíproco de los permisos de conducción expedidos por los Estados miembros, señalando períodos de vigencia más uniformes, diez años para las categorías AM, A1, A2, A, B y B+E y cinco años para las que autorizan a conducir camiones y autobuses, así como para el BTP, permiso válido sólo en el ámbito nacional que se incluye por vez primera y autoriza a conducir taxis y vehículos prioritarios y vehículos de transporte escolar de hasta 9 plazas.

Así como el establecimiento, por una parte, de un modelo único de permiso de conducción ya que, a partir de la puesta en aplicación de la Directiva y de este reglamento, sólo podrá ser expedido en tarjeta de plástico, de acuerdo con el modelo que se recoge en el anexo I de ambos textos normativos, siendo progresivamente retirados los actualmente admitidos en los distintos Estados.

Y, por otra parte, el establecimiento de una red europea, o registro común de permisos de conducir, que permita a los Estados miembros el necesario intercambio de información sobre los permisos que hayan expedido, canjeado, sustituido, renovado o anulado.

Destaca la implantación del acceso progresivo como opción para obtener los permisos de conducción de determinados tipos de vehículos, como por ejemplo el de la nueva clase de permiso A2 que autoriza a conducir motocicletas de potencia media.

Igualmente, se prevé la posibilidad de autorizar con el permiso de clase B la conducción de conjuntos de vehículos que excedan de 3500 kg, sin rebasar los 4250 kg, tras la superación de una prueba de control de aptitudes y comportamientos que podrá ser sustituida por la superación de una formación específica, en los términos que se fijen por Orden del Ministro del Interior.

Asimismo, se crea una nueva categoría de permiso, ésta sí con eficacia en el espacio comunitario, la clase AM, que sustituye a la hasta ahora existente licencia para conducir ciclomotores, estableciendo los quince años como edad mínima para obtenerlo, y los dieciocho años para que autorice a transportar pasajeros.

Novedosa y sin duda importante resulta la inclusión de normas referidas a los examinadores del permiso de conducción, cuya cualificación mínima se recoge en el anexo IV de la Directiva y que también es objeto de una detallada descripción en el anexo VIII del presente reglamento, relativo a las condiciones que debe reunir el personal examinador, requisitos, su cualificación inicial y garantía de calidad.

Se da con ello, por otra parte, cumplimiento a la previsión legal que en la disposición adicional undécima de la Ley 17/2005, de 19 de julio, se hace respecto de la profesionalización, especialización y nivel requerido de formación de los empleados públicos, en particular de aquellos que se ocupan de la realización de las pruebas de aptitud para la obtención de autorizaciones administrativas para conducir, lo cual redundará finalmente en lograr una mejor seguridad vial.

Son, además, nítidamente identificables en este nuevo reglamento otros tres objetivos que le convierten en una norma de fácil manejo y de más segura aplicación.

En primer lugar, pretende armonizar, unificando gran parte de la normativa sobre conductores, en exceso dispersa y, sin duda, prolífica, en un sólo texto, dotando así al sistema de mayor certeza y consecuente seguridad jurídica.

En segundo lugar, se simplifican los procedimientos administrativos de conductores y se eliminan todos aquellos requisitos y exigencias a los ciudadanos no acordes con la normativa actual.

Por último, se elabora el reglamento con una estructura ya ensayada en otros y utilizada igualmente por la Directiva europea sobre el permiso de conducción, haciéndolo más racional. Se descarga de contenido el articulado y se lleva a los ocho anexos de que consta, que podrán ser modificados por Orden, todo aquello que hubiera necesitado en un desarrollo posterior del Real Decreto, de la aprobación de diversas Órdenes Ministeriales, facilitando previsoramente así eventuales modificaciones futuras.

Se estructura en un real decreto con un artículo único por el que se aprueba el presente reglamento, una disposición derogatoria y seis disposiciones finales.

El reglamento se divide en cinco títulos, once disposiciones adicionales, doce disposiciones transitorias y ocho anexos.

El Título I, sobre las autorizaciones administrativas para conducir, recoge las normas generales y condiciones para el otorgamiento, validez, vigencia y prórroga de éstas. Se regulan con especial minuciosidad las causas que pueden dar lugar a la declaración de pérdida de vigencia de tales autorizaciones cuando se constata la pérdida de los requisitos exigidos para su otorgamiento o de la totalidad del crédito de puntos que un conductor tenga asignado.

Regula, además, con suficiente nitidez todo lo relativo a los permisos expedidos en otros Estados miembros de la Unión Europea o que formen parte del Acuerdo sobre el Espacio Económico Europeo, con estricta sujeción a las normas comunitarias y a los criterios de la Sentencia del Tribunal de Justicia de las comunidades europeas de 9 de septiembre de 2004, así como los requisitos para la validez en España de los permisos expedidos en terceros países.

Mejora la regulación de la autorización especial para conducir los vehículos destinados al transporte de mercancías peligrosas, ajustando ésta a las nuevas disposiciones del Acuerdo Europeo sobre Transporte Internacional de mercancías peligrosas por carretera (ADR).

Por otra parte, se suprime la autorización especial para conducir vehículos que realicen transporte escolar o de menores, por cuanto se impone como un requisito que dificulta el acceso a esta actividad pero sin que contribuya a aumentar la seguridad vial con respecto a las demás autorizaciones para conducir.

El Título II, sobre la enseñanza de la conducción y las pruebas de aptitud para obtener las autorizaciones administrativas para conducir, logra una importante clarificación al descargar del articulado todo aquello que, sobre documentación a presentar o incluir en los expedientes, previendo para ello métodos telemáticos, y sobre contenido y forma de realizar las pruebas, tanto las de conocimientos como las de aptitudes y comportamientos, resulta susceptible de ser incluido en los anexos correspondientes.

El Título III, versa sobre los permisos de conducción expedidos por las Fuerzas Armadas y la Dirección General de la Policía y de la Guardia Civil y sobre su canje.

El Título IV, sobre infracciones y sanciones a los preceptos de este reglamento, que se ajustarán en su tramitación y sanción a los preceptos del Título V del texto articulado de la Ley sobre Tráfico, Circulación de Vehículos a Motor y Seguridad Vial, en especial a su artículo 67.

Por último, el Título V se ocupa del Registro de Conductores e Infractores, y prevé, como novedad, que se incluya entre sus datos el crédito de puntos de que dispone un conductor.

Las once disposiciones adicionales regulan distintos aspectos que son necesarios para completar y hacer posible, conforme a la normativa vigente, la aplicación de lo dispuesto en el propio reglamento. Las doce disposiciones transitorias retrasan la aplicación de algunas novedades del mismo o, en su caso, permiten que algunas materias se sigan regulando por la normativa anterior durante un tiempo.

Finalmente, los ocho anexos referidos, respectivamente, al permiso comunitario de conducción; a la licencia de conducción, que ha quedado reducida sólo a dos clases, para vehículos agrícolas y para personas con la movilidad reducida, así como a las otras autorizaciones administrativas para conducir; a la documentación necesaria para obtener las distintas autorizaciones; a las aptitudes psicofísicas que deben reunir los conductores; a las pruebas a realizar para obtener las distintas autorizaciones; a la organización, desarrollo y criterios de calificación de dichas pruebas; a los vehículos a utilizar; y, para terminar, el ya señalado anexo VIII sobre el personal examinador, vienen a hacer de este texto reglamentario un texto de fácil consulta y aplicación sencilla.

Cabe señalar que a través de los Anexos I y VII, se ha procedido a transponer la Directiva 2008/65/CE, de 27 de junio de 2008, por la que se modifica la Directiva 91/439/CEE, sobre el permiso de conducción, respecto al uso de vehículos sin pedal de embrague.

Este reglamento ha sido informado por el Consejo Superior de Tráfico y Seguridad de la Circulación Vial, de conformidad con lo dispuesto en el artículo 5.2.e) del Real Decreto 317/2003, de 14 de marzo, por el que se regula la organización y funcionamiento del Consejo Superior de Tráfico y Seguridad de la Circulación Vial.

Asimismo, ha sido informado por la Agencia Española de Protección de Datos, de acuerdo con lo dispuesto en el artículo 5 b) del Estatuto de la citada Agencia, aprobado por Real Decreto 428/1993, de 26 de marzo, que establece que informará preceptivamente cualesquiera proyectos de ley o reglamento que incidan en la materia propia de la Ley Orgánica 15/1999, de 13 de diciembre, de Protección de Datos de Carácter Personal.

En su virtud, a propuesta del Ministro del Interior, con la aprobación previa de la Ministra de Administraciones Públicas, de acuerdo con el Consejo de Estado y previa deliberación del Consejo de Ministros en su reunión del día 8 de mayo de 2009, dispongo:

**Artículo único.** *Aprobación del Reglamento General de Conductores.*– Se aprueba el Reglamento General de Conductores, cuyo texto se inserta a continuación.

**Disposición derogatoria única.** *Derogación Normativa.*– 1. Quedan derogados:

a) El Código de la Circulación, aprobado por Decreto de 25 de septiembre de 1934.

b) El Real Decreto 772/1997, de 30 de mayo, por el que se aprueba el Reglamento General de Conductores.

c) La Orden de 4 de diciembre de 2000, por la que se desarrolla el Capítulo III del Título II del Reglamento General de Conductores, aprobado por Real Decreto 772/1997, de 30 de mayo.

d) La Orden INT/3452/2004, de 14 de octubre, por la que se establece la implantación progresiva del permiso de conducción en formato de tarjeta de plástico.

e) La Orden INT/4151/2004, de 9 de diciembre, por la que se determinan los códigos comunitarios armonizados y los nacionales a consignar en los permisos y licencias de conducción.

2. Se derogan, asimismo, cuantas disposiciones de igual o inferior rango se opongan a lo dispuesto en este reglamento.

**Disposición final primera.** *Ejecución y desarrollo del presente Reglamento.*– Se faculta al Ministro del Interior, previo informe de los Ministros competentes por razón de la materia, para dictar las disposiciones que requiera el desarrollo, ejecución, aclaración e interpretación del presente reglamento.

**Disposición final segunda.** *Habilitación para la modificación de los anexos.*– Se faculta al Ministro del Interior, previo informe de los Ministros competentes por razón de la materia, para modificar por Orden los anexos de este reglamento. La modificación del anexo IV se hará por Orden de la Ministra de la Presidencia a propuesta conjunta de los Ministros del Interior y de Sanidad y Política Social.

**Disposición final tercera.** *Licencia de conducción acompañada.*– El Gobierno podrá regular las condiciones y los requisitos de la licencia de conducción acompañada para realizar el aprendizaje en la conducción.

**Disposición final cuarta.** *Título competencial.*– Este reglamento se dicta al amparo de lo dispuesto en el artículo 149.1.21º de la Constitución, que atribuye al Estado la competencia exclusiva en materia de tráfico y circulación de vehículos a motor.

**Disposición final quinta.** *Incorporación del derecho comunitario.*– A través del presente reglamento se incorporan al derecho interno la Directiva 2006/126/CE, del Parlamento Europeo y del Consejo, de 20 de diciembre, sobre el Permiso de Conducción y la Directiva 2008/65/CE, de 27 de junio, por la que se modifica la Directiva 91/439/CEE, sobre el Permiso de Conducción,

**Disposición final sexta.** *Entrada en vigor.*– El presente real decreto entrará en vigor a los seis meses de su publicación en el «Boletín Oficial del Estado».

## REGLAMENTO GENERAL DE CONDUCTORES

## TÍTULO I. DE LAS AUTORIZACIONES ADMINISTRATIVAS PARA CONDUCIR

### CAPÍTULO I. DEL PERMISO Y DE LA LICENCIA DE CONDUCCIÓN

**Artículo 1.** *El permiso y la licencia de conducción.–* 1. La conducción de vehículos de motor y ciclomotores por las vías y terrenos a que se refiere el artículo 2 del texto articulado de la Ley sobre Tráfico, Circulación de Vehículos a Motor y Seguridad Vial, aprobado por Real Decreto Legislativo 339/1990, de 2 de marzo, exigirá haber obtenido previamente el permiso o la licencia de conducción, sin perjuicio de las habilitaciones complementarias que, además, en su caso, sean necesarias.

2. Los permisos y licencias de conducción son de otorgamiento y contenido reglados y su concesión quedará condicionada a la verificación de que los conductores reúnen los requisitos de aptitud psicofísica y los conocimientos, habilidades, aptitudes y comportamientos exigidos para su obtención que se determinan en este reglamento.

3. Cuando sea necesario, los permisos y licencias de conducción se podrán sustituir provisionalmente por autorizaciones temporales, las cuales surtirán idénticos efectos a los del permiso o licencia de conducción al que sustituyan.

4. Ninguna persona podrá ser titular de más de un permiso o de una licencia de conducción expedido por un Estado miembro de la Unión Europea o por un Estado parte del Acuerdo sobre el Espacio Económico Europeo.

En el supuesto de que alguna persona esté en posesión de más de un permiso de conducción, le será retirado el que proceda en función de las circunstancias concurrentes, para su anulación, si está expedido en España, o para su remisión a las autoridades del Estado que lo hubiera expedido.

**Artículo 2.** *Competencia para expedir los permisos y las licencias de conducción.–* Los permisos y licencias de conducción, así como las autorizaciones administrativas que provisionalmente los sustituyan, serán expedidos por las Jefaturas Provinciales de Tráfico, con excepción de los que autorizan a conducir vehículos de las Fuerzas Armadas o de la Dirección General de Policía y de la Guardia Civil.

Asimismo, será expedido por las Jefaturas Provinciales de Tráfico el permiso internacional para conducir regulado en la sección 2ª. del capítulo III del título I.

**Artículo 3.** *Deberes de los titulares de un permiso o de una licencia de conducción.–* 1. El titular de un permiso o de una licencia de conducción, así como de cualquier otra autorización o documento que habilite para conducir, deberá hacerlo con sujeción a las menciones, adaptaciones, restricciones y otras limitaciones respecto de las personas, vehículos o de circulación que, en su caso, figuren en el permiso o licencia de conducción, de forma codificada según se determina en el anexo I.

2. El conductor de un vehículo queda obligado a estar en posesión y llevar consigo su permiso o licencia de conducción, así como cualquier otro documento o autorización que, de acuerdo con la normativa vigente, necesite para poder conducir. Estos documentos deberán ser válidos, estar vigentes y se deberán exhibir ante los agentes de la autoridad que lo soliciten.

**Artículo 4.** *Clases de permiso de conducción y edad requerida para obtenerlo.–* 1. Todas las clases de permiso de conducción de las que sea titular una persona deberán constar en un único documento con expresión de las categorías de vehículos cuya conducción autorizan.

2. El permiso de conducción será de las siguientes clases:

a) El permiso de conducción de la clase AM autoriza para conducir ciclomotores de dos o tres ruedas y cuatriciclos ligeros, aunque podrá estar limitado a la conducción de ciclomotores de tres ruedas y cuatriciclos ligeros. La edad mínima para obtenerlo será de quince años cumplidos.

b) El permiso de conducción de la clase A1 autoriza para conducir motocicletas con una cilindrada máxima de 125 cm³, una potencia máxima de 11 kW y una relación potencia/peso máxima de 0,1 kW/kg y triciclos de motor cuya potencia máxima no exceda de 15 kW. La edad mínima para obtenerlo será de dieciséis años cumplidos.

c) El permiso de conducción de la clase A2 autoriza para conducir motocicletas con una potencia máxima de 35 kW y una relación potencia/peso máxima de 0,2 kW/kg y no derivadas de un vehículo con más del doble de su potencia. La edad mínima para obtenerlo será de dieciocho años cumplidos.

d) El permiso de conducción de la clase A autoriza para conducir motocicletas y triciclos de motor. La edad mínima para obtenerlo será de veinte años cumplidos pero hasta los veintiún años cumplidos no autorizará a conducir triciclos de motor cuya potencia máxima exceda de 15 kW.

e) El permiso de conducción de la clase B autoriza para conducir los siguientes vehículos:

Automóviles cuya masa máxima autorizada no exceda de 3.500 kg que estén diseñados y construidos para el transporte de no más de ocho pasajeros además del conductor. Dichos automóviles podrán llevar enganchado un remolque cuya masa máxima autorizada no exceda de 750 kg.

Conjuntos de vehículos acoplados compuestos por un vehículo tractor de los que autoriza a conducir el permiso de la clase B y un remolque cuya masa máxima autorizada exceda de 750 kg, siempre que la masa máxima autorizada del conjunto no exceda de 4.250 kg, sin perjuicio de las disposiciones que las normas de aprobación de tipo establezcan para estos vehículos.

Triciclos y cuatriciclos de motor.

La edad mínima para obtenerlo será de dieciocho años cumplidos. No obstante, hasta los veintiún años cumplidos no autorizará a conducir triciclos de motor cuya potencia máxima exceda de 15 kW.

f) [...]

g) El permiso de conducción de la clase B + E autoriza para conducir conjuntos de vehículos acoplados compuestos por un vehículo tractor de los que autoriza a conducir el permiso de la clase B y un remolque o semirremolque cuya masa máxima autorizada no exceda de 3500 kg, sin perjuicio de las disposiciones que las normas de aprobación de tipo establezcan para estos vehículos. La edad mínima para obtenerlo será de dieciocho años cumplidos.

h) El permiso de conducción de la clase C1 autoriza para conducir automóviles distintos de los que autoriza a conducir el permiso de las clases D1 o D, cuya masa máxima autorizada exceda de 3500 kg y no sobrepase los 7500 kg, diseñados y construidos para el transporte de no más de ocho pasajeros además del conductor. Dichos automóviles podrán llevar enganchado un remolque cuya masa máxima autorizada no exceda de 750 kg. La edad mínima para obtenerlo será de dieciocho años cumplidos.

i) El permiso de conducción de la clase C1 + E autoriza para conducir los siguientes vehículos:

Conjuntos de vehículos acoplados compuestos por un vehículo tractor de los que autoriza a conducir el permiso de la clase C1 y un remolque o semirremolque cuya masa máxima autorizada exceda de 750 kg, siempre que la masa máxima autorizada del conjunto así formado no exceda de 12.000 kg, sin perjuicio de las disposiciones que las normas de aprobación de tipo establezcan para estos vehículos.

Conjuntos de vehículos acoplados compuestos por un vehículo tractor de los que autoriza a conducir el permiso de la clase B y un remolque o semirremolque cuya masa máxima autorizada exceda de 3.500 kg, siempre que la masa máxima autorizada del conjunto no exceda de 12.000 kg, sin perjuicio de las disposiciones que las normas de aprobación de tipo establezcan para estos vehículos.

La edad mínima para obtenerlo será de dieciocho años cumplidos.

j) El permiso de conducción de la clase C autoriza para conducir automóviles distintos de los que autoriza a conducir el permiso de las clases D1 o D, cuya masa máxima autorizada exceda de 3500 kg que estén diseñados y construidos para el transporte de no más de ocho pasajeros además del conductor. Dichos automóviles podrán llevar enganchado un remolque cuya masa máxima autorizada no exceda de 750 kg. La edad mínima para obtenerlo será de veintiún años cumplidos.

k) El permiso de conducción de la clase C + E autoriza para conducir conjuntos de vehículos acoplados compuestos por un vehículo tractor de los que autoriza a conducir el permiso de la clase C y un remolque o semirremolque cuya masa máxima autorizada exceda de 750 kg, sin perjuicio de las disposiciones que las normas de aprobación de tipo establezcan para estos vehículos. La edad mínima para obtenerlo será de veintiún años cumplidos.

l) El permiso de conducción de la clase D1 autoriza para conducir automóviles diseñados y construidos para el transporte de no más de dieciséis pasajeros además del conductor y cuya longitud máxima no exceda de ocho metros. Dichos automóviles podrán llevar enganchado un remolque cuya masa máxima autorizada no exceda de 750 kg. La edad mínima para obtenerlo será de veintiún años cumplidos.

m) El permiso de conducción de la clase D1 + E autoriza para conducir conjuntos de vehículos acoplados compuestos por un vehículo tractor de los que autoriza a conducir el permiso de la clase D1 y un remolque cuya masa máxima autorizada exceda de 750 kg, sin perjuicio de las disposiciones que las normas de aprobación de tipo establezcan para estos vehículos. La edad mínima para obtenerlo será de veintiún años cumplidos.

n) El permiso de conducción de la clase D autoriza para conducir automóviles diseñados y construidos para el transporte de más de ocho pasajeros además del conductor. Dichos automóviles podrán llevar enganchado un remolque cuya masa máxima autorizada no exceda de 750 kg. La edad mínima para obtenerlo será de veinticuatro años cumplidos.

ñ) El permiso de conducción de la clase D + E autoriza para conducir conjuntos de vehículos acoplados compuestos por un vehículo tractor de los que autoriza a conducir el permiso de la clase D y un remolque cuya masa máxima autorizada exceda de 750 kg, sin perjuicio de las disposiciones que las normas de aprobación de tipo establezcan para estos vehículos. La edad mínima para obtenerlo será de veinticuatro años cumplidos.

3. Para la conducción profesional de los vehículos que autoriza a conducir el permiso de las clases C1, C1+E, C, C +E, D1, D1 +E, D o D+E, deberán cumplirse, además de los requisitos exigidos en este artículo, los establecidos en el Real Decreto 1032/2007, de 20 de julio, por el que se regula la cualificación inicial y la formación continua de los conductores de determinados vehículos destinados al transporte por carretera.

**Artículo 5.** *Condiciones de expedición de los permisos de conducción.*– 1. La expedición de los permisos de conducción que a continuación se indican estará supeditada a las condiciones siguientes:

a) El permiso de la clase A sólo podrá expedirse a conductores que ya sean titulares de un permiso en vigor de la clase A2 con, al menos, dos años de antigüedad.

b) El permiso de las clases C1, C, D1 y D sólo podrá expedirse a conductores que ya sean titulares de un permiso en vigor de la clase B.

c) El permiso de las clases B + E, C1 + E, C + E, D1 + E y D + E sólo podrá expedirse a conductores que ya sean titulares de un permiso en vigor de las clases B, C1, C, D1 o D, respectivamente.

2. La obtención de los permisos de conducción que a continuación se indican implicará la concesión de los siguientes:

a) La del permiso de la clase A1 implica la concesión del de la clase AM.

b) La del permiso de la clase A2 implica la concesión del de la clase A1.

c) La del permiso de las clases C y D implica la concesión del de las clases C1 y D1, respectivamente.

d) La del permiso de las clases C1 + E, C + E, D1 + E o D + E implica la concesión del de la clase B + E.

e) La del permiso de la clase C + E implica la concesión del de la clase C1 + E.

f) La del permiso de la clase C + E implica la concesión del de la clase D + E cuando su titular posea el de la clase D.

g) [...]

h) La del permiso de la clase D+E implica la concesión del de la clase D1+E.

3. Para obtener el permiso de la clase A2, el aspirante deberá superar las pruebas de control de conocimientos y de control de aptitudes y comportamientos que se indican en los artículos 47 a 49.

Esta autorización podrá también obtenerse si el aspirante es titular de permiso de conducción de la clase A1 con una experiencia mínima de dos años en la conducción de las motocicletas que autoriza a conducir dicho permiso, y supera la prueba de control de aptitudes y comportamientos que se indica en el artículo 49.2. Esta prueba podrá sustituirse por la superación de una formación en los términos que se establezcan mediante Orden del Ministro del Interior.

4. Para obtener el permiso de la clase A, el aspirante, además de ser titular de un permiso de conducción de la clase A2 con una experiencia mínima de dos años en la conducción de las motocicletas que autoriza a conducir dicho permiso, deberá superar una formación en los términos que se establezcan mediante Orden del Ministro del Interior.

5. Para conducir un conjunto formado por un vehículo tractor de la categoría B y un remolque cuya masa máxima autorizada sea superior a 750 kg, en el caso de que el conjunto así formado exceda de 3.500 kg, será necesario superar la prueba de control de aptitudes y comportamientos que se indica en los artículos 48.2 y 49.2. Esta prueba podrá sustituirse por la superación de una formación en los términos que se establezcan mediante Orden del Ministro del Interior.

6. [...]

7. El permiso de las clases B, B + E, C1, C1 + E, C, C + E, D1, D1 + E, D y D + E no autoriza a conducir motocicletas con o sin sidecar. No obstante, las personas que estén en posesión del permiso de la clase B en vigor, con una

antigüedad superior a tres años, podrán conducir dentro del territorio nacional las motocicletas cuya conducción autoriza el permiso de la clase A1.

En el supuesto de que el permiso de la clase B en vigor, con una antigüedad superior a tres años, esté sometido a adaptaciones, restricciones u otras limitaciones en personas, vehículos o de circulación, para poder conducir dentro del territorio nacional las motocicletas cuya conducción autoriza el permiso de la clase A1, deberán hacerse constar previamente por la Jefatura Provincial de Tráfico en el permiso las adaptaciones o restricciones que correspondan.

8. Para conducir vehículos especiales no agrícolas o sus conjuntos cuya velocidad máxima autorizada no exceda de 40 km/h, y su masa máxima autorizada no exceda de 3.500 kg, se requerirá permiso de la clase B. Si excede de cualquiera de estos límites, se requerirá el permiso de conducción que corresponda a su masa máxima autorizada.

Para conducir vehículos especiales no agrícolas o sus conjuntos que transporten personas se requerirá permiso de la clase B cuando el número de personas transportadas, incluido el conductor, no exceda de nueve, de la clase D1 cuando exceda de nueve y no exceda de diecisiete y de la clase D cuando exceda de diecisiete.

9. Los vehículos especiales agrícolas autopropulsados o sus conjuntos cuya masa o dimensiones máximas autorizadas no excedan de los límites establecidos en la reglamentación de vehículos para los vehículos ordinarios, se podrán conducir con el permiso de la clase B, o con la licencia de conducción a que se refiere el artículo 6.1.b).

Para conducir vehículos especiales agrícolas autopropulsados o sus conjuntos, que tengan una masa o dimensiones máximas autorizadas superiores a las indicadas en el párrafo anterior o cuya velocidad máxima por construcción exceda de 45 km/h, se requerirá permiso de la clase B en todo caso.

10. Los ciclomotores también se podrán conducir con permiso de la clase B.

11. Los vehículos para personas de movilidad reducida se podrán conducir con permiso de las clases A1 y B o con la licencia de conducción a que se refiere el artículo 6.1 párrafo a).

12. Para conducir trolebuses se requerirá el permiso exigido para la conducción de autobuses.

**Artículo 6.** *Clases de licencia de conducción y edad requerida para obtenerla.*– 1. La licencia de conducción, teniendo en cuenta los vehículos cuya conducción autoriza, será de las siguientes clases:

a) Para conducir vehículos para personas de movilidad reducida.

La edad mínima para obtenerla será de catorce años cumplidos. No obstante, hasta los dieciséis años cumplidos no autorizará a transportar pasajeros en el vehículo.

No se exigirá esta licencia a quien sea titular de un permiso de conducción de las clases A1 o B en vigor y en el caso de que su titular obtenga un permiso de alguna de estas clases, la licencia de conducción dejará de ser válida.

b) Para conducir vehículos especiales agrícolas autopropulsados y sus conjuntos cuya masa o dimensiones máximas autorizadas no excedan de los límites establecidos para los vehículos ordinarios o cuya velocidad máxima por construcción no exceda de 45 km/h.

La edad mínima para obtenerla será de dieciséis años cumplidos.

No se exigirá esta licencia a quien sea titular de un permiso de conducción de la clase B en vigor y en el caso de que su titular obtenga un permiso de esta clase, la licencia de conducción dejará de ser válida.

2. Si una persona fuera titular de más de una clase de licencia de conducción, todas ellas deberán constar en un único documento.

**Artículo 7.** *Requisitos para obtener un permiso o una licencia de conducción.*– 1. Para obtener un permiso o una licencia de conducción se requerirá:

a) En el caso de extranjeros, acreditar la situación de residencia normal o estancia por estudios en España de, al menos, seis meses y haber cumplido la edad requerida.

b) No estar privado por resolución judicial del derecho a conducir vehículos de motor y ciclomotores, ni hallarse sometido a suspensión o intervención administrativa del permiso o licencia de conducción que se posea.

c) Que haya transcurrido el plazo legalmente establecido, una vez declarada la pérdida de vigencia del permiso o licencia de conducción del que fuera titular como consecuencia de la pérdida total de los puntos asignados.

d) Reunir las aptitudes psicofísicas requeridas en relación con la clase del permiso o licencia de conducción que se solicite.

e) Ser declarado apto por la Jefatura Provincial de Tráfico en las pruebas teóricas y prácticas que, en relación con cada clase de permiso o licencia de conducción, se determinan en el título II.

f) No ser titular de un permiso de conducción expedido en otro Estado miembro de la Unión Europea o en otro Estado parte del Acuerdo sobre el Espacio Económico Europeo, ni haber sido restringido, suspendido o anulado en otro Estado miembro el permiso de conducción que poseyese.

2. Los que padezcan enfermedad o deficiencia orgánica o funcional que les incapacite para obtener permiso o licencia de conducción de carácter ordinario podrán obtener un permiso o licencia de conducción extraordinarios sujetos a las condiciones restrictivas que en cada caso procedan.

**Artículo 8.** *Solicitud del permiso o de la licencia de conducción. Documentación a presentar.–* 1. La expedición del permiso o la licencia de conducción, se solicitará de la Jefatura Provincial de Tráfico en la que se desee obtener, en el modelo oficial suscrito por el interesado, acompañando los documentos que se indican en el anexo III.

2. Si el solicitante es titular de un permiso o de una licencia de conducción, ya sea expedido en España, en otro Estado miembro de la Unión Europea o en un Estado parte del Acuerdo sobre el Espacio Económico Europeo, éste perderá su validez cuando su titular obtenga el permiso solicitado. Dicho documento deberá ser entregado en la Jefatura Provincial de Tráfico con carácter previo a la emisión del permiso y será, en su caso, remitido al Estado que lo hubiera expedido.

**Artículo 9.** *Modelo del permiso y de la licencia de conducción.–* El permiso y la licencia de conducción se expedirán conforme a los modelos que se recogen en los anexos I y II, respectivamente, y contendrán los datos que en los mismos se indican.

**Artículo 10.** *Variación de datos.–* Cualquier variación de los datos que figuran en el permiso o licencia de conducción, así como la del domicilio de su titular, deberá ser comunicada por éste dentro del plazo de quince días, contados desde la fecha en que se produzca, a la Jefatura Provincial de Tráfico.

**Artículo 11.** *Duplicados.–* 1. Las Jefaturas Provinciales de Tráfico, previa solicitud de los interesados en el modelo oficial suscrito por el interesado, podrán expedir duplicados del permiso o la licencia de conducción en caso de sustracción, extravío o deterioro del original. También deberán expedir duplicados cuando los titulares comuniquen haber variado los datos a que se refiere el artículo anterior.

2. A la solicitud de duplicado se acompañarán los documentos que se indican en el anexo III.

3. El titular de un permiso o licencia de conducción al que se le hubiera expedido duplicado por sustracción o extravío deberá devolver el original de éste, cuando lo encuentre, a la Jefatura Provincial de Tráfico que lo hubiere expedido.

4. La posesión del permiso o licencia original y de un duplicado de éstos dará lugar a la recogida inmediata del original para su remisión a la Jefatura Provincial de Tráfico que, de resultar falsa la causa alegada para obtener el duplicado, dará cuenta del hecho a la autoridad judicial por si pudiera ser determinante de responsabilidad penal.

**Artículo 12.** *Vigencia del permiso y de la licencia de conducción.–* 1. El permiso de conducción de las clases C1, C1 + E, C, C + E, D1, D1 + E, D y D + E tendrá un período de vigencia de cinco años mientras su titular no cumpla los sesenta y cinco años y de tres años a partir de esa edad.

2. El permiso de las clases restantes y la licencia de conducción, cualquiera que sea su clase, tendrán un período de vigencia de diez años mientras su titular no cumpla los sesenta y cinco años y de cinco años a partir de esa edad.

3. El período de vigencia de las diversas clases de permiso y licencia de conducción señalado en los apartados anteriores podrá reducirse si, al tiempo de su concesión o de la prórroga de su vigencia, se comprueba que su titular padece enfermedad o deficiencia que, si bien de momento no impide aquélla, es susceptible de agravarse.

4. El permiso o licencia de conducción cuya vigencia hubiese vencido no autoriza a su titular a conducir y su utilización dará lugar a su intervención inmediata por la autoridad o sus agentes, que lo remitirán a la Jefatura Provincial de Tráfico correspondiente.

5. La vigencia del permiso y de la licencia de conducción, además, estará condicionada a que su titular no haya perdido totalmente la asignación inicial de puntos.

6. Asimismo, con independencia de lo dispuesto en los apartados anteriores, la vigencia de los permisos y las licencias de conducción estará subordinada a que su titular mantenga los requisitos exigidos para su otorgamiento.

**Artículo 13.** *Solicitud de prórroga de la vigencia.–* 1. La vigencia de los permisos y licencias de conducción podrá ser prorrogada, por los períodos respectivamente señalados en el artículo anterior, por las Jefaturas Provinciales de Tráfico, previa solicitud de los interesados, en el modelo oficial establecido, y una vez hayan acreditado que conservan las aptitudes psicofísicas exigidas para obtener el permiso o licencia de que se trate.

La prórroga de vigencia de un permiso de conducción de las clases correspondientes al grupo 2, según la clasificación establecida en el artículo 45, implicará la de las autorizaciones del grupo 1 de las que sea titular el interesado, por los plazos que a éstas correspondan.

La solicitud de prórroga de vigencia del permiso o licencia podrá presentarse con una antelación máxima de tres meses a su fecha de caducidad, computándose desde esta última fecha el nuevo período de vigencia de la autorización. En supuestos excepcionales debidamente justificados, se podrá solicitar con una antelación mayor, computándose el nuevo período de vigencia en estos casos desde la fecha en que se haya presentado la solicitud.

2. A la solicitud de modelo oficial, que deberá estar suscrita por el interesado, se acompañarán los documentos que se indican en el anexo III.

3. El titular de un permiso o licencia de conducción caducados podrá solicitar su prórroga acompañando los documentos a que se refiere el apartado anterior.

4. Los titulares de un permiso o licencia de conducción expedidos en España que en la fecha de vencimiento de su vigencia se encuentren en el extranjero, bien en otro Estado miembro de la Unión Europea o en un Estado parte del Acuerdo sobre el Espacio Económico Europeo en los que no hayan adquirido la residencia normal, o bien en un país tercero, podrán solicitar la prórroga de su vigencia de cualquier Jefatura Provincial de Tráfico, en la forma y con los requisitos que se indican en el anexo III.

**Artículo 14.** *Actuación de la Jefatura Provincial de Tráfico.–* 1. Serán competentes para la resolución de este procedimiento las Jefaturas Provinciales de Tráfico.

2. En todo caso, la privación por resolución judicial del derecho a conducir vehículos de motor y ciclomotores, la declaración de pérdida de vigencia a que se refiere el artículo 37, la intervención, medida cautelar o suspensión del permiso o licencia que se posea, tanto se hayan acordado en vía judicial o administrativa, serán causa para denegar el trámite solicitado, que no procederá hasta que se haya cumplido la pena o sanción, levantado la intervención o medida cautelar, o hayan transcurrido los plazos o acreditado los requisitos legalmente establecidos, según el trámite de que se trate.

## CAPÍTULO II. DE LOS PERMISOS DE CONDUCCIÓN EXPEDIDOS EN OTROS PAÍSES

*Sección 1ª. De los permisos expedidos en Estados miembros de la Unión Europea o en Estados Parte del Acuerdo sobre el Espacio Económico Europeo*

**Artículo 15.** *Validez del permiso de conducción en España.–* 1. Los permisos de conducción expedidos en cualquier Estado miembro de la Unión Europea o en Estados Parte del Acuerdo sobre el Espacio Económico Europeo con arreglo a la normativa comunitaria mantendrán su validez en España, en las condiciones en que hubieran sido expedidos en su lugar de origen, con la salvedad de que la edad requerida para la conducción corresponderá a la exigida para obtener el permiso español equivalente.

2. No obstante, no serán válidos para conducir en España los permisos de conducción expedidos por alguno de dichos Estados que estén restringidos, suspendidos o retirados en cualquiera de ellos o en España.

3. Tampoco serán válidos los permisos de conducción expedidos en cualquiera de esos Estados a quien hubiera sido titular de otro permiso de conducción expedido en alguno de ellos que haya sido retirado, suspendido o declarada su nulidad, lesividad o pérdida de vigencia en España.

4. El titular de un permiso de conducción expedido en uno de estos Estados que haya adquirido su residencia normal en España quedará sometido a las disposiciones españolas relativas a su período de vigencia, de control de sus aptitudes psicofísicas y de asignación de un crédito de puntos.

Cuando se trate de un permiso de conducción no sujeto a un período de vigencia determinado, su titular deberá proceder a su renovación, una vez transcurridos dos años desde que establezca su residencia normal en España, a los efectos de aplicarle los plazos de vigencia previstos en el artículo 12.

5. [...]

**Artículo 16.** *Inscripción de los permisos de conducción en el Registro de Conductores e Infractores.–* 1. Los titulares de permisos de conducción expedidos en cualquiera de estos Estados que hubieran adquirido su residencia normal en España, sin perjuicio de lo dispuesto en el artículo anterior, podrán solicitar voluntariamente en cualquier Jefatura Provincial de Tráfico la anotación de los datos de su permiso en el Registro de conductores e infractores.

2. A la solicitud de inscripción en el modelo oficial, suscrita por el interesado, se acompañarán los documentos que se indican en el anexo III.

**Artículo 17.** *Sustitución del permiso en caso de sustracción, extravío o deterioro del original por el correspondiente español.–* 1. En caso de sustracción, extravío o deterioro del original, el titular de un permiso de conducción expedido en uno de estos Estados que tenga su residencia normal en España, podrá solicitar la expedición de un duplicado en cualquier Jefatura Provincial de Tráfico, que lo otorgará sobre la base de la información que, en su caso, conste en el Registro de conductores e infractores, completada o suplida, de ser necesario, con un certificado de las autoridades competentes del Estado que haya expedido aquél.

Cuando la causa sea el deterioro del original, el permiso sustituido será retirado por la Jefatura Provincial de Tráfico y remitido a las autoridades competentes del Estado que lo hubiera expedido a través de la oficina diplomática o consular.

A la solicitud de duplicado se acompañarán los documentos que se indican en el anexo III.

2. El titular de un permiso de conducción al que se le hubiera expedido duplicado por sustracción o extravío deberá devolver el original de éste, cuando lo encuentre, a la Jefatura Provincial de Tráfico que hubiere expedido el duplicado, la cual procederá a devolverlo a las autoridades competentes del Estado que lo haya expedido, a través de la oficina diplomática o consular, indicando los motivos por los que se ha sustituido.

**Artículo 18.** *Canje del permiso por otro español equivalente.–* 1. El titular de un permiso de conducción vigente expedido en cualquiera de estos Estados, que haya establecido su residencia normal en España, podrá solicitar en cualquier momento de la Jefatura Provincial de Tráfico en la que desee obtenerlo, el canje de su permiso de conducción por otro español equivalente.

A la solicitud en el modelo oficial, suscrita por el interesado, se acompañarán los documentos que se indican en el anexo III.

2. La Jefatura Provincial de Tráfico a la que se dirija la solicitud, después de comprobar, en su caso, la autenticidad, validez y vigencia del permiso presentado, concederá o denegará, según proceda, el canje solicitado.

3. La resolución a que se refiere el apartado anterior, con indicación del Estado que haya expedido el permiso y los datos que figuren en el mismo, se harán constar en el Registro de conductores e infractores.

**Artículo 19.** *Canje de oficio.–* 1. Las Jefaturas Provinciales de Tráfico procederán al canje de oficio de los permisos de conducción expedidos en cualquiera de estos Estados:

a) Cuando, a consecuencia de la aplicación de la normativa española a sus titulares, sea necesario imponer adaptaciones, restricciones u otras limitaciones en personas, vehículos o de circulación durante la conducción.

b) Cuando su titular haya sido sancionado en firme en vía administrativa por la comisión de infracciones que lleven aparejada la pérdida de puntos, a los efectos de poder aplicarle las disposiciones nacionales relativas a la restricción, la suspensión, la retirada o la pérdida de vigencia del permiso de conducción.

c) Cuando sea necesario para poder declarar la nulidad o lesividad del permiso de conducción en cuestión.

2. Para poder efectuar el canje de oficio será necesario que el titular del permiso tenga su residencia normal en España.

3. La resolución que a tales efectos se dicte por la Jefatura Provincial de Tráfico con indicación del Estado que haya expedido el permiso de conducción y los datos que figuren en el mismo, se harán constar en el Registro de conductores e infractores.

**Artículo 20.** *Remisión del permiso canjeado.–* Efectuado el canje del permiso de conducción por otro español equivalente, ya sea de oficio o a solicitud de su titular, se remitirá el permiso canjeado por la Jefatura Provincial de Tráfico a las autoridades competentes del Estado que lo haya expedido, a través de la oficina diplomática o consular, indicando los motivos del canje efectuado.

*Sección 2ª. De los permisos expedidos en terceros países*

**Artículo 21.** *Permisos válidos para conducir en España.–* 1. Son válidos para conducir en España los siguientes permisos de conducción:

a) Los nacionales de otros países que estén expedidos de conformidad con el anexo 9 del Convenio Internacional de Ginebra, de 19 de septiembre de 1949, sobre circulación por carretera, o con el anexo 6 del Convenio Internacional de Viena, de 8 de noviembre de 1968, sobre la circulación vial, o que difieran de dichos modelos únicamente en la adición o supresión de rúbricas no esenciales.

b) Los nacionales de otros países que estén redactados en castellano o vayan acompañados de una traducción oficial. Se entenderá por traducción oficial la realizada por los intérpretes jurados, por los cónsules de España en el extranjero, por los cónsules en España del país que haya expedido el permiso, o por un organismo o entidad autorizados a tal efecto.

c) Los internacionales expedidos en el extranjero de conformidad con el modelo del anexo 10 del Convenio Internacional de Ginebra, de 19 de septiembre de 1949, sobre circulación por carretera, o de acuerdo con los modelos del anexo E de la Convención Internacional de París, de 24 de abril de 1926, para la circulación de automóviles, o del anexo 7 del Convenio Internacional de Viena, de 8 de noviembre de 1968, sobre circulación por carretera, si se trata de naciones adheridas a estos Convenios que no hayan suscrito o prestado adhesión al de Ginebra.

d) Los reconocidos en particulares convenios internacionales multilaterales y bilaterales en los que España sea parte y en las condiciones que en ellos se indiquen.

2. La validez de los permisos a que se refiere el apartado anterior estará condicionada a que se cumplan los siguientes requisitos:

a) Que el permiso de conducción se encuentre en vigor.

b) Que su titular tenga la edad requerida en España para la obtención de un permiso español equivalente.

c) Que no haya transcurrido el plazo de seis meses, como máximo, contado desde que su titular adquiera su residencia normal en España, debidamente acreditada de acuerdo con lo dispuesto en la Ley Orgánica 4/2000, de 11 de enero, sobre derechos y libertades de los extranjeros en España y su integración social, salvo que, tratándose de los permisos a que se refiere el párrafo

d) del apartado anterior, se haya establecido otra norma en el correspondiente convenio.

Si su titular no acreditara la residencia normal en España, aquellos permisos solamente serán válidos para conducir en nuestro país si no han transcurrido más de seis meses desde su entrada en territorio español en situación regular, de acuerdo con lo establecido en la referida Ley Orgánica 4/2000, de 11 de enero.

3. Transcurrido el plazo de seis meses indicado en el párrafo c) del apartado anterior, los permisos a que se refiere el apartado 1 carecerán de validez para conducir en España y, si sus titulares desean seguir haciéndolo, deberán obtener un permiso de conducción español, previa comprobación de los requisitos y superación de las pruebas correspondientes.

**Artículo 22.** *Canje de los permisos de conducción por su equivalente español.*– 1. Una vez transcurrido el plazo indicado en el párrafo c) del apartado 2 del artículo anterior, el titular del permiso de conducción podrá seguir conduciendo en España previo canje del permiso por su equivalente español en los siguientes supuestos:

a) Cuando se trate de los permisos a que se refiere el apartado 1.párrafo d) del artículo 21 y en el convenio particular esté autorizado su canje, que se realizará de acuerdo con las condiciones que se indiquen en el citado convenio.

b) Cuando se trate de los permisos a que se hace referencia en el apartado 1. párrafos a) y b) del artículo 21, siempre que su titular reúna los siguientes requisitos:

1.º Que supere la prueba de control de aptitudes y comportamientos en circulación en vías abiertas al tráfico general a que hace referencia el artículo 49.2, que tendrá una duración máxima de 30 minutos.

2.º Que acredite haber estado contratado como conductor profesional, por un tiempo no inferior a seis meses, por empresa o empresas legalmente establecidas o con sucursal en España, las cuales justificarán esta circunstancia aportando, además, los documentos de afiliación y cotización a la Seguridad Social.

La consideración de conductor profesional, a los efectos señalados en el párrafo anterior, se entenderá en los términos previstos en el Real Decreto 1032/2007, de 20 de julio, por el que se regula la cualificación inicial y la formación continua de los conductores de determinados vehículos destinados al transporte por carretera.

3.º Que no esté privado por resolución judicial del derecho a conducir vehículos de motor y ciclomotores, ni se halle sometido a suspensión o intervención administrativa del permiso o licencia de conducción que posea.

2. El titular del permiso de conducción podrá canjearlo por su equivalente español en el momento en que haya adquirido su residencia normal en España sin tener que esperar a que transcurra el plazo máximo de seis meses a que se refiere el párrafo c) del apartado 2 del artículo anterior.

**Artículo 23.** *Procedimiento para solicitar el canje de los permisos de conducción por su permiso equivalente español.*– 1. El interesado en proceder a canje de su permiso de conducción por su equivalente español deberá dirigir la Jefatura Provincial del Tráfico que lo desee, su solicitud en el modelo oficial suscrita por el mismo, acompañada de los documentos que se indican en el anexo III.

2. A fin de comprobar la autenticidad, validez y vigencia del permiso de conducción, la Jefatura Provincial de Tráfico podrá solicitar los informes que en atención a las circunstancias, estime procedentes, incluido el certificado emitido por el organismo que lo hubiera expedido, visado y traducido, en su caso, por la correspondiente oficina diplomática o consular, en el que se especifiquen los vehículos cuya conducción autoriza y demás características del permiso.

3. La Jefatura Provincial de Tráfico a la que se dirija la solicitud, previo los trámites que estime oportunos, concederá o denegará, según proceda, canje solicitado, circunstancia que, con indicación del país que haya expedido el permiso, los datos de éste y de su titular, se hará constar en el Registro de conductores e infractores. Si en el convenio que, en su caso, existiera no se dispusiera otra cosa, el permiso de conducción original será devuelto al país de expedición.

4. En el permiso de conducción español expedido como consecuencia del canje, así como en las sucesivas prórrogas de vigencia, duplicados o cualquier otro trámite que se realice con éste, se hará constar la circunstancia de que procede del canje de otro permiso de conducción expedido en un país comunitario.

*Sección 3ª. Permiso de conducción de los diplomáticos acreditados en España*

**Artículo 24.** *Obtención de permiso de conducción español.–* 1. Los miembros de las Misiones Diplomáticas, de las Oficinas Consulares y de las organizaciones internacionales con sede u oficina en España de países no comunitarios acreditados en España, así como sus ascendientes, descendientes y cónyuge, siempre que sean titulares de un permiso de conducción equivalente, podrán obtener cualquiera de los permisos enumerados en el artículo 4 sin necesidad de abonar tasas ni realizar las correspondientes pruebas de aptitud para verificar sus conocimientos teóricos y prácticos, a condición de reciprocidad.

2. A la solicitud, que se dirigirá al Ministerio de Asuntos Exteriores y de Cooperación, se acompañarán los documentos indicados en el anexo III. Este Departamento, una vez comprobado que concurren los requisitos exigidos, la remitirá a la Jefatura Provincial de Tráfico de Madrid para su tramitación, en unión de la documentación requerida.

CAPÍTULO III. OTRAS AUTORIZACIONES ADMINISTRATIVAS PARA CONDUCIR

*Sección 1ª. De la autorización especial para conducir vehículos que transporten mercancías peligrosas*

**Artículo 25.** *Autorización especial para conducir vehículos que transporten mercancías peligrosas.–* 1. Para conducir vehículos que transporten mercancías peligrosas, cuando así lo requieran las disposiciones del Acuerdo Europeo sobre Transporte Internacional de mercancías peligrosas por carretera (ADR), hecho en Ginebra el 30 de septiembre de 1957, se exigirá una autorización administrativa especial que habilite para ello.

2. Dicha autorización especial, que por sí sola no autoriza a conducir si no va acompañada del permiso de conducción ordinario en vigor requerido para el vehículo de que se trate, deberá llevarla consigo su titular, en unión del correspondiente permiso de conducción, y exhibirla ante la autoridad o sus agentes cuando lo soliciten.

**Artículo 26.** *Requisitos para su obtención.* Para obtener la autorización especial deberán cumplirse los siguientes requisitos:

a) Estar en posesión, con una antigüedad mínima de un año, del permiso de conducción ordinario en vigor de la clase B, al menos.

b) Haber realizado con aprovechamiento un curso de formación inicial básico como conductor para el transporte de mercancías peligrosas en un centro de formación autorizado por la Dirección General de Tráfico.

c) Ser declarado apto por la Jefatura Provincial de Tráfico en las correspondientes pruebas de aptitud.

d) No estar privado por resolución judicial del derecho a conducir vehículos de motor y ciclomotores, ni hallarse sometido a suspensión o intervención administrativa del permiso que se posea.

e) Reunir las aptitudes psicofísicas requeridas para obtener permiso de conducción de las clases señaladas en el artículo 45.1.b).

f) Tener la residencia normal en España.

**Artículo 27.** *Solicitud de la autorización especial y documentación a presentar.–* 1. La expedición de la autorización especial se solicitará de la Jefatura Provincial de Tráfico en la que se desee obtener, en el modelo oficial suscrito por el interesado, acompañada de los documentos que se indican en el anexo III.

2. La Jefatura Provincial de Tráfico a la que se dirija la solicitud, previas las actuaciones que en cada caso procedan y superadas las pruebas y ejercicios que correspondan, concederá o denegará lo solicitado, circunstancia que se hará constar en el Registro de conductores e infractores.

3. La autorización especial se expedirá conforme al modelo que se recoge en el anexo II.

**Artículo 28.** *Vigencia de la autorización especial y prórroga de la misma.* 1. La autorización especial para conducir vehículos que transporten mercancías peligrosas tendrá un período de vigencia de cinco años.

2. La vigencia de esta autorización especial podrá ser prorrogada por nuevos períodos de cinco años, en cualquier Jefatura Provincial de Tráfico, previa solicitud en el modelo oficial suscrito por el interesado, a la que se acompañarán los documentos que se indican en el anexo III.

3. Para prorrogar la vigencia de la autorización su titular deberá reunir los siguientes requisitos:

a) No estar privado por resolución judicial del derecho a conducir vehículos de motor y ciclomotores, ni hallarse sometido a suspensión o intervención administrativa del permiso que posea.

b) Haber realizado con aprovechamiento un curso de reciclaje básico o, en su lugar, a elección de su titular, un curso de formación inicial básico.

Si además se quiere prorrogar la vigencia de la ampliación de la autorización se deberá realizar un curso de reciclaje de especialización o, en su lugar, a elección de su titular, un curso de formación inicial de especialización.

c) Superar las pruebas correspondientes al curso realizado, de acuerdo con lo dispuesto en el capítulo IV del título II.

4. Cuando se haya realizado el curso y superado las pruebas correspondientes a que se refieren los párrafos b) y c) del apartado anterior dentro los doce meses anteriores a la fecha de caducidad de la autorización, el período de vigencia de la nueva autorización se iniciará a partir de la fecha de caducidad.

En el supuesto de que se haya realizado el curso y superado las pruebas con una antelación superior a la indicada en párrafo anterior, el período de vigencia de la nueva autorización comenzará a partir de la fecha en que se hayan aprobado las correspondientes pruebas para obtener la prórroga.

**Artículo 29.** *Ampliación de la autorización especial.* 1. La autorización especial para conducir vehículos que transporten mercancías peligrosas se podrá ampliar, previa solicitud dirigida a la Jefatura Provincial de Tráfico en la que se desee obtener, en el modelo oficial suscrito por el interesado, al que se acompañarán los documentos que se indican en el anexo III.

2. La ampliación tendrá un período máximo de vigencia de cinco años.

Cuando un conductor, estando vigente su autorización, amplíe su alcance a nuevas especialidades, el período de vigencia de la nueva autorización seguirá siendo el de la autorización anterior.

3. Para ampliar la autorización su titular deberá reunir los siguientes requisitos:

a) Tener autorización especial para conducir vehículos que transporten mercancías peligrosas en vigor.

b) No estar privado por resolución judicial del derecho a conducir vehículos de motor y ciclomotores, ni hallarse sometido a suspensión o intervención administrativa del permiso que posea.

c) Haber realizado con aprovechamiento un curso de formación inicial de especialización para la materia para la que solicite la ampliación en un centro de formación autorizado por la Dirección General de Tráfico, de acuerdo con lo dispuesto en el capítulo IV del título II.

d) Ser declarado apto por la Jefatura Provincial de Tráfico en las correspondientes pruebas de aptitud.

4. La Jefatura Provincial de Tráfico a la que se dirija la solicitud, previas las actuaciones que en cada caso procedan y superadas las pruebas y ejercicios que correspondan, concederá o denegará la ampliación solicitada, circunstancia que se hará constar en el Registro de conductores e infractores.

**Artículo 30.** *Entrega de la autorización original.*– La autorización original deberá ser entregada por su titular en la Jefatura Provincial de Tráfico, al concederse la prórroga o la ampliación solicitada y previamente a la entrega de la nueva autorización.

*Sección 2ª. Del permiso internacional para conducir*

**Artículo 31.** *El permiso internacional para conducir.*– 1. De acuerdo con lo dispuesto en el Convenio Internacional de Ginebra, de 19 de septiembre de 1949, sobre circulación por carretera, el permiso internacional autoriza para conducir temporalmente por el territorio de todos los Estados contratantes, con excepción del Estado que lo ha expedido.

2. El permiso internacional para conducir, que tendrá una validez de un año, se ajustará al modelo establecido en el Convenio a que se hace referencia en el apartado anterior y que se recoge en el anexo II.

**Artículo 32.** *Requisitos para obtener el permiso internacional para conducir.*– Para obtener el permiso internacional para conducir se requerirá:

a) Tener la residencia normal en España.

b) Ser titular de un permiso de conducción nacional de igual clase que la del internacional que solicita, válido y en vigor, o de un permiso expedido en otro Estado miembro de la Unión Europea o en otro Estado parte del Acuerdo sobre el Espacio Económico Europeo que previamente ha de ser inscrito en el Registro de conductores e infractores.

c) No estar privado por resolución judicial del derecho a conducir vehículos de motor y ciclomotores, ni hallarse sometido a suspensión o intervención administrativa del permiso nacional que se posea.

**Artículo 33.** *Expedición del permiso internacional para conducir.*– La expedición del permiso internacional para conducir se solicitará de la Jefatura

Provincial de Tráfico en la que se desee obtener, en el modelo oficial suscrito por el interesado, acompañando a la solicitud los documentos que se indican en el anexo III.

## CAPÍTULO IV. DE LA NULIDAD O LESIVIDAD Y PÉRDIDA DE VIGENCIA DE LAS AUTORIZACIONES ADMINISTRATIVAS PARA CONDUCIR

**Artículo 34.** *Declaración de nulidad o lesividad.*– 1. Las autorizaciones administrativas para conducir reguladas en este título podrán ser objeto de declaración de nulidad o lesividad cuando concurra alguno de los supuestos previstos en los artículos 62 y 63, respectivamente, de la Ley 30/1992, de 26 de noviembre, de Régimen Jurídico de las Administraciones Públicas y del Procedimiento Administrativo Común.

2. El procedimiento para la declaración de nulidad o lesividad se ajustará a lo establecido en el capítulo I del título VII de la Ley 30/1992, de 26 de noviembre, de Régimen Jurídico de las Administraciones Públicas y del Procedimiento Administrativo Común, así como a la Disposición Adicional Decimosexta de la Ley 6/1997, de 14 de abril, de Organización y Funcionamiento de la Administración General del Estado, en cuanto a la competencia para la revisión de oficio de los actos nulos.

**Artículo 35.** *Declaración de pérdida de vigencia.*– 1. Se declarará la pérdida de vigencia de las autorizaciones administrativas cuyo titular no posea los requisitos para su otorgamiento o haya perdido totalmente su asignación de puntos. La resolución que declare la pérdida de vigencia deberá ser notificada en el plazo máximo de seis meses.

2. La competencia para declarar la pérdida de vigencia corresponde al Jefe Provincial de Tráfico.

**Artículo 36.** *Procedimiento para la declaración de pérdida de vigencia por la desaparición de alguno de los requisitos exigidos para su otorgamiento.*– 1. La Jefatura Provincial de Tráfico que tenga conocimiento de la presunta desaparición de alguno de los requisitos que, sobre conocimientos, habilidades, aptitudes o comportamientos esenciales para la seguridad de la circulación o aptitudes psicofísicas, se exigían para el otorgamiento de la autorización, previos los informes, asesoramientos o pruebas que, en su caso y en atención a las circunstancias concurrentes, estime oportunos, iniciará el procedimiento de declaración de pérdida de vigencia de ésta.

2. El acuerdo de incoación contendrá una relación detallada de los hechos y circunstancias que induzcan a apreciar, racional y fundadamente, que carece de alguno de los requisitos que se indican en el apartado anterior y, si procediera, se adoptará la medida de suspensión cautelar e intervención inmediata de la autorización a que se refiere el artículo 39.

3. El acuerdo a que se refiere el apartado anterior se notificará por la Jefatura Provincial de Tráfico al titular de la autorización, se le dará vista del expediente en los términos previstos en la Ley 30/1992, de 26 de noviembre, y se le indicarán los plazos y formas de que dispone para acreditar la existencia del requisito o requisitos exigidos. Contra dicho acuerdo, el titular de la autorización podrá alegar lo que estime pertinente a su defensa o, en su caso, demostrar en tiempo y forma que no carece de tales requisitos.

A) Los plazos para acreditar la existencia de los requisitos exigidos serán los siguientes:

a) Si no se acuerda la suspensión cautelar y la intervención, el plazo será de dos meses. De no acreditarse en el mencionado plazo la existencia del requisito exigido, se acordará la suspensión cautelar e intervención inmediata de la autorización.

b) Si se acuerda la suspensión cautelar y la intervención inmediata, el plazo será el indicado en el párrafo a) anterior o el que reste de vigencia a la autorización administrativa, cuando éste sea mayor.

B) Las formas para acreditar la existencia del requisito o requisitos exigidos serán las siguientes:

a) Si afectara a los conocimientos, habilidades, aptitudes o comportamientos para conducir, o a otros requisitos, sometiéndose a las pruebas de control de conocimientos o de control de aptitudes y comportamientos que, en virtud de los informes, asesoramientos y pruebas correspondientes, se consideren procedentes, ante la Jefatura Provincial de Tráfico que haya instruido el procedimiento, o aportando, en su caso, las pruebas que a su derecho convenga.

b) Si afectara a los requisitos psicofísicos exigidos para conducir, sometiéndose a las pruebas de aptitud psicofísica que procedan ante los servicios sanitarios competentes y, en su caso, a las de control de aptitudes y comportamientos correspondientes que, si fuera necesario, se realizarán conforme se determina en el artículo 61.3.

4. El titular de la autorización podrá realizar las pruebas de control de conocimientos y de control de aptitudes y comportamientos o someterse a las de control de aptitud psicofísica, hasta un máximo de tres ocasiones, dentro de los plazos indicados en el apartado 3.A.

5. Cuando el resultado de las pruebas sea favorable, el Jefe Provincial de Tráfico acordará dejar sin efecto el procedimiento de declaración de pérdida de vigencia y, en su caso, el levantamiento de la suspensión cautelar y la devolución inmediata de la autorización intervenida.

Cuando el resultado de las pruebas de control de conocimientos y de control de aptitudes y comportamientos fuera desfavorable en la tercera ocasión en que se realicen, o en alguno de los reconocimientos para explorar las aptitudes psicofísicas se comprobase que el defecto psicofísico es irreversible, cuando el titular de la autorización no se sometiera a las pruebas en los plazos establecidos en el apartado 3.A), o no hubiera acreditado que reúne el requisito correspondiente, el Jefe Provincial de Tráfico dictará resolución motivada acordando la pérdida de vigencia de la autorización administrativa de que se trate.

6. Cuando la carencia del requisito exigido permita conducir con adaptaciones, restricciones u otras limitaciones en personas, vehículos o de circulación, al titular del permiso o licencia cuya pérdida de vigencia haya sido acordada le podrá ser expedido, previos los trámites y comprobaciones que correspondan, otro permiso o licencia de carácter extraordinario sujeto a las condiciones restrictivas que, en cada caso, procedan.

7. Cuando el procedimiento para la declaración de pérdida de vigencia o la pérdida de vigencia acordada no afecte a todas las clases de permiso o licencia de conducción, la Jefatura Provincial de Tráfico facilitará al interesado, de oficio, un duplicado o una autorización temporal, según proceda, con las clases no afectadas.

8. El titular de una autorización cuya pérdida de vigencia haya sido declarada podrá obtener otra de nuevo siguiendo el procedimiento y superando las pruebas establecidas, en las que deberá acreditar la concurrencia del requisito cuya falta determinó la extinción de la autorización anterior.

9. La competencia para declarar la pérdida de vigencia de las autorizaciones corresponde al Jefe de Tráfico de la provincia en cuyo territorio se haya detectado la presunta carencia de los requisitos exigidos, sin perjuicio de que

pueda delegar esa competencia en los términos previstos en la Ley 30/1992, de 26 de noviembre.

**Artículo 37.** *Procedimiento para la declaración de pérdida de vigencia por la pérdida total de los puntos asignados.–* 1. La Jefatura Provincial de Tráfico, una vez constatada la pérdida por el titular del permiso o de la licencia de conducción de la totalidad de los puntos asignados, iniciará el procedimiento para declarar su pérdida de vigencia mediante acuerdo que contendrá una relación detallada de las resoluciones sancionadoras firmes en vía administrativa que hubieran dado lugar a la pérdida de los puntos, con indicación del número de puntos que a cada una de ellas hubiera correspondido y se le dará vista del expediente al titular de la autorización, en los términos previstos en la Ley 30/1992, de 26 de noviembre. En dicho acuerdo se concederá al interesado un plazo máximo de diez días para formular las alegaciones que estime conveniente.

2. Transcurrido el plazo indicado en el apartado anterior, el Jefe Provincial de Tráfico dictará resolución declarando la pérdida de vigencia del permiso o de la licencia de conducción, que se notificará al interesado en el plazo de quince días, en los términos previstos en la Ley 30/1992, de 26 noviembre.

Declarada la pérdida de vigencia, el interesado deberá entregar el permiso o licencia de conducción en la Jefatura Provincial de Tráfico la cual, de no hacerlo, ordenará su retirada por los Agentes de la autoridad.

3. La competencia para declarar la pérdida de vigencia corresponde al Jefe de Tráfico de la provincia correspondiente al domicilio del titular de la autorización.

**Artículo 38.** *Requisitos para recuperar el permiso o la licencia de conducción.–* 1. El titular de la autorización para conducir cuya pérdida de vigencia haya sido declarada por haber perdido la totalidad de los puntos que tuviera asignados, podrá obtener nuevamente un permiso o licencia de conducción de la misma clase de la que era titular y con la misma antigüedad, previa realización y superación con aprovechamiento de un curso de sensibilización y reeducación vial de recuperación del permiso o la licencia de conducción, y posterior superación de la prueba de control de conocimientos a que se refiere el artículo 47.2.

2. La prueba podrá realizarse en cualquier Jefatura Provincial de Tráfico, a la que el interesado dirigirá una solicitud en el modelo oficial acompañada de los documentos que se indican en el anexo III.

3. El titular de la autorización no podrá obtener un nuevo permiso o una nueva licencia de conducción hasta que hayan transcurrido seis meses desde la fecha en que le fue notificado el acuerdo de declaración de la pérdida de vigencia, salvo los conductores profesionales para los que este plazo será de tres meses.

Si en los tres años siguientes a la obtención de esa nueva autorización se acordara su pérdida de vigencia por haber perdido otra vez la totalidad del crédito de puntos asignados, el titular de aquélla no podrá obtener un nuevo permiso o licencia de conducción hasta transcurridos doce meses desde la notificación del acuerdo de declaración de pérdida de vigencia, salvo los conductores profesionales para los que este plazo será de seis meses.

Se entenderá por conductor profesional, a los efectos de lo previsto en los dos párrafos anteriores, aquel que tenga tal consideración de acuerdo con lo previsto en la disposición adicional tercera del texto articulado de la Ley sobre Tráfico, Circulación de Vehículos a Motor y Seguridad Vial.

4. El titular de una autorización para conducir que haya perdido su vigencia por haber sido condenado a la pena de privación del derecho a conducir vehículos de motor y ciclomotores por tiempo superior a dos años podrá obtener nuevamente un permiso o licencia de conducción de la misma clase de la que era titular y con la misma antigüedad, una vez cumplida la condena y previo cumplimiento de los requisitos exigidos en el texto articulado de la Ley sobre Tráfico, Circulación de Vehículos a Motor y Seguridad Vial.

**Artículo 39.** *Suspensión cautelar de la vigencia del permiso o de la licencia de conducción.*– 1. En el curso de los procedimientos de declaración de nulidad o lesividad o de pérdida de vigencia de las autorizaciones administrativas, se acordará la suspensión cautelar de la vigencia de la autorización de que se trate cuando su mantenimiento entrañe un grave peligro para la seguridad del tráfico o perjudique notoriamente el interés público.

2. En este caso, el Jefe Provincial de Tráfico acordará, mediante resolución motivada, la intervención inmediata de la autorización, procediendo al mismo tiempo a la práctica de cuantas medidas sean necesarias para impedir el efectivo ejercicio de la conducción, siguiéndose en todo caso el procedimiento,

requisitos y exigencias de la Ley 30/1992, de 26 de noviembre, y solicitando el auxilio de las Fuerzas y Cuerpos de Seguridad del Estado cuando fuera necesaria la compulsión sobre las personas.

La intervención se llevará a efecto por el agente de la autoridad correspondiente que procederá a la retirada de la autorización al mismo tiempo que notifica al interesado la resolución en que se haya acordado aquélla.

3. La conducción durante el período de suspensión cautelar de la autorización administrativa será considerada como conducir con la autorización administrativa correspondiente suspendida por sanción.

**Artículo 40.** *Efectos de la declaración de nulidad, lesividad, pérdida de vigencia o suspensión cautelar del permiso o de la licencia de conducción.–* 1. La declaración de nulidad o lesividad, de pérdida de vigencia por la desaparición de alguno de los requisitos exigidos para su otorgamiento, la suspensión cautelar y, en su caso, la intervención, podrá afectar a una o más clases del permiso o licencia de conducción que posea el titular. En todo caso, en el procedimiento que se instruya deberá indicarse claramente la clase o las clases del permiso o licencia de conducción afectados.

De no afectar a todas ellas, la Jefatura Provincial de Tráfico, de oficio, entregará al interesado un nuevo documento en el que conste la clase o clases del permiso o de la licencia de conducción no afectados.

2. La declaración de nulidad o lesividad, de pérdida de vigencia por la desaparición de alguno de los requisitos exigidos para su otorgamiento, o la suspensión cautelar y, en su caso, la intervención, llevará consigo la de cualquier otro certificado, autorización administrativa o documento cuyo otorgamiento dependa de la vigencia de la clase o las clases del permiso o licencia de conducción objeto del procedimiento.

3. La declaración de pérdida de vigencia por haber perdido el titular del permiso o de la licencia de conducción la totalidad del crédito de puntos, o por haber sido condenado a la pena de privación del derecho a conducir vehículos de motor y ciclomotores por tiempo superior a dos años, afectará a todas las clases del permiso o licencia de conducción de que sea titular, así como a cualquier otro certificado, autorización administrativa o documento cuyo otorgamiento dependa de la vigencia de la clase o de las clases del permiso o licencia de conducción objeto del procedimiento.

No obstante, una vez obtenido nuevamente un permiso o licencia de conducción de la misma clase de la que era titular, siguiendo el procedimiento establecido en su caso, también se obtendrán de nuevo, siempre que no haya transcurrido el plazo de vigencia otorgado cuando le fueron expedidos, los certificados, autorizaciones administrativas o documentos cuyo otorgamiento dependan de la vigencia de la clase o de las clases del permiso o licencia de conducción recuperados.

## TÍTULO II. DE LA ENSEÑANZA DE LA CONDUCCIÓN Y DE LAS PRUEBAS DE APTITUD A REALIZAR PARA OBTENER AUTORIZACIONES ADMINISTRATIVAS PARA CONDUCIR

### CAPÍTULO I. DISPOSICIONES GENERALES

**Artículo 41.** *De la enseñanza de la conducción.*– 1. El aprendizaje de la conducción se realizará en escuelas de conductores autorizadas conforme a la normativa vigente.

2. En ningún caso podrá ser admitido a las pruebas de control de aptitudes y comportamientos en circulación en vías abiertas al tráfico general necesarias para obtener el permiso de conducción quien no haya realizado su formación de acuerdo con lo previsto en el apartado anterior, salvo que haya sido titular de un permiso de categoría equivalente o superior.

3. Se exceptúa de lo dispuesto en los apartados anteriores al personal examinador encargado de calificar las pruebas de control de aptitudes y comportamientos para la obtención de permisos y licencias de conducción, de acuerdo con lo establecido en el anexo VIII.

4. Asimismo, se podrá realizar el aprendizaje en la conducción mediante la obtención de una licencia de aprendizaje en los términos que se establezcan mediante Orden del Ministro del Interior.

La licencia de aprendizaje podrá otorgarse por una sola vez, siempre que el solicitante designe a la persona que habrá de acompañarle durante el aprendizaje y que estará, en su caso, a cargo del doble mando del vehículo.

**Artículo 42.** *Objeto de las pruebas de aptitud.*– Todo conductor de vehículos de motor o ciclomotores deberá poseer, para conducir con seguridad, las aptitudes psicofísicas y los conocimientos, habilidades, aptitudes y comportamientos que le permitan:

a) Manejar adecuadamente el vehículo y sus mandos para no comprometer la seguridad vial y conseguir una utilización responsable del vehículo.

b) Dominar el vehículo con el fin de no crear situaciones peligrosas y reaccionar de forma apropiada cuando éstas se presenten.

c) Discernir los peligros originados por la circulación y valorar su gravedad.

d) Observar las disposiciones legales y reglamentarias en materia de tráfico, circulación de vehículos y seguridad vial, en particular las que tengan por objeto prevenir los accidentes de circulación y garantizar la fluidez y seguridad de la circulación.

e) Tener un conocimiento razonado sobre mecánica y entretenimiento simple de las partes y dispositivos del vehículo que le permitan detectar los defectos técnicos más importantes de éste, en particular los que pongan en peligro la seguridad y de las medidas que se han de tomar para remediarlos debidamente.

f) Tener en cuenta todos los factores que afectan al comportamiento de los conductores con el fin de conservar en todo momento la utilización plena de las aptitudes y capacidades necesarias para conducir con seguridad.

g) Contribuir a la seguridad de todos los usuarios, en particular de los más débiles y los más expuestos al peligro, mediante una actitud respetuosa hacia el prójimo.

h) Contribuir a la conservación del medio ambiente, evitando la contaminación.

i) Auxiliar a las víctimas de accidentes de circulación, prestar a los heridos el auxilio que resulte más adecuado, según las circunstancias, tratando de evitar mayores peligros o daños, restablecer, en la medida de lo posible, la seguridad de la circulación y colaborar con la autoridad y sus agentes en el esclarecimiento de los hechos.

**Artículo 43.** *Pruebas a realizar.–* 1. Las pruebas a realizar para obtener autorización administrativa para conducir serán las siguientes:

a) Pruebas de aptitud psicofísica.

b) Pruebas de control de conocimientos.

c) Pruebas de control de aptitudes y comportamientos.

2. Las pruebas de aptitud psicofísica tendrán por objeto dejar constancia de que no existe enfermedad o deficiencia que pueda suponer incapacidad para conducir asociada con:

a) La capacidad visual.

b) La capacidad auditiva.

c) El sistema locomotor.

d) El sistema cardiovascular.

e) Trastornos hematológicos.

f) El sistema renal.

g) El sistema respiratorio.

h) Enfermedades metabólicas y endocrinas.

i) El sistema nervioso y muscular.

j) Trastornos mentales y de conducta.

k) Trastornos relacionados con la adicción a drogas tóxicas, estupefacientes, sustancias psicotrópicas o de bebidas alcohólicas.

l) Aptitud perceptivo-motora.

m) Cualquier otra afección no mencionada en los apartados anteriores que pueda suponer una incapacidad para conducir o comprometer la seguridad vial.

3. Las pruebas de control de conocimientos comprenderán:

a) Prueba de control de conocimientos común.

b) Prueba de control de conocimientos específicos.

4. Las pruebas de control de aptitudes y comportamientos comprenderán:

a) Prueba de control de aptitudes y comportamientos en circuito cerrado.

b) Prueba de control de aptitudes y comportamientos en circulación en vías abiertas al tráfico general.

5. De las pruebas indicadas en los apartados anteriores, los aspirantes deberán superar, según la clase de permiso o licencia de conducción que pretendan obtener, las que se establecen en el cuadro que figura en el anexo V. A).

6. Las pruebas deberán ajustarse, en su desarrollo y organización, a las prescripciones establecidas en el capítulo III siguiente y en el anexo VI.

## CAPÍTULO II. DE LAS PRUEBAS DE APTITUD PSICOFÍSICA

**Artículo 44.** *Personas obligadas a someterse a las pruebas.*– 1. Deberán someterse a las pruebas y exploraciones necesarias para determinar si reúnen las aptitudes psicofísicas requeridas, todas las personas que pretendan obtener o prorrogar cualquier permiso o licencia de conducción y las que, en relación con las tareas de conducción o con su enseñanza, estén obligadas a ello.

Las pruebas y exploraciones a que se refiere el párrafo anterior serán practicadas por los centros de reconocimiento de conductores autorizados, los cuales emitirán un informe de aptitud psicofísica.

Dicho informe podrá ser complementado por el reconocimiento efectuado por los servicios sanitarios competentes cuando la Jefatura Provincial de Tráfico así lo acuerde en los supuestos en que, con ocasión de la práctica de las pruebas de aptitud para obtener licencia o permiso o en cualquier otro momento del procedimiento, se adviertan en el aspirante indicios racionales de deficiencias psicofísicas que lo aconsejen.

2. Las aptitudes psicofísicas requeridas para obtener o prorrogar el permiso o la licencia de conducción son las que se establecen en el anexo IV.

3. No obstante lo dispuesto en el apartado anterior, si el centro que estuviese realizando el reconocimiento detectase que un solicitante, pese a no estar incluido en algunas de las deficiencias o enfermedades relacionadas en el anexo IV, no estuviese en condiciones para que le fuera expedido un permiso o licencia de conducción, o prorrogada su vigencia, lo comunicará, indicando las causas, a la Jefatura Provincial de Tráfico correspondiente para que resuelva, previo informe de los servicios sanitarios competentes, lo que proceda.

**Artículo 45.** *Grupos de conductores.–* 1. A efectos de lo dispuesto en el anexo IV, los conductores se clasifican en los dos grupos siguientes:

a) Grupo 1. Comprende los que sean titulares o soliciten la obtención o prórroga de la licencia o del permiso de conducción de las clases AM, A1, A2, A, B o B + E.

b) Grupo 2. Comprende los que sean titulares o soliciten la obtención o prórroga del permiso de conducción de las clases C1, C1 + E, C, C + E, D1, D1 + E, D o D + E.

2. Se equipara a los señalados en el grupo 2 a los profesionales de la enseñanza de la conducción, sin perjuicio de las especialidades que se puedan determinar en su reglamentación específica.

**Artículo 46.** *Permisos y licencias de conducción ordinarios y extraordinarios.–* 1. Los permisos y licencias de conducción, en función de las aptitudes psicofísicas de los conductores, serán ordinarios o extraordinarios.

2. Podrán obtener, prorrogar o ser titulares de permiso o licencia de conducción ordinarios, las personas que no estén afectadas por enfermedad o

deficiencia que determine la obligatoriedad de adaptaciones, restricciones de circulación u otras limitaciones en personas, vehículos o de circulación durante la conducción, excepto cuando la limitación consista en la obligación de utilizar lentes correctoras o audífonos para adquirir, respectivamente, la agudeza visual o auditiva mínimas necesarias para obtener dichos permisos o licencias de conducción.

3. Podrán obtener, prorrogar o ser titulares de permiso o licencia de conducción extraordinarios sujetos a condiciones restrictivas, las personas que reúnen las aptitudes psicofísicas requeridas para obtener permiso o licencia de conducción sujeto a las adaptaciones, restricciones u otras limitaciones en personas, vehículos o de circulación que en cada caso procedan conforme se indica en el anexo IV.

## CAPÍTULO III. DE LAS PRUEBAS A REALIZAR PARA COMPROBAR LOS CONOCIMIENTOS, APTITUDES Y COMPORTAMIENTOS NECESARIOS PARA CONDUCIR VEHÍCULOS DE MOTOR Y CICLOMOTORES

*Sección 1ª. De las pruebas a realizar para comprobar los conocimientos, las aptitudes y los comportamientos*

**Artículo 47.** *Pruebas de control de conocimientos.–* 1. La prueba de control de conocimientos común a realizar por los solicitantes de permiso de conducción, excepto del de la clase AM, así como la de control de conocimientos específicos a realizar por los solicitantes de permiso o licencia de conducción, según su clase, tienen por objeto garantizar que éstos poseen un conocimiento razonado y una buena comprensión sobre las materias que, en cada caso, se indican en el anexo V. B). 1 y 2.

2. Los titulares de permisos o licencias de conducción cuya pérdida de vigencia haya sido declarada por la pérdida total de los puntos asignados, tras la realización con aprovechamiento del correspondiente curso de sensibilización y reeducación vial, realizarán una prueba de control de conocimientos sobre las materias descritas en la Orden INT/2596/2005, de 28 de julio, por la que se regulan los cursos de sensibilización y reeducación vial para los titulares de un permiso o licencia de conducción.

**Artículo 48.** *Prueba de control de aptitudes y comportamientos en circuito cerrado.–* 1. El contenido de la prueba de control de aptitudes y comportamientos en circuito cerrado se orientará a comprobar la destreza y habilidad de los aspirantes en el dominio y manejo del vehículo y sus mandos.

2. Los solicitantes de permiso o licencia de conducción, según su clase, realizarán las maniobras indicadas en el anexo V. B).3.

**Artículo 49.** *Prueba de control de aptitudes y comportamientos en circulación en vías abiertas al tráfico general.–* 1. Los aspirantes al permiso de conducción, excepto al de la clase AM, previamente a la realización de la prueba de control de aptitudes y comportamientos en circulación en vías abiertas al tráfico general, deberán demostrar, en cuanto sea compatible con el vehículo, que son capaces de prepararse para una conducción segura.

2. Deberán efectuar obligatoriamente, con toda seguridad y con las precauciones necesarias, las operaciones indicadas en el anexo V. B). 4.

3. En cada una de las situaciones de conducción, deberán demostrar soltura en el manejo de los diferentes mandos del vehículo y dominio para introducirse en la circulación con total seguridad.

A lo largo de la prueba, deberán dar una impresión de seguridad. Los errores de conducción o un comportamiento peligroso que amenace la seguridad del vehículo de examen, sus pasajeros u otros usuarios de la vía, tanto si es necesaria como si no la intervención del examinador o acompañante, será causa suficiente para interrumpir la prueba y calificar su falta de aptitud. No obstante, el examinador podrá decidir la continuación de la prueba hasta que la detención del vehículo se pueda realizar de forma segura.

4. Deberán, asimismo, mostrar un comportamiento prudente y cortés. Éste es un reflejo de la forma de conducir considerada en su globalidad que el examinador debe tener en cuenta para hacerse una idea general de su preparación. Será un criterio positivo una conducción flexible y dispuesta, aparte de segura, que tenga en cuenta las condiciones meteorológicas y de la vía pública, de los demás vehículos, los intereses de los demás usuarios de aquélla, especialmente de los más vulnerables, y una capacidad de anticipación.

**Artículo 50.** *Centro de exámenes en el que se realizarán las pruebas.–* Las pruebas se realizarán en la provincia a la que se haya dirigido la solicitud y en el centro de exámenes que, atendidas las circunstancias y las posibilidades del servicio, determine la Jefatura Provincial de Tráfico.

**Artículo 51.** *Convocatorias.–* 1. Cada solicitud para obtener permiso o licencia de conducción dará derecho a dos convocatorias para realizar las pruebas. Entre convocatorias de un mismo expediente no deberá mediar más de seis meses, salvo en casos de enfermedad u otros excepcionales debidamente justificados.

La antelación máxima para poder presentarse a la primera convocatoria de las pruebas de control de conocimientos, será de tres meses anteriores al cumplimiento de la edad mínima exigida para obtener la clase de permiso o licencia de conducción de que se trate.

2. Como norma general, las pruebas de control de conocimientos se celebrarán en fecha distinta a la de control de aptitudes y comportamientos en circuito cerrado y ésta a la de control de aptitudes y comportamientos en circulación en vías abiertas al tráfico general. En casos excepcionales debidamente justificados, la Jefatura Provincial de Tráfico podrá autorizar la celebración de todas o algunas de ellas en la misma fecha.

3. Las fechas de las pruebas serán fijadas, a petición del interesado, por la Jefatura Provincial de Tráfico a la que se dirija la solicitud teniendo en cuenta las posibilidades del servicio. La no presentación a cualquiera de las pruebas en las fechas fijadas dará lugar a la pérdida de la convocatoria, salvo casos excepcionales debidamente justificados.

4. En el supuesto previsto en el artículo 38.1 y, en su caso, en el apartado 4, quien haya realizado con aprovechamiento el curso de sensibilización y reeducación vial, contará con tres convocatorias para superar la prueba de control de conocimientos sobre las materias descritas en la Orden INT/2596/2005, de 28 de julio.

Para poder presentarse a cada una de las convocatorias de las que dispone, deberá realizar un ciclo formativo de cuatro horas de duración en el mismo centro donde realizó el curso de sensibilización y reeducación vial para la recuperación del permiso o licencia de conducción. El ciclo formativo versará sobre las mismas materias que dicho curso y para acreditar su superación se expedirá por el centro una certificación que se presentará por el interesado como requisito previo para poder realizar la prueba.

Agotadas las tres convocatorias sin haber superado la prueba de control de conocimientos sobre las materias descritas en la citada Orden INT/2596/2005, de 28 de julio, para obtener una nueva autorización administrativa para conducir deberá realizar un nuevo curso y superar la citada prueba de control de conocimientos sobre dichas materias.

**Artículo 52.** *Forma de realizar las pruebas de control de conocimientos.*– 1. Las pruebas de control de conocimientos se harán de modo que se garantice que el aspirante posee los conocimientos adecuados. Con carácter general, se realizarán por procedimientos informáticos.

El aspirante seleccionará las respuestas que considere correctas entre las propuestas para cada pregunta.

2. El número de preguntas planteadas y de posibles respuestas correctas serán los que se indican en el anexo VI. B). 1.

**Artículo 53.** *Calificación de las pruebas.*– 1. Las pruebas, tanto las de control de conocimientos como las de control de aptitudes y comportamientos, serán calificadas de apto o no apto. La declaración de aptitud en una prueba tendrá un período de vigencia de dos años contado desde el día siguiente a aquél en que el aspirante fue declarado apto en la prueba.

Cuando el aspirante, dentro del plazo señalado en el párrafo anterior, supere la prueba siguiente, el plazo de vigencia comenzará a contarse de nuevo.

Las pruebas serán eliminatorias. Quienes no hayan superado las de control de conocimientos no podrán realizar la de control de aptitudes y comportamientos en circuito cerrado y, quienes no hayan superado ésta, no podrán realizar la de control de aptitudes y comportamientos en circulación en vías abiertas al tráfico general.

2. El personal examinador encargado de calificar las pruebas de control de aptitudes y comportamientos deberá reunir unos requisitos mínimos de cualificación, de acuerdo con lo establecido en el anexo VIII.

Su actuación deberá ser controlada y supervisada por el Organismo Autónomo Jefatura Central de Tráfico y su organización periférica, de acuerdo con lo previsto en el anexo VIII, con el fin de garantizar la aplicación correcta y homogénea de las disposiciones relativas a la valoración de las faltas con arreglo a las normas que establece este reglamento.

Además, a efectos de lo dispuesto en el apartado anterior, la calificación de las pruebas se ajustará a los criterios que se establecen en el anexo VI. B). 3 y C). 3.

RD 818/2009, DE 8 DE MAYO **Art. 55**

**Artículo 54.** *Exenciones.–* 1. Estarán exentos de realizar la prueba de control de conocimientos común quienes sean titulares de un permiso de conducción en vigor para cuya obtención haya sido preciso superar dicha prueba, o la hayan superado para la obtención de cualquier otra clase de permiso, siempre que esté dentro del período de vigencia de dos años a que se refiere el artículo 53.1.

2. Estarán exentos de realizar la prueba de control de conocimientos específicos correspondiente los que sean titulares de un permiso de conducción en vigor, o hayan superado esta prueba para su obtención, de acuerdo con lo que se expresa a continuación:

a) Los que soliciten el permiso de la clase A2 y sean titulares del de la clase A1.

b) Los que soliciten el permiso de la clase C, y sean titulares del de la clase C1.

c) Los que soliciten el permiso de la clase D, y sean titulares del de la clase D1.

d) Los que soliciten el permiso de la clase C + E, y sean titulares del de las clases C1 + E o D1 + E.

e) Los que soliciten el permiso de la clase D1 + E o D + E, y sean titulares del de la clase C1 + E.

3. [...]

**Artículo 55.** *Otros requisitos para la realización de la prueba de control de aptitudes y comportamientos en circulación en vías abiertas al tráfico general.–* 1. Para realizar la prueba de control de aptitudes y comportamientos en circulación en vías abiertas al tráfico general, al doble mando del vehículo, excepto cuando se trate de motocicletas, irá un profesor o quien haya impartido la formación de acuerdo con lo previsto en el anexo VIII.

En los vehículos a utilizar en las pruebas de control de aptitudes y comportamientos solamente podrán ir los aspirantes, los examinadores y los profesores o acompañantes autorizados.

2. Durante la realización de la prueba, las instrucciones precisas serán dadas exclusivamente por el examinador encargado de calificarla, quien podrá ir al doble mando si así se estableciera por la Dirección General de Tráfico en aquellos casos en que no sea necesario realizar la formación a través de una escuela particular de conductores.

3. El profesor o el acompañante será el responsable de la seguridad de la circulación. No deberá intervenir en el desarrollo de la prueba, ya sea dando instrucciones con signos, palabras o de cualquier otra forma, o ejerciendo acción directa sobre los mandos del vehículo, salvo en caso de emergencia, errores o comportamientos del aspirante que impliquen inobservancia grave de normas o señales reguladoras de la circulación o cuestiones de seguridad vial que amenacen la seguridad del vehículo, sus ocupantes u otros usuarios de la vía. Si lo hiciese, aunque sea debido a una situación en que está obligado a intervenir, se interrumpirá y suspenderá la prueba y el aspirante será declarado no apto en la convocatoria de que se trate.

4. Cuando se trate de solicitantes de permiso de las clases A1 y A2, el aspirante, una vez superada la prueba de control de aptitudes y comportamientos en circuito cerrado, podrá iniciar su formación práctica en vías abiertas al tráfico general, en las condiciones y con los requisitos que se establecen en el anexo VI. C).6.

El aspirante realizará la prueba conduciendo la motocicleta que corresponda sin acompañante. El examinador dirigirá la prueba y dará las instrucciones precisas, por medio de un intercomunicador eficaz. En el vehículo de acompañamiento, además del examinador y el profesor conductor del vehículo, podrán ir otros aspirantes.

Al aspirante que padezca hipoacusia que le impida recibir las instrucciones a través de intercomunicador le será facilitado un croquis en el que se represente gráficamente el itinerario a realizar.

**Artículo 56.** *Duración de las pruebas.–* El tiempo destinado a la realización de las pruebas de control de conocimientos y de control de aptitudes y comportamientos será el que se establece en el anexo VI. B).2 y C).2.

**Artículo 57.** *Interrupción de las pruebas.–* 1. Procederá la interrupción y suspensión de las pruebas de control de conocimientos, y la declaración de no apto en la convocatoria de que se trate, de los aspirantes que perturben el orden en cualquiera de ellas o cometan o intenten cometer fraude en su realización.

Además de la declaración de no apto en la convocatoria de que se trate, podrá acordarse la interrupción y suspensión de las pruebas de control de aptitudes y comportamientos cuando los aspirantes denoten manifiesta impericia o carencia del dominio del vehículo o sus mandos y cometan errores o faltas que, individualmente consideradas o por acumulación con otras, impliquen dicha calificación o se den los supuestos contemplados en el artículo 55.3.

2. No se iniciarán las pruebas o, en su caso, serán interrumpidas, en el supuesto de que el aspirante o el profesor no presenten la documentación requerida para ser identificados o cuando el aspirante carezca del equipo de protección adecuado o no lleve las correcciones, prótesis o adaptaciones en la persona o en el vehículo o las que lleve sean inadecuadas.

Se procederá de la misma manera cuando el profesor o el acompañante no presten la colaboración debida al examinador para que la prueba se pueda desarrollar o iniciar con las debidas garantías, cuando existan indicios racionales de que, por las circunstancias que concurren, las pruebas no pueden desarrollarse con la normalidad o seguridad debidas, o cuando la circulación en las condiciones apreciadas constituyese infracción a los preceptos del texto articulado de la Ley sobre Tráfico, Circulación de Vehículos a Motor y Seguridad Vial, y disposiciones complementarias.

En cualquiera de los supuestos descritos en los dos párrafos anteriores, la no iniciación o la interrupción de la prueba no implicará la pérdida de la convocatoria para el aspirante.

**Artículo 58.** *Lugar de realización de las pruebas de control de aptitudes y comportamientos.–* 1. La prueba de control de aptitudes y comportamientos en circuito cerrado se realizará en un terreno o pista especial cerrado a la circulación y debidamente adaptado para ello.

En el terreno o pista especial únicamente podrán permanecer los aspirantes a quienes corresponda realizarla, el personal de la Dirección General de Tráfico y, cuando lo soliciten y sean autorizados, los responsables de la enseñanza de la conducción, si bien éstos en el lugar que se les indique y con la exclusiva finalidad de presenciar la realización de aquélla y, en su caso, colaborar con los funcionarios de la Jefatura Provincial de Tráfico en su realización.

Cuando se trate de aspirantes al permiso de la clase B, la prueba podrá realizarse durante el desarrollo de la de control de aptitudes y comportamientos en circulación en vías abiertas al tráfico general y, cuando las circunstancias lo aconsejen, en el terreno o pista a que se refiere el párrafo primero.

2. La prueba de control de aptitudes y comportamientos en circulación en vías abiertas al tráfico general tendrá lugar, si fuera posible, en vías situadas

fuera de poblado, en autopistas o autovías, así como en todo tipo de vías urbanas (zonas residenciales, zonas con limitaciones de 30 y 50 km/h), que deberán presentar los diferentes tipos de dificultades que puede encontrar un conductor.

Siempre que sea posible, la prueba se desarrollará en diferentes condiciones de intensidad de tráfico. El tiempo de duración de la prueba deberá utilizarse de forma óptima con el fin de comprobar el comportamiento del aspirante en los diferentes tipos de tráfico que se puede encontrar, prestando especial atención a la transición de uno a otro.

*Sección 2ª. De los vehículos a utilizar en las pruebas*

**Artículo 59.** *Requisitos generales.–* 1. Los vehículos a utilizar en la realización de las pruebas de control de aptitudes y comportamientos deberán cumplir las prescripciones contenidas en la reglamentación de vehículos y en el anexo VII. A).

2. Además, los vehículos y, en su caso, los sistemas de comunicación, deberán encontrarse en buen estado de limpieza e higiene, conservación, mantenimiento, eficacia y seguridad, al corriente en las inspecciones técnicas periódicas, provistos de toda la documentación reglamentaria y estar señalizados en la parte delantera y trasera con una placa de las dimensiones y características establecidas en la normativa reguladora de las escuelas particulares de conductores así como en la reglamentación de vehículos.

**Artículo 60.** *Requisitos específicos.–* En la realización de las pruebas de control de aptitudes y comportamientos para obtener permiso o licencia de conducción, según la clase de permiso o licencia solicitados, se utilizarán los vehículos que se establecen en el anexo VII. B).

Cuando la prueba venga impuesta en el correspondiente convenio de canje los vehículos deberán reunir los requisitos específicos que se establecen en el anexo VII. B).

**Artículo 61.** *Vehículos adaptados.–* 1. Los que, por padecer enfermedad o deficiencia orgánica o funcional, únicamente puedan obtener permiso o licencia de conducción extraordinarios sujetos a condiciones restrictivas, podrán utilizar durante el aprendizaje y en la realización de las pruebas ciclomotores, vehículos para personas de movilidad reducida o vehículos provistos de cambio automático o semiautomático o adaptados a la deficiencia de la persona que haya de conducirlos, de acuerdo con el dictamen del centro de reconocimiento autorizado o de la autoridad sanitaria, en su caso.

2. Los vehículos adaptados que vayan a utilizarse en el aprendizaje y en la realización de las pruebas de control de aptitudes y comportamientos en circulación en vías abiertas al tráfico general para obtener el permiso o licencia de conducción de que se trate sujeto a condiciones restrictivas, estarán provistos de dos espejos retrovisores interiores y dos exteriores, uno a cada lado, y dobles mandos de freno y acelerador y, si fuera posible, de embrague.

3. En los casos a que se refiere el apartado 1, en la realización de las pruebas de control de aptitudes y comportamientos se efectuarán las comprobaciones oportunas para valorar la eficacia de la prótesis, si existiera, verificar si las características del vehículo, así como si las adaptaciones, restricciones u otras limitaciones en la persona, el vehículo o de circulación que pudieran imponerse, y que se consignarán en el permiso o licencia que, en su caso, se expida, ofrecen las suficientes garantías de seguridad. La Jefatura Provincial de Tráfico, si lo considera necesario, podrá requerir al efecto otros informes complementarios y, en especial, el asesoramiento de un médico que podría ser designado por los servicios sanitarios competentes.

**Artículo 62.** *Verificaciones.*– Los examinadores podrán verificar, en cualquier momento de las pruebas o antes de que se inicien, si los vehículos presentados para la realización de éstas responden a las normas establecidas y reúnen los requisitos administrativos, técnicos y de seguridad necesarios. En caso contrario, el examinador podrá no iniciar las pruebas o suspender su realización, sin que ello implique la pérdida de la convocatoria para el aspirante.

CAPÍTULO IV. DE LAS PRUEBAS A REALIZAR PARA COMPROBAR LOS CONOCIMIENTOS PARA OBTENER O PRORROGAR LA AUTORIZACIÓN ESPECIAL QUE HABILITA PARA CONDUCIR VEHÍCULOS QUE TRANSPORTEN MERCANCÍAS PELIGROSAS

**Artículo 63.** *Pruebas de control de conocimientos sobre formación teórica.*– Todo conductor que solicite la autorización administrativa especial a que se refiere el artículo 25, o su ampliación, deberá demostrar que posee los conocimientos razonados, la comprensión y las aptitudes necesarias para conducir vehículos que transporten mercancías peligrosas. Para ello, realizará una prueba teórica común y una prueba teórica específica de control de conocimientos que versarán sobre los temas que se indican en el anexo V. C). 1.

**Artículo 64.** *Pruebas de control sobre formación práctica.*– Todo el que solicite la autorización especial a que se hace referencia en el artículo anterior, o su ampliación, deberá demostrar, además, que posee una formación práctica, mediante la realización de unos ejercicios individuales sobre las materias que se indican en el anexo V. C). 2.

**Artículo 65.** *Centros en los que se realizarán las pruebas y los ejercicios prácticos.*– 1. Las pruebas teóricas de control de conocimientos se realizarán en el centro de exámenes que, atendidas las circunstancias y las posibilidades del servicio, determine la Jefatura Provincial de Tráfico a la que se hubiera dirigido la solicitud.

2. Los ejercicios prácticos individuales sobre extinción de incendios y, en su caso, los de carga y descarga y aquellos otros cuya naturaleza lo requiera, se realizarán en el lugar y en las instalaciones, y con los medios autorizados que, a petición del Director del centro de formación, hayan sido fijados por la Jefatura Provincial de Tráfico al aprobar el curso.

Los demás ejercicios prácticos individuales, tales como los de primeros auxilios y utilización de los distintivos de preseñalización de peligro, se realizarán en conexión con la formación teórica, en el aula donde se impartan las clases teóricas».

**Artículo 66.** *Convocatorias.*– 1. Cada solicitud de pruebas teóricas de control de conocimientos dará derecho a realizar las pruebas en dos convocatorias. Entre convocatorias de un mismo expediente no deberá mediar más de seis meses.

Las fechas de las pruebas a que se refiere el párrafo anterior serán fijadas, a petición del interesado, por la Jefatura Provincial de Tráfico que hubiera aprobado el curso, teniendo en cuenta las posibilidades del servicio. La no presentación a cualquiera de las pruebas en las fechas fijadas dará lugar, salvo casos debidamente justificados, a la pérdida de la convocatoria.

2. Las fechas de los ejercicios prácticos individuales que no puedan realizarse en el aula a la que se refiere el artículo 65.2, párrafo segundo, serán fija-

das, a petición del Director del centro de formación, por la Jefatura Provincial de Tráfico al aprobar el curso.»

**Artículo 67.** *Forma de realizar las pruebas.–* 1. Las pruebas teóricas de control de conocimientos se harán de forma que se garantice que el aspirante posee unos conocimientos adecuados. Con carácter general, se realizarán por procedimientos informáticos. Para la realización de las pruebas, la Jefatura Provincial de Tráfico facilitará a los aspirantes cuestionarios cuyas preguntas se extraerán de una relación elaborada por la Dirección General de Tráfico.

El número de preguntas de las que estarán formados los cuestionarios será el que se indica en el anexo VI. D). 1. Las preguntas podrán tener un grado variable de dificultad y se les podrá asignar una evaluación diferente.

2. Los ejercicios prácticos individuales se realizarán, según proceda, en instalaciones adecuadas o en el aula donde se impartan las clases teóricas y con los medios y equipos adecuados que requiera la naturaleza de la prueba. En su desarrollo y ejecución será necesaria la participación activa de todos y cada uno de los aspirantes.»

**Artículo 68.** *Calificación y vigencia de las pruebas de aptitud.–* 1. Las pruebas teóricas de control de conocimientos, tanto la común como cada una de las específicas, y los ejercicios prácticos individuales se calificarán de apto o no apto y con sujeción a los criterios establecidos en el anexo VI. D). 3.

2. Las pruebas teóricas de control de conocimientos serán controladas y calificadas por los funcionarios de la Jefatura Provincial de Tráfico que hubiera aprobado el curso.

Los ejercicios prácticos individuales serán calificados por personal del centro de formación, empresa o entidad que haya impartido la formación práctica.

3. No obstante lo dispuesto en el apartado anterior, funcionarios de la Dirección General de Tráfico o de la Jefatura Provincial de Tráfico que hubiera aprobado el curso podrán presenciar e intervenir en la valoración y calificación de los ejercicios prácticos individuales.

4. La declaración de aptitud en las pruebas de control de conocimientos o en los ejercicios prácticos individuales para obtener o ampliar la autorización especial tendrá un período de vigencia de seis meses, contado desde el día siguiente a aquel en que el interesado fue declarado apto en la prueba o ejercicio de que se trate.

La declaración de aptitud en las pruebas o en los ejercicios prácticos individuales para prorrogar la vigencia de la autorización caducará en la misma fecha que la autorización que se pretende prorrogar.

**Artículo 69.** *Duración de las pruebas.–* El tiempo destinado a la realización de las pruebas teóricas de control de conocimientos y los ejercicios prácticos será el que se establece en el anexo VI. D). 2.

**Artículo 70.** *Exenciones.–* Estarán exentos de realizar la prueba teórica común de control de conocimientos, así como los ejercicios prácticos correspondientes a dicha prueba a que se refieren, respectivamente, los artículos 63 y 64 los titulares de una autorización especial en vigor que soliciten su ampliación para la conducción de vehículos que transporten materias y objetos explosivos (clase 1), o materias radiactivas (clase 7), o vehículos cisterna, vehículos batería o unidades de transporte que transporten cisternas o contenedores cisterna.

**Artículo 71.** *De las pruebas a realizar para prorrogar la vigencia de la autorización.–* 1. Las normas establecidas en los artículos 63, 64 y 69 son igualmente aplicables a los conductores que, siendo titulares de una autorización administrativa especial en vigor, soliciten la prórroga de su vigencia por un nuevo período de cinco años.

2. El nuevo período de vigencia de la autorización especial comenzará a partir de las fechas indicadas en el artículo 28.4.

## TÍTULO III. DE LOS PERMISOS DE CONDUCCIÓN EXPEDIDOS POR LAS ESCUELAS Y ORGANISMOS MILITARES Y DE LA DIRECCIÓN GENERAL DE LA POLICÍA Y DE LA GUARDIA CIVIL

**Artículo 72.** *Escuelas y Organismos autorizados para expedir permisos de conducción y la autorización especial para conducir vehículos que transporten mercancías peligrosas.–* 1. Por el Ministro del Interior se determinarán las escuelas y Organismos militares y de la Dirección General de la Policía y de la Guardia Civil facultados para expedir permisos de conducción, así como la autorización especial para conducir vehículos que transporten mercancías peligrosas, que podrán ser canjeados por sus equivalentes previstos en los artículos 4 y 25, respectivamente.

2. La formación impartida en las escuelas y organismos a que se refiere el apartado anterior y las pruebas realizadas se ajustarán, con carácter general, a lo dispuesto en los capítulos III y IV del título II sin perjuicio de las especialidades que correspondan a la naturaleza militar de los vehículos y que deberán ser tenidas en cuenta al otorgar la autorización de la escuela u organismo. También se ajustarán a lo dispuesto en dicho capítulo III los vehículos militares empleados en las referidas pruebas, en la medida en que lo permitan sus características especiales y los criterios operativos que rigen la dotación de material automóvil en las Fuerzas Armadas.

3. El Organismo Autónomo Jefatura Central de Tráfico y su organización periférica, previa la correspondiente autorización de la dirección del centro, podrá inspeccionar las escuelas facultadas a que se refiere el apartado 1 con el fin de comprobar si los medios, programas, objetivos y métodos empleados son adecuados para la enseñanza de la conducción y si las pruebas de aptitud se realizan conforme a lo dispuesto en la legislación sobre tráfico, circulación de vehículos a motor y seguridad vial.

**Artículo 73.** *Canje de los permisos de conducción y de la autorización especial para conducir vehículos que transporten mercancías peligrosas.–* 1. El canje de los permisos de conducción quedará supeditado a la concurrencia de las siguientes circunstancias:

a) Que el titular del permiso tenga la edad requerida para la clase de permiso de que se trate, de acuerdo con lo establecido en el artículo 4.2 y reúna las condiciones establecidas en el artículo 7.1. párrafos a), b) y d).

b) Que el permiso haya sido expedido por una escuela u Organismo militar o de la Dirección General de la Policía y de la Guardia Civil legalmente facultados para expedir permisos canjeables y que sea de alguna de las clases expresamente previstas en la autorización de aquéllas.

c) Que el permiso que se pretende canjear se encuentre en vigor y no tenga una antigüedad superior a la que corresponda por aplicación de lo establecido en el artículo 12.

d) Que el titular del permiso se halle en situación de actividad en el Cuerpo u Organismo militar o policial o no hayan transcurrido más de seis meses desde que cesó en ésta.

e) El permiso de la clase A no se podrá canjear hasta que el de la clase A2 que posea tenga, al menos, dos años de antigüedad.

2. El canje de la autorización especial para conducir vehículos que transporten mercancías peligrosas quedará supeditado a la concurrencia de las siguientes circunstancias:

a) Que el titular de la autorización, la cuál deberá estar en vigor, reúna las condiciones establecidas en el artículo 26 d) y e).

b) Que su titular posea permiso de conducción civil ordinario de la clase B con, al menos, un año de antigüedad. En el supuesto de que el permiso civil no tenga esa antigüedad, deberá tenerla el permiso militar de la clase B de que sea titular el interesado.

c) Que la autorización haya sido expedida por una escuela u Organismo militar o de la Dirección General de la Policía y de la Guardia Civil legalmente facultados para ello.

d) Que el titular de la autorización se halle en situación de actividad en el Cuerpo u Organismo militar o policial o no hayan transcurrido más de seis meses desde que cesó en ésta.

3. Si el titular del permiso o de la autorización especial cumpliera la edad exigida para obtener el permiso civil equivalente después de los seis meses de haber cesado en el servicio activo, el canje deberá solicitarse en el plazo de seis meses contado desde el día que cumplió la mencionada edad. Si desde la fecha en que cesó en el servicio activo a la fecha en que cumplió la edad hubiera transcurrido más de un año, el canje exigirá, además, haber superado las pruebas en una escuela u Organismo militar autorizados.

Si el permiso de clase A2 alcanzase la antigüedad de dos años después de los seis meses de haber cesado en el servicio activo, el canje del permiso de la clase A deberá solicitarse en el plazo de seis meses contado desde el día que alcanzó aquella antigüedad.

4. El canje del permiso de conducción o de la autorización especial podrá interesarse de cualquier Jefatura Provincial de Tráfico, utilizando para ello la solicitud que a tal efecto proporcionará dicho Organismo, a la que se acompañarán los documentos que se indican en el anexo III.

5. Realizado el canje, el permiso o la autorización canjeados o, en su caso, una fotocopia de éstos, será enviado a la escuela u Organismo que lo hubiera expedido.

**Artículo 74.** *Formación impartida por las Escuelas oficiales de Policía.–* 1. Las escuelas oficiales de Policía que cuenten con autorización de la Dirección

General de Tráfico, podrán impartir la formación necesaria para la obtención del permiso de conducción de las clases A2 y A, para sus efectivos policiales y, en su caso, para bomberos, agentes forestales u otros colectivos profesionales cuya formación como conductores tuvieran atribuida.

2. A efectos de la obtención del permiso de conducción de las clases A2 y A, las escuelas oficiales de Policía a las que se refiere el apartado anterior podrán impartir, para sus efectivos policiales y para los colectivos profesionales que en el citado apartado se detallan, siempre que éstos sean titulares de un permiso de conducción de las clases A1 o A2 respectivamente, un curso específico teórico y práctico que sustituya a la experiencia mínima de dos años en la conducción de motocicletas de las características indicadas para la obtención del permiso de conducción de las clases A1 o A2, respectivamente, requerida por el artículo 5.3 y 4.

Finalizado el curso, cuando se trate de la obtención de un permiso de conducción de la clase A2, las escuelas someterán a quienes lo hubieran superado a la prueba específica de control de aptitudes y comportamientos en circulación en vías abiertas al tráfico general establecida en el artículo 49.2, realizada con una motocicleta sin sidecar de las características que se indican en el anexo VII. El certificado acreditativo de la superación de esta prueba servirá para la expedición del correspondiente permiso de conducción por la Jefatura Provincial de Tráfico del lugar en que radique la escuela.

Además, para obtener aquellos permisos deberán tener, en todo caso, la edad mínima exigible para la clase de permiso de que se trate.

El permiso de la clase A que se expida sólo autorizará a conducir vehículos policiales y de los colectivos a que se refiere el apartado 1 hasta que éste, o el de clase A2 que, en su caso, posea el interesado, tenga dos años de antigüedad. Esta limitación se consignará en el permiso de conducción mediante el código nacional correspondiente.

3. [...]

4. La concesión del permiso de conducción quedará supeditada a que las mencionadas escuelas presenten, ante la Dirección General de Tráfico, la programación de los correspondientes cursos con indicación de sus características, las materias de que consta, el sistema de evaluación y las pruebas que se deban realizar.

## TÍTULO IV. DE LAS INFRACCIONES Y SANCIONES

**Artículo 75.** *Infracciones y sanciones.–* Las infracciones a los preceptos del presente reglamento serán sancionadas de conformidad con lo dispuesto en el artículo 67 del texto articulado de la Ley sobre Tráfico, Circulación de Vehículos a Motor y Seguridad Vial.

## TÍTULO V. DEL REGISTRO DE CONDUCTORES E INFRACTORES

**Artículo 76.** *El Registro de Conductores e Infractores.–* 1. El Registro de conductores e infractores a que se refiere el artículo 5.h) del texto articulado de la Ley sobre Tráfico, Circulación de Vehículos a Motor y Seguridad Vial, será llevado y gestionado por la Dirección General de Tráfico.

2. En el Registro de conductores e infractores se recogerán y gestionarán de forma automatizada los datos de carácter personal de los solicitantes y titulares de autorizaciones administrativas para conducir, así como su comportamiento y sanciones por hechos relacionados con el tráfico y la seguridad vial, con la finalidad de controlar el cumplimiento por los titulares de las autorizaciones administrativas para conducir de las exigencias previstas por la normativa vigente.

3. El titular del órgano responsable del Registro o fichero automatizado adoptará las medidas de gestión y organización que sean necesarias para asegurar, en todo caso, la confidencialidad, seguridad e integridad de los datos automatizados de carácter personal existentes en el Registro y su uso para las finalidades para las que fueron recogidos.

4. Serán de aplicación al Registro las medidas de seguridad de nivel alto previstas en el Reglamento de desarrollo de la Ley Orgánica 15/1999, de 13 de diciembre, aprobado por Real Decreto 1720/2007, de 21 de diciembre.

**Artículo 77.** *Datos que han de figurar en el Registro.–* En el Registro de conductores e infractores figurarán los siguientes datos:

a) Nombre, apellidos, nacionalidad y domicilio del titular de la autorización, el Número de su Documento Nacional de Identidad si es español o, en su caso, el Número de Identidad de Extranjero.

b) Fecha, lugar de nacimiento y sexo del titular de la autorización.

c) Clases de permiso o licencia de conducción y otras autorizaciones administrativas o documentos necesarios para conducir o relacionados con la conducción.

d) Condición de profesional de la enseñanza de la conducción, de formador o de psicólogo-formador en cursos de sensibilización y reeducación vial.

e) Historial y resultados de las distintas pruebas de aptitud realizadas para obtener autorizaciones administrativas para conducir.

f) Historial, menciones y períodos de vigencia de las distintas autorizaciones o documentos que autoricen a conducir.

g) Menciones, incidencias, restricciones y limitaciones relacionadas con la propia autorización, la persona titular de ésta, el vehículo o la circulación.

h) Identificación del servicio sanitario o centro de reconocimiento que realizó la exploración del conductor y emitió el correspondiente informe de aptitud psicofísica, así como el resultado final de dicho informe.

i) Condenas judiciales que afecten a la autorización administrativa para conducir y las sanciones administrativas que sean firmes impuestas por infracciones graves y muy graves.

j) Nulidad o lesividad, pérdida de vigencia, procesos y sentencias de anulación, medidas cautelares adoptadas y, en su caso, la intervención de las autorizaciones administrativas para conducir.

k) Crédito de puntos de que se dispone.

l) Resultado del curso de sensibilización y reeducación vial y fecha de realización del mismo.

m) Fecha de la resolución denegando el canje solicitado, con indicación del Estado que haya expedido el permiso.

n) Otras incidencias relacionadas con las autorizaciones administrativas para conducir.

**Artículo 78.** *Tratamiento y cesión de datos.–* 1. El tratamiento y la cesión de los datos contenidos en el Registro se someterán a lo dispuesto en la Ley Orgánica 15/1999, de 13 de diciembre, de Protección de Datos de Carácter Personal y su Reglamento de desarrollo, aprobado por Real Decreto 1720/2007, de 21 de diciembre.

2. Los datos del Registro, que en ningún caso tendrá carácter público, únicamente serán objeto de cesión cuando así lo autorice una norma con rango de Ley.

En particular, la cesión a otras Administraciones Públicas sólo podrá tener lugar cuando las mismas ejerzan competencias sobre tráfico, circulación de vehículos a motor y seguridad vial o cuando la cesión se realice en el marco de la normativa estatal o autonómica reguladora de la función estadística pública.

**Artículo 79.** *Derechos de los interesados.–* 1. Los interesados podrán ejercitar ante el Registro los derechos de acceso, rectificación, cancelación u oposición previstos en las normas vigentes en materia de protección de datos.

2. La Dirección General de Tráfico podrá facilitar al interesado la consulta de todo o parte del contenido del Registro, y, en particular, de su saldo de puntos, a través de medios telemáticos. En este caso, se adoptarán las medidas que permitan garantizar la identidad del afectado, tales como la remisión al mismo de una clave de acceso.

**Disposición adicional primera.** *Licencias de conducción de ciclomotores expedidas con anterioridad a la entrada en vigor del Reglamento General de Conductores, aprobado por Real Decreto 772/1997, de 30 de mayo.–* Las licencias de conducción de ciclomotores expedidas con anterioridad a la entrada en vigor del Reglamento General de Conductores, aprobado por Real Decreto 772/1997, de 30 de mayo, estarán sujetas a los períodos de vigencia que se establecen en el artículo 12.2 del presente reglamento.

**Disposición adicional segunda.** *Residencia normal.–* A efectos de la aplicación del presente reglamento se entenderá por «residencia normal» el lugar en el que permanezca una persona habitualmente, es decir, durante al menos ciento ochenta y cinco días por cada año natural, debido a vínculos personales y profesionales, o, en el caso de una persona sin vínculos profesionales, debido a vínculos personales que indiquen una relación estrecha entre dicha persona y el lugar en el que habite.

No obstante, la residencia normal de una persona cuyos vínculos profesionales estén situados en un lugar diferente del de sus vínculos personales y que, por ello, se vea obligado a permanecer alternativamente en diferentes lugares situados en dos o varios Estados, se considera situada en el lugar al que le unan sus vínculos personales, siempre que vuelva a dicho lugar de una forma regular. Esta última condición no será necesaria cuando dicha persona permanezca en un Estado para desempeñar una misión de una duración determinada. La asistencia a una universidad o escuela no implicará el traslado de la residencia normal.

En todo caso, únicamente se entenderá por residencia normal la permanencia en España en situación regular que deberá ser debidamente acreditada, de acuerdo con lo dispuesto en la Ley Orgánica 4/2000, de 11 de enero, sobre derechos y libertades de los extranjeros en España y su integración social.

**Disposición adicional tercera.** *Referencias a las Jefaturas Provinciales de Tráfico.–* Se entenderá que todas las referencias realizadas en este reglamento a la Jefatura Provincial de Tráfico incluyen también a las Jefaturas Locales de Tráfico de las Ciudades de Ceuta y Melilla.

**Disposición adicional cuarta.** *Transporte escolar o de menores.–* A los efectos del presente reglamento se entenderá por transporte escolar o de menores, los que se determinan como tales en el Real Decreto 443/2001, de 27 de abril, sobre condiciones de seguridad en el transporte escolar y de menores.

**Disposición adicional quinta.** *Condiciones básicas y de accesibilidad para las personas con discapacidad.–* En todos los ámbitos regulados en el presente reglamento se cumplirán los requisitos exigidos por las disposiciones relativas a la accesibilidad universal de las personas con discapacidad.

**Disposición adicional sexta.** *Datos personales.–* Las disposiciones contenidas en este reglamento que afecten al tratamiento de los datos personales se aplicarán de acuerdo con lo dispuesto en la Ley Orgánica 15/1999, de 13 de diciembre, de Protección de Datos de Carácter Personal.

**Disposición adicional séptima.** *Ayuda mutua y utilización de la red del permiso de conducción de la Unión Europea.–* De conformidad con lo previsto en el artículo 15 de la Directiva 2006/126/CE, del Parlamento Europeo y del Consejo, de 20 de diciembre, se prestará ayuda y se intercambiará información con otros Estados miembros sobre los permisos de conducción expedidos, canjeados, sustituidos, renovados o anulados, por cualquiera de los cauces operativos en cada momento, hasta tanto la red del permiso de conducción de la Unión Europea entre en funcionamiento, desde cuyo momento se recurrirá a ella para intercambiar la citada información.

**Disposición adicional octava.** *Permisos y licencia de conducción expedidos en Comunidades Autónomas con lengua oficial propia.–* De acuerdo con lo dispuesto en la Disposición adicional cuarta del texto articulado de la Ley sobre Tráfico, Circulación de Vehículos a Motor y Seguridad Vial, a las personas que tengan su domicilio en alguna de las Comunidades Autónomas que tengan una lengua cooficial, se les expedirá el permiso o la licencia de conducción redactado, además de en castellano, en dicha lengua.

**Disposición adicional novena.** *Documentación del certificado de aptitud profesional.–* El código comunitario 95, acreditativo del cumplimiento de la obligación de obtención del certificado de aptitud profesional prevista en el artículo 3 de la Directiva 2003/59/CE, se sustituirá por la tarjeta de cualificación del conductor, expedida de acuerdo con el modelo del anexo VI del Real Decreto 1032/2007, de 20 de julio, por el que se regula la cualificación inicial y la formación continua de los conductores de determinados vehículos destinados al transporte por carretera.

**Disposición adicional décima.** *Ejercicio de los derechos reconocidos en la Ley 11/2007, de 22 de junio, de Acceso Electrónico de los Ciudadanos a los Servicios Públicos.–* Los derechos reconocidos en el artículo 6 de la Ley 11/2007, de 22 de junio, de Acceso Electrónico de los Ciudadanos a los Servicios Públicos, podrán ejercerse en relación con los procedimientos y actuaciones que se regulan en el presente Reglamento, conforme a los plazos establecidos en la disposición final tercera de la citada Ley.

**Disposición adicional undécima.** *Documentación a presentar para el canje de los permisos de conducción expedidos por las Escuelas y Organismos militares y de la Dirección General de la Policía y de la Guardia Civil.–* No se obligará a la presentación de los documentos exigidos en las letras a) y b) del párrafo 1, del apartado l) del Anexo III «Documentación para obtener las distintas autorizaciones», en el momento en que esté operativa la interconexión de las bases de datos entre las Escuelas y Organismos Militares y de la Dirección General de la Policía y de la Guardia Civil con la Dirección General de Tráfico.

**Disposición transitoria primera.** *Equivalencia de permisos y licencias de conducción expedidos con anterioridad a la entrada en vigor del Real Decreto 772/1997, de 30 de mayo, por el que se aprueba el Reglamento General de Con-*

*ductores.–* 1. Los permisos y las licencias de conducción expedidos conforme al modelo regulado en la normativa anterior al Real Decreto 772/1997, de 30 de mayo, continuarán siendo válidos en las mismas condiciones que fueron expedidos hasta que expire su período de vigencia, sin necesidad de ser sustituidos por los modelos regulados en el presente reglamento. La sustitución no se realizará hasta que, con ocasión de su prórroga de vigencia o de cualquier otro trámite reglamentario, proceda expedir el permiso o la licencia de conducción en el nuevo modelo.

2. Los permisos y las licencias de conducción a que se refiere el apartado 1 anterior, equivaldrán:

a) El permiso de la clase A1, al de la clase A1, si bien autorizará a conducir motocicletas sin sidecar de hasta 125 cm³, potencia máxima de 11 kW y una relación potencia/peso no superior a 0,11 kW/kg.

b) El permiso de la clase A2, al de la clase A.

c) El permiso de la clase B1, al de la clase B.

d) [...]

e) El permiso de la clase C1 que autoriza a conducir camiones de masa máxima autorizada no superior a 7500 kg, al de la clase C1.

f) El permiso de la clase C1 que autoriza a conducir turismos y camiones de masa máxima autorizada superior a 7.500 kg y que no excedan de 16.000 kg, al de la clase C.

g) El permiso de la clase C2, a los de las clases C y C + E.

h) El permiso de las clases C2 y C2 complementado con el de la clase E implicarán el de la clase D + E para los conductores que estén en posesión del de la clase D.

i) El permiso de la clase B1 complementado con el de la clase E, al de la clase B + E.

j) El permiso de la clase B2 complementado con el de la clase E, al de la clase B + E.

k) El permiso de la clase C1 complementado con el de la clase E que autoriza a conducir turismos y camiones de hasta 7.500 kg de masa máxima autorizada con un remolque enganchado de más de 750 kg de masa máxima autorizada, al de la clase C1 + E.

l) El permiso de la clase C1, que autoriza a conducir camiones de hasta 16.000 kg de masa máxima autorizada complementado con el de la clase E, al de la clase C + E.

m) El permiso de la clase B1 (TA) que autoriza a conducir tractores y maquinaria agrícola automotriz, a la licencia de conducción que autoriza a conducir vehículos especiales agrícolas autopropulsados, aunque su masa o dimensiones máximas autorizadas excedan de los límites establecidos para los vehículos ordinarios en las normas reguladoras de los vehículos.

n) La licencia de conducción de ciclomotores, al permiso de conducción de la clase AM y a las licencias que autorizan a conducir vehículos para personas de movilidad reducida y vehículos especiales agrícolas autopropulsados y sus conjuntos cuya masa o dimensiones máximas no excedan de los límites establecidos para los vehículos ordinarios en las normas reguladoras de los vehículos o aunque su velocidad máxima por construcción sea superior a 45 km/h.

**Disposición transitoria segunda.** *Equivalencia de permisos y licencias de conducción expedidos conforme a uno de los modelos previstos en el Reglamento General de Conductores, aprobado por Real Decreto 772/1997, de 30 de mayo.–* 1. Los permisos y las licencias de conducción expedidos conforme a uno de los modelos previstos en el Reglamento General de Conductores, aprobado por el Real Decreto 772/1997, de 30 de mayo, continuarán siendo válidos en las mismas condiciones que fueron expedidos hasta que finalice su período de vigencia, sin necesidad de ser sustituidos por el modelo de permiso o de licencia de conducción regulado en el presente reglamento.

La sustitución no se realizará hasta que, con ocasión de su prórroga de vigencia o de cualquier otro trámite reglamentario, proceda expedir el permiso o la licencia de conducción en el nuevo modelo.

Cuando la sustitución tenga lugar con ocasión de su prórroga de vigencia se sustituirá el permiso o licencia de conducción por el nuevo modelo y su plazo de vigencia será el que corresponda de acuerdo con lo dispuesto en este reglamento. Cuando la sustitución tenga lugar por cualquier trámite que no sea la prórroga de su vigencia, se expedirá el permiso o licencia de conducción en el nuevo modelo si bien conservará el período de vigencia que tuviera asignado.

2. Los permisos y las licencias de conducción a que se refiere el apartado 1 anterior, equivaldrán:

a) El permiso de la clase A1, al de la clase A1, si bien autorizará a conducir motocicletas sin sidecar de hasta 125 cm³, potencia máxima de 11 kW y una relación potencia/peso no superior a 0,11 kW/kg.

b) El permiso de la clase A limitado a la conducción de motocicletas con una potencia de hasta 25 kW o una relación potencia/peso de hasta 0,16 kW/kg, o motocicletas con sidecar con una relación potencia/peso de hasta 0,16 kW/kg, al de la clase A, si bien no autorizará la conducción de motocicletas superiores a las indicadas hasta que tenga una antigüedad de dos años desde que aquél fuera expedido.

c) [...]

d) La licencia de conducción de ciclomotores, al permiso de la clase AM.

e) La licencia que autoriza a conducir vehículos para personas de movilidad reducida, a la licencia que autoriza a conducir vehículos para personas de movilidad reducida.

f) La licencia para conducir vehículos especiales agrícolas autopropulsados y sus conjuntos, a la licencia para conducir vehículos especiales agrícolas autopropulsados y sus conjuntos, si bien autorizará su conducción aunque su velocidad máxima por construcción exceda de 45 km/h.

**Disposición transitoria tercera.** *Licencia de conducción de ciclomotores y permisos de las clases A1 y A2.–* Quienes a la entrada en vigor de este reglamento sean titulares de una licencia de conducción de ciclomotores o de un permiso de conducción de las clases A1 o A2, obtenidos con anterioridad a la entrada en vigor del Reglamento General de Conductores, aprobado por el Real Decreto 772/1997, de 30 de mayo, estarán autorizados a conducir motocultores y tractores agrícolas y máquinas agrícolas automotrices cuya masa máxima autorizada no exceda de 1.000 kg y cuya velocidad máxima autorizada no exceda de 20 km/h, siempre que no lleven remolque.

[...]

**Disposición transitoria cuarta.** *Permiso de conducción de la clase B1 (TA) restringido.–* Quienes a la entrada en vigor de este reglamento sean titulares de un permiso de conducción de la clase B1 (TA) restringido para la conducción de tractores y máquinas automotrices agrícolas, al que se referían los artículos 262.VI y 309.1.2.2, ambos del Código de la Circulación, aprobado por Decreto de 25 de septiembre de 1934, estarán autorizados para conducir vehículos especiales agrícolas autopropulsados y sus conjuntos aunque su masa o dimensiones máximas autorizadas excedan de los límites establecidos para los vehículos ordinarios o aunque su velocidad máxima por construcción sea superior a 45 km/h.

**Disposición transitoria quinta.** *Permiso de conducción de la clase B.–* Quienes a la entrada en vigor de este reglamento sean titulares de un permiso de conducción de la clase B podrán conducir vehículos especiales no agrícolas o sus conjuntos cuya velocidad máxima no exceda de 40 km/h, con independencia de cual sea su masa máxima autorizada.

**Disposición transitoria sexta.** *Vehículos que se utilizan en las pruebas de control de aptitudes y comportamientos.–* 1. Sin perjuicio de las especialidades que se recogen en el apartado siguiente, los vehículos que a la entrada en vigor del presente reglamento se utilizan en las pruebas de control de aptitudes y comportamientos para la obtención del permiso o la licencia de conducción, y no cumplan los requisitos previstos en éste, podrán seguir utilizándose en dichas pruebas durante diez años a partir de su entrada en vigor, salvo los turismos que no estén provistos de reposacabezas que podrán seguir utilizándose, únicamente, durante dos años a partir de su entrada en vigor.

2. Las motocicletas que se utilizan en las pruebas para la obtención del permiso de las clases A1 y A, dadas de alta en las escuelas o sus secciones con anterioridad al 9 de agosto de 2008, que no reúnan los requisitos previstos en el anexo VII del presente reglamento en lo que se refiere a las características de las ruedas, podrán seguir utilizándose en las pruebas para la obtención del permiso de las clases A1 y A2 hasta el 1 de septiembre de 2011.

Asimismo, los utilizados en las pruebas de control de aptitudes y comportamientos para la obtención del permiso de conducción de las clases B + E, C1, C1 + E, C, C + E, D1, D1 + E, D y D + E dados de alta en las escuelas o sus secciones con anterioridad al 20 de octubre de 2004, que no reúnan los requisitos exigidos en el citado anexo VII, podrán seguir utilizándose en dichas pruebas hasta el 30 de septiembre de 2013.

**Disposición transitoria séptima.** *Examinadores.–* El personal examinador encargado de la calificación de las pruebas de control de aptitudes y comportamientos que venga desempeñando esta actividad con anterioridad a la entrada en vigor del anexo VIII, podrá seguir realizándola aún cuando no reúna los requisitos establecidos en los apartados A) y B) de dicho anexo.No obstante, para poder seguir ejerciendo esta actividad, deberá someterse a los requisitos de garantía de calidad y de formación periódica especificados en su apartado D).

**Disposición transitoria octava.** *Límite de radio de acción para los permisos de conducción de las clases D1 y D.–* El límite de radio de acción de 50 kilómetros para los permisos de conducción de las clases D1 y D, establecido en el artículo 7.2 del Reglamento General de Conductores, aprobado por Real Decreto 772/1997, de 30 de mayo, aplicable a los permisos de conducción de esas clases obtenidos hasta el 10 de septiembre de 2008, así como el código nacional 101 a que se refiere la Orden INT/4151/2004, de 9 de diciembre, mediante el cual se consignará aquélla en el permiso de conducción, quedarán sin efecto a partir de la fecha señalada.

**Disposición transitoria novena.** *Obtención de permiso de conducción de clase AM.–* [...]

**Disposición transitoria décima.** *Calificación de las pruebas.–* Hasta que se apliquen lo dispuesto en el artículo 52.2 y el anexo VI. B). 1 en cuanto al número de preguntas planteadas y de posibles respuestas correctas, así como los criterios de calificación previstos en el artículo 53.2 y el anexo VI. B). 3, seguirán aplicándose los criterios contenidos en el artículo 57.2 y en el anexo V. A) del Real Decreto 772/1997, de 30 de mayo, por el que se aprueba el Reglamento General de Conductores.

**Disposición transitoria undécima.** *Aplicación de las nuevas características de la prueba de conocimientos.–* El número de preguntas planteadas y de posibles respuestas correctas a que se refieren el artículo 52.2 y el anexo VI. B). 1, así como los criterios de calificación previstos en el artículo 53.2 y el anexo VI. B). 3, del reglamento, se aplicarán a las pruebas que se celebren a partir de la fecha que se fije por Orden del Ministro del Interior.

**Disposición transitoria duodécima.** *Personal examinador.–* El anexo VIII se aplicará el 19 de enero de 2013.

3

## ANEXO I. PERMISO DE CONDUCCIÓN DE LA UNIÓN EUROPEA

*A) Modelo y contenido de permiso de conducción de la Unión Europea*

1. Las características físicas de la tarjeta correspondiente al modelo de permiso de conducción serán conformes a las normas ISO 7810 e ISO 7816-1.

2. El permiso constará de dos caras:

La página 1 contendrá:

1.º la mención «Permiso de Conducción», en letras mayúsculas.

2.º la mención «Reino de España».

3.º la letra «E», como signo distintivo de España, impresa en negativo, en un rectángulo azul rodeado de doce estrellas amarillas.

4.º las informaciones específicas del permiso expedido constarán numeradas del siguiente modo:

(1) el (los) apellido (s) del titular.

(2) el nombre del titular.

(3) la fecha y el lugar de nacimiento del titular.

(4) a) la fecha de expedición del permiso.

b) la fecha de expiración de la validez administrativa del permiso.

c) la designación de la autoridad expedidora.

(5) el número de permiso.

(6) la fotografía del titular.

(7) la firma del titular.

(9) las categorías de vehículos que el titular tiene derecho a conducir.

5.º La mención «Modelo de la Unión Europea» así como la mención «permiso de conducción» en las demás lenguas de la Unión Europea, impresas en rosa, de modo que sirvan de fondo del permiso, además de, en forma tenue, el escudo de España.

La página 2 contendrá:

1.º (9) las categorías de vehículos que el titular tenga derecho a conducir.

(10) la fecha de la primera expedición de cada categoría (esta fecha deberá transcribirse al nuevo permiso en toda sustitución o intercambio posteriores); cada campo de la fecha se escribirá con dos dígitos y por el orden siguiente día.mes.año (DD.MM.AA).

(11) la fecha de expiración de validez de cada categoría (cada campo de la fecha se escribirá con dos dígitos y por el orden siguiente día.mes.año DD.MM.AA).

(12) en su caso, las menciones adicionales o restrictivas en forma codificada con respecto a cada categoría a las que se apliquen.

Los códigos se establecerán del siguiente modo:

Códigos 1 a 99 códigos de la Unión Europea armonizados.

Códigos 100 y posteriores códigos nacionales válidos únicamente en circulación por territorio español.

(13) un espacio reservado para que otro Estado miembro de acogida pueda inscribir facultativamente menciones indispensables para la gestión del permiso.

(14) un espacio reservado para que el Estado miembro que expida el permiso pueda inscribir menciones indispensables para su gestión o relativas a la seguridad vial).

2.º Una explicación de los epígrafes numerados que aparecen en las páginas 1 y 2 del permiso (epígrafes 1, 2, 3, 4a, 4b, 4c, 5, 10, 11 y 12).

3.º En el fondo, impresos en forma tenue figurarán dos escudos de España y la palabra «Tráfico».

**Página 1**

**Página 2**

B) *Códigos de la Unión Europea Armonizados y Códigos Nacionales*

*Códigos de la Unión Europea armonizados*

| Códigos | Subcódigos | Conductor (causas médicas) |
|---------|------------|----------------------------|
| 01 | | Corrección y protección de la visión: |
| | 01.01 | Gafas |
| | 01.02 | Lente o lentes de contacto |
| | 01.05 | Recubrimiento del ojo |
| | 01.06 | Gafas o lentes de contacto |
| | 01.07 | Ayuda óptica específica |
| 02 | | Prótesis auditiva/ayuda a la comunicación. |
| 03 | | Prótesis/órtesis del aparato locomotor: |
| | 03.01 | Prótesis/órtesis de los miembros superiores |
| | 03.02 | Prótesis/órtesis de los miembros inferiores |
| Códigos | Subcódigos | Adaptaciones de los vehículos |
| 10 | | Transmisión adaptada: |
| | 10.02 | Selección automática de la relación de transmisión |
| | 10.04 | Dispositivo adaptado de control de la transmisión |

| 15 | | Embrague adaptado: |
|---|---|---|
| | 15.01 | Pedal de embrague adaptado |
| | 15.02 | Embrague accionado con la mano |
| | 15.03 | Embrague automático |
| | 15.04 | Medida para prevenir la obstrucción o accionamiento del pedal de embrague |
| 20 | | Mecanismos de frenado adaptados: |
| | 20.01 | Pedal de freno adaptado |
| | 20.03 | Pedal de freno accionado por el pie izquierdo |
| | 20.04 | Pedal de freno deslizante |
| | 20.05 | Pedal de freno con inclinación |
| | 20.06 | Freno accionado con la mano |
| | 20.07 | Accionamiento del freno con una fuerza máxima de... N(*) [por ejemplo: "20.07(300 N)"]. |
| | 20.09 | Freno de estacionamiento adaptado |
| | 20.12 | Medida para prevenir la obstrucción o accionamiento del pedal de embrague |
| | 20.13 | Freno accionado con la rodilla |
| | 20.14 | Accionamiento del sistema de frenado asistido por una fuerza externa |
| 25 | | Mecanismo de aceleración adaptado: |
| | 25.01 | Pedal de acelerador adaptado |
| | 25.03 | Pedal de acelerador con inclinación |
| | 25.04 | Acelerador accionado con la mano |
| | 25.05 | Acelerador accionado con la rodilla |
| | 25.06 | Accionamiento del acelerador asistido por una fuerza externa |
| | 25.08 | Pedal de acelerador a la izquierda |
| | 25.09 | Medida para prevenir la obstrucción o accionamiento del pedal de acelerador |
| 31 | | Adaptaciones del pedal y protecciones del pedal: |
| | 31.01 | Doble juego de pedales paralelos |
| | 31.02 | Pedales al mismo nivel (o casi) |
| | 31.03 | Medida para prevenir la obstrucción o accionamiento de los pedales de acelerador y freno cuando estos no funcionan con el pie |
| | 31.04 | Piso elevado |
| 32 | | Sistemas combinados de freno de servicio y acelerador: |
| | 32.01 | Sistema combinado de acelerador y freno de servicio accionado a mano |
| | 32.02 | Sistema combinado de acelerador y freno de servicio asistido por una fuerza externa |

| 33 | | Sistemas combinados de freno de servicio, acelerador y dirección: |
|---|---|---|
| | 33.01 | Sistema combinado de acelerador, freno de servicio y dirección accionado por una fuerza externa y controlado con una mano |
| | 33.02 | Sistema combinado de acelerador, freno de servicio y dirección accionado con una fuerza externa y controlado con las dos manos |
| 35 | | Dispositivos de mandos adaptados (interruptores de los faros, lava/limpiaparabrisas, claxon, intermitentes, etc.): |
| | 35.02 35.03 35.04 35.05 | Dispositivos de mandos accionables sin soltar el dispositivo de dirección Dispositivos de mandos accionables sin soltar el dispositivo de dirección con la mano izquierda Dispositivos de mandos accionables sin soltar el dispositivo de dirección con la mano derecha Dispositivos de mandos accionables sin soltar el dispositivo de dirección y los mecanismos del acelerador y los frenos |
| 40 | | Dirección adaptada: |
| | 40.01 40.05 40.06 40.09 40.11 40.14 40.15 | Dirección controlada con una fuerza máxima de... N (*) [por ejemplo: "40.01 (140 N)"] Volante adaptado (volante de sección más grande o más gruesa, volante de diámetro reducido, etc.) Posición adaptada del volante Dirección controlada con el pie Dispositivo de asistencia en el volante Sistema de dirección adaptado alternativo controlado con una mano o un brazo Sistema de dirección adaptado alternativo controlado con las dos manos o los dos brazos |
| 42 | | Retrovisores interiores/laterales modificados: |
| | 42.01 42.03 42.05 | Retrovisor adaptado Dispositivo interior adicional que permita la visión lateral Dispositivo de visión del ángulo muerto |
| 43 | | Posición de asiento del conductor: |
| | 43.01 43.02 43.03 43.04 43.06 43.07 | Asiento del conductor a una altura adecuada para la visión normal y a una distancia normal del volante y el pedal Asiento del conductor adaptado a la forma del cuerpo Asiento del conductor con soporte lateral para mejorar la estabilidad Asiento del conductor con reposabrazos Adaptación del cinturón de seguridad Tipo de cinturón de seguridad con soporte para mejorar la estabilidad |

| 44 | | Adaptaciones de la motocicleta (subcódigo obligatorio): |
|---|---|---|
| | 44.01 | Freno de mando único |
| | 44.02 | Freno de la rueda delantera adaptado |
| | 44.03 | Freno de la rueda trasera adaptado |
| | 44.04 | Acelerador adaptado |
| | 44.08 | Altura del asiento ajustada para permitir al conductor alcanzar el |
| | 44.09 | suelo con los dos pies en posición sentado y equilibrar la motocicle- |
| | 44.10 | ta durante la parada y en espera |
| | 44.11 | Fuerza máxima de funcionamiento del freno de la rueda delantera... |
| | 44.12 | N (*) [por ejemplo "44.09 (140 N)"] |
| | | Fuerza máxima de funcionamiento del freno de la rueda trasera... N (*) [por ejemplo "44.10 (240 N)"] |
| | | Reposapiés adaptado |
| | | Manillar adaptado |
| 45 | | Únicamente motocicletas con sidecar. |
| 46 | | Únicamente triciclos. |
| 47 | | Limitado a los vehículos de más de dos ruedas que no necesiten que el conductor los equilibre para el arranque y la parada y en espera |
| 50 | | Limitado a un vehículo/un número de chasis específico (número de identificación del vehículo, NIV) |
| 51 | | Limitado a un vehículo/matrícula específicos (número de registro del vehículo, NRV) |
| | | Letras utilizadas en combinación con los códigos 01 a 44 para mayor precisión:<br>a. izquierdo<br>b. derecho<br>c. mano<br>d. pie<br>e. medio<br>f. brazo<br>g. pulgar |

| Códigos | Limitaciones |
|---|---|
| 61 | Limitación a conducción diurna (por ejemplo, desde una hora después del amanecer hasta una hora antes del anochecer) |
| 62 | Limitación a una conducción en el radio de ... km del lugar de residencia del titular, o dentro de la ciudad o región |
| 63 | Conducción sin pasajeros |
| 64 | Conducción con una limitación de velocidad de ... km/h |

| 65 | Conducción autorizada únicamente en presencia del titular de un permiso de conducción de como mínimo la categoría equivalente |
|---|---|
| 66 | Sin remolque |
| 67 | Conducción no permitida en autopista |
| 68 | Exclusión del alcohol |
| 69 | Limitación a conducción de vehículos equipados con dispositivo antiarranque en caso de alcoholemia conforme a la norma EN 50436. La indicación de una fecha de caducidad es optativa [por ejemplo "69" o "69 (01.01.2016)"] |

| Códigos | Subcódigos | Aspectos administrativos |
|---|---|---|
| 70 | | Canje del permiso n.º ... expedido por ... (símbolo UE/ONU, si se trata de un tercer país; por ejemplo: "70.0123456789.NL") |
| 71 | | Duplicado del permiso n.º... (símbolo EU/ONU, si se trata de un tercer país; por ejemplo: "71.987654321.HR") |
| 73 | | Limitado a los vehículos de categoría B, de tipo cuatriciclo de motor (B1) |
| 78 | | Limitado a vehículos con transmisión automática |
| 79 | | [...] Limitado a los vehículos que cumplen las prescripciones indicadas entre paréntesis en el marco de la aplicación del artículo 13 de la presente Directiva |
| | 79.01<br>79.02<br>79.03<br>79.04<br>79.05<br>79.06 | Limitado a los vehículos de dos ruedas con o sin sidecar<br>Limitado a los vehículos de categoría AM de tres ruedas o cuatriciclos ligeros<br>Limitado a los triciclos<br>Limitado a los triciclos que lleven enganchado un remolque cuya masa máxima autorizada no supere los 750 kg.<br>Motocicleta de categoría A1 con una relación potencia/peso superior a 0,1 kW/kg.<br>Vehículo de categoría BE cuya masa máxima autorizada del remolque sea superior a 3.500 kg. |
| 80 | | Limitado a los titulares de un permiso de conducción para vehículos de categoría A de tipo triciclo de motor que no hayan alcanzado la edad de 24 años |
| 81 | | Limitado a los titulares de un permiso de conducción para vehículos de categoría A de tipo motocicleta de dos ruedas que no hayan alcanzado la edad de 21 años |

| | | |
|---|---|---|
| 95 | | Conductor titular del CAP que satisface la obligación de aptitud profesional prevista en la Directiva 2003/59/CE, válido hasta el ... [por ejemplo: "95 (01.01.12)"] |
| 96 | | Vehículos de categoría B que lleven enganchado un remolque cuya masa máxima autorizada sea superior a 750 kg, siempre que la masa máxima autorizada de esta combinación exceda de 3.500 kg, pero no sobrepase los 4.250 kg. |
| 97 | | No autorizados a conducir un vehículo de categoría C1 que entre en el ámbito de aplicación del Reglamento (CEE) n.º 3821/85 del Consejo (**) |

(*) Esta fuerza indica la capacidad del conductor para hacer funcionar el sistema.

(**) Reglamento (CEE) nª. 3821/85 del Consejo, de 20 de diciembre de 1985, relativo al aparato de control en el sector de los transportes por carretera (DO L 370 de 31.12.1985, p.).

## Códigos nacionales

| Códigos | Subcódigos | Significado |
|---|---|---|
| 101 | | Aplicable al permiso de las clases D y D+E. Limitado a la conducción de autobuses en trayectos cuyo radio de acción no sea superior a 50 km alrededor del punto en que se encuentre normalmente el vehículo (artículos 5.2.c) y 6.2.d) del Real Decreto 1032/2007). |
| 105 | 1 | Velocidad máxima limitada, por causas administrativas a: 70 km/h |
| | 2 | 80 km/h |
| | 3 | 90 km/h |
| | 4 | 100 km/h |
| 106 | | Fecha de primera expedición del permiso. Ejemplo: 106.2 |
| | 2 | (16.7.72): |
| | 3 | Canje de permiso militar o policial. |
| | 4 | Canje de permiso extranjero. |
| | 5 | Es titular de otro permiso extranjero no susceptible de canje en España. Permiso nuevo obtenido tras haber sido declarada la pérdida de vigencia del que tuviera por haber agotado el crédito total de puntos asignados. |
| 200 | | Anexo al permiso o licencia de conducción. El titular deberá llevar un documento expedido por la Jefatura Provincial de Tráfico en el que figuran las condiciones de utilización del vehículo. |

| | | |
|---|---|---|
| 201 | | Anexo al permiso o licencia de conducción. El permiso o licencia no serán válidos sin un documento en el que figure el texto de la resolución que determina los períodos de tiempo en los que deberá cumplirse la sanción de suspensión de la autorización. |
| 202 | | Limitado a la conducción de vehículos policiales y de los colectivos a los que se refiere el artículo 74.1, válido hasta el (1.1.2012) (por ejemplo: 202.01.01.2012) (artículo 74.2 Reglamento General de Conductores). |

## ANEXO II. LICENCIA DE CONDUCCIÓN Y OTRAS AUTORIZACIONES PARA CONDUCIR

*A) Modelo y contenido de licencia de conducción*

1. La licencia será de color blanco con trama verde, tendrá unas dimensiones de 80 milímetros de ancho por 105 milímetros de largo y estará compuesta por dos páginas.

2. En la licencia constarán los siguientes datos:

a) En la página 1:

1.º El Escudo de España.

2.º La mención «Licencia de conducción», escrita en letras mayúsculas.

b) En la página 2:

1.º La fotografía del titular.

2.º Las informaciones específicas de la licencia correspondientes a:

El número del documento de identidad del titular.

La clase de licencia.

El (los) apellido (s) del titular.

El nombre del titular.

La fecha y lugar de nacimiento.

Las menciones adicionales, las adaptaciones, restricciones y otras limitaciones en personas, vehículos, o de circulación que, en su caso, afectan al titular de la licencia durante la conducción.

El lugar de expedición.

La fecha de expedición de la licencia.

La fecha de expiración de la validez administrativa de la licencia.

**Anverso**

**Reverso**

| FOTO | 1. DNI-NIE: | | 2. CLASE DE LICENCIA: |
|---|---|---|---|
| | 3. APELLIDOS: | | |
| | 4. NOMBRE: | | |
| | 5. FECHA Y LUGAR DE NACIMIENTO | | |
| 6. LUGAR DE EXPEDICIÓN: | 7. FECHA DE EXPEDICIÓN: | | 8. VÁLIDO HASTA: |
| 9. OBSERVACIONES: | | | |

B) Modelo de autorización ADR para el transporte de mercancías peligrosas

1. Las dimensiones físicas de la autorización, que será de plástico, serán conformes a las normas ISO 7810:2003 ID-1. El color será blanco con las letras en negro. En él se incluirá una característica de seguridad adicional, como un holograma, la impresión ultravioleta o patrones de garantía.

2. El modelo será el siguiente:

### Anverso

**ADR - CERTIFICADO DE FORMACIÓN DEL CONDUCTOR**
*ADR - CERTIFICAT DE FORMATION DE CONDUCTEUR*

(Insertar la
fotografía del
conductor)*

1. (Nº DE CERTIFICADO)*
2. (NOMBRE)*
3. (APELLIDO(S))*
4. (FECHA DE NACIMIENTO(dd/mm/aaaa))*
5. (NACIONALIDAD)*
6. (FIRMA DEL TITULAR)*

7. (ORGANISMO QUE EXPIDE EL CERTIFICADO)*
8. VÁLIDO HASTA/*VALABLE JUSQU'AU:* (dd/mm/aaaa)*

### Reverso

**VÁLIDO PARA LA O LAS CLASES O LOS N.ᵒˢ ONU:**
*VALABLE POUR LA OU LES CLASSES OU LES Nᵒˢ ONU:*

**CISTERNAS:**                    **DISTINTO DE CISTERNAS:**
*EN CITERNES:*                    *AUTRES QUE CITERNES:*

9. (Clase o número(s) ONU)*          10. (Clase o número(s) ONU)*

* Reemplazar el texto por los datos que procedan.
C) Modelo de permiso internacional para conducir

**Anverso**

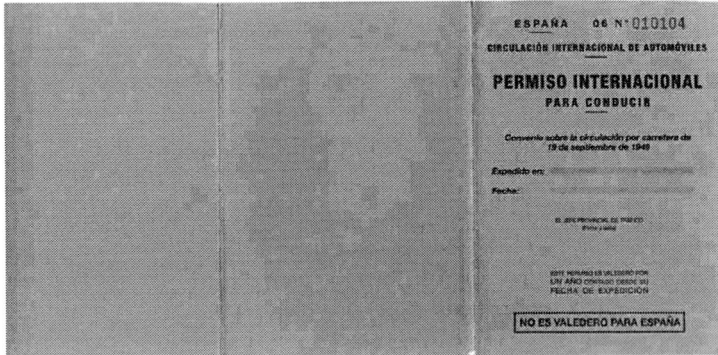

**Reverso**

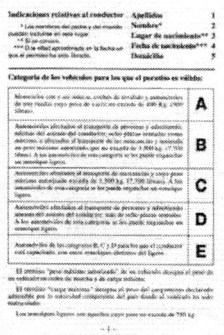
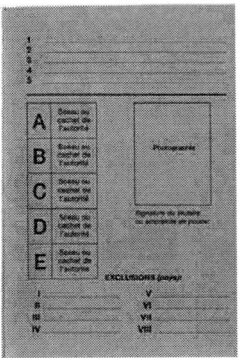

## ANEXO III. DOCUMENTACIÓN PARA OBTENER LAS DISTINTAS AUTORIZACIONES PARA CONDUCIR

*A) Obtención del permiso o licencia de conducción*

1. De acuerdo con lo establecido en el artículo 8.1, a la solicitud para la expedición del permiso o la licencia de conducción, se acompañarán:

a) Numero del Documento Nacional de Identidad o Número de Identidad de Extranjero, así como el consentimiento, en su caso, para que sus datos de identidad personal puedan ser consultados mediante el Sistema de Verificación de Datos, en los términos establecidos por el Real Decreto 522/2006, de 28 de abril, por el que se suprime la aportación de fotocopias de documento de identidad en los procedimientos administrativos de la Administración General del Estado y de sus organismos públicos.

De no constar su consentimiento en la solicitud, deberá acompañarse fotocopia del Documento Nacional de Identidad o, en el caso de extranjeros, fotocopia de la tarjeta de estudiante, de la Tarjeta de Identidad de Extranjero, o de la tarjeta de residencia de familiar de ciudadano de la Unión. En el caso de ciudadanos de la Unión Europea o de Estados parte en el Acuerdo sobre el Espacio Económico Europeo o de cualquier otro Estado al que se extienda por Convenio Internacional el régimen previsto para los anteriores, presentarán copia de su certificado de registro, al que deberán acompañar asimismo copia de su Documento Nacional de Identidad o pasaporte, documentos que deberán estar en vigor.

b) Una fotografía reciente del rostro del solicitante de 32 por 26 mm, en color y con fondo claro, liso y uniforme, tomada de frente con la cabeza totalmente descubierta, y sin gafas de cristales oscuros o cualquier otra prenda que pueda impedir o dificultar la identificación de la persona, que se incorporará al expediente por el medio que establezca la Dirección General de Tráfico.

c) Declaración por escrito de no hallarse privado por resolución judicial del derecho a conducir vehículos de motor y ciclomotores.

d) Declaración por escrito de no ser titular de otro permiso de conducción, expedido en otro Estado miembro de la Unión Europea o en un Estado parte del Acuerdo sobre el Espacio Económico Europeo, de igual clase que el solicitado, o que haya sido restringido, suspendido o anulado.

e) Fotocopia del permiso de conducción que, en su caso, posea, ya sea expedido en España o en otro Estado miembro de la Unión Europea o en un

Estado parte del Acuerdo sobre el Espacio Económico Europeo, acompañado del documento original que será devuelto una vez cotejado.

f) Informe de aptitud psicofísica emitido por un centro de reconocimiento de conductores autorizado, al que se hallará incorporada la fotografía a la que se hace referencia en el párrafo c) anterior.

2. De acuerdo con lo establecido en el artículo 33, a la solicitud para la expedición del permiso internacional para conducir, se acompañarán los documentos que se indican en el número 1 párrafos a) y b), así como fotocopia del permiso de conducción nacional junto con el documento original que será devuelto una vez cotejado, en el supuesto de que el permiso de conducción extranjero no estuviera inscrito previamente en el Registro de Conductores e Infractores.

*B) Prórroga de vigencia del permiso o licencia de conducción*

1. De acuerdo con lo establecido en el artículo 13.2, a la solicitud de prórroga de vigencia del permiso o la licencia de conducción se acompañarán los documentos que se indican en el apartado A).1.párrafos a), b) y f).

2. De acuerdo con lo establecido en el artículo 13.4, para solicitar la prórroga de vigencia del permiso o la licencia de conducción cuyos titulares se encuentren en el extranjero, deberá remitirse a cualquier Jefatura Provincial de Tráfico la solicitud acompañada de los siguientes documentos:

a) Talón-foto, al que se hallará adherida la fotografía a que se refiere el apartado A).1. párrafo b).

b) Informe de aptitud psicofísica a que se hace referencia en el apartado A).1. párrafo f), que será expedido por un médico del país donde se encuentre el interesado y visado por la Misión Diplomática u Oficina Consular de España en dicho país.

3. De acuerdo con lo establecido en el artículo 15.4, para la renovación del permiso de conducción no sujeto a un período de vigencia determinado, se acompañarán los documentos que se indican en el apartado A).1. párrafos a), b) y f).

C) Duplicados del permiso o licencia de conducción

De acuerdo con lo establecido en el artículo 11.2, a la solicitud de duplicado se acompañarán los documentos que se indican en el apartado A).1. párrafos a) y b), así como:

a) El permiso o licencia de conducción original, cuando la causa sea el deterioro o la variación de datos.

b) El documento que acredite la variación de los datos que figuran en el permiso o en la licencia de conducción, cuando la causa sea la variación de datos.

D) Permisos de conducción expedidos en un estado miembro de la Unión Europea o en estados parte del acuerdo sobre el espacio económico europeo

1. Inscripción en el Registro de Conductores e Infractores.–De acuerdo con lo establecido en el artículo 16.2, a la solicitud de inscripción suscrita por el interesado, se acompañarán los documentos que se indican en el apartado A).1. párrafos a), c) y e).

2. Sustitución del permiso de conducción en caso de sustracción, extravío o deterioro del original por el correspondiente permiso de conducción español.–De acuerdo con lo establecido en el artículo 17.1, a la solicitud se acompañarán los documentos que se indican en el apartado A).1.párrafos a), b) y c), así como:

a) El permiso o licencia de conducción original, cuando la causa sea el deterioro.

b) El certificado expedido por la autoridad competente, en su caso.

3. Canje del permiso de conducción por otro español equivalente.–De acuerdo con lo establecido en el artículo 18.1, a la solicitud de canje del permiso de conducción suscrita por el interesado, se acompañarán los documentos que se indican en el apartado A).1.párrafos a), b), c) y d), así como el permiso de conducción que se pretende canjear y fotocopia del mismo.

E) Permisos de conducción expedidos en terceros países

De acuerdo con lo establecido en el artículo 23.1, a la solicitud de canje del permiso de conducción suscrita por el interesado se acompañarán los documentos que se indican en el apartado A).1.párrafos a), b), c), d) y f), así como:

a) Declaración expresa de su titular responsabilizándose de la autenticidad, validez y vigencia del permiso y, en su caso, su traducción oficial al castellano o a la lengua cooficial correspondiente, entendiendo por tal la realizada conforme se indica en el artículo 21.1.párrafo b).

b) El permiso que se pretende canjear y fotocopia.

F) Permisos de conducción de los diplomáticos acreditados en España

De acuerdo con lo establecido en el artículo 24.2, a la solicitud de canje del permiso de conducción de los diplomáticos acreditados en España, sus ascendientes, descendientes o cónyuge, se acompañarán los documentos que se indican en el apartado A).1.párrafos a), b) y f), así como justificación de que son titulares de permiso de conducción válido equivalente al que solicitan.

G) Autorización especial para conducir vehículos que transporten mercancías peligrosas

1. De acuerdo con lo establecido en el artículo 27.1, para obtener la autorización especial, a la solicitud suscrita por el interesado se acompañarán los documentos que se indican en el apartado A).1 párrafos a), b) y c), así como:

a) Certificado expedido por el centro de formación que haya impartido el curso en el que se acredite que el solicitante ha participado con aprovechamiento en un curso de formación inicial básico para conductores de vehículos que transporten mercancías peligrosas.

b) Informe de aptitud psicofísica a que se hace referencia en el apartado A).1 párrafo f), cuando el solicitante no sea titular de un permiso de conducción en vigor de alguna de las clases señaladas en el artículo 45.1, párrafo b).

2. De acuerdo con lo establecido en el artículo 28.2, para obtener la prórroga de la autorización especial, a la solicitud suscrita por el interesado se acompañarán los documentos que se indican en el apartado A).1 párrafos b) y c), así como:

a) Certificado expedido por el centro de formación que haya impartido el curso en el que se acredite que el solicitante ha seguido con aprovechamiento un curso de reciclaje básico y, en su caso, de especialización, o, en su lugar, a elección del titular de la autorización, de formación inicial básico y, en su caso, de especialización, así como de haber superado los ejercicios prácticos individuales correspondientes.

b) Fotocopia de la autorización que se pretende prorrogar.

c) Informe de aptitud psicofísica a que se hace referencia en el apartado A).1 párrafo f), cuando el solicitante no sea titular de un permiso de conducción en vigor de alguna de las clases señaladas en el artículo 45.1.párrafo b).

d) El documento que se indica en el apartado A).1 párrafo a), en el caso de que no existan antecedentes del interesado en el Registro de conductores e infractores.

3. De acuerdo con lo establecido en el artículo 29.1 para obtener la ampliación de la autorización especial, a la solicitud suscrita por el interesado se acompañarán los documentos que se indican en el apartado A).1 párrafos b) y c), así como:

a) Certificado expedido por el centro de formación que haya impartido el curso en el que se acredite que el solicitante ha participado con aprovechamiento en un curso de formación inicial de especialización para la materia y superado los ejercicios prácticos individuales correspondientes.

b) Fotocopia de la autorización especial que posea el interesado.

c) El documento que se indica en el apartado A).1 párrafo a), en el caso de que no existan antecedentes del interesado en el Registro de conductores e infractores.

H) Prueba de control de conocimientos para la recuperación del permiso o la licencia de conducción

De acuerdo con lo establecido en el artículo 38.2, para realizar la prueba de control de conocimientos para la recuperación del permiso o la licencia de conducción, a la solicitud suscrita por el interesado se acompañarán los documentos que se indican en el apartado A).1.párrafos a), b) y f), así como copia de la certificación prevista en el anexo b) de la Orden INT/2596/2005, de 28 de julio.

I) Canje de los permisos de conducción expedidos por las escuelas y organismos militares y de la Dirección General de la Policía y de la Guardia Civil

1. Canje del permiso de conducción.–De acuerdo con lo establecido en el artículo 73.4, a la solicitud de canje suscrita por el interesado se acompañarán los documentos que se indican en el apartado A).1.párrafos a), b), c) y f), así como:

a) Permiso que se pretende canjear acompañado de fotocopia. Si su titular no hubiera cesado en el servicio activo o, cuando habiendo cesado, no fuera posible por razones de edad o de antigüedad de aquél canjear en un mismo acto todas las clases de su permiso de conducción, se le devolverá el permiso original, una vez cotejado.

b) Certificación acreditativa de hallarse en servicio activo o, en su caso, de la fecha en que se dejó de prestar.

2. Canje de la autorización especial para conducir vehículos que transporten mercancías peligrosas.–De acuerdo con lo establecido en el artículo 73.4, a la solicitud de canje suscrita por el interesado se acompañarán los documentos que se indican en el apartado A).1.párrafos a), b), c) y f), así como:

a) Autorización especial que se pretende canjear acompañada de fotocopia. Si su titular no hubiera cesado en el servicio activo, se le devolverá la autorización original, una vez cotejada.

b) Certificación acreditativa de hallarse en servicio activo o, en su caso, de la fecha en que se dejó de prestar.

c) Permiso de conducción militar de la clase B con, al menos, un año de antigüedad, en el supuesto de que el permiso civil de esta clase que posea no la alcance.

405     RD 818/2009, DE 8 DE MAYO     **Anexo IV**

# ANEXO IV. APTITUDES PSICOFÍSICAS REQUERIDAS PARA OBTENER O PRORROGAR LA VIGENCIA DEL PERMISO O DE LA LICENCIA DE CONDUCCIÓN

Enfermedades y deficiencias que serán causa de denegación o de adaptaciones, restricciones de circulación y otras limitaciones en la obtención o prórroga del permiso o la licencia de conducción.

## 1. Capacidad visual

Si para alcanzar la agudeza visual requerida es necesaria la utilización de lentes correctoras, deberá expresarse, en el informe de aptitud psicofísica, la obligación de su uso durante la conducción. Dichas lentes deberán ser bien toleradas. A efectos de este anexo, las lentes intraoculares no deberán considerarse como lentes correctoras, y se entenderá como visión monocular toda agudeza visual inferior a 0,10 en un ojo, con o sin lentes correctoras, debida a pérdida anatómica o funcional de cualquier etiología.

| Exploración (1) | Criterios de aptitud para obtener o prorrogar permiso o licencia de conducción ordinarios | | Adaptaciones, restricciones y otras limitaciones en personas, vehículos o de circulación en permiso o licencia sujetos a condiciones restrictivas | |
|---|---|---|---|---|
| | Grupo 1: AM, A1, A2, A, B, B+ E y LCC (art. 45.1 a) (2) | Grupo 2: C1, C1 + E, C, C + E, D1, D1 + E, D, D + E (art. 45.1b y 2) (3) | Grupo 1 (4) | Grupo 2 (5) |
| 1.1. Agudeza visual. | Se debe poseer, si es preciso con lentes correctoras, una agudeza visual binocular de, al menos, 0,5. | Se debe poseer, con o sin corrección óptica, una agudeza visual de, al menos, 0,8 y, al menos, 0,1 para el ojo con mejor agudeza y con peor agudeza respectivamente. Si se precisa corrección con gafas, la potencia de éstas no podrá exceder de + 8 dioptrías. | No se admiten. | No se admiten. |

| | No se admite la visión monocular. | No se admite la visión monocular. | Los afectados de visión monocular con agudeza visual en el ojo mejor de 0,5 o mayor, y más de seis meses de antigüedad en visión monocular, podrán obtener o prorrogar permiso o licencia, siempre que reúna las demás capacidades visuales. Cuando, por el grado de agudeza visual o por la existencia de una enfermedad ocular progresiva, los reconocimientos periódicos a realizar fueran por período inferior al de vigencia normal del permiso o licencia, el período de vigencia se fijará según criterio médico. Espejo retrovisor exterior a ambos lados del vehículo y espejo interior panorámico o, en su caso, espejo retrovisor adaptado. | No se admiten. |

| | | | |
|---|---|---|---|
| | No se admite la cirugía refractiva (distinta de afaquia). | No se admite la cirugía refractiva (distinta de afaquia). | Tras un mes de efectuada cirugía refractiva, aportando informe de la Intervención, se podrá obtener o prorrogar el permiso o licencia, con período de vigencia máximo de un año. Transcurrido un año desde la fecha de la intervención, y teniendo en cuenta el defecto de refracción prequirúrgico, la refracción actual y la posible existencia de efectos secundarios no deseados, a criterio oftalmológico se fijará el período de vigencia posterior. | En caso de cirugía refractiva, y transcurridos tres meses desde la intervención, aportando informe de la intervención, se podrá obtener o prorrogar el permiso con período de vigencia máximo de un año. Transcurrido un año desde la fecha de la intervención, y teniendo en cuenta el defecto de refracción prequirúrgico, la refracción actual y la posible existencia de efectos secundarios no deseados, a criterio oftalmológico se fijará el período de vigencia posterior. |
| 1.2. Campo visual. | Si la visión es binocular, el campo binocular ha de ser normal. En el examen binocular, el campo visual central no ha de presentar escotomas absolutos en puntos correspondientes de ambos ojos ni escotomas relativos significativos en la sensibilidad retiniana. | Se debe poseer un campo visual binocular normal. Tras la exploración de cada uno de los campos monoculares, éstos no han de presentar reducciones significativas en ninguno de sus meridianos. En el examen monocular, no se admite la presencia de escotomas absolutos ni escotomas relativos significativos en la sensibilidad retiniana. | No se admiten. | No se admiten. |

| | | | | |
|---|---|---|---|---|
| | Si la visión es monocular, el campo visual monocular debe ser normal. El campo visual central no ha de presentar escotomas absolutos ni escotomas relativos significativos en la sensibilidad retiniana. | No se admite visión monocular | No se admiten. | No se admiten. |
| 1.3. Afaquias y pseudofaquias. | No se admiten las monolaterales ni las bilaterales. | Idem grupo 1. | Trascurrido un mes de establecidas, si se alcanzan los valores determinados en los apartados 1.1 y 1.2 correspondientes al grupo 1, el período de vigencia del permiso o licencia será, como máximo, de tres años, según criterio médico. | Trascurridos dos meses de establecidas, si se alcanzan los valores determinados en los apartados 1.1 y 1.2 correspondientes al grupo 2, el período de vigencia del permiso será, como máximo, de tres años, según criterio médico. |
| 1.4. Sensibilidad al contraste. | No deben existir alteraciones significativas en la capacidad de recuperación al deslumbramiento ni alteraciones de la visión mesópica. | Idem grupo 1. | En el caso de padecer alteraciones de la visión mesópica o del deslumbramiento, se deberán establecer las restricciones y limitaciones que, a criterio oftalmológico sean precisas para garantizar la seguridad en la conducción. En todo caso se deben descartar patologías oftalmológicas que originen alteraciones incluidas en alguno de los restantes apartados sobre capacidad visual. | No se admiten. |

| 1.5. Motilidad palpebral. | No se admiten ptosis ni lagoftalmias que afecten a la visión en los límites y condiciones señaladas en los apartados 1.1 y 1.2 correspondientes al grupo 1. | No se admiten ptosis ni lagoftalmias que afecten a la visión en los límites y condiciones señaladas en los apartados 1.1 y 1.2 correspondientes al grupo 2. | No se admiten. | No se admiten. |
|---|---|---|---|---|
| 1.6. Motilidad del globo ocular. | Las diplopías impiden la obtención o prórroga. | Idem grupo 1. | Las diplopías sólo se permitirán a criterio oftalmológico siempre que no se manifiesten en los 20 grados centrales del campo visual y no produzcan ninguna otra sintomatología, en especial fatiga visual. En las de reciente aparición debe transcurrir un período de, al menos, 6 meses sin conducir. En caso de permitirse la obtención o prórroga del permiso o licencia, el período de vigencia máximo será de tres años. Cuando la diplopía se elimine mediante la oclusión de un ojo se aplicarán las restricciones propias de la visión monocular. | No se admiten. |

| | El nistagmus impide la obtención o prórroga cuando no permita alcanzar los niveles de capacidad visual indicados en los apartados 1.1 a 1.7 del grupo 1, ambos inclusive, cuando sea manifestación de alguna enfermedad de las incluidas en el presente Anexo o cuando, a criterio facultativo, origine o pueda originar fatiga visual durante la conducción. | El nistagmus impide la obtención o prórroga cuando no permita alcanzar los niveles de capacidad visual indicados en los apartados 1.1 a 1.7 del grupo 2, ambos inclusive, cuando sea manifestación de alguna enfermedad de las incluidas en el presente Anexo o cuando, a criterio facultativo, origine o pueda originar fatiga visual durante la conducción. | No se admiten. | No se admiten. |
|---|---|---|---|---|

| | | | | |
|---|---|---|---|---|
| | No se admiten otros defectos de la visión binocular ni estrabismos que impidan alcanzar los niveles fijados en los apartados 1.1 a 1.7 del grupo 1, ambos inclusive. Cuando no impidan alcanzar los niveles de capacidad visual indicados en los apartados 1.1 a 1.7 del grupo 1, ambos inclusive, el oftalmólogo deberá valorar, principalmente, sus consecuencias sobre la fatiga visual, los defectos refractivos, el campo visual, el grado de estereopsis, la presencia de forias y de tortícolis y la aparición de diplopía, así como la probable evolución del proceso, fijando en consecuencia el período de vigencia. | No se admiten otros defectos de la visión binocular ni los estrabismos. | Cuando los estrabismos u otros defectos de la visión binocular no impidan alcanzar los niveles de capacidad visual indicados en los apartados 1.1 a 1.7 del grupo 1, ambos inclusive, y debido a su repercusión sobre parámetros como la fatiga visual, los defectos refractivos, el campo visual, el grado de estereopsis, la presencia de forias y de tortícolis, la aparición de diplopía o por la probable evolución del proceso, los reconocimientos periódicos a realizar fueran por período inferior al de vigencia normal del permiso o licencia, éste se fijará según el criterio oftalmológico. | Cuando los estrabismos u otros defectos de la visión binocular no impidan alcanzar los niveles de capacidad visual indicados en los apartados 1.1 a 1.7 del grupo 2, ambos inclusive, el oftalmólogo deberá valorar sus consecuencias sobre parámetros como la fatiga visual, los defectos refractivos, el campo visual, el grado de estereopsis, la presencia de forias y de tortícolis, la aparición de diplopía o por la probable evolución del proceso, fijando en consecuencia el período de vigencia, que será en todo caso como máximo de tres años. |
| 1.7. Deterioro progresivo de la capacidad visual. | Las enfermedades progresivas que no permitan alcanzar los niveles fijados en los apartados 1.1 a 1.6 anteriores, ambos inclusive, impiden la obtención o prórroga. | Las enfermedades y los trastornos progresivos de la capacidad visual impiden la obtención o prórroga. | Cuando no impidan alcanzar los niveles fijados en los apartados 1.1 al 1.6, y los reconocimientos periódicos a realizar fueran por período inferior al de vigencia normal del permiso o licencia, el período de vigencia se fijará según criterio médico. | No se admiten. |

| | | | |
|---|---|---|---|
| | Cuando aún alcanzando los niveles fijados en los apartados 1.1 al 1.6 anteriores, ambos inclusive, la presión intraocular se encuentre por encima de los límites normales, se deberán analizar posibles factores de riesgo asociados y se establecerá un control periódico a criterio oftalmológico. | Idem grupo 1. | Cuando los reconocimientos periódicos a realizar fueran por período inferior al de vigencia normal del permiso o licencia, el período de vigencia se fijará según criterio médico. | |

## 2. Capacidad auditiva

Cuando para alcanzar la agudeza auditiva mínima requerida que se indica en el apartado 2.1 sea necesaria la utilización de audífono, deberá expresarse la obligación de su uso durante la conducción.

| Exploración (1) | Criterios de aptitud para obtener o prorrogar permiso o licencia de conducción ordinarios | | Adaptaciones, restricciones y otras limitaciones en personas, vehículos o de circulación en permiso o licencia sujetos a condiciones restrictivas | |
|---|---|---|---|---|
| | Grupo 1: AM, A1, A2, A, B, B+ E y LCC (art. 45.1 a) (2) | Grupo 2: C1, C1 + E, C, C + E, D1, D1 + E, D, D + E (art. 45.1b y 2) (3) | Grupo 1 (4) | Grupo 2 (5) |
| 2.1. Agudeza auditiva. | Las hipoacusias, con o sin audífono, de más del 45 por 100 de pérdida combinada entre los dos oídos obtenido el índice de esta pérdida realizando audiometría tonal, impiden la obtención o prórroga del permiso o licencia. | Las hipoacusias, con o sin audífono, de más del 35 por 100 de pérdida combinada entre los dos oídos obtenido el índice de esta pérdida realizando audiometría tonal, impiden la obtención o prórroga del permiso | Los afectados de hipoacusia con pérdida combinada de más del 45 por 100 (con o sin audífono) deberán llevar espejo retrovisor exterior a ambos lados del vehículo e interior panorámico. | No se admiten. |

## 3. Sistema locomotor

| Exploración (1) | Criterios de aptitud para obtener o prorrogar permiso o licencia de conducción ordinarios | | Adaptaciones, restricciones y otras limitaciones en personas, vehículos o de circulación en permiso o licencia sujetos a condiciones restrictivas | |
|---|---|---|---|---|
| | Grupo 1: AM, A1, A2, A, B, B+ E y LCC (art. 45.1 a) (2) | Grupo 2: C1, C1 + E, C, C + E, D1, D1 + E, D, D + E (art. 45.1b y 2) (3) | Grupo 1 (4) | Grupo 2 (5) |
| 3.1. Motilidad. | No debe existir ninguna alteración que impida la posición sedente normal o un manejo eficaz de los mandos y dispositivos del vehículo, o que requiera para ello de posiciones atípicas o fatigosas, ni afecciones o anomalías que precisen adaptaciones, restricciones u otras limitaciones en personas, vehículos o de circulación. | Idem grupo 1. | Las adaptaciones, restricciones y otras limitaciones que se impongan en personas, vehículos o en la circulación se determinarán de acuerdo con las discapacidades que padezca el interesado debidamente reflejadas en el informe de aptitud psicofísica y evaluadas en las correspondientes pruebas estáticas o dinámicas. | Excepcionalmente, se admitirán dispositivos de cambio automático y de asistencia de la dirección con informe favorable de la autoridad médica competente y con la debida evaluación, en su caso, en las pruebas estáticas o dinámicas correspondientes. En todo caso, se tendrán debidamente en cuenta los riesgos o peligros adicionales relacionados con la conducción de los vehículos derivados de deficiencias que se incluyen en este grupo. |
| 3.2. Afecciones o anomalías progresivas. | No deben existir afecciones o anomalías progresivas. | Idem grupo 1. | Cuando no impidan la obtención o prórroga y los reconocimientos periódicos a realizar fueran por período inferior al de vigencia normal del permiso o licencia, el período de vigencia se fijará según criterio médico. | No se admiten. |

| 3.3. Talla. | No se admiten tallas que originen una posición de conducción incompatible con el manejo seguro del vehículo o con la correcta visibilidad del conductor. | Idem grupo 1. | Cuando la talla impida una posición de conducción segura o no permita la adecuada visibilidad del conductor, las adaptaciones, restricciones o limitaciones que se impongan serán fijadas según criterio técnico y de acuerdo con el dictamen médico, con la debida evaluación, en su caso, en las correspondientes pruebas estáticas o dinámicas. | No se admiten. |

## 4. Sistema cardiovascular

A efectos de valorar la capacidad funcional se utilizará la clasificación de la New York Heart Association en clases de actividad física de la persona objeto de exploración. En la clase funcional I se incluyen aquellas personas cuya actividad física no está limitada y no ocasiona fatiga, palpitaciones, disnea o dolor anginoso. En la clase funcional II se incluyen aquellas cuya actividad física habitual está moderadamente limitada y origina sintomatología de fatiga, palpitaciones, disnea o dolor anginoso. En la clase III existe una marcada limitación de la actividad física habitual, apareciendo fatiga, palpitaciones, disnea o dolor anginoso tras una actividad menor de la habitual. La clase IV supone la aparición de síntomas en reposo.

| Exploración (1) | Criterios de aptitud para obtener o prorrogar permiso o licencia de conducción ordinarios | | Criterios de aptitud para obtener o prorrogar permiso o licencia de conducción extraordinarios | |
|---|---|---|---|---|
| | Grupo 1: AM, A1, A2, A, B, B + E y LCC (art. 45.1 a) (2) | Grupo 2: (1), C1 + E, C, C + E, D1, D1 + E, D, D + E (art. 45.1b y 2) (3) | Grupo 1 (4) | Grupo 2 (5) |

| 4.1. Insuficiencia cardiaca. | No debe existir ninguna alteración con signos objetivos o funcionales de descompensación o síncope. Si coexiste con arritmias, se evaluarán según los apartados correspondientes. | No debe existir ninguna alteración con signos objetivos o funcionales de descompensación o síncope. Si coexiste con arritmias, se evaluarán según los apartados correspondientes. | No se admiten. | No se admiten. |
|---|---|---|---|---|
| | No deben existir síntomas correspondiente s a una clase funcional IV (NYHA). | No deben existir síntomas correspondiente s a una clase funcional III o IV (NYHA). | En los casos de IC con síntomas correspondiente a las clases funcionales I, II y III, con informe favorable del médico que realice el seguimiento, se podrá obtener o prorrogar el permiso con reducción del periodo de vigencia a criterio facultativo en las clases funcionales I y II, y máximo de 1 año en clase funcional III. | En los casos de IC con síntomas correspondiente a las clases funcionales I, II con informe favorable del médico que realice el seguimiento y siempre que la fracción de eyección del ventrículo izdo. sea al menos del 35%, se podrá obtener o prorrogar el permiso con periodo de vigencia de 2 años en clase funcional I y de 1 año en clase II. |
| 4.2. Trastornos del ritmo. | | | | |
| 4.2.1 Bradicardias: enfermedad del nodo sinusal y trastornos de la conducción del nodo AV. | No se admiten las bradicardias con historia de síncopes secundarios a éstas. No se admiten el bloqueo A-V de segundo grado Mobitz II ni de tercer grado, incluso asintomáticos. | No se admite el bloqueo A-V de II grado Mobitz II, ni el bloqueo A-V de III grado o el bloqueo A-V congénito, incluso asintomáticos. No se admite ninguna otra forma de bradicardia asociada a síncope. | No se admiten. Cuando se haya tratado, con un marcapasos, con informe favorable del cardiólogo se podrá obtener o prorrogar el permiso con reducción del periodo de vigencia según el apartado «marcapasos». Si su origen es secundario a procesos metabólicos, fármacos, isquemia u otros reversibles, se esperará a su corrección para permitir la conducción. | Cuando se haya tratado, con un marcapasos, con informe favorable del cardiólogo se podrá obtener o prorrogar el permiso con reducción del periodo de vigencia según el apartado «marcapasos». Si su origen es secundario a procesos metabólicos, fármacos, isquemia u otros reversibles, se esperará a su corrección para permitir la conducción. |

| | | | | |
|---|---|---|---|---|
| 4.2.2 Bloqueo de rama izquierda, bifascicular, trifascicular y bifascicular con P-R largo. | No se admiten con historia de síncopes. | No se admiten con historia de síncopes. El bloqueo de rama alternante no se admite incluso asintomático. | Cuando se haya tratado, con un marcapasos, con informe favorable del cardiólogo se podrá obtener o prorrogar el permiso con reducción del periodo de vigencia según el apartado «marcapasos». | Cuando se haya tratado, con un marcapasos, con informe favorable del cardiólogo se podrá obtener o prorrogar el permiso con reducción del periodo de vigencia según el apartado «marcapasos». |
| 4.2.3 Taquicardias supraventricular es (incluyendo fibrilación auricular y flutter). | No se admiten las taquicardias con historia de síncopes secundarios a éstas o síntomas limitantes. Cuando el paciente necesite anticoagulación, deberán considerarse las restricciones debidas a ésta. | No se admiten las taquicardias con historia de síncopes o síntomas secundarios a éstas. Cuando el paciente necesite anticoagulación, deberán considerarse las restricciones debidas a ésta. | Con informe favorable del cardiólogo en el que se acredite el tratamiento efectivo se podrá obtener o prorrogar el permiso con reducción del periodo de vigencia a 3 años | Con informe favorable del cardiólogo en el que se acredite el tratamiento efectivo se podrá obtener o prorrogar el permiso con reducción del periodo de vigencia a 2 años |
| 4.2.4 Arritmias ventriculares. | No se admiten las taquicardias con historia de síncopes o síntomas limitantes secundarios a éstas, ni la taquicardia ventricular sostenida con enfermedad cardiaca estructural. | No se admiten las taquicardias con historia de síncopes o síntomas limitantes secundarios a éstas. No se admiten, incluso asintomáticos, la taquicardia ventricular (TV) polimórfica no sostenida, la TV sostenida o con indicación de desfibrilador (DAI), ni las TV sostenidas con enfermedad cardiaca estructural. | Con informe favorable del cardiólogo en el que se acredite el tratamiento efectivo se podrá obtener o prorrogar el permiso con reducción del periodo de vigencia a 1 año | Con informe favorable del cardiólogo en el que se acredite el tratamiento efectivo se podrá obtener o prorrogar el permiso con reducción del periodo de vigencia a 1 año |
| 4.2.5 Síndrome del QT largo. | No se admite en presencia de historia de síncope, torsade de pointes (taquicardia helicoidal) o QT corregido mayor de 500 ms. | No se admite. | Una vez tratado el paciente, y previo informe de un especialista, se podrá obtener o prorrogar el permiso o licencia de conducción con periodo de vigencia de 1 año. | No se admiten excepciones. |

| | | | | |
|---|---|---|---|---|
| 4.2.6 Síndrome de Brugada. | No se admite si existe síncope previo o se ha superado un episodio de muerte súbita cardíaca. | No se admite si existe síncope previo o se ha superado un episodio de muerte súbita cardíaca. | Cuando el paciente haya sido tratado con un desfibrilador automático implantable, se aplicará el apartado correspondiente. | No se admiten excepciones. |
| 4.3. Marcapasos, DAI y otros dispositivos. | | | | |
| 4.3.1 Marcapasos. | No se admite. | No se admite. | Transcurridas al menos dos semanas desde la implantación, y con informe favorable del cardiólogo, que verifique el buen estado del dispositivo y la curación de la herida, se podrá obtener o prorrogar el permiso con periodo de vigencia de 3 años. | Transcurridas al menos 4 semanas desde la implantación, y con informe favorable del cardiólogo, que verifique el buen estado del dispositivo y la curación de la herida, se podrá obtener o prorrogar el permiso con periodo de vigencia de 2 años. |
| 4.3.2 Desfibrilador automático implantable. | No se admite. | No se admite. | Transcurridos 3 meses desde la implantación del desfibrilador para los casos de prevención secundaria y 2 semanas para la prevención primaria, se podrá obtener o prorrogar el permiso con periodo de vigencia de 1 año En el caso de sufrir una descarga apropiada, no se podrá obtener o renovar el permiso hasta transcurridos al menos 3 meses sin recurrencia y con informe favorable de un especialista. En el caso de descargas inapropiadas, no se podrá obtener o renovar el permiso hasta establecer las medidas que eviten nuevas descargas inapropiadas. | No se admite el desfibrilador automático implantable. |

| 4.3.3 Dispositivo de asistencia mecánica cardíaca. | No se admite. | No se admite. | En los casos de dispositivo de asistencia cardíaca en pacientes en clase funcional I ó II, sin historia de arritmias ventriculares y sólo con informe favorable del cardiólogo se podrá obtener o prorrogar el permiso con periodo de vigencia de 1 año. | No se admite. |
|---|---|---|---|---|
| 4.4. Patología valvular. | | | | |
| 4.4.1 Valvulopatías | No se admiten las valvulopatías con un grado funcional IV, o bien con episodios sincopales. | No se admiten las valvulopatías con clase funcional III, IV, o bien con una fracción de eyección inferior al 35%, o bien con episodios sincopales. No se admiten la estenosis mitral severa, la estenosis aórtica severa, ni la hipertensión pulmonar severa, incluso asintomáticas. | En las valvulopatías con clase funcional I,II o III, con informe favorable del cardiólogo en el que conste la ausencia de síncopes, se podrá obtener o prorrogar el permiso con periodo de vigencia de 3 años en clase funcional I y II y 1 año para clase III. | En las valvulopatías con clase funcional I o II, con FE superior al 35% y en ausencia de sincopes, con informe favorable del cardiólogo, se podrá obtener o prorrogar el permiso con reducción del periodo de vigencia de 2 años en clase funcional I y de 1 año en clase II. Aquellos pacientes con estenosis aórtica severa asintomática con fracción de eyección mayor de 55% y ergometría normal podrán, con informe favorable de su especialista, obtener o prorrogar el permiso con periodo de vigencia de 1 año. |

| | | | | |
|---|---|---|---|---|
| 4.4.2 Prótesis valvulares cardiacas. | No debe existir utilización de prótesis valvulares cardíacas. | Idem grupo I. | Transcurridas al menos 6 semanas desde su implante, si fue quirúrgico, y 1 mes si fue percutáneo, siempre que cumplan los requisitos aplicables por los apartados de insuficiencia cardíaca, arritmias y anticoagulación (si procede), y con informe favorable de su especialista, se podrá obtener o prorrogar el permiso con periodo de vigencia de 3 años. | Transcurridos 3 meses desde su implante, si fue quirúrgico, y 1 mes si fue percutáneo, siempre que cumplan los requisitos aplicables por los apartados de insuficiencia cardíaca, arritmias y anticoagulación (si procede), y con informe favorable de su especialista, se podrá obtener o prorrogar el permiso con periodo de vigencia de 2 años. |
| 4.5. Enfermedad arterial coronaria. | | | | |
| 4.5.1 Síndrome coronario agudo (SCA). | No se admite. | No se admite. | En los casos de síndrome coronario agudo transcurridas al menos 3 semanas, con informe favorable del cardiólogo se podrá obtener o prorrogar el permiso o licencia de conducción con periodo de vigencia de 1 año, superado el primer año el periodo de vigencia será de 3 años como máximo. | En los casos de antecedentes de síndrome coronario agudo, transcurridas al menos 6 semanas, previa prueba ergométrica negativa y con fracción de eyección por encima de 40%, con informe favorable del cardiólogo, se podrá obtener o prorrogar el permiso o licencia de conducción con periodo de vigencia de 1 año, superado el primer año el periodo de vigencia será de 2 años como máximo. |
| 4.5.2 Angina estable. | No se admiten los síntomas de angina en reposo, durante la conducción o con esfuerzos ligeros (clases funcionales III y IV). | No se admiten los síntomas de angina. | Tras la instauración del tratamiento y en ausencia de síntomas en reposo o con esfuerzo ligero, con informe favorable del cardiólogo se podrá obtener o prorrogar el permiso o licencia de conducción con periodo de vigencia de 3 años. | Tras la instauración del tratamiento, y en ausencia de síntomas, cuando las pruebas funcionales demuestren la ausencia de isquemia grave o arritmias inducidas por el esfuerzo, con informe favorable del cardiólogo se podrá obtener o prorrogar el permiso o licencia de conducción con periodo de vigencia de 2 años. |

| 4.5.3 Cirugía de revascularización coronaria. | No se admite. | No se admite. | Transcurridas 6 semanas tras la cirugía, en ausencia de sintomatología isquémica y con informe favorable del cardiólogo se podrá obtener o prorrogar el permiso o licencia de conducción con periodo de vigencia de 1 año, fijándose posteriormente a criterio facultativo por un periodo máximo de 3 años. | Transcurridos 3 meses de la cirugía, en ausencia de sintomatología isquémica, con prueba ergométrica negativa, fracción de eyección mayor de 40% y con informe favorable del cardiólogo se podrá obtener o prorrogar el permiso o licencia de conducción con periodo máximo de vigencia de 1 año. |
|---|---|---|---|---|
| 4.5.4 Intervención coronaria percutanea programada. | No se admite. | No se admite. | Transcurrida 1 semana del procedimiento, en ausencia de angina de reposo o pequeños esfuerzos, y con informe favorable del cardiólogo, se podrá obtener o prorrogar el permiso o licencia de conducción con un periodo máximo de vigencia de 3 años. Si la intervención fue debida a un síndrome coronario agudo, se aplicaran los criterios de dicho apartado. | Transcurridas 4 semanas del procedimiento, en ausencia de sintomatología isquémica, con prueba ergométrica negativa, fracción de eyección superior a 40% y con informe favorable del cardiólogo, se podrá obtener o prorrogar el permiso o licencia de conducción con periodo máximo de vigencia de 2 años. Si la intervención fue debida a un síndrome coronario agudo, se aplicaran los criterios de dicho apartado. |
| 4.6. Hipertensión arterial. | No se admite la hipertensión arterial maligna (HTA sistólica #180 y/o diastólica # de 110) asociada a daño orgánico inminente o progresivo. | No se admite la hipertensión arterial grado III (HTA sistólica #180 y/o diastólica # de 110). | Tras la resolución de los síntomas y el control de la TA con informe médico favorable se podrá obtener o prorrogar el permiso o licencia de conducción con reducción del periodo de vigencia a 3 años. | Tras la resolución de los síntomas y el control de la TA con informe médico favorable se podrá obtener o prorrogar el permiso o licencia de conducción con reducción del periodo de vigencia a 2 años. |
| 4.7 Aneurismas de grandes vasos. | | | | |

| | | | |
|---|---|---|---|
| 4.7.1 Aneurismas torácicos y abdominales. | No se admiten si el diámetro máximo de la aorta, según su localización y otros condicionantes como el síndrome de Marfán o la válvula aórtica bicúspide, que suponen riesgo repentino de rotura y tiene por ello indicación de cirugía. | No se admiten. si el diámetro máximo de la aorta, según su localización y otros condicionantes como el síndrome de Marfán o la válvula aórtica bicúspide, que suponen riesgo repentino de rotura, y en cualquier caso cuando la aorta exceda 55 mm. de diámetro. | Cuando el aneurisma esté por debajo de las indicaciones de cirugía, con informe favorable de cardiólogo, cirujano vascular o cardíaco, se podrá obtener o renovar el permiso con un periodo de vigencia establecido a criterio facultativo. | Cuando el aneurisma esté por debajo de las indicaciones de cirugía, con informe favorable del cardiólogo, del cirujano vascular o cardíaco se podrá obtener o prorrogar el permiso o licencia de conducción con periodo de vigencia máximo de 1 año. |
| 4.8. Arteriopatía periférica. | | | |
| 4.8.1 Arteriopatía periférica. | Se valorará la posible asociación con cardiopatía isquémica. | Se valorará la posible asociación con cardiopatía isquémica. | No se admiten. | No se admiten. |
| 4.8.2 Estenosis carotídea. | No se admite si tiene sintomatología neurológica. | No se admite si tiene sintomatología neurológica o estenosis severa asintomática. | En el caso de que la estenosis carotídea haya dado lugar a patología neurológica se aplicarán los criterios del apartado 9 de este anexo. En caso de clínica de cardiopatía isquémica, se aplicaran los criterios correspondientes. | En el caso de que la estenosis carotídea haya dado lugar a patología neurológica se aplicarán los criterios de del apartado 9 de este anexo. En ausencia de síntomas neurológicos, será preciso confirmar la ausencia de cardiopatía isquémica. |
| 4.9. Enfermedades venosas. | No debe existir trombosis venosa profunda. | No debe existir trombosis venosa profunda. No se admiten las varices voluminosas del miembro inferior ni las tromboflebitis. | No se admite. Una vez resuelta la enfermedad y con informe favorable del especialista, se podrá obtener o renovar el permiso con reducción del periodo de vigencia a criterio facultativo. | No se admite. Una vez resuelta la enfermedad y con informe favorable del especialista, se podrá obtener o renovar el permiso con reducción del periodo de vigencia a criterio facultativo. |

| | | | | |
|---|---|---|---|---|
| 4.10 Trasplante cardíaco. | No se admite. | No se admite. | En los casos de trasplante cardíaco con grado funcional NYHA I y II, con estabilidad en la clínica y tratamiento inmunoterápico estable, con informe favorable del especialista, se podrá obtener o prorrogar el permiso o licencia de conducción con periodo de vigencia de 1 año. | No se admite. |
| 4.11 Cardiopatías congénitas. | Debe valorarse individualmente, considerando clase funcional, función ventricular, afección valvular, repercusión sobre la presión pulmonar e historia de síncopes o arritmias, considerando los apartados correspondientes. | Ídem grupo I. | Con informe favorable del cardiólogo, en el que se haya valorado la complejidad de la cardiopatía y el riesgo de complicaciones, su corrección quirúrgica si hubiera sido precisa, se podrá obtener o prorrogar el permiso o licencia de conducción con periodo de vigencia a criterio facultativo. | Ídem. grupo I. |
| 4.12 Miocardiopatías. | | | | |
| 4.12.1 Miocardiopatía hipertrófica. | No se admite. | No se admiten. | Con informe favorable del cardiólogo, en el que se haya valorado la ausencia de síncope y clase funcional IV, se podrá obtener o prorrogar el permiso o licencia de conducción con periodo de vigencia de 3 años en ausencia de síntomas, y 1 año en pacientes sintomáticos. | No debe haber síncopes, ni 2 o más de los siguientes criterios: espesor de la pared ventricular mayor de 3 cm., taquicardia ventricular no sostenida, historia de muerte súbita en parientes de primer grado o descenso de la T.A. durante el ejercicio. Si se cumplen los requisitos establecidos, se podrá obtener o prorrogar el permiso o licencia de conducción con periodo de vigencia de 2 años, con informe favorable del cardiólogo. |

| 4.12.2 Otras miocardiopatias (p ej, miocardiopatía arritmogénica del ventrículo derecho, no compactada). | Debe evaluarse el riesgo individual considerando el riesgo de síncope, arritmias y la clase funcional, consultando los apartados correspondientes. | Ídem grupo 1. | Con informe favorable del cardiólogo, en el que se consideren los riesgos asociados, se podrá obtener o prorrogar el permiso con periodo de vigencia a criterio facultativo. | Con informe favorable del cardiólogo, en el que se consideren los riesgos asociados y los riesgos particulares de la conducción en este grupo, se podrá obtener o prorrogar el permiso con periodo de vigencia a criterio facultativo. |
| 4.13 Síncope. | | | | |
| | No se admite el síncope reflejo recurrente o vagal, excluidos aquellos casos en los que los síncopes ocurran en circunstancias que nunca puedan concurrir con la conducción (p.ej, defecatorios o sucedidos durante pruebas médicas). | Ídem grupo 1. | Transcurridos 6 meses sin recurrencias con informe favorable del cardiólogo se podrá obtener o prorrogar el permiso con una vigencia máxima de 2 años. | No se admite. |
| | No se admite el síncope recurrente o grave debido a la tos o a la deglución. | Ídem grupo 1. | Transcurridos 6 meses sin recurrencias, con informe favorable del cardiólogo se podrá obtener o prorrogar el permiso con una vigencia máxima de 2 años. | No se admite. |

## 5. Trastornos hematológicos

| Exploración (1) | Criterios de aptitud para obtener o prorrogar permiso o licencia de conducción ordinarios | | Adaptaciones, restricciones y otras limitaciones en personas, vehículos o de circulación en permiso o licencia sujetos a condiciones restrictivas | |
| --- | --- | --- | --- | --- |
| | Grupo 1: AM, A1, A2, A, B, B+ E y LCC (art. 45.1 a) (2) | Grupo 2: C1, C1 + E, C, C + E, D1, D1 + E, D, D + E (art. 45.1b y 2) (3) | Grupo 1 (4) | Grupo 2 (5) |

| | | | | |
|---|---|---|---|---|
| 5.1 Trastornos oncohematológicos. | No se admiten los trastornos oncohematológic os hasta transcurridos diez años de remisión completa. | Ídem grupo 1. | En los casos señalados en la columna (2), transcurridos al menos tres meses sin alteraciones graves de las series hematológicas, con informe favorable del oncólogo o hematólogo en el que haga constar la sintomatología actual, el momento evolutivo, el tipo de tratamiento y los efectos derivados del mismo, a criterio facultativo se podrá obtener o prorrogar el permiso o licencia por un período máximo de un año. Superados los tres primeros años y hasta transcurridos diez en remisión completa debidamente acreditada por un informe del oncólogo o hematólogo, a criterio facultativo se podrá obtener o prorrogar el permiso o licencia por un período máximo de tres años. | En los casos señalados en la columna (3), transcurrido al menos un año sin episodios de pancitopenia grave, o tres meses sin alteraciones graves de alguna de las series hematológicas, con informe favorable del oncólogo o hematólogo en el que haga constar la ausencia de sintomatología, el momento evolutivo, y que el tratamiento y los efectos derivados del mismo no afectan a la capacidad de conducir, se podrá obtener o prorrogar el permiso por un período máximo de un año. |
| 5.2. Trastornos no oncohematológicos. | | | | |
| 5.2.1. Anemias, leucopenias, trombopenias y poliglobulías, leucocitosis y trombocitosis graves. | No se admiten alteraciones graves de las series hematológicas en el último mes. | No se admiten alteraciones graves de las series hematológicas en los últimos tres meses. | Transcurrido un mes, el interesado deberá aportar informe médico en el que haga constar el riesgo de síncope, mareos u otras manifestaciones neurológicas, así como el riesgo de recidiva. A criterio facultativo se podrá reducir el período de vigencia. | Transcurridos tres meses, el interesado deberá aportar informe médico en el que haga constar el riesgo de síncope, mareos u otras manifestaciones neurológicas, así como el riesgo de recidiva. A criterio facultativo se podrá reducir el período de vigencia. |

| | | | | |
|---|---|---|---|---|
| 5.2.2 Trastornos asociados a déficits de factores de coagulación. | No se admiten déficits graves de factores de coagulación que requieran tratamiento sustitutivo habitual. | No se admiten déficits graves de factores de coagulación que requieran tratamiento sustitutivo. | En los casos señalados en la columna (2) que requieran tratamiento sustitutivo habitual, con informe del hematólogo que acredite el adecuado control del tratamiento se podrá obtener o prorrogar el permiso o licencia con un período de vigencia máximo de dos años. | En los casos señalados en la columna (3) que requieran tratamiento sustitutivo ocasional, con informe médico que acredite el control adecuado del tratamiento, se podrá obtener o prorrogar el permiso con período de vigencia máximo de un año. |
| 5.2.3. Tratamiento anticoagulante. | No se admite hasta transcurrido un mes desde la instauración del tratamiento. No se admiten las descompensaciones graves de las pruebas de coagulación en el último año que hayan requerido ingreso hospitalario para su control. | No se admiten. | En los casos en que se haya producido una descompensación grave de las pruebas de coagulación en el último año que haya requerido ingreso hospitalario para su control, con informe favorable del médico en el que haga constar la ausencia de riesgo relevante de síncopes derivados de descompensaciones graves o debidos a los efectos secundarios del tratamiento, se podrá obtener o prorrogar el permiso o licencia con un período de dos años como máximo. | Transcurrido un mes desde el inicio del tratamiento, y con informe favorable del médico en el que haga constar la ausencia de riesgo relevante de síncopes derivados de descompensaciones graves o debidos a los efectos secundarios del tratamiento, se podrá obtener o prorrogar el permiso con un período de vigencia máximo de un año. En el caso de haberse producido descompensaciones graves en el último año que hayan requerido ingreso hospitalario, no se podrá obtener o prorrogar el permiso hasta que no hayan transcurrido al menos tres meses desde el último episodio. |

**Anexo IV**  RD 818/2009, DE 8 DE MAYO  426

## 6. Sistema renal

| Exploración (1) | Criterios de aptitud para obtener o prorrogar permiso o licencia de conducción ordinarios | | Adaptaciones, restricciones y otras limitaciones en personas, vehículos o de circulación en permiso o licencia sujetos a condiciones restrictivas | |
|---|---|---|---|---|
| | Grupo 1: AM, A1, A2, A, B, B+ E y LCC (art. 45.1 a) (2) | Grupo 2: C1, C1 + E, C, C + E, D1, D1 + E, D, D + E (art. 45.1b y 2) (3) | Grupo 1 (4) | Grupo 2 (5) |
| 6.1. Nefropatías. | No se permiten aquellas en las que, por su etiología, tratamiento o manifestaciones, puedan poner en peligro la conducción de vehículos. | Idem grupo 1. | Los enfermos sometidos a programas de diálisis, con informe favorable de un nefrólogo, podrán obtener o prorrogar permiso o licencia, reduciendo, a criterio facultativo, el período de vigencia. | No se admiten. |
| 6.2. Trasplante renal. | No se admite el trasplante renal. | No se admite el trasplante renal. | Los sometidos a trasplante renal, trascurridos más de seis meses de antigüedad de evolución sin problemas derivados de aquél, con informe favorable de un nefrólogo, podrán obtener o prorrogar permiso o licencia con período de vigencia establecido a criterio facultativo. | Los sometidos a trasplante renal, trascurridos más de seis meses de evolución sin problemas derivados de aquél, en casos excepcionales, debidamente justificados mediante informe favorable de un nefrólogo, podrán obtener o prorrogar permiso con período de vigencia máximo de un año. |

## 7. Sistema respiratorio

A los efectos del apartado 7.2, se entenderá por síndrome moderado de apnea obstructiva del sueño cuando el índice de apnea-hipopnea se encuentre entre 15 y 29 y por síndrome grave cuando el índice sea igual o superior a 30, asociados en ambos casos a un nivel de somnolencia excesivo durante el día.

| Exploración (1) | Criterios de aptitud para obtener o prorrogar permiso o licencia de conducción ordinarios | | Adaptaciones, restricciones y otras limitaciones en personas, vehículos o de circulación en permiso o licencia sujetos a condiciones restrictivas | |
|---|---|---|---|---|
| | Grupo 1: AM, A1, A2, A, B, B+ E y LCC (art. 45.1 a) (2) | Grupo 2: C1, C1 + E, C, C + E, D1, D1 + E, D, D + E (art. 45.1b y 2) (3) | Grupo 1 (4) | Grupo 2 (5) |
| 7.1. Disneas. | No deben existir disneas permanentes en reposo o de esfuerzo leve. | No deben existir disneas o pequeños esfuerzos ni paroxísticas de cualquier etiología. | No se admiten. | No se admiten. |
| 7.2. Síndrome de apnea obstructiva del sueño. | No se admite el síndrome de apnea de sueño (diagnosticado mediante un estudio de sueño), con un índice de apnea-hipopnea igual o superior a 15, asociado a somnolencia diurna moderada o grave. | Idem grupo 1. | En los casos señalados en la columna, con el informe favorable de una Unidad de Sueño en el que conste: el adecuado nivel de cumplimiento del tratamiento y un control satisfactorio de la enfermedad, en especial de la somnolencia diurna, se podrá obtener o prorrogar el permiso o licencia por un período de vigencia máximo de tres años. | En los casos señalados en la columna (3), con el informe favorable de una Unidad de Sueño en el que conste: el adecuado nivel de cumplimiento del tratamiento y un control satisfactorio de la enfermedad, en especial de la somnolencia diurna, se podrá obtener o prorrogar el permiso por un período de vigencia de un año como máximo. |

| 7.3. Otras afecciones. | No deben existir trastornos pulmonares, pleurales, diafragmáticos y mediastínicos que determinen incapacidad funcional, valorándose el trastorno y la evolución de la enfermedad, teniendo especialmente en cuenta la existencia o posibilidad de aparición de crisis de disnea paroxística, dolor torácico intenso u otras alteraciones que puedan influir en la seguridad de la conducción. | Idem grupo 1. | No se admiten. | No se admiten. |

## 8. Enfermedades Metabólicas y Endocrinas

A los efectos de este Reglamento se entenderá por hipoglucemia grave la que exija la ayuda de otra persona y por hipoglucemia recurrente la hipoglucemia grave dentro de un plazo de 12 meses.

| Exploración (1) | Criterios de aptitud para obtener o prorrogar permiso o licencia de conducción ordinarios | | Criterios de aptitud para obtener o prorrogar permiso o licencia de conducción extraordinarios | |
|---|---|---|---|---|
| | Grupo 1: AM, A1, A2, A, B, B+ E y LCC (art. 45.1 a) (2) | Grupo 2: C1, C1 + E, C, C + E, D1, D1 + E, D, D + E (art. 45.1b y 2) (3) | Grupo 1 (4) | Grupo 2 (5) |

| 8.1. «Diabetes mellitus». | No debe existir diabetes mellitus que curse con inestabilidad metabólica severa que requiera asistencia hospitalaria, ni diabetes mellitus en tratamiento con insulina o con fármacos hipoglucemiante s. | No debe existir diabetes mellitus que curse con inestabilidad metabólica severa que requiera asistencia hospitalaria, ni diabetes mellitus tratada con insulina o con fármacos hipoglucemiante s. | Siempre que sea preciso el tratamiento con insulina o con fármacos hipoglucemiante s se deberá aportar informe médico favorable, que acredite el adecuado control de la enfermedad y la adecuada formación diabetológica del interesado. El período de vigencia máximo será de cinco años, y podrá ser reducido a criterio facultativo. | Los afectados de diabetes mellitus de tipo 1 y los de tipo 2 que requieran tratamiento con insulina, aportando informe favorable, del médico que realice el seguimiento, en el que acredite el adecuado control de la enfermedad y la adecuada formación diabetológica del interesado, en casos muy excepcionales podrán obtener o prorrogar el permiso con un período de vigencia máximo de 1 año. Los afectados de diabetes tipo 2 que precisen tratamiento con fármacos hipoglucemiante s, deberán aportar informe favorable del médico que realice el seguimiento, en que acredite el buen control y el conocimiento de la enfermedad y el período máximo de vigencia será de tres años. |
|---|---|---|---|---|
| 8.2. Cuadros de hipoglucemia. | No deben existir, en el último año, cuadros recurrentes de hipoglucemia grave ni alteraciones metabólicas que cursen con pérdida de conciencia. | Idem grupo 1. | En los casos en que la hipoglucemia se produzca durante las horas de vigilia, transcurridos al menos 3 meses sin crisis, excepcionalmente con informe médico favorable, debidamente justificado, en el que se acredite el conocimiento de la hipoglucemia se podrá obtener o prorrogar el permiso con un período de vigencia máximo de 1 año. | No se admiten. |

| 8.3. Enfermedades tiroideas. | No deben existir hipertiroidismos complicados con síntomas cardiacos o neurológicos ni hipotiroidismos sintomáticos, excepto si el interesado presenta informe favorable de un especialista en endocrinología. | No deben existir hipertiroidismos complicados con síntomas cardiacos o neurológicos ni hipotiroidismos sintomáticos. | Cuando no impidan la obtención o prórroga y los reconocimientos periódicos a realizar fueran por período inferior al de vigencia del permiso o licencia, el período de vigencia se fijará según criterio facultativo. | No se admiten. |
|---|---|---|---|---|
| 8.4. Enfermedades paratiroideas. | No deben existir enfermedades paratiroideas que ocasionen incremento de excitabilidad o debilidad muscular, excepto si el interesado presenta informe favorable de un especialista en endocrinología. | No deben existir enfermedades paratiroideas que ocasionen incremento de excitabilidad o debilidad muscular. | Cuando no impidan la obtención o prórroga y los reconocimientos periódicos a realizar fueran por período inferior al de vigencia del permiso o licencia, el período de vigencia se fijará según criterio facultativo. | No se admiten. |
| 8.5. Enfermedades adrenales. | No se permite la enfermedad de Addison, el Síndrome de Cushing y la hiperfunción medular adrenal debida a feocromocitoma. | No se admiten las enfermedades adrenales. | Los afectados de enfermedades adrenales deberán presentar un informe favorable de un especialista en endocrinología en el que conste el estricto control y tratamiento de los síntomas. El período de vigencia del permiso o licencia será como máximo de dos años. | No se admiten. |

## 9. Sistema nervioso y muscular

No deben existir enfermedades del sistema nervioso y muscular que produzcan pérdida o disminución grave de las funciones motoras, sensoriales o de coordinación que incidan involuntariamente en el control del vehículo.

Se define la epilepsia como la presentación de dos o más crisis epilépticas en un plazo menor de 5 años. Por crisis epiléptica provocada la que tiene un factor causante identificable y evitable.

| Exploración (1) | Criterios de aptitud para obtener o prorrogar permiso o licencia de conducción ordinarios | | Adaptaciones, restricciones y otras limitaciones en personas, vehículos o de circulación en permiso o licencia sujetos a condiciones restrictivas | |
| --- | --- | --- | --- | --- |
| | Grupo 1: AM, A1, A2, A, B, B+ E y LCC (art. 45.1 a) (2) | Grupo 2: C1, C1 + E, C, C + E, D1, D1 + E, D, D + E (art. 45.1b y 2) (3) | Grupo 1 (4) | Grupo 2 (5) |
| 9.1 Enfermedades del Sistema Nervioso Central. | No deben existir enfermedades del sistema nervioso central que produzcan disminución importante de las funciones cognitivas, motoras, sensitivas, sensoriales o de coordinación, o movimientos anormales de cabeza, tronco o extremidades, que puedan interferir en el adecuado control del vehículo. | Ídem grupo 1. | Los afectados de enfermedades del sistema nervioso central, que incidan en la conducción en los términos establecidos en la columna, deberán aportar un informe del neurólogo en el que se haga constar: la exploración clínica y sintomatología actual, el pronóstico de la evolución de la enfermedad, y el tratamiento prescrito. A criterio facultativo se podrá obtener o prorrogar el permiso o licencia, cuya vigencia será como máximo de cinco años. | No se admiten. |

| 9.2 Epilepsias y crisis convulsivas de otras etiologías. | No se permiten cuando hayan aparecido crisis epilépticas convulsivas o crisis con pérdida de conciencia durante el último año. | Sólo se permiten cuando no han precisado tratamiento ni se han producido crisis durante los diez últimos años. | Los afectados de epilepsias con crisis convulsivas o con crisis con pérdida de conciencia, deberán aportar informe favorable de un neurólogo en el que se haga constar el diagnóstico, el cumplimiento del tratamiento, la frecuencia de crisis y que el tratamiento farmacológico prescrito no impide la conducción. El período de vigencia del permiso o licencia será de dos años como máximo. En el caso de ausencia de crisis durante los tres últimos años, el período de vigencia será de cinco años como máximo. | Los afectados de epilepsias deberán aportar informe favorable de un neurólogo en el que se acredite que no han precisado tratamiento ni han padecido crisis durante los diez últimos años, no existe ninguna patología cerebral relevante ni actividad epileptiforme en el EEG. El período de vigencia del permiso será de dos años como máximo. |
|---|---|---|---|---|
|  | En el caso de crisis convulsivas o con pérdida de conciencia durante el sueño, se deberá constatar que, al menos, ha transcurrido un año sólo con estas crisis y sólo durante el sueño. | Sólo se permiten cuando no han precisado tratamiento ni se han producido crisis durante los diez últimos años. | En el caso de estas crisis durante el sueño, el período de vigencia del permiso o licencia será como máximo de dos años, con informe favorable de un neurólogo en el que se haga constar el diagnóstico, el cumplimiento del tratamiento, la ausencia de otras crisis convulsivas y que el tratamiento farmacológico prescrito, en su caso, no impide la conducción. En el caso de ausencia de este tipo de crisis durante los tres últimos años, el período de vigencia será de cinco años como máximo. | Los afectados de epilepsias deberán aportar informe favorable de un neurólogo en el que se acredite que no han precisado tratamiento ni han padecido crisis durante los diez últimos años, no existe ninguna patología cerebral relevante ni actividad epileptiforme en el EEG. El período de vigencia del permiso será de dos años como máximo. |

| | | | |
|---|---|---|---|
| | En el caso de crisis epilépticas repetidas sin influencia sobre la conciencia o sobre la capacidad de actuar, se deberá constatar que, al menos, ha transcurrido un año sólo con este tipo de crisis. | En el caso de crisis epilépticas repetidas sin influencia sobre la conciencia o sobre la capacidad de actuar, se deberá constatar que, al menos, ha transcurrido un año sólo con este tipo de crisis y sin tratamiento. | Deberá aportarse informe favorable de un neurólogo en que se haga constar el diagnóstico, cumplimiento del tratamiento, en su caso, la frecuencia de las crisis y que el tratamiento farmacológico prescrito no impide la conducción. El período de vigencia del permiso será de dos años como máximo. | Deberá aportarse informe favorable de un neurólogo en que haga constar el diagnostico, la no existencia de otro tipo de crisis y que no ha precisado tratamiento durante el último año. El período de vigencia del permiso será de un año como máximo. |
| | En el caso de crisis epiléptica provocada debido a un factor causante identificable se deberá aportar un informe neurológico favorable en el que conste además un período libre de crisis de, al menos, seis meses. Se tendrán en cuenta otros apartados de este Anexo. | En el caso de crisis epiléptica provocada, debida a un factor causante identificable, se deberá aportar un informe neurológico favorable que acredite un período libre de crisis de, al menos, un año e incluya valoración electroencefalográfica. Se tendrán en cuenta otros apartados de este Anexo. En caso de lesiones estructurales cerebrales con riesgo aumentado, para el inicio de crisis epilépticas, deberá valorarse su magnitud mediante informe neurológico. | No se admiten. | No se admiten. |

| | | | |
|---|---|---|---|
| | En el caso de primera crisis o única no provocada, se deberá acreditar un período libre de crisis de, al menos, seis meses mediante informe neurológico. | En el caso de primera crisis o única no provocada, se deberá acreditar un período libre de crisis de, al menos, cinco años y sin fármacos antiepilépticos mediante informe neurológico. A criterio neurológico y si se reúnen buenos indicadores de pronóstico se podrá reducir el período libre de crisis exigido. | No se admiten. | No se admiten. |
| | En el caso de otras pérdidas de conciencia se deberán evaluar en función del riesgo de recurrencia y de la exposición al riesgo. | En el caso de otras pérdidas de conciencia se deberán evaluar en función del riesgo de recurrencia y de la exposición al riesgo. | No se admiten. | No se admiten. |
| | Si se produce una crisis convulsiva o con pérdida de conciencia durante un cambio o retirada de medicación se deberá acreditar 1 año libre de crisis una vez restablecido el tratamiento antiepiléptico. A criterio neurológico se podrá impedir la conducción desde el inicio de la retirada del tratamiento y durante el plazo de 6 meses tras el cese del mismo. | No se admite la mediación antiepiléptica. | No se admiten. | No se admiten. |
| 9.3 Alteraciones del equilibrio. | No deben existir alteraciones del equilibrio (vértigos, inestabilidad, mareo, vahído) permanentes, evolutivos o intensos, ya sean de origen otológico o de otro tipo. | Idem grupo 1. | No se admiten. | No se admiten. |

| | | | | |
|---|---|---|---|---|
| 9.4 Enfermedades neuromusculares. | No deben existir enfermedades neuromusculares que produzcan disminución importante de las funciones motoras, sensitivas, de coordinación, o temblores que puedan interferir en el adecuado control del vehículo. | Idem grupo 1. | Los afectados de enfermedades neuromusculares, que incidan en la conducción en los términos establecidos en la columna, deberán aportar un informe del neurólogo en el que se haga constar: la exploración clínica y sintomatología actual, el pronóstico de la evolución de la enfermedad, y el tratamiento prescrito. A criterio facultativo se podrá obtener o prorrogar el permiso o licencia, cuya vigencia será como máximo de cinco años. | No se admiten. |
| 9.5 Enfermedad cerebrovascular. | No se admiten los accidentes isquémicos transitorios hasta transcurridos, al menos, seis meses sin síntomas neurológicos. | Idem grupo 1. | Transcurridos al menos seis meses del accidente isquémico transitorio, con informe del neurólogo en el que se confirme: el diagnostico de isquemia transitoria, la etiología probable y el tratamiento prescrito, a criterio facultativo se podrá obtener o prorrogar el permiso o licencia por un período de vigencia máximo de un año. Transcurridos tres años con estabilidad clínica, el período de vigencia se determinará a criterio facultativo por un máximo de cinco años. | Excepcionalmente, transcurridos al menos seis meses de un accidente isquémico transitorio, con informe del neurólogo en el que se confirme: el diagnostico de isquemia transitoria, la etiología probable y el tratamiento prescrito, a criterio facultativo se podrá obtener o prorrogar el permiso por un período de vigencia máximo de un año. |

| | | | | |
|---|---|---|---|---|
| | No se admiten los infartos o hemorragias cerebrales hasta al menos doce meses después de establecidas las secuelas. En la fase de secuela, no debe existir disminución importante de las funciones cognitivas, motoras, sensitivas, sensoriales o de coordinación, o movimientos anormales de cabeza, tronco o extremidades, que puedan interferir en el adecuado control del vehículo. | No se admiten los infartos o hemorragias cerebrales hasta al menos doce meses después de establecidas las secuelas. En la fase de secuela, no debe existir ninguna alteración de las funciones motoras, sensitivas, sensoriales, cognitivas ni trastornos del movimiento que puedan interferir en el control del vehículo. | En los casos señalados en la columna, con informe del neurólogo, en el que haga constar: la sintomatología existente, el tratamiento prescrito y el pronóstico de evolución, excepcionalmente y a criterio facultativo, se podrá obtener o prorrogar el permiso o licencia con un período de vigencia máximo de un año. Transcurridos tres o más años con estabilidad clínica, el período de vigencia se determinará a criterio facultativo por un máximo de cinco años. | En los casos señalados en la columna (3), con informe del neurólogo, en el que haga constar: la ausencia de alteraciones motoras, sensoriales, cognitivas o trastornos del movimientos que puedan interferir en el control del vehículo, el tratamiento prescrito y el pronóstico de evolución, excepcionalmente, a criterio facultativo, se podrá obtener o prorrogar el permiso con un período de vigencia de un año. |
| 9.6 […] | […] | […] | […] | […] |

## 10. Trastornos mentales y de conducta

| Exploración (1) | Criterios de aptitud para obtener o prorrogar permiso o licencia de conducción ordinarios | | Adaptaciones, restricciones y otras limitaciones en personas, vehículos o de circulación en permiso o licencia sujetos a condiciones restrictivas | |
|---|---|---|---|---|
| | Grupo 1: AM, A1, A2, A, B, B+ E y LCC (art. 45.1 a) (2) | Grupo 2: C1, C1 + E, C, C + E, D1, D1 + E, D, D + E (art. 45.1b y 2) (3) | Grupo 1 (4) | Grupo 2 (5) |

| 10.1 Delirium, demencia, trastornos amnésicos y otros trastornos cognoscitivos. | No deben existir supuestos de delirium o demencia. Tampoco se admiten casos de trastornos amnésicos u otros trastornos cognoscitivos que supongan un riesgo para la conducción. | No se admiten. | Cuando, excepcionalmente, y con dictamen favorable de un neurólogo o psiquiatra, no impidan la obtención o prórroga, el período de vigencia del permiso o licencia será como máximo de un año. | No se admiten. |
|---|---|---|---|---|
| 10.2 Trastornos mentales debidos a enfermedad médica no clasificados en otros apartados. | No deben existir trastornos catatónicos, cambios de personalidad particularmente agresivos, u otros trastornos que supongan un riesgo para la seguridad vial. | No se admiten. | Cuando, excepcionalmente, y con dictamen favorable de un neurólogo o psiquiatra, no impidan la obtención o prórroga, el período de vigencia del permiso o licencia será como máximo de un año. | No se admiten. |
| 10.3 Esquizofrenia y otros trastornos psicóticos. | No debe existir esquizofrenia o trastorno delirante. Tampoco se admiten otros trastornos psicóticos que presenten incoherencia o pérdida de la capacidad asociativa, ideas delirantes, alucinaciones o conducta violenta, o que por alguna otra razón impliquen riesgo para la seguridad vial. | Idem grupo 1. | Cuando, excepcionalmente, y con dictamen favorable de un psiquiatra, o psicólogo, no impidan la obtención o prórroga, el período de vigencia del permiso o licencia será como máximo de un año. | No se admiten. |
| 10.4 Trastornos del estado de ánimo. | No deben existir trastornos graves del estado de ánimo que conlleven alta probabilidad de conductas de riesgo para la propia vida o la de los demás. | Idem grupo 1. | Cuando, excepcionalmente, exista dictamen de un psiquiatra o psicólogo favorable a la obtención o prórroga, se podrá reducir el período de vigencia del permiso o licencia según criterio facultativo. | Idem grupo 1. |

| | | | | |
|---|---|---|---|---|
| 10.5 Trastornos disociativos. | No deben admitirse aquellos casos que supongan riesgo para la seguridad vial. | Idem grupo 1. | Cuando, excepcionalmente, exista dictamen de un psiquiatra o psicólogo favorable a la obtención o prórroga, se podrá reducir el período de vigencia del permiso o licencia según criterio facultativo. | Idem grupo 1. |
| 10.6 Trastornos del sueño de origen no respiratorio. | No se admiten casos de narcolepsia o trastornos de hipersomnias diurnas de origen no respiratorio, ya sean primarias, relacionadas con otro trastorno mental, enfermedad médica o inducidas por sustancias. Tampoco se admiten otros trastornos del ritmo circadiano que supongan riesgo para la actividad de conducir. En los casos de insomnio se prestará especial atención a los riesgos asociados al posible consumo de fármacos. | Idem grupo 1. | Cuando, excepcionalmente, exista dictamen facultativo favorable a la obtención o prórroga, se podrá reducir el período de vigencia del permiso o licencia según criterio facultativo. | Idem grupo 1. |
| 10.7 Trastornos del control de los impulsos. | No se admiten casos de trastornos explosivos intermitentes u otros cuya gravedad suponga riesgo para la seguridad vial. | Idem grupo 1. | Cuando, excepcionalmente, exista dictamen de un psiquiatra o psicólogo favorable a la obtención o prórroga, se podrá reducir el período de vigencia del permiso o licencia según criterio facultativo. | Idem grupo 1. |

| | | | | |
|---|---|---|---|---|
| 10.8 Trastornos de la personalidad. | No deben existir trastornos graves de la personalidad, en particular aquellos que se manifiesten en conductas antisociales con riesgo para la seguridad de las personas. | Idem grupo 1. | Cuando, excepcionalmente, exista dictamen de un psiquiatra o psicólogo favorable a la obtención o prórroga, se podrá reducir el período de vigencia del permiso o licencia según criterio facultativo. | Idem grupo 1. |
| 10.9 Trastornos del desarrollo intelectual. | No debe existir retraso mental con cociente intelectual inferior a 70. | No debe existir retraso mental con un cociente intelectual inferior a 70. | No se admiten. | No se admiten. |
| | En los casos de retraso mental con cociente intelectual entre 50 y 70, se podrá obtener o prorrogar si el interesado acompaña un dictamen favorable de un psiquiatra o psicólogo. | No se admiten. | Cuando el dictamen del psiquiatra o psicólogo sea favorable a la obtención o prórroga, se podrán establecer condiciones restrictivas según criterio facultativo. | No se admiten. |
| 10.10 Trastornos por déficit de atención y comportamiento perturbador. | No deben existir trastornos por déficit de atención cuya gravedad implique riesgo para la conducción. Tampoco se admiten casos moderados o graves de trastorno disocial u otros comportamientos perturbadores acompañados de conductas agresivas o violaciones graves de normas cuya incidencia en la seguridad vial sea significativa. | Idem grupo 1. | Cuando, excepcionalmente, exista dictamen de un psiquiatra o psicólogo favorable a la obtención o prórroga, se podrá reducir el período de vigencia del permiso o licencia según criterio facultativo. | No se admiten. |
| 10.11 Otros trastornos mentales no incluidos en apartados anteriores. | No deben existir trastornos disociativos, adaptativos u otros problemas objeto de atención clínica que sean funcionalmente incapacitantes para la conducción. | Idem grupo 1. | Cuando exista dictamen de un psiquiatra o psicólogo favorable a la obtención o prórroga, se podrá reducir el período de vigencia del permiso o licencia según criterio facultativo. | Idem grupo 1. |

## 11. Trastornos relacionados con sustancias

Serán objeto de atención especial los trastornos de dependencia, abuso o trastornos inducidos por cualquier tipo de sustancia. En los casos en que se presenten antecedentes de dependencia o abuso, se podrá obtener o prorrogar el permiso o licencia de conducción siempre que la situación de dependencia o abuso se haya extinguido tras un período demostrado de abstinencia y no existan secuelas irreversibles que supongan riesgo para la seguridad vial. Para garantizar estos extremos se requerirá un dictamen favorable de un psiquiatra, de un psicólogo, o de ambos, dependiendo del tipo de trastorno.

| Exploración (1) | Criterios de aptitud para obtener o prorrogar permiso o licencia de conducción ordinarios | | Adaptaciones, restricciones y otras limitaciones en personas, vehículos o de circulación en permiso o licencia sujetos a condiciones restrictivas | |
|---|---|---|---|---|
| | Grupo 1: AM, A1, A2, A, B, B+ E y LCC (art. 45.1 a) (2) | Grupo 2: C1, C1 + E, C, C + E, D1, D1 + E, D, D + E (art. 45.1b y 2) (3) | Grupo 1 (4) | Grupo 2 (5) |
| 11.1 Abusos de alcohol. | No se admite la existencia de abuso de alcohol ni cualquier patrón de uso en el que el sujeto no pueda disociar conducción y consumo de alcohol. Tampoco se admiten casos de antecedentes de abuso en los que la rehabilitación no esté debidamente acreditada. | Idem grupo 1. | En los casos de existir antecedentes de abuso con informe favorable a la obtención o prórroga, se podrá reducir el período de vigencia del permiso o licencia según criterio facultativo. | Idem grupo 1. |
| 11.2 Dependencia del alcohol. | No se admite la existencia de dependencia de alcohol. Tampoco se admiten casos de antecedentes de dependencia en los que la rehabilitación no esté debidamente acreditada. | Idem grupo 1. | En los casos de existir antecedentes de dependencia con informe favorable a la obtención o prórroga, se podrá reducir el período de vigencia del permiso o licencia según criterio facultativo. | Idem grupo 1. |

| 11.3 Trastornos inducidos por alcohol. | No se admite la existencia de trastornos inducidos por alcohol, tales como abstinencia, delirium, demencia, trastornos psicóticos u otros que supongan riesgo para la seguridad vial. Tampoco se admiten casos de antecedentes de trastornos inducidos por alcohol en los que la rehabilitación no esté debidamente acreditada. | Idem grupo 1. | En los casos de existir antecedentes de trastornos inducidos por alcohol con informe favorable a la obtención o prórroga, se podrá reducir el período de vigencia del permiso o licencia según criterio facultativo. | Idem grupo 1. |
|---|---|---|---|---|
| 11.4 Consumo habitual de drogas y medicamentos. | No se admite el consumo habitual de sustancias que comprometan la aptitud para conducir sin peligro, ni el consumo habitual de medicamentos que, individualmente o en conjunto, produzcan efectos adversos graves en la capacidad para conducir. | Idem grupo 1. | Cuando, excepcionalmente y con informe médico favorable, el medicamento o medicamentos indicados en (2) no influya de manera negativa en el comportamiento vial del interesado se podrá obtener o prorrogar permiso o licencia, reduciendo, en su caso, el período de vigencia según criterio facultativo. | No se admiten. |
| 11.5 Abuso de drogas o medicamentos. | No se admite el abuso de drogas o medicamentos. Si existe antecedente de abuso, la rehabilitación ha de acreditarse debidamente. | Idem grupo 1. | En los casos de existir antecedentes de abuso de drogas o medicamentos, con informe favorable a la obtención o prórroga, se podrá reducir el período de vigencia del permiso o licencia según criterio facultativo. | Idem grupo 1. |
| 11.6 Dependencia de drogas y medicamentos. | No se admite la dependencia de drogas o medicamentos. Si existe antecedente de dependencia, la rehabilitación ha de acreditarse debidamente. | Idem grupo 1. | En los casos de existir antecedentes de dependencia de drogas o medicamentos, con informe favorable a la obtención o prórroga, se podrá reducir el período de vigencia del permiso o licencia según criterio facultativo. | Idem grupo 1. |

| 11.7 Trastornos inducidos por drogas o medicamentos. | No se admite delirium, demencia, alteraciones perceptivas, trastornos psicóticos u otros inducidos por drogas o medicamentos que supongan riesgos para la seguridad vial. Tampoco se admiten casos de antecedentes de trastornos inducidos por drogas o medicamentos en los que la rehabilitación no esté debidamente acreditada. | Idem grupo 1. | En los casos de existir antecedentes de trastornos mentales inducidos por drogas o medicamentos, con informe favorable a la obtención o prórroga, se podrá reducir el período de vigencia del permiso o licencia según criterio facultativo. | Idem grupo 1. |

## 12. Aptitud perceptivo-motora

La exploración de las aptitudes perceptivo-motoras se realizará a través de los predictores establecidos.

Cuando, según criterio facultativo, mediante la entrevista inicial y/o a partir de los predictores utilizados, se detecten indicios de deterioro aptitudinal que puedan incapacitar para conducir con seguridad, se requerirá la realización de exploración complementaria sistematizada para valorar el estado de las funciones mentales que puedan estar influyendo en aquél. Incluso podrá requerirse la realización de una prueba práctica de conducción.

Con carácter general, el psicólogo tendrá en cuenta las posibilidades de compensación de las posibles deficiencias considerando la capacidad adaptativa del individuo.

| Exploración (1) | Criterios de aptitud para obtener o prorrogar permiso o licencia de conducción ordinarios | | Adaptaciones, restricciones y otras limitaciones en personas, vehículos o de circulación en permiso o licencia sujetos a condiciones restrictivas | |
|---|---|---|---|---|
| | Grupo 1: AM, A1, A2, A, B, B+ E y LCC (art. 45.1 a) (2) | Grupo 2: C1, C1 + E, C, C + E, D1, D1 + E, D, D + E (art. 45.1b y 2) (3) | Grupo 1 (4) | Grupo 2 (5) |
| 12.1 Estimación del movimiento. | No se admite ninguna alteración que limite la capacidad para adecuarse con seguridad a situaciones de tráfico que requieran estimaciones de relaciones espacio-temporales. | Idem grupo 1. | Cuando, excepcionalmente, no impidan la obtención o prórroga, se podrá limitar la velocidad máxima según criterio facultativo. | No se admiten. |

| | | | | |
|---|---|---|---|---|
| 12.2 Coordinación visomotora. | Alteraciones que supongan la incapacidad para adaptarse adecuadamente al mantenimiento de trayectorias establecidas. | Idem grupo 1. | Se podrá autorizar la conducción de un vehículo automático, previa evaluación en las correspondientes pruebas prácticas. En los casos de obtención, se tendrá en cuenta la capacidad de aprendizaje psicomotor. Se podrán establecer condiciones restrictivas a criterio facultativo. | No se admiten. |
| 12.3 Tiempo de reacciones múltiples. | No se admiten alteraciones graves en la capacidad de discriminación o en los tiempos de respuesta. | Idem grupo 1. | Cuando, excepcionalmente, no impidan la obtención o prórroga, se podrá limitar la velocidad máxima según criterio facultativo. | No se admiten. |
| 12.4 Inteligencia práctica. | No se admiten casos en los que la capacidad de organización espacial resulte inadecuada para la conducción. | Idem grupo 1. | No se admiten. | No se admiten. |

## 13. Otras causas no especificadas

Cuando se dictamine la incapacidad para conducir por alguna causa no incluida en los apartados anteriores, se requerirá una justificación particularmente detallada y justificada con expresión del riesgo evaluado y del deterioro funcional que a juicio del facultativo impide la conducción.

| Exploración (1) | Criterios de aptitud para obtener o prorrogar permiso o licencia de conducción ordinarios | | Adaptaciones, restricciones y otras limitaciones en personas, vehículos o de circulación en permiso o licencia sujetos a condiciones restrictivas | |
|---|---|---|---|---|
| | Grupo 1: AM, A1, A2, A, B, B+ E y LCC (art. 45.1 a) (2) | Grupo 2: C1, C1 + E, C, C + E, D1, D1 + E, D, D + E (art. 45.1b y 2) (3) | Grupo 1 (4) | Grupo 2 (5) |

| 13.1 Otras causas no especificadas. | No se debe obtener ni prorrogar permiso o licencia de conducción a ninguna persona que padezca alguna enfermedad o deficiencia no mencionada en los apartados anteriores que pueda suponer una incapacidad funcional que comprometa la seguridad vial al conducir, excepto si el interesado acompaña un dictamen facultativo favorable. Igual criterio se establece para trasplantes de órganos no incluidos en el presente Anexo. | Idem grupo 1 | Cuando no impidan la obtención o prórroga y los reconocimientos periódicos a realizar fueran por período inferior al de vigencia normal del permiso o licencia, el período de vigencia se fijará según criterio facultativo. | Idem grupo 1. |

## 14. Otros procesos oncológicos no hematológicos

| Exploración (1) | Criterios de aptitud para obtener o prorrogar permiso o licencia de conducción ordinarios | | Adaptaciones, restricciones y otras limitaciones en personas, vehículos o de circulación en permiso o licencia sujetos a condiciones restrictivas | |
|---|---|---|---|---|
| | Grupo 1: AM, A1, A2, A, B, B+ E y LCC (art. 45.1 a) (2) | Grupo 2: C1, C1 + E, C, C + E, D1, D1 + E, D, D + E (art. 45.1b y 2) (3) | Grupo 1 (4) | Grupo 2 (5) |

| 14.1 Otros procesos oncológicos no hematológicos. | No deben existir procesos oncológicos que, por su sintomatología o tratamiento, produzcan pérdida o disminución grave de las capacidades sensitivas, cognitivas o motoras que incidan en la conducción. | Ídem grupo 1. | En los casos de procesos oncológicos que incidan en la conducción en los términos expuestos en la columna (2), con informe del oncólogo en el que haga constar: la ausencia de enfermedad cerebral y de neuropatía periférica de grado 2 o superior, la sintomatología actual, el momento evolutivo, el tipo de tratamiento y las repercusiones del mismo, se podrá obtener o prorrogar el permiso o licencia con un período de vigencia de un año. En los casos sin evidencia de enfermedad actual y que no estén recibiendo tratamiento activo, el período de vigencia será como máximo de cinco años. | En los casos de procesos oncológicos que incidan en la conducción en los términos expuestos en la columna (3), con informe del oncólogo en el que haga constar: la ausencia de enfermedad cerebral, de neuropatía periférica y de sintomatología, el momento evolutivo, el tipo de tratamiento y que el mismo no incide en la capacidad de conducción, se podrá obtener o prorrogar el permiso con un período de vigencia que será como máximo de un año, hasta transcurridos cinco años de remisión completa. |

Significado de los números entre paréntesis:

(1) Aptitudes a explorar y evaluar en los conductores objeto del reconocimiento, tanto si pertenecen al grupo 1 como al 2 (artículo 45).

(2) Aptitudes psicofísicas requeridas para obtener o prorrogar licencia o permiso de conducción de las clases AM, A1, A2, A, B y B + E.

(3) Aptitudes psicofísicas requeridas para obtener o prorrogar permiso de conducción de las clases C1, C1 + E, C, C + E, D1, D1 + E, D, D + E y otras autorizaciones (artículo 45.1.b y 2).

(4) Adaptaciones, restricciones y otras limitaciones a imponer en personas, vehículos o de circulación para obtener y prorrogar licencias y permisos de conducción de las clases AM, A1, A2, A, B y B + E sujetos a conducciones restrictivas.

(5) Adaptaciones, restricciones y otras limitaciones a imponer en personas, vehículos o de circulación para obtener y prorrogar permisos de conducción de las clases C1, C1 + E, C, C +E, D1, D1 + E, D, D + E y otras autorizaciones artículo 45.1.b y 2).

## ANEXO V. PRUEBAS A REALIZAR POR LOS SOLICITANTES DE LAS DISTINTAS AUTORIZACIONES

*A) Cuadro de pruebas a realizar para obtener permiso o licencia de conducción*

*Pruebas*

| Clase de permiso | Aptitud psicofísica | Control de conocimientos | | Control de aptitudes y comportamientos | |
|---|---|---|---|---|---|
| | | Común | Específica | En circuito cerrado | En circulación |
| AM | X | | X | X | |
| A1 | X | X | X | X | X |
| A2 | X | X | X | X | X |
| A | X | X | X | X | X |
| B | X | | X | X | X |
| B+E | X | | X | X | X |
| C1 | X | | X | X | X |
| C1+E | X | | X | X | X |
| C | X | | X | X | X |
| C+E | X | | X | X | X |
| D1 | X | | X | X | X |
| D1+E | X | | X | X | X |
| D | X | | X | X | X |
| D+E | X | | X | X | |
| LCM | X | | | X | |
| LVA | X | | | | |

LCM: Licencia para conducir vehículos para personas de movilidad reducida.

LVA: Licencia para conducir vehículos especiales agrícolas autopropulsados y sus conjuntos.

B) Pruebas a realizar según la clase de permiso o licencia de conducción solicitados

1. Prueba de control de conocimientos común.–El contenido de la prueba de control de conocimientos común a realizar por los solicitantes del permiso de conducción, con excepción de los aspirantes del permiso de conducción de la clase AM, versará sobre las materias que se indican a continuación:

1ª. Las disposiciones legales y reglamentarias en materia de tráfico, circulación de vehículos de motor y seguridad vial, especialmente las que se refieren a la señalización, reglas de prioridad y limitaciones de velocidad.

2ª. Los accidentes de circulación: factores que intervienen. Causas más frecuentes de los accidentes.

3ª. La vigilancia y las actitudes con respecto a los demás usuarios: su importancia. Necesidad de una colaboración entre los usuarios: no molestar, no sorprender, advertir, comprender, prever los movimientos de los demás.

4ª. Las funciones de percepción, de evaluación y de toma de decisiones, principalmente el tiempo de reacción y las modificaciones de los comportamientos del conductor vinculados a los efectos del alcohol, drogas, medicamentos, enfermedades, estados emocionales, fatiga, sueño y otros factores.

5ª. Los principios relativos al respeto de las distancias de seguridad entre vehículos, a la distancia de frenado y a la estabilidad del vehículo en la vía teniendo en cuenta las diferentes condiciones meteorológicas o ambientales, las características de los distintos tipos y tramos de vía y el estado de la calzada.

6ª. Los riesgos de la conducción asociados a los diferentes estados de la calzada especialmente cuando varíen en función de las condiciones atmosféricas y de la hora del día o de la noche. La seguridad de la conducción en los túneles.

7ª. La vía: clases y partes de la vía. Sus características y disposiciones legales referidas a ella.

8ª. Los riesgos específicos relacionados con la inexperiencia de otros usuarios de la vía y con los usuarios más vulnerables, como por ejemplo los peatones (especialmente los niños, las personas de edad avanzada o discapacitadas, las personas ciegas o sordas), los ciclistas, los conductores de ciclomotores, de motocicletas, de vehículos para personas de movilidad reducida y otros.

9ª. Los riesgos inherentes a la circulación y a la conducción de los diversos tipos de vehículos y a las diferentes condiciones de visibilidad de sus conductores.

10ª. Normativa relativa a los documentos administrativos necesarios para circular conduciendo un vehículo de motor: documentos relativos al conductor, al vehículo y, en su caso, a la carga transportada.

11ª. Normas generales sobre el comportamiento que debe adoptar el conductor en caso de accidente (señalizar, alertar) y medidas y primeros auxilios que puede adoptar, si procede, para socorrer a las víctimas de accidentes de circulación.

12ª. Factores y cuestiones de seguridad relativos a la carga del vehículo y a las personas transportadas.

13ª. Precauciones necesarias al abandonar el vehículo.

14ª. Los elementos mecánicos relacionados con la seguridad de la conducción y, en particular, poder detectar los defectos más corrientes que puedan afectar a los sistemas de dirección, suspensión, ruedas, frenos y neumáticos, alumbrado y señalización óptica (luces, indicadores de dirección, catadióptricos) y escape, a los retrovisores, lavaparabrisas y limpiaparabrisas, y a los cinturones de seguridad y las señales acústicas.

15ª. Los equipos de seguridad de los vehículos, especialmente la utilización de los cinturones de seguridad, reposacabezas y equipos de seguridad destinados a los niños.

16ª. La utilización del vehículo en relación con el medio ambiente: uso adecuado de las señales acústicas, conducción económica y ahorro de combustible, limitación de emisiones contaminantes y otras medidas a tener en cuenta por el conductor para evitar la contaminación ambiental.

2. Prueba de control de conocimientos específicos.–Los solicitantes de permiso de conducción, según su clase, deberán realizar, además de la prueba de control de conocimientos comunes sobre las materias que se señalan en el punto anterior, una prueba de control de conocimientos específicos que versará sobre las materias que a continuación se indican:

1.º Permiso de conducción de la clase AM:

a) Normas y señales reguladoras de la circulación,

b) Cuestiones, factores, equipos y elementos de seguridad concernientes al conductor, al vehículo y, en su caso, a la carga transportada.

2.º Permiso de conducción de las clases A1 y A2:

a) La normativa específica aplicable a la conducción y circulación de motocicletas, triciclos y cuatriciclos.

b) Utilización de la indumentaria de protección, como guantes, botas, otras prendas, el casco y, en su caso, el cinturón de seguridad.

c) Visibilidad de estos vehículos por los demás usuarios de la vía.

d) Factores de riesgo ligados a las diferentes condiciones de la vía, prestando especial atención a los tramos deslizantes tales como recubrimientos de drenaje, señales en la calzada (líneas, flechas) y raíles de tranvía.

e) Aspectos mecánicos con incidencia en la seguridad vial, prestando especial atención a las luces de emergencia, en su caso, a los niveles de aceite y a la cadena de tracción.

f) La técnica de conducción de motocicletas, triciclos y cuatriciclos.

g) Factores y cuestiones de seguridad vial concernientes a los conductores.

3.º [...]

4.º Permiso de conducción de las clases C1 y C:

a) La normativa sobre tiempos de conducción y de descanso y utilización del aparato de control regulados en el Reglamento (CE) núm. 561/2006 del Parlamento Europeo y del Consejo, de 15 de marzo de 2006, y en el Reglamento (CEE) núm. 3821/1985 del Consejo, de 20 de diciembre de 1985. Así como lo dispuesto en el Real Decreto 1561/1995, de 21 de septiembre, sobre jornadas especiales de trabajo, modificado por el Real Decreto 902/2007, de 6 de julio, en lo relativo al tiempo de trabajo de trabajadores que realizan actividades móviles de transporte por carretera.

b) La normativa específica sobre la circulación de los vehículos de transporte de mercancías.

c) Los documentos relativos al conductor, a los vehículos y a los transportes requeridos en el transporte de mercancías en tráfico nacional e internacional.

d) Conducta que se debe observar en caso de accidente, conocimientos de las medidas que hay que tomar en accidentes y ocasiones similares, incluidas las medidas de emergencia y los primeros auxilios.

e) Las precauciones a tener en cuenta para desmontar y colocar las ruedas.

f) La normativa sobre masas y dimensiones de los vehículos y sobre limitadores de velocidad.

g) Obstaculización de la visibilidad para el conductor y los demás usuarios causadas por las características del vehículo y su carga.

h) Utilización de los sistemas de frenado y reducción de velocidad.

i) Influencia del viento en la trayectoria del vehículo.

j) La utilización económica de los vehículos.

k) Factores de seguridad relativos a la carga del vehículo: control de la carga (colocación y sujeción), dificultades con diferentes tipos de carga (líquidos, cargas que cuelgan), carga y descarga de mercancías y empleo del material destinado a tal efecto.

l) Principios de construcción y funcionamiento de: motores de combustión interna, líquidos (por ejemplo, aceite para motores, líquido refrigerador, líquido de limpieza), circuito de combustible, sistema eléctrico, sistema de arranque, sistema de transmisión (embrague, caja de cambios, etc.)

m) Aspectos generales en materia de lubricación y protección anticongelante.

n) Construcción, montaje, utilización correcta y mantenimiento de los neumáticos.

ñ) Tipos, principios de funcionamiento, partes principales, conexiones, empleo y mantenimiento cotidiano de los mecanismos de frenado y aceleración.

o) Métodos de busca de las causas de una avería y capacidad para efectuar pequeñas reparaciones con ayuda de las herramientas adecuadas.

p) Mantenimiento preventivo de vehículos e intervenciones habituales necesarias.

q) Aspectos elementales de la responsabilidad del conductor en lo que se refiere al recibo, el transporte y la entrega de las mercancías de conformidad con las condiciones convenidas.

r) Factores y cuestiones de seguridad vial concernientes a los conductores.

Los solicitantes de permiso de conducción de la clase C1 que no estén incluidos dentro del ámbito de aplicación del Reglamento (CEE) n.º 3821/1985, estarán exentos de las materias que se indican en los párrafos a), b) y c) anteriores.

5.º Permiso de conducción de las clases D1 y D:

a) Las materias que se indican en los párrafos a), e), f), y g), así como en los párrafos l) al p), ambos inclusive, del punto 2.4º anterior.

b) La normativa específica sobre la circulación de vehículos de transporte colectivo de viajeros.

c) Los documentos relativos al conductor, a los vehículos y a los viajeros exigibles en el transporte de viajeros en tráfico nacional e internacional.

d) Conducta, comportamiento y primeros auxilios en caso de accidente o incidente, incluidas las medidas de emergencia tales como la evacuación de los pasajeros.

e) La normativa relativa a las personas transportadas y a la responsabilidad del conductor en el transporte de pasajeros de todo tipo de autobuses.

f) Factores y cuestiones de seguridad vial concernientes a los conductores.

6.º Permiso de conducción de las clases B + E, C1 + E, C + E, D1 + E y D + E:

a) La normativa específica, factores y cuestiones de seguridad vial relativos a los conductores, a los conjuntos de vehículos y a su carga.

b) Los factores de seguridad concernientes a la carga del vehículo.

RD 818/2009, DE 8 DE MAYO

c) Tipos, principios de funcionamiento, partes principales, conexiones, empleo y mantenimiento cotidiano de los sistemas de acoplamiento y principios a tener en cuenta en el acoplamiento y desacoplamiento de remolques y semirremolques al vehículo tractor.

d) La técnica de conducción de conjuntos de vehículos.

Los solicitantes de permiso de conducción de la clase C1 + E que no estén incluidos dentro del ámbito de aplicación del Reglamento (CEE) n.º 3821/1985, estarán exentos de las materias que se indican en los párrafos a), b) y c) del punto 2.4.º anterior.

Los solicitantes de licencia de conducción realizarán una prueba de control de conocimientos específicos sobre normas y señales reguladoras de la circulación, cuestiones, factores, equipos y elementos de seguridad concernientes al conductor, al vehículo y, en su caso, a la carga transportada, teniendo en cuenta en cada caso el vehículo cuya conducción autoriza.

3. Prueba de control de aptitudes y comportamientos en circuito cerrado.

1. Los solicitantes de permiso de conducción de la clase AM realizarán las siguientes maniobras:

A) Zigzag entre jalones a velocidad reducida.

B) Circular sobre una franja de anchura limitada.

Los solicitantes de permiso de la clase AM limitado a la conducción de ciclomotores de tres ruedas y cuatriciclos ligeros realizarán las maniobras H) e I) (estacionamiento en línea) del punto 3.

2. Los solicitantes de permiso de conducción de las clases A1 y A2 realizarán, además de las maniobras A) y B) del punto 1 anterior, las siguientes:

C) Zigzag entre conos.

D) Sortear un obstáculo.

E) Aceleración y frenado controlado.

F) Frenado de emergencia controlado.

Las maniobras A) y B) se realizarán a poca velocidad y deben permitir comprobar el manejo del embrague en combinación con el freno, el equilibrio, la dirección de la visión, la posición sobre la motocicleta o el ciclomotor y la posición de los pies en los reposapiés.

Las maniobras C) y D) se realizarán a más velocidad: la primera, alcanzando al menos 30 km/h, y la segunda, para sortear un obstáculo a una velocidad mínima de 50 km/h, y deben permitir comprobar la posición sobre la motocicleta, la dirección de la visión, el equilibrio, la técnica de conducción y la técnica del cambio de marchas.

Las maniobras E) y F) se realizarán a velocidades mínimas de 30 km/h y 50 km/h, respectivamente, y deben permitir comprobar el manejo del freno delantero y trasero, la dirección de la visión y la posición sobre la motocicleta.

Una vez realizadas las maniobras, el aspirante dejará la motocicleta o el ciclomotor correctamente estacionados, apoyados sobre su soporte central o lateral y con el motor parado.

Previamente a la realización de dichas maniobras, los aspirantes deberán:

a) Colocarse y ajustarse el casco y, en su caso, la indumentaria de protección, como guantes, botas y otras prendas.

b) Efectuar verificaciones de forma aleatoria del estado de los neumáticos, de los frenos, del sistema de dirección, del interruptor de parada de emergencia (si existiera), de la cadena de tracción, del nivel de aceite, de los faros, de los catadióptricos, de los indicadores de dirección y de la señal acústica.

c) Quitar el soporte del vehículo y desplazarlo sin ayuda del motor caminando a su lado y conservando el equilibrio.

d) Poner en marcha el motor y prepararse para realizar las maniobras antes indicadas.

3. Los solicitantes de permiso de la clase B realizarán las siguientes maniobras con incidencia en la seguridad vial:

G) Marcha atrás en recta y curva efectuando un recorrido en marcha atrás, manteniendo una trayectoria rectilínea y utilizando la vía de circulación adaptada para girar a la derecha o a la izquierda en una esquina.

H) Cambio de sentido de la marcha utilizando las velocidades hacia adelante y hacia atrás, en espacio limitado.

I) Estacionamiento y salida del espacio ocupado al estacionar (en línea, oblicuo o perpendicular), utilizando las marchas hacia delante y hacia atrás, en llano o en pendiente ascendente o descendente.

J) Frenado para detener el vehículo con precisión utilizando, si es necesario, la capacidad máxima de frenado de aquél.

De las cuatro maniobras antes descritas, cada aspirante deberá realizar al menos dos, de las que una contendrá una marcha atrás. Estas maniobras podrán realizarse durante el desarrollo de la prueba de control de aptitudes y comportamientos en circulación en vías abiertas al tráfico general y, cuando las circunstancias lo aconsejen, en circuito cerrado.

Previamente a la realización de dichas maniobras, los aspirantes deberán demostrar que son capaces de prepararse para una conducción segura satisfaciendo las prescripciones siguientes:

a) Regular el asiento para conseguir una posición sentada correcta.

b) Ajustar los retrovisores, el cinturón de seguridad y los reposacabezas.

c) Controlar el cierre de las puertas.

d) Efectuar verificaciones de forma aleatoria del estado de los neumáticos, del sistema de dirección, de los frenos, de líquidos (por ejemplo, aceite del motor, líquido refrigerante, líquido del lavaparabrisas), de los faros, de los catadióptricos, de los indicadores de dirección y de la señal acústica.

Los solicitantes de la autorización que habilita para conducir con el permiso de la clase B conjuntos de vehículos cuya masa máxima autorizada sea superior a 3.500 kg sin rebasar los 4.250 kg y la masa máxima autorizada del remolque supere los 750 kg a la que hace referencia el artículo 5.5, deberán realizar la maniobra I) anterior y la M) del punto 7.

4. Los solicitantes de permiso de las clases C1 y C, además de las maniobras G) e I) (estacionamiento en línea) indicadas en el punto 3, realizarán la siguiente maniobra con incidencia en la seguridad vial:

K) Estacionamiento seguro para cargar o descargar en una rampa o plataforma de carga o instalación similar.

5. Los solicitantes de permiso de las clases D1 y D, además de la maniobra G) indicada en el punto 3, realizarán la siguiente maniobra con incidencia en la seguridad vial:

L) Estacionar para dejar que los pasajeros entren y salgan con seguridad.

6. Previamente a la realización de las maniobras indicadas en los puntos 4 y 5, los aspirantes deberán demostrar que son capaces de prepararse para una conducción segura satisfaciendo obligatoriamente, además de las prescripciones establecidas en el punto 3. párrafos a), b) y d) para los aspirantes a la obtención del permiso de la clase B, alguna de las siguientes:

a) Verificar la asistencia del frenado y la dirección; comprobar el estado de las ruedas, de sus tornillos de fijación, de los guardabarros, los parabrisas, las ventanillas y los limpiaparabrisas; comprobar y utilizar el panel de instrumentos, incluido el aparato de control regulado en el Reglamento (CEE) núm. 3821/85 del Consejo, de 20 de diciembre de 1985. La comprobación y utilización del tacógrafo no se aplica para los solicitantes de permiso de conducción de las clases C1 o C1 + E que no estén incluidos dentro del ámbito de aplicación del Reglamento (CEE) n.º 3821/1985.

b) Comprobar la presión, los depósitos de aire y la suspensión.

c) Comprobar los factores de seguridad en relación con la carga del vehículo: compartimento de carga, láminas, puertas de carga, mecanismo de carga (si existe), cierre de la cabina (si existe), colocación de la carga y sujeción de ésta (clase C1 y C únicamente).

d) Ser capaz de tomar medidas especiales de seguridad del vehículo; comprobar las bodegas de carga, las puertas de servicio, las salidas de emergencia, el material de primeros auxilios, los extintores y demás equipos de seguridad (clases D1 y D únicamente).

7. Los solicitantes de permiso de la clase B + E, además de la maniobra G) indicada en el punto 3, realizarán las siguientes maniobras con incidencia en la seguridad vial:

M) Proceder al acoplamiento y desacoplamiento del remolque.

Esta maniobra debe comenzar con el vehículo tractor y su remolque uno al lado del otro (es decir, no en línea).

N) Estacionamiento seguro para cargar o descargar.

Previamente a la realización de dichas maniobras, los aspirantes deberán demostrar que son capaces de prepararse para una conducción segura satisfaciendo obligatoriamente, además de las prescripciones establecidas en el punto 3.párrafos a), b), c) y d) para los aspirantes a la obtención del permiso de la clase B, las siguientes:

a) Comprobar los factores de seguridad en relación con la carga del remolque: compartimento de carga, láminas, puertas de carga, cierre de la cabina (si existe), colocación de la carga y sujeción de ésta.

b) Comprobar el mecanismo de acoplamiento, del freno y de las conexiones eléctricas.

8. Los solicitantes de permiso de las clases C1 + E, C + E, D1 + E, y D + E, además de las maniobras G) del punto 3 y M) del punto 7, realizarán las siguientes maniobras con incidencia en la seguridad vial:

a) La maniobra K) del punto 4 para las clases C1 + E y C + E.

b) La maniobra L) del punto 5 para las clases D1 + E y D + E.

Previamente a la realización de dichas maniobras, los aspirantes deberán demostrar que son capaces de prepararse para una conducción segura satisfaciendo obligatoriamente las prescripciones establecidas en el punto 6.párrafos a), b), c) y d) y en el punto 7. párrafos a) y b).

9. Los solicitantes de licencia de conducción para vehículos para personas de movilidad reducida deberán realizar las maniobras C) y E) del punto 2, y los de licencia de conducción para vehículos especiales agrícolas las maniobras H) del punto 3, K) del punto 4 y M) del punto 7.

4. Prueba de control de aptitudes y comportamientos en circulación en vías abiertas al tráfico general.

1. Los aspirantes deberán efectuar obligatoriamente, con toda seguridad y con las precauciones necesarias, las operaciones siguientes:

a) Comprobaciones previas. Entre otros, el aspirante deberá verificar los diversos sistemas de seguridad y elementos técnicos del vehículo así como la documentación del mismo.

b) Posición del conductor, regulación del asiento y los retrovisores y utilización del cinturón de seguridad.

c) Puesta en marcha del motor y arranque y desbloqueo de la dirección.

d) Progresión normal. Posición en la calzada y utilización del carril adecuado. Conducción en curva. Distancias de seguridad o separación. Velocidad adaptada al tráfico/vía y relación de marchas conveniente. Observación ante las distintas situaciones del tráfico. Cruce de túneles y pasos inferiores. Conducción económica y no perjudicial para el medio ambiente.

e) Maniobras: Observación del tráfico, señalización y ejecución de las maniobras. Incorporaciones. Desplazamientos laterales. Adelantamientos. Comportamiento en intersecciones. Cambios de sentido. Paradas y estacionamientos.

f) Abandonar el lugar de estacionamiento; arrancar después de una parada del tráfico; salir al tráfico desde una vía sin circulación.

g) Cambios de dirección: girar a la izquierda y a la derecha; cambiar de carril.

h) Entrar y salir de una autopista (caso de existir): incorporación desde el carril de aceleración; salir por el carril de deceleración.

i) Otros componentes viales (caso de existir): glorietas, pasos ferroviarios a nivel, paradas de tranvía o autobús, pasos de peatones, conducción cuesta arriba o cuesta abajo en pendientes prolongadas, túneles.

j) Tomar las precauciones necesarias al abandonar el vehículo.

k) Obediencia de señales.

l) Utilización de los sistemas de alumbrado y señalización óptica.

m) Manejo del vehículo y sus mandos.

2. Los aspirantes a la autorización que habilita para conducir con el permiso de la clase B conjuntos de vehículos cuya masa máxima autorizada exceda de 3.500 kg sin rebasar los 4.250 kg a la que se refiere el artículo 5.5, deberán realizar los siguientes ejercicios: aceleración, deceleración, marcha atrás, frenado, distancia de frenado, cambio de carril, frenar/esquivar, oscilación del remolque, acoplamiento y desacoplamiento del remolque y estacionamiento.

3. Los aspirantes al permiso de la clase A1 y A2, además de las operaciones anteriores, deberán efectuar obligatoriamente las siguientes:

a) Antes de iniciar la prueba. En presencia del examinador cada aspirante deberá demostrar que sabe y es capaz de:

Colocarse y ajustarse correctamente el casco y verificar los demás equipos de seguridad y protección propios de la motocicleta.

Quitar el soporte del vehículo.

b) Una vez finalizada la prueba. El conductor deberá dejar la motocicleta correctamente estacionada, con el motor parado y apoyada sobre su soporte.

Para el acceso progresivo al permiso de la clase A2 al que se refiere el artículo 5.3, los aspirantes deberán realizar las operaciones previstas en el punto 1. d) y e) anterior.

4. Los aspirantes al permiso de la clase B+E, C1, C1+E, C, C+E, D1, D1+E, D y D+E, además de las operaciones exigidas con carácter general, deberán efectuar las siguientes:

Verificar la asistencia del frenado y de la dirección.

Utilizar los diversos sistemas de frenado.

Utilizar los sistemas de reducción de velocidad distintos del freno de servicio.

Adaptar la trayectoria del vehículo en las curvas, teniendo en cuenta su longitud y voladizos.

Utilizar el tacógrafo, en su caso. Este requisito no se aplica para los solicitantes de permiso de conducción de las clases C1 o C1 + E que no estén incluidos dentro del ámbito de aplicación del Reglamento (CEE) n.º 3821/1985.

Arrancar, cambiar, detenerse y parar con suavidad y seguridad.

Comprobar el estado de las ruedas, tornillos de fijación de estas, guardabarros, parabrisas, ventanillas y limpiaparabrisas, líquidos (por ejemplo, aceite para motores, líquido refrigerador, líquido de limpieza).

Conducir de forma que se garantice la seguridad y se reduzcan el consumo de combustible y las emisiones durante la aceleración, desaceleración, conducción en cuesta arriba y cuesta abajo, si procede seleccionando las marchas manualmente.

5. Los aspirantes al permiso de la clase D, además de las operaciones exigidas con carácter general, deberán ser capaces de adoptar las disposiciones particulares relativas a la seguridad del vehículo y de las personas transportadas.

6. [...]

C) Pruebas a realizar por los solicitantes de la autorización especial para vehículos que transporten mercancías peligrosas

1. Pruebas de control de conocimientos sobre formación teórica.

1. El contenido de la prueba teórica común de control de conocimientos versará sobre los siguientes temas:

a) Disposiciones generales aplicables al transporte de mercancías peligrosas.

b) Principales tipos de riesgo.

c) Información relativa a la protección del medio ambiente para el control de la transferencia de residuos.

d) Medidas de prevención y de seguridad adecuadas a los distintos tipos de riesgo.

e) Comportamiento tras un accidente (primeros auxilios, seguridad vial, conocimientos básicos relativos a la utilización de los equipos de protección, instrucciones escritas, etc.).

f) Marcado, etiquetado, inscripciones y paneles naranja.

g) Lo que el conductor de un vehículo deberá hacer o abstenerse de hacer durante el transporte de mercancías peligrosas.

h) Objeto y funcionamiento del equipamiento técnico de los vehículos.

i) Prohibiciones de cargamento en común en un mismo vehículo o en un contenedor.

j) Precauciones a tomar durante la carga y descarga de las mercancías peligrosas.

k) Informaciones generales relativas a la responsabilidad civil.

l) Información sobre las operaciones de transporte multimodal.

m) Manipulación y estiba de bultos.

n) Restricciones de tráfico en los túneles e instrucciones sobre el comportamiento en los túneles (prevención de incidentes, la seguridad, las medidas a tomar en caso de incendio o en otras situaciones de emergencia, etc.).

o) Responsabilidad con la seguridad.

2. Además de la prueba teórica común que se indica en el punto anterior, todo conductor que solicite la autorización especial deberá poseer una formación teórica especializada y deberá realizar una prueba teórica específica de control de conocimientos, conforme se expresa a continuación:

1.º Los que soliciten ampliación de la autorización para conducir vehículos cisterna, vehículos batería o unidades de transporte que transporten mercancías peligrosas en cisternas o contenedores cisterna, sobre los siguientes temas:

a) Comportamiento en marcha de los vehículos, incluyendo los movimientos de la carga.

b) Disposiciones especiales relativas a los vehículos.

c) Conocimientos teóricos generales de los distintos dispositivos de llenado y vaciado.

d) Disposiciones suplementarias específicas relativas a la utilización de estos vehículos (certificados de aprobación, marcas de aprobación, etiquetado y paneles naranja, etc.).

2.º Los que soliciten ampliación de la autorización para conducir vehículos que transporten materias y objetos explosivos (clase 1), sobre los siguientes temas:

a) Riesgos inherentes a las materias y objetos explosivos y pirotécnicos.

b) Normativa específica aplicable al transporte de materias y objetos explosivos.

c) Reglamento de explosivos y disposiciones complementarias sobre transporte de materias y objetos explosivos.

d) Disposiciones particulares relativas al cargamento en común de materias y objetos de la clase 1.

3.º Los que soliciten ampliación de la autorización para conducir vehículos que transporten materias radiactivas (clase 7), sobre los siguientes temas:

a) Riesgos inherentes a las radiaciones ionizantes.

b) Disposiciones particulares relativas al embalaje, la manipulación, el cargamento en común y a la estiba de materias radiactivas.

c) Disposiciones especiales a tomar en caso de accidente o incidente en el que estén involucradas materias radiactivas.

3. Para poder realizar las pruebas teóricas específicas será necesario haber superado la prueba teórica común.

2. Pruebas de control sobre formación práctica.

1. La prueba de formación práctica consistirá en la realización de unos ejercicios prácticos individuales sobre, al menos, las materias que a continuación se indican:

a) Operaciones de carga y descarga, manipulación y estiba de paquetes de materias peligrosas.

b) Medidas a adoptar en caso de accidente o incidente.

c) Primeros auxilios a las víctimas.

d) Extinción de incendios. Utilización de los medios disponibles: manejo de extintores y otros medios de extinción sobre casos reales. Atención especial al empleo del agua.

2. Los conductores que soliciten ampliación de la autorización para conducir vehículos cisterna, vehículos batería o unidades de transporte que transporten mercancías peligrosas en cisternas o contenedores cisterna, deberán poseer una formación práctica y realizar unos ejercicios prácticos sobre obturación de grietas y soluciones de emergencia en ruta frente a averías que produzcan escapes, derrames u otras emergencias, con especial atención al manejo del equipo de «tapafugas», así como sobre las operaciones de carga y descarga de cisternas, baterías de recipientes y contenedores cisterna.

3. Los conductores de vehículos que soliciten ampliación de la autorización para conducir vehículos que transporten materias de las clases 1 ó 7, deberán poseer una formación práctica y realizar unos ejercicios prácticos sobre las cuestiones contenidas en el punto 1. párrafos a), b) y d), en lo que sean especialmente aplicables a las materias de las mencionadas clases.

## ANEXO VI. ORGANIZACIÓN, DESARROLLO Y CRITERIOS DE CALIFICACIÓN DE LAS PRUEBAS DE CONTROL DE CONOCIMIENTOS Y DE CONTROL DE APTITUDES Y COMPORTAMIENTOS

*A) Pruebas de control de conocimientos y de control de aptitudes y comportamientos*

1. Centro de exámenes en el que se realizarán las pruebas.–Las pruebas se realizarán en la provincia a la que se hubiera dirigido la solicitud y en el centro de exámenes que determine la Jefatura Provincial de Tráfico.

Las instalaciones, el terreno o pista especial o las vías de la localidad en las que se halle ubicado algún centro de exámenes de los situados fuera de la capital de la provincia reunirán las condiciones requeridas que permitan realizar las pruebas con las debidas garantías de calidad, seguridad o de otro orden. Si dejaran de reunirlas, hasta que se subsanen las deficiencias, las pruebas se realizarán en el centro de exámenes que corresponda a la capital, salvo que la Jefatura Provincial de Tráfico, teniendo en cuenta las circunstancias concurrentes, disponga que se realicen en otro centro de la misma provincia que reúna las condiciones adecuadas.

2. Convocatorias y fechas de realización de las pruebas.–Cada solicitud para obtener el permiso o la licencia de conducción dará derecho a dos convocatorias para realizar las pruebas. Como norma general, entre las dos convocatorias a que da derecho una solicitud no deberá mediar más de seis meses.

En la fecha señalada para la primera convocatoria de las pruebas de control de aptitudes y comportamientos, el solicitante deberá haber cumplido la edad mínima exigida para obtener el permiso o licencia de conducción de la clase de que se trate.

Cuando el aspirante no supere la prueba de que se trate en dos convocatorias, entre la segunda y la tercera mediará un plazo mínimo de doce días naturales. Entre las sucesivas convocatorias el plazo mínimo será de dieciocho días. Estos plazos, que se contarán desde la fecha de realización de la prueba no superada, podrán ser reducidos excepcionalmente en casos de reconocida urgencia debidamente justificada.

3. Identificación del aspirante y del personal directivo o docente.–Para la realización de las pruebas de control de aptitudes y comportamientos o actuaciones con ellas relacionadas, tanto los aspirantes como el personal directivo o docente de la Escuela o Sección donde aquellos hayan realizado el

aprendizaje deberán identificarse ante los funcionarios, para lo que éstos en cualquier momento, podrán exigir a los aspirantes la presentación del Documento Nacional de Identidad, del pasaporte, de la tarjeta de residencia o del permiso de conducción, según proceda, y al personal directivo o docente, la de la autorización de ejercicio.

Si no se presentaran los documentos requeridos, el examinador determinará que no se inicie la prueba, sin que ello implique pérdida de la convocatoria para el aspirante.

4. Utilización de intercomunicadores u otros sistemas de captación, grabación, recepción o transmisión de datos o información.–Con excepción del intercomunicador a que se refiere el apartado C). 6 y 7 y de los sistemas de captación o grabación de información que pudieran ser utilizados por el Organismo Autónomo Jefatura Central de Tráfico y su organización periférica para realizar las pruebas y el tratamiento informatizado de las mismas y sus resultados, durante la realización de las pruebas de control de aptitudes y comportamientos no se permitirá la utilización de teléfonos o cualquier otro sistema de intercomunicación, ni la de equipos, aparatos, o sistemas de captación, grabación, recepción o transmisión de datos o información.

En caso de incumplimiento de lo dispuesto en el párrafo anterior por parte del profesor, el examinador no iniciará la prueba o, en su caso, la interrumpirá, sin que ello suponga pérdida de la convocatoria para el aspirante.

El aspirante que, durante la realización de la prueba de control de conocimientos, incumpliera lo establecido en el primer párrafo, será excluido de ella con pérdida de la convocatoria de que se trate.

#### B) Pruebas de control de conocimientos comunes y específicos

1. Número de preguntas.–El número de preguntas planteadas en las pruebas de control de conocimientos será:

a) En la prueba de control de conocimientos común, un mínimo de 30 preguntas y un máximo de 50.

b) En la prueba de control de conocimientos sobre las materias descritas en la Orden INT/2596/2005, de 28 de julio, un mínimo de 30 preguntas y un máximo de 50.

c) En cada una de las pruebas de control de conocimientos específicos, un mínimo de 16 preguntas y un máximo de 30.

d) En la prueba de control de conocimientos para obtener licencia de conducción, un mínimo de 16 preguntas y un máximo de 30.

El aspirante seleccionará las respuestas correctas a las preguntas planteadas que podrán ser de una a cuatro.

2. Duración de las pruebas.–El tiempo destinado a la realización de las pruebas de control de conocimientos a las que se refiere el artículo 47 será de 1 minuto por pregunta. En casos especiales, debidamente justificados, se podrá ampliar dicho tiempo.

3. Calificación de las pruebas.–Para ser declarado apto en las pruebas de control de conocimientos, los errores permitidos no serán superiores al 20 por 100 del total de preguntas formuladas. En el supuesto de que al aplicar dicho tanto por ciento el resultado fuera decimal se aplicará el entero inmediato superior.

*C) Pruebas de control de aptitudes y comportamientos en circuito cerrado y en circulación en vías abiertas al tráfico general*

1. Verificaciones.–Los examinadores podrán verificar, en cualquier momento de las pruebas o antes de iniciarse éstas, si los vehículos y, en su caso, los aparatos de control y los sistemas de comunicación presentados para su realización reúnen los requisitos exigidos. A tal efecto, podrán requerir la presentación de la documentación de los citados vehículos, que deberá ser facilitada por el personal directivo o docente de la Escuela.

Asimismo, podrán verificar en cualquier momento que el aspirante dispone del equipo de protección o de seguridad adecuado que, en su caso proceda, así como que lleva las correcciones, prótesis o adaptaciones necesarias y que éstas son adecuadas.

En el caso de que no funcionen adecuadamente o no reúnan los requisitos exigidos, el examinador determinará que la prueba no se inicie o se interrumpa, sin que ello implique pérdida de la convocatoria para el aspirante.

2. Duración de las pruebas.

1.º Prueba de control de aptitudes y comportamientos en circuito cerrado

El tiempo destinado a la realización de la prueba de control de aptitudes y comportamientos en circuito cerrado a la que se refieren los artículos 48 y concordantes estará en función de las características y dificultades de cada maniobra y del vehículo que se utilice en su realización.

En todo caso, el tiempo máximo para la realización de las maniobras C, D y F, en su conjunto, no será superior a 25 segundos.

2.º Prueba de control de aptitudes y comportamientos en circulación en vías abiertas al tráfico general

La duración de la prueba de control de aptitudes y comportamientos en circulación en vías abiertas al tráfico general y la distancia a recorrer en su realización deberán ser suficientes para la evaluación de las materias a que se refieren los artículos 49 y concordantes.

El tiempo mínimo de conducción y circulación destinado a la prueba de control de las aptitudes y los comportamientos del aspirante en circulación en vías abiertas al tráfico general no será inferior a 25 minutos para los permisos de las clases A1, A2, B, y B + E y a 45 minutos para los permisos de las clases restantes, salvo que se acuerde la interrupción y la suspensión de las pruebas.

En este tiempo no se incluye la recepción del aspirante, la preparación del vehículo, su comprobación técnica, en lo que respecta a la seguridad vial, las maniobras especiales, en su caso, y la comunicación de los resultados de la prueba.

Para el acceso progresivo al permiso de la clase A2 al que se refiere el artículo 5.3, la duración de la prueba y la distancia que se haya de recorrer deberán ser suficientes para la evaluación de las aptitudes y comportamientos previstos en los párrafos d) y e) del anexo V. B). 4.1.

Para la autorización que habilita para conducir con el permiso de la clase B conjuntos de vehículos cuya masa máxima autorizada exceda de 3.500 kg sin rebasar los 4.250 kg a la que se refiere el artículo 5.5, la duración de la prueba deberá ser la suficiente para la realización de los ejercicios a que se hace referencia en el anexo V. B).4.2.

3. Criterios de calificación de las pruebas.–En las pruebas de control de aptitudes y comportamientos, en atención a su gravedad, las faltas tendrán la consideración de eliminatorias, deficientes y leves, según se determine por la Dirección General de Tráfico.

1.º Prueba de control de aptitudes y comportamientos en circuito cerrado.

En la prueba de control de aptitudes y comportamientos en circuito cerrado se considerará que una falta es eliminatoria (E), deficiente (D), o leve (L), cuando concurran las circunstancias que se indican a continuación:

a) Falta eliminatoria es la que, por insuficiente dominio del vehículo, impide la ejecución de la maniobra de que se trate en las condiciones establecidas o revela una manifiesta impericia en el manejo del vehículo o sus mandos.

b) Falta deficiente es la que revela insuficiente destreza en el manejo del vehículo que, sin suponer incapacidad para la ejecución de las maniobras, de manera notable denota una utilización inadecuada de los mandos del vehículo.

c) Falta leve es la que afecta al manejo de los mandos o ejecución de la maniobra de que se trate que, por su menor importancia, no llega a constituir falta deficiente.

En la prueba de control de aptitudes y comportamientos en circuito cerrado será declarado no apto todo aspirante que cometa una falta eliminatoria, o bien dos faltas deficientes, o bien una falta deficiente y dos faltas leves, o bien cuatro faltas leves.

2.º Prueba de control de aptitudes y comportamientos en circulación en vías abiertas al tráfico general.

En la prueba de control de aptitudes y comportamientos en circulación en vías abiertas al tráfico general se considerará que una falta es eliminatoria (E), deficiente (D) o leve (L), cuando concurran las circunstancias que se indican a continuación:

a) Falta eliminatoria es todo comportamiento o incumplimiento de las normas que suponga un peligro para la integridad o seguridad propia o de los demás usuarios de la vía, así como, en general, el incumplimiento de las señales reguladoras de la circulación que esté tipificado como infracción grave o muy grave conforme a lo dispuesto en el texto articulado de la Ley sobre Tráfico, Circulación de Vehículos a Motor y Seguridad Vial.

b) Falta deficiente es todo comportamiento o incumplimiento de las normas que obstaculice, impidiendo o dificultando notablemente la circulación de otros usuarios, la que afecte ostensiblemente a las distancias de seguridad, así como el incumplimiento de señales reguladoras de la circulación que no constituya falta eliminatoria.

c) Falta leve es todo comportamiento o incumplimiento de normas reglamentarias cuando no constituya falta eliminatoria o deficiente, así como el manejo incorrecto de los mandos del vehículo, sin perjuicio de que este hecho pueda ser valorado como falta de mayor gravedad, en función de las circunstancias concurrentes en cada caso.

En la prueba de control de aptitudes y comportamientos en circulación en vías abiertas al tráfico general, será declarado no apto todo aspirante que cometa una falta eliminatoria, o bien dos faltas deficientes, o bien una falta deficiente y cinco faltas leves, o bien diez faltas leves.

4. Descripción de las maniobras a realizar en la prueba de control de aptitudes y comportamientos en circuito cerrado.

A) Zig-zag entre jalones a velocidad reducida.–El aspirante efectuará, en primera relación de marcha y a velocidad reducida, giros a derecha e izquierda alternativamente sorteando cinco jalones, sin salirse de la zona delimitada y sin arrollar, desplazar o derribar ningún jalón. La maniobra se iniciará por la derecha del primero, según gráfico.

Dimensiones:

Anchura del lugar señalizado: 3,50 metros (clase AM) y 3,50 o 5 metros (clases A1 y A2).

Distancia entre jalones: 3,75 metros.

Colocación de los jalones: según gráfico.

B) Circular sobre una franja de anchura limitada.–Partiendo de la posición inicial, el aspirante realizará esta maniobra que consistirá en circular a velocidad reducida y uniforme, en primera relación de marcha, por una franja de anchura y longitud limitadas, sin salirse de ella ni perder el equilibrio.

Dimensiones:

Distancia entre la posición de inicio y el principio de la franja: 8 m, aproximadamente.

Anchura de la franja: 0,25 metros.

Longitud de la franja: 6 metros.

La franja estará delimitada a ambos lados por cualquier sistema que permita detectar la salida de la misma.

C) Zig-zag entre conos.–El aspirante, partiendo de la posición de reposo, realizará los cambios de marcha necesarios en su caso, para alcanzar una velocidad mínima de 30 km/h; a continuación y sin reducir esta velocidad, describirá giros a derecha e izquierda alternativamente sorteando cinco conos, sin arrollar, desplazar o derribar ninguno. La maniobra se iniciará por la izquierda del primero, según gráfico.

Para la LCM no se exigirá que el aspirante alcance una velocidad mínima.

Dimensiones:

Distancia entre conos: 7 metros, colocados según gráfico.

Distancia entre el punto de partida y el primer cono: 40 metros.

D) Sortear un obstáculo.–El aspirante realizará los cambios de marcha necesarios para alcanzar la velocidad de 50 km/h como mínimo en el primer paso señalizado y, sin reducir dicha velocidad, sorteará el obstáculo desplazándose hacia un lado para llevar de nuevo la motocicleta a la línea de marcha inicial, sin arrollar, desplazar o derribar ningún elemento de balizamiento.

Dimensiones del carril:

Distancia del último cono de la maniobra C) al inicio del giro de 180°: 17,50 metros.

Longitud de la zona del giro de 180°: 4,50 metros.

Anchura de la zona del giro de 180°: 11 metros.

Distancia desde la zona del giro de 180° al punto en el que se alcanzan los 50 km/h, como mínimo: 55,50 metros.

Distancia desde el punto en el que se alcanzan los 50 km/h al obstáculo: 10 metros.

Anchura del obstáculo: 1,30 metros.

Distancia desde el obstáculo al último paso: 8 metros.

Anchura de los pasos; 0,80 metros (0,60 metros de luz).

E) Aceleración y frenado controlado.–Circulando, el aspirante aumentará progresivamente la velocidad, cambiando a segunda relación de marcha para alcanzar una velocidad de 30 km/h como mínimo. A continuación frenará con precisión dentro del espacio delimitado, pero sin llegar a rebasar la marca transversal de detención.

La aceleración será ágil y sin tirones, los cambios sin rascados, manteniendo en todo momento el equilibrio.

La detención será sin calar el motor.

Dimensiones:

Longitud desde el último jalón de la maniobra A) hasta la zona señalizada de detención: 22 metros.

Anchura del espacio delimitado: 1,30 metros, como mínimo.

Distancia entre el lugar señalizado y la línea transversal de detención: 0,50 metros.

F) Frenado de emergencia controlado.–Circulando a 50 km/h. el aspirante realizará una frenada de emergencia para detenerse dentro de la zona señalizada, sin rebasar la línea transversal de detención, manteniendo la trayectoria recta y sin perder el control del vehículo.

Dimensiones:

Anchura del lugar señalizado: 1,30 metros.

Longitud desde la salida de la maniobra D) hasta el lugar de detención: 12 metros.

Distancia entre el lugar señalizado y la línea transversal de detención: 0,50 metros.

G) Marcha atrás en recta y curva efectuando un recorrido en marcha atrás, manteniendo una trayectoria rectilínea y utilizando la vía de circulación adaptada para girar a la derecha o a la izquierda en una esquina.–El aspirante, circulando por un carril de una calzada simulada, detendrá el vehículo a 10 metros del inicio de la curva como mínimo, contados desde la parte posterior del vehículo o conjunto de vehículos para, después, retroceder marcha atrás el tramo recto, recorrer la curva y seguir en iguales condiciones de marcha, otros 10 metros al menos, del tramo recto final, antes de detener el vehículo. La marcha atrás se hará siguiendo un régimen uniforme de marcha, dejando el vehículo o conjunto de vehículos sensiblemente centrado.

Al realizar la maniobra no se deberá subir al bordillo ni forzarlo con ninguna de las ruedas, pisar o rebasar las marcas que delimitan el carril con alguna de sus ruedas, así como detener el vehículo o conjunto de vehículos, ni realizar movimientos de la dirección con el vehículo inmovilizado, derribar, golpear, empujar, rozar o tocar los jalones u otros elementos utilizados para delimitar el espacio.

En los conjuntos de vehículos con remolque con el eje delantero móvil, se permitirá un movimiento de rectificación hacia delante.

La maniobra, bien girando a la derecha o bien a la izquierda, se simulará utilizando bordillos fijos que estarán delimitados en su inicio y final con jalones de suficiente altura. El lado opuesto al bordillo se delimitará con marcas.

Dimensiones:

Longitud de cada uno de los tramos rectos: 10 metros, como mínimo.

Ángulo de la curva: 90° aproximadamente.

Radio de la curva: 3,50 metros, como mínimo.

Anchura del carril:

Vehículos rígidos: 3,50 metros.

Vehículos articulados con eje del semirremolque rígido y conjuntos con remolque de un sólo eje: de 3,50 a 4,50 metros.

Vehículos articulados con eje del semirremolque autodireccionable: de 3,50 a 4,50 metros.

Conjuntos de vehículo rígido y remolque con eje delantero móvil: 7 metros.

H) Cambio de sentido de la marcha utilizando las velocidades hacia adelante y hacia atrás, en espacio limitado.–El aspirante, entrando por la derecha en el sentido de la marcha en una calle simulada sin salida, una vez en el interior del espacio delimitado girará a la izquierda para, posteriormente, al no poder salir en este movimiento, realizar un movimiento en marcha atrás y otro hacia adelante para salir por la derecha y en sentido contrario al de entrada.

Al realizar la maniobra no se deberá, con ninguna de las ruedas, subir al bordillo o forzarlo, ni efectuar más de un movimiento hacia atrás, ni derribar, golpear, empujar, rozar o tocar el cono.

La calle deberá simularse o delimitarse mediante bordillos. Para delimitar el sentido de la marcha (entrada y salida) de la calle, en el eje longitudinal de la misma se colocará un cono a 3 metros de la entrada, o a 2 metros de la entrada para el permiso de la clase AM.

Dimensiones de la calle simulada:

Longitud: 10 metros, como mínimo, excepto para la LVA que será de 15 metros, como mínimo y 7 metros para el permiso de la clase AM.

Anchura: 75%, como mínimo, del diámetro de giro del vehículo, excepto para la LVA que será del 95%, como mínimo, y 5 metros para el permiso de la clase AM.

I) Estacionamiento y salida del espacio ocupado al estacionar (en línea, oblicuo o perpendicular), utilizando las marchas hacia delante y hacia atrás, en llano o en pendiente ascendente o descendente.–Rebasado el espacio destinado al estacionamiento con la parte posterior del vehículo o conjunto de vehículos, el aspirante detendrá aquél, situándolo paralelamente al bordillo. A continuación, iniciará la maniobra circulando marcha atrás sin brusquedades, ni movimientos de la dirección con el vehículo inmovilizado para situar el mismo dentro del espacio destinado al estacionamiento. El número máximo de movimientos para estacionar serán tres. Se entenderá por movimiento cada vez que se cambie el sentido del desplazamiento.

En el estacionamiento en línea, el vehículo o conjunto de vehículos deberá quedar situado paralelo al bordillo y de forma que la parte exterior de la banda de rodadura de los neumáticos del lado en que se ha estacionado, con respecto al bordillo, no sea superior a 0,30 metros.

En el caso de estacionamiento en oblicuo o perpendicular, el vehículo o conjunto de vehículos deberá quedar centrado en el espacio delimitado y sensiblemente paralelo con respecto a los límites laterales, dejando con ellos espacio suficiente para que puedan abrirse las puertas para permitir bajar y subir al vehículo.

Finalizado el estacionamiento, saldrá del mismo con un máximo de tres movimientos.

Al entrar o al salir del estacionamiento no se deberá, con ninguna de las ruedas, subir al bordillo ni forzarlo, pisar o rebasar, en su caso, las marcas que delimiten la anchura de la calzada, así como derribar, golpear, empujar, rozar o tocar las vallas o elementos que delimiten el espacio para estacionar.

Para simular y delimitar el espacio destinado a estacionamiento entre vehículos se podrán utilizar vallas u otros elementos adecuados.

Dimensiones del espacio de estacionamiento:

Estacionamiento en línea:

La longitud será, como mínimo, vez y media el largo del vehículo. La medida de referencia para el permiso de la clase AM será de 5 metros.

La anchura del estacionamiento será de 2 metros.

Estacionamiento en oblicuo o perpendicular:

La longitud será, como mínimo, el largo del vehículo.

La anchura será de 2,50 metros.

Anchura de la calzada para realizar la prueba:

Estacionamiento en línea:

La anchura será de 6 metros al menos, delimitado por un bordillo fijo en el lado de la calzada en que la maniobra tenga lugar, debiendo existir a partir del mismo, una acera o espacio, de al menos 1 metro de ancho.

Estacionamiento en oblicuo o perpendicular:

La anchura será dos veces la longitud del vehículo.

Desnivel máximo de la pendiente: 10%.

J) Frenado para detener el vehículo con precisión utilizando, si es necesario, la capacidad máxima de frenado de aquél.–El aspirante, circulando a velocidad no inferior a 30 kilómetros por hora, detendrá el vehículo a la orden del examinador, utilizando, si fuera necesario, la máxima capacidad de frenado de aquél.

El aspirante comprobará por los espejos retrovisores que puede efectuar la detención en condiciones de seguridad, mantendrá la trayectoria del vehículo e inmovilizará el mismo sin calar el motor.

K) Estacionamiento seguro para cargar o descargar en una rampa o plataforma de carga o instalación similar.–El aspirante deberá situar el vehículo o conjunto de vehículos centrado y perpendicular a una rampa, plataforma de carga o instalación similar y a una distancia mínima de éstas de 10 metros, contados desde la parte posterior de la caja del vehículo. A continuación, partiendo de la situación del vehículo en reposo, dará marcha atrás hasta aproximar la parte posterior a la rampa, plataforma o instalación similar, dejando la caja o compartimento de carga centrada y a una distancia no superior a 0,60 metros de aquéllos y sin tocarlos.

Durante la realización de la maniobra hacia atrás para aproximar el vehículo a la rampa, plataforma o instalación similar, el aspirante podrá descender una vez para efectuar las comprobaciones que precise.

La rampa, plataforma de carga o instalación similar se podrá simular utilizando vallas u otros elementos similares.

Dimensiones de la rampa, plataforma de carga o instalación similar.

Anchura: 3,50 metros.

Altura: 1,20 metros.

Dimensiones de la calle.

Longitud: 25 metros como mínimo.

Anchura: 6 metros como mínimo.

L) Estacionar para dejar que los pasajeros entren y salgan con seguridad.– Durante el desarrollo de la prueba, el aspirante deberá realizar un estacionamiento en el lado derecho, dejando el vehículo paralelo y a 20 centímetros como máximo del bordillo y de manera que ningún obstáculo impida a los pasajeros subir y bajar con seguridad cuando accione el mando de apertura de la puerta posterior; a continuación procederá a cerrar la puerta y salir del estacionamiento. El número máximo de movimientos tanto para estacionar como para salir será uno. Esta maniobra no se realizará nunca marcha atrás.

Dimensiones de la calle simulada.

Anchura: 6 metros como mínimo.

Dimensiones del estacionamiento.

Separación lateral al iniciar la maniobra: 1,20 metros.

Longitud: El doble de la longitud del vehículo o conjunto de vehículos a estacionar, como mínimo.

Espacio libre de obstáculos para que los pasajeros suban y bajen con seguridad: 1,50 metros

M) Acoplamiento y desacoplamiento del remolque.–Después de inmovilizar adecuadamente el conjunto, el aspirante procederá a desacoplar y desenganchar el remolque o semirremolque, dejando el vehículo tractor al lado del remolque (es decir, no en línea). El remolque o el semirremolque deberá quedar debidamente inmovilizado y el semirremolque apoyado sobre sus soportes.

El aspirante circulará con el vehículo tractor hacia adelante para situarse de nuevo delante del remolque o semirremolque, a una distancia de diez metros como mínimo.

Situado el vehículo tractor conforme se indica en el párrafo anterior, el aspirante dará marcha atrás aproximándolo al remolque o al semirremolque hasta efectuar el acoplamiento y enganche, así como la conexión de los demás elementos de unión, tales como el cable de los sistemas de alumbrado y señalización óptica y cuantos elementos de seguridad disponga el conjunto, para su correcta puesta en orden de marcha. Efectuada la conexión, según proceda, retirará los calzos, si los hubiera utilizado, colocándolos en lugar adecuado, y recogerá los soportes del semirremolque.

Durante la realización de la marcha hacia atrás para efectuar el acoplamiento y enganche, el aspirante podrá descender una vez del vehículo tractor para efectuar las comprobaciones que precise y poder realizar el enganche adecuadamente, pudiendo, en el caso de remolque o semirremolque con enganche no automático, orientar la lanza manualmente.

N) Estacionamiento seguro para cargar o descargar.–Para la ejecución de la prueba, el conjunto de vehículos deberá situarse centrado y perpendicular a un bordillo, a una distancia mínima de éste de 10 metros, contados desde la parte posterior del remolque. A continuación, partiendo de la situación del conjunto en reposo, el aspirante dará marcha atrás hasta aproximar la parte posterior del conjunto al bordillo, dejando el remolque centrado y con su extremo posterior a una distancia no superior a 0,30 metros de aquél, y sin sobrepasar el mismo en más de 0,20 metros.

Durante la realización de la maniobra hacia atrás para aproximar el conjunto al bordillo, el aspirante podrá efectuar un movimiento de rectificación hacia delante.

Dimensiones de la calle.

Longitud: 25 metros como mínimo.

Anchura: 6 metros como mínimo.

5. Presentación gráfica de las maniobras a realizar en la prueba de control de aptitudes y comportamiento en circuito cerrado (cotas expresadas en metros).

## Maniobras A) y B)

### Permiso de la clase AM

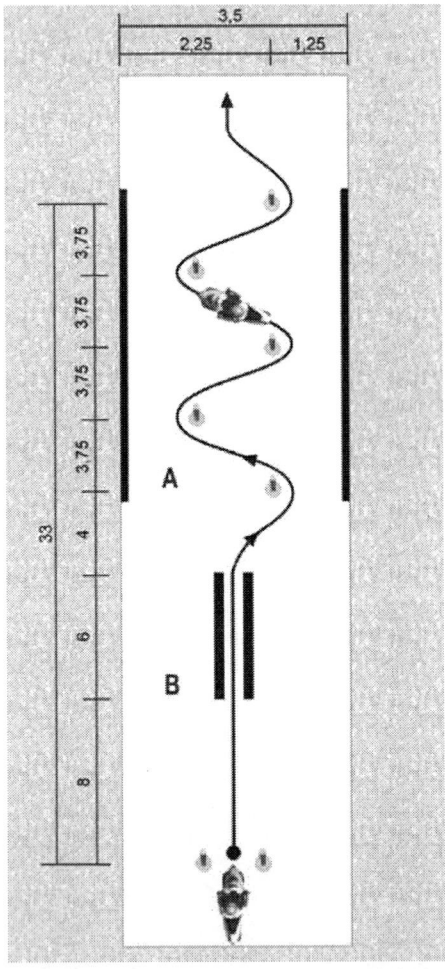

## Maniobras A), B) y E)

### Permiso de las clases A1 y A2

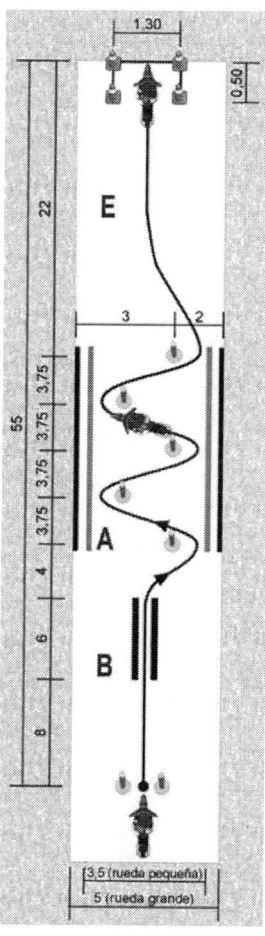

## Maniobra C)

### Zig zag entre conos para las LCM

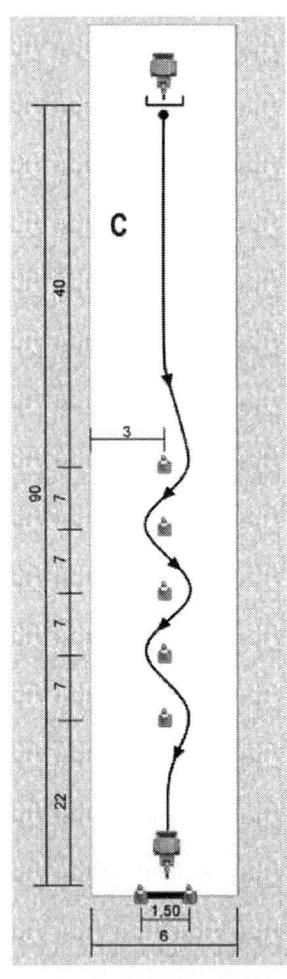

## Maniobras C), D) y F)

### Permiso de las clases A1 y A2

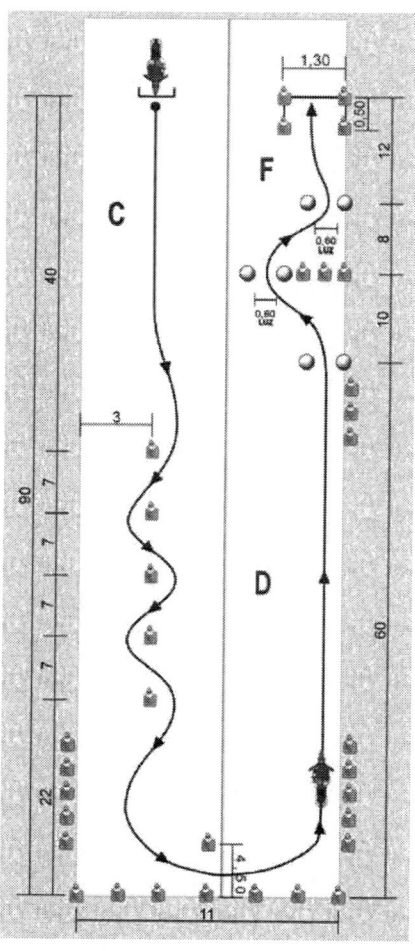

## Maniobra G)

Marcha atrás en recta y curva efectuando un recorrido en marcha atrás, manteniendo una trayectoria rectilínea y utilizando la vía de circulación adaptada para girar a la derecha o a la izquierda en una esquina

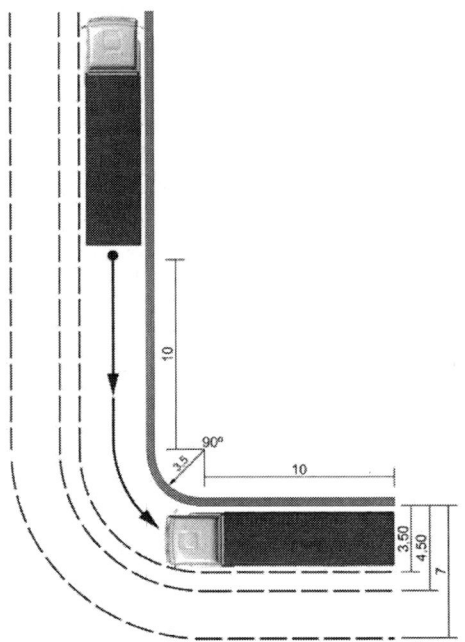

## Maniobra H)

Cambio de sentido de la marcha utilizando las velocidades hacia delante y hacia atrás, en espacio limitado

### Para el permiso de la clase AM

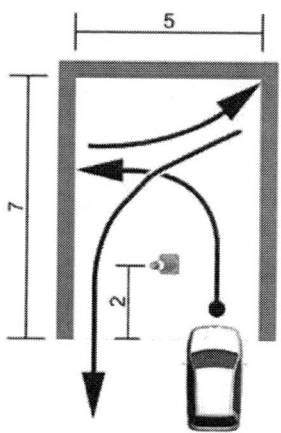

### Para las demás clases de permiso

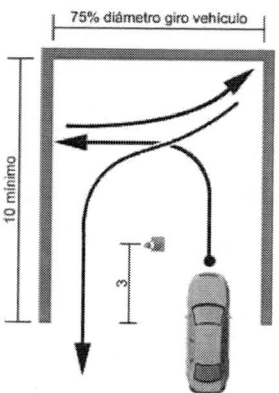

**Para las LVA**

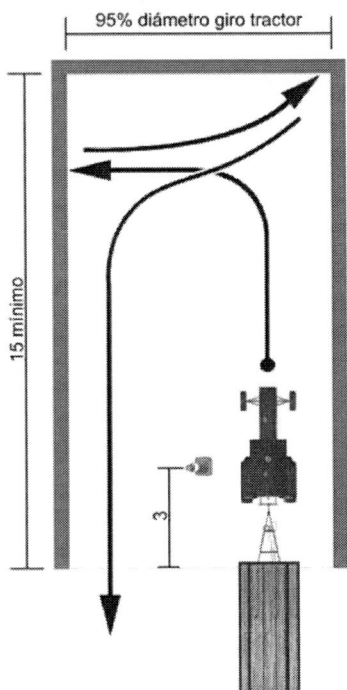

**Maniobra I)**

Estacionamiento y salida del espacio ocupado al estacionar (en línea, oblicuo o perpendicular), utilizando las marchas hacia delante y hacia atrás, en llano o en pendiente ascendente o descendente

## Para el permiso de la clase AM (en línea)

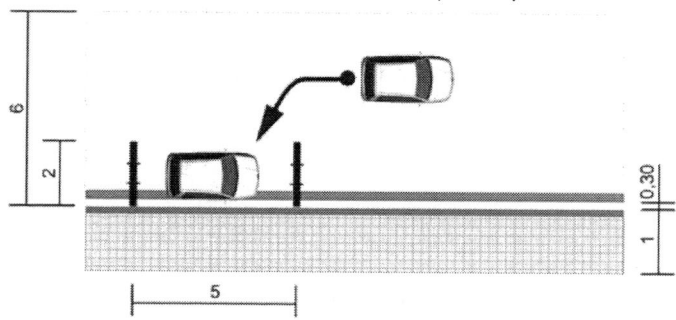

## Para las demás clases de permiso

### (en línea)

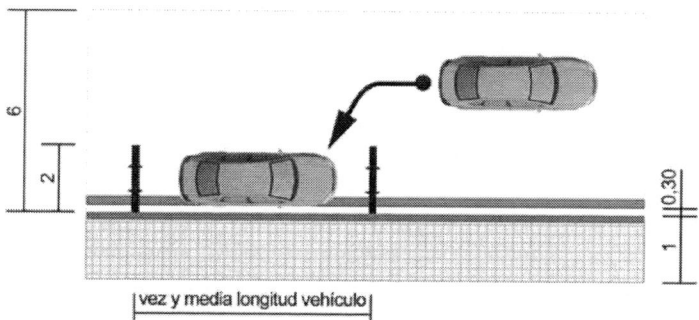

(en oblicuo)

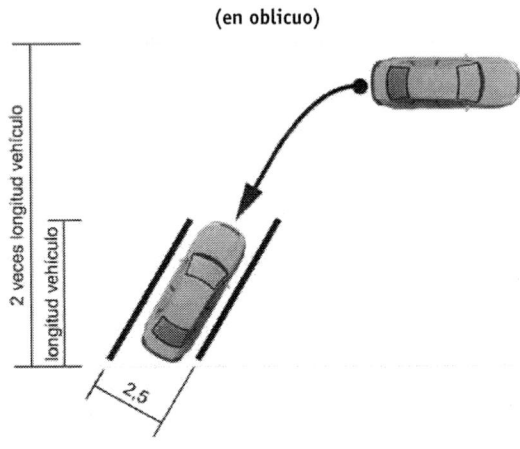

(en perpendicular)

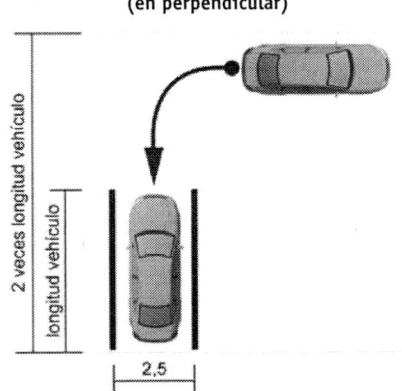

### Maniobra K)

Estacionamiento seguro para cargar o descargar en una rampa o plataforma de carga o instalación similar

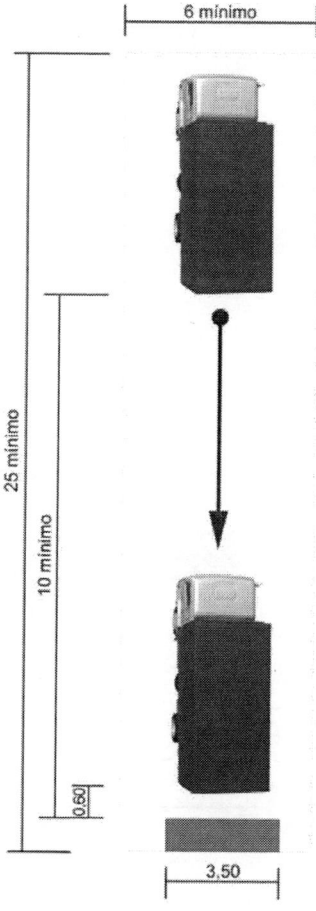

## Maniobra L)

Estacionar para dejar que los pasajeros entren y salgan con seguridad

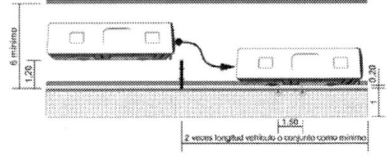

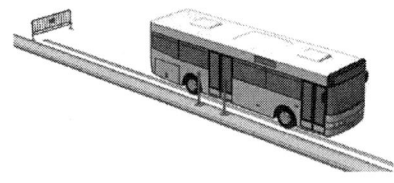

## Maniobra M)

### Acoplamiento y desacoplamiento del remolque

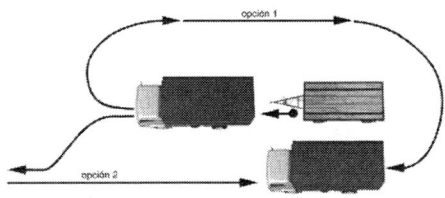

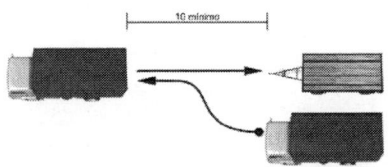

## Maniobra N)

Estacionamiento seguro para cargar o descargar

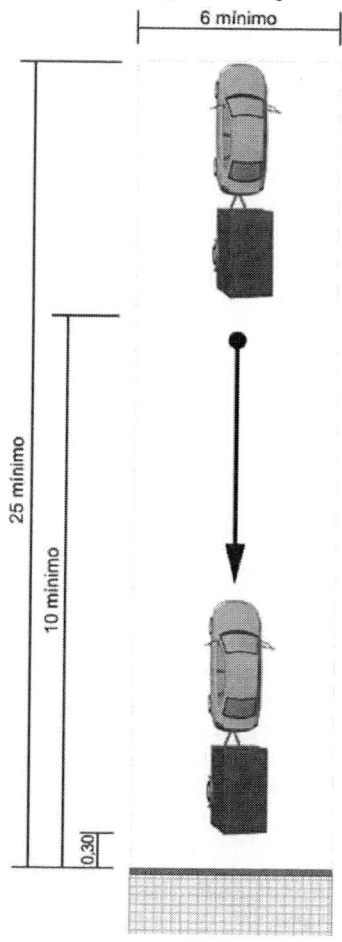

6. Formación práctica y aprendizaje para la obtención del permiso de las clases A1 y A2.–De acuerdo con lo establecido en el artículo 55.4, una vez superada la prueba de control de aptitudes y comportamientos en circuito cerrado, se le otorgará al aspirante, por la Jefatura Provincial de Tráfico, una autorización administrativa que le faculte para completar su formación práctica y realizar el aprendizaje en vías abiertas al tráfico general.

Esta formación se realizará conduciendo sin acompañante una motocicleta de las características establecidas en el anexo VII, bajo la dirección y control inmediatos de un profesor de formación vial en posesión de la correspondiente autorización de ejercicio y del permiso de conducción en vigor de la clase A con más de 1 año de antigüedad.

En dicha autorización, que tendrá un período de vigencia de seis meses, constarán, al menos, los datos de la escuela, el aspirante, el profesor y la matrícula de la motocicleta a utilizar, así como las fechas de expedición y vigencia.

El aspirante deberá llevar consigo la autorización durante la realización del aprendizaje y de la prueba de control de aptitudes y comportamientos en circulación en vías abiertas al tráfico general y deberá exhibirla cuando sea requerido por la autoridad o sus agentes o por los funcionarios de la Jefatura Provincial de Tráfico. Si no lo hiciera, no podrá realizar el aprendizaje ni la prueba ni el profesor impartirle la enseñanza o acompañarle durante dicha prueba.

Durante la formación, el profesor que imparta las enseñanzas prácticas de conducción y circulación dirigirá el aprendizaje desde una motocicleta o un turismo conducido por él mismo que circulará próximo a la motocicleta desde el que dará al alumno las instrucciones precisas por medio de un intercomunicador bidireccional (transmisor-receptor) constituido por un micrófono y un altavoz manos libres que le permita una eficaz comunicación oral con aquél. Tanto el profesor como la motocicleta y el vehículo de acompañamiento deberán estar dados de alta en la escuela o sección en la que el aspirante realice el aprendizaje. No será necesario que el vehículo de acompañamiento esté dotado de dobles mandos.

Durante la realización del aprendizaje el aspirante deberá llevar un chaleco reflectante homologado en el que figure estampada o impresa la señal V-14 prevista en el anexo XI del Reglamento General de Vehículos, aprobado por

Real Decreto 2822/1998, de 23 de diciembre, que deberá ser visible por los usuarios que circulen por detrás.

7. Desarrollo de la prueba de control de aptitudes y comportamientos en circulación en vías abiertas al tráfico general.–De acuerdo con lo establecido en el artículo 43.6, el desarrollo de la prueba se ajustará a las prescripciones siguientes:

1. Durante la realización de la prueba irá al doble mando del vehículo el profesor o el acompañante que, legalmente autorizado al efecto para conducir el vehículo de que se trate, haya impartido al aspirante la enseñanza práctica de conducción y circulación durante el aprendizaje, excepto cuando se trate de solicitantes de permiso que autoriza a conducir motocicletas.

2. El profesor será el responsable de la seguridad de la circulación, por lo que se abstendrá de realizar cualquier acción que pueda distraer su atención, la del aspirante o la del funcionario encargado de calificar la prueba.

Deberá prestar la colaboración debida al examinador y no deberá intervenir en el desarrollo de la prueba, ya sea dando instrucciones con signos, gestos, palabras o de cualquier otra forma, o ejerciendo acción directa sobre los mandos del vehículo, salvo en caso de emergencia, errores o comportamientos peligrosos del aspirante que impliquen inobservancia de normas o señales reguladoras de la circulación o cuestiones de seguridad vial que amenacen la seguridad de la circulación, del vehículo, sus ocupantes u otros usuarios de la vía.

Si lo hiciera, aunque sea debido a una situación en que está obligado a intervenir, el examinador interrumpirá y suspenderá la prueba tan pronto como las circunstancias del tráfico o de la vía lo permitan y el aspirante, salvo que la intervención fuera claramente innecesaria, será declarado no apto en la convocatoria de que se trate.

3. Durante la realización de la prueba, el examinador encargado de calificarla será el único que dé las instrucciones precisas para su desarrollo y deberá prestar especial atención al hecho de si los aspirantes muestran soltura en el manejo de los mandos del vehículo, dominio para introducirse en la circulación con seguridad y un comportamiento prudente y cortés. Éste es un reflejo de la forma de conducir considerada en su globalidad, que el examinador debe tener en cuenta para hacerse una idea general de la preparación del aspirante.

Será un criterio positivo a valorar una conducción flexible y dispuesta, aparte de segura, que tenga en cuenta las condiciones meteorológicas y de la vía pública, de los demás vehículos, los intereses de los demás usuarios de aquélla, especialmente de los más vulnerables, así como la capacidad de anticipación del aspirante.

4. El examinador también analizará del aspirante los siguientes aspectos:

a) La inclinación para girar, los giros en U y la conservación del equilibrio a diferentes velocidades (clases A1 y A2).

b) Control del vehículo, teniendo en cuenta: la correcta utilización de los cinturones de seguridad, los retrovisores, los reposacabezas, el asiento; el manejo correcto de las luces y demás equipos; el manejo correcto del embrague, la caja de cambios, el acelerador, los sistemas de frenado, la dirección; el control del vehículo en diferentes circunstancias, a distintas velocidades; la estabilidad en carretera; la masa, las dimensiones y características del vehículo; la masa y tipo de carga (clases B + E, C1, C1 + E, C, C + E, D1 + E y D + E únicamente); comodidad de los pasajeros (clases D1, D1 + E, D, y D + E únicamente), sin aceleraciones bruscas, suavidad en la conducción o ausencia de frenazos.

c) Conducción económica, segura y de bajo consumo energético, teniendo en cuenta las revoluciones por minuto, el cambio de marchas, la utilización de frenos y acelerador (clases B, B + E, C1, C1 + E, C, C + E, D1, D1 + E, D y D + E, únicamente).

d) Capacidad de observación: observación panorámica; utilización correcta de los espejos; visión a lo lejos, mediana, cercana.

e) Incorporación a la circulación: observación, señalización y ejecución.

f) Prioridades/ceda el paso: prioridad en intersecciones; ceda el paso en otras ocasiones, especialmente al cambiar de dirección, al cambiar de carril, en maniobras especiales.

g) Posición correcta en la vía: posición correcta en la calzada, en los carriles, en las glorietas, en las curvas, posición apropiada teniendo en cuenta el tipo y características del vehículo; preposicionamiento.

h) Distancias: la distancia adecuada de separación frontal y lateral y la distancia adecuada de los demás usuarios de la vía pública.

i) Velocidad: no superior a la autorizada; adecuación de la velocidad a las condiciones meteorológicas y del tráfico y, cuando proceda, a los límites establecidos; conducción a una velocidad a la que siempre sea posible detenerse en el tramo visible y libre; adecuación de la velocidad a la de los demás usuarios del mismo tipo.

j) Adelantamientos: visibilidad, posición, velocidad, distancias, finalización de la maniobra.

k) Semáforos, señales de tráfico y otros factores: actuación correcta ante los semáforos; observancia de las indicaciones de los agentes o, en su caso, de otros encargados de controlar el tráfico; comportamiento correcto ante las señales de tráfico (prohibiciones u obligaciones); respeto de las señales en la calzada.

l) Indicaciones y advertencias: uso de las señales oportunas cuando sea necesario, correctamente y en su momento; reaccionar de forma apropiada ante las señales emitidas por otros usuarios de la vía.

m) Frenado y detención: desaceleración a su momento, frenado y detención acordes con las circunstancias; capacidad de anticipación; utilización de varios sistemas de frenado (únicamente para las clases C, C + E, D, D + E); utilización de sistemas de reducción de la velocidad diferentes de los frenos (únicamente para las clases C, C + E, D, D + E).

5. El aspirante al permiso de las clases A1 y A2 realizará la prueba conduciendo sin acompañante una motocicleta de las características establecidas en el anexo VII y deberá llevar un chaleco reflectante homologado en el que figure estampada o impresa la señal V-14 prevista en el anexo XI del Reglamento General de Vehículos que deberá ser visible por los usuarios que circulen detrás.

El examinador dirigirá la prueba desde un automóvil de turismo adscrito a la escuela o sección en la que el interesado haya realizado el aprendizaje, el cual circulará próximo a la motocicleta e irá conducido por el profesor autorizado que durante el aprendizaje haya impartido al alumno la enseñanza práctica en vías abiertas al tráfico general. Desde éste dará las instrucciones precisas al aspirante por medio de un intercomunicador bidireccional (transmisor-receptor) constituido por un micrófono y un altavoz manos libres que permita una eficaz comunicación oral entre ambos y cuyo uso esté autorizado por la Jefatura Provincial de Tráfico.

D) Pruebas de control de conocimientos sobre formación práctica y ejercicios prácticos para obtener la autorización especial que habilite para conducir vehículos que transporten mercancías peligrosas

1. Número de preguntas.–El número de preguntas planteadas en las pruebas de control de conocimientos sobre formación teórica será:

a) en la prueba común de control de conocimientos para la obtención de la autorización, un mínimo de 25 preguntas y un máximo de 70.

b) en cada una de las pruebas de control de conocimientos específicas para la ampliación de la autorización, un mínimo de 15 y un máximo de 40.

c) en cada una de las pruebas de control de conocimientos para la prórroga de vigencia, cuando se haya realizado un curso de reciclaje, un mínimo de 15 y un máximo de 40 para la prueba común y un mínimo de 10 y un máximo de 40 para las pruebas específicas.

d) en cada una de las pruebas de control de conocimientos para la prórroga de vigencia, cuando se haya realizado un curso de formación inicial, las establecidas en los párrafos a) y b), según se trate de la prueba común o las específicas, respectivamente.

2. Duración de las pruebas.–El tiempo destinado a la realización de las pruebas de control de conocimientos sobre formación teórica a las que se refiere el artículo 63 será de 2 minutos por pregunta. En casos especiales, debidamente justificados, se podrá ampliar dicho tiempo a 3 minutos por pregunta.

A los efectos de lo previsto en el párrafo anterior, se considerarán casos especiales las dificultades de comprensión lectora del aspirante.

El tiempo destinado a la realización de los ejercicios prácticos a que se refieren los artículos 64 y concordantes será el necesario para que cada uno de los conductores aspirantes los realice individualmente, con eficacia y seguridad.

3. Calificación de las pruebas.–Para ser declarado apto en las pruebas de control de conocimientos a que se refiere el artículo 68, los errores permitidos no serán superiores al 10 por 100 de la puntuación total de la prueba. En el supuesto de que al aplicar dicho tanto por ciento el resultado fuera decimal se aplicará el entero inmediato superior.

En los ejercicios prácticos a que se refieren los artículos 64 y 68 será declarado no apto el aspirante que no demuestre manejar con dominio y soltura los diferentes medios, o no realice los ejercicios prácticos con la seguridad y precisión requeridas.

## ANEXO VII. VEHÍCULOS A UTILIZAR EN LAS PRUEBAS DE CONTROL DE APTITUDES Y COMPORTAMIENTOS

*A) Requisitos generales*

Los vehículos a utilizar en la realización de las pruebas control de aptitudes y comportamientos deben cumplir las prescripciones siguientes:

1. Serán de los tipos de uso corriente, sin que se permita la utilización de dispositivos o elementos que, no siendo estrictamente de serie en la gama media del vehículo de que se trate, faciliten la realización de las maniobras, a menos que tales dispositivos puedan ser anulados o desconectados. Tampoco se permitirá el empleo de referencias añadidas que faciliten la realización de las mismas.

Estarán señalizados en la parte delantera y trasera con la señal V-14 prevista en el anexo XI del Reglamento General de Vehículos.

2. Las motocicletas y los ciclomotores estarán dotados de dos espejos retrovisores, uno a cada lado.

En el caso de las motocicletas utilizadas para la realización de la prueba de control de aptitudes y comportamientos en circulación en vías abiertas al tráfico general, cuando por las características del vehículo no fuera posible colocar la señal V-14 sin que impida o dificulte la visibilidad de alguna luz o de la placa de matrícula o sin que, por presentar bordes o aristas salientes, suponga un peligro para el aspirante y para los demás usuarios de la vía, se podrá prescindir de ella, siendo suficiente que el aspirante lleve visible, para los usuarios que circulen detrás, un chaleco reflectante homologado en el que figure estampada o impresa dicha señal.

3. Excepto los tractores agrícolas, los cuatriciclos ligeros y los remolques, estarán dotados de dos espejos retrovisores exteriores a cada lado, y de dos espejos retrovisores interiores, con el fin de que el aspirante y el profesor o acompañante dispongan de espejos independientes para observar el tráfico. Los espejos retrovisores interiores podrán ser suprimidos en los camiones y tractocamiones.

Los autobuses deberán estar provistos, además, de un espejo retrovisor interior que permita al aspirante observar y controlar desde su asiento la apertura y cierre de las puertas. Los espejos retrovisores exteriores de los autobuses, camiones y tractocamiones deberán estar dispuestos o complementados de forma que permitan a los examinadores observar el tráfico que se aproxime por ambos lados del vehículo.

4. Estarán provistos de cambio de velocidades manual.

Se entenderá por «vehículo equipado con un cambio de velocidades manual» aquel que esté equipado con pedal de embrague, o palanca accionada manualmente en el caso de las motocicletas, que deberá ser accionado por el conductor en el momento del arranque o la parada del vehículo y del cambio de marchas. Los vehículos que no cumplan estos criterios serán considerados de cambio automático.

Si el aspirante realiza la prueba de control de aptitudes y comportamientos con un vehículo de cambio automático, esta circunstancia se indicará en el permiso de conducción y sólo habilitará para la conducción de un vehículo de estas características.

No obstante lo dispuesto en el párrafo anterior, no se indicará ninguna restricción a los vehículos con cambio automático en el permiso de conducción de las clases C, C + E, D o D + E, si el solicitante ya es titular de un permiso de conducción obtenido con un vehículo de cambio de velocidades manual en, al menos, una de las clases siguientes: B, B + E, C1, C1 + E, C, C + E, D1, D1 + E, D o D + E y haya efectuado durante la prueba de control de aptitudes y comportamientos en circulación en vía abiertas al tráfico general, las operaciones descritas en el último inciso del Anexo V B) 4.4.

5. Los turismos, los camiones, los tractocamiones y los autobuses estarán provistos, además, de dobles mandos de freno, embrague y acelerador suficientemente eficaces y de un dispositivo acoplado a los pedales del doble mando, que deberá conectar el profesor o el acompañante al inicio de la prueba de control de aptitudes y comportamientos en circulación en vías abiertas al tráfico general y que acuse de forma eficaz cualquier utilización de dichos pedales por el profesor o acompañante mediante una señal acústica y otra óptica, de color rojo, visible en el tablero de instrumentos cuando sea accionado. Este dispositivo contará, además, con una luz adicional de color verde que permanecerá encendida cuando esté conectado. La intensidad y posición de las señales ópticas y acústicas en el tablero de instrumentos del vehículo deberá ser la adecuada, de forma tal que sean fácilmente perceptibles por el examinador.

6. Excepto los tractores agrícolas, los ciclomotores, los cuatriciclos ligeros, los vehículos para personas de movilidad reducida y los vehículos adaptados a las deficiencias de la persona que los vaya a conducir, deberán poder alcanzar

en llano una velocidad de, al menos, 90 km/h las motocicletas cuya conducción autoriza el permiso de la clase A1, 100 km/h el resto de las motocicletas y los turismos y 80 km/h los restantes vehículos y conjuntos de vehículos.

7. Los remolques tendrán dos ejes, móvil el delantero y fijo el trasero, con una separación entre ambos superior a 1 metro. El eje delantero deberá tener una barra de acoplamiento, para que el movimiento de sus ruedas sea simultáneo y conjugado. El compartimento de carga, excepto para los remolques agrícolas, consistirá en una caja cerrada. La anchura y la altura de la caja serán, al menos, iguales a las de la cabina del vehículo tractor, excepto para el permiso de las clases D1 + E y D + E.

8. Los camiones y los tractocamiones tendrán en la cabina asientos homologados que puedan ser utilizados, al menos, por cuatro personas y dotados de las necesarias condiciones de seguridad y comodidad. En el caso de que hubiera más de dos asientos en línea en la parte delantera, los dobles mandos a los que se refiere el número 5 anterior

estarán instalados frente al asiento más próximo al conductor. La cabina dispondrá de ventanillas laterales que permitan la visión directa del exterior desde cualquiera de los asientos. El compartimento de carga consistirá en una caja cerrada al menos igual de ancha y de alta que la cabina.

9. Los camiones, tractocamiones y autobuses estarán equipados con frenos antibloqueo y el aparato de control regulado en el Reglamento (CEE) n.º 3821/85, de 20 de diciembre de 1985.

*B) Requisitos específicos*

Los vehículos, según la clase de permiso o licencia de conducción solicitados, deberán cumplir, además de las prescripciones establecidas en el apartado A), las siguientes:

1. Los camiones, remolques y semirremolques que se utilicen en la realización de las pruebas de control de aptitudes y comportamientos, deben llevar el peso total real mínimo establecido para cada uno de ellos en los números siguientes. A estos efectos, se entenderá por peso total real la masa en carga definida en el anexo IX del Reglamento General de Vehículos.

Para alcanzar el peso total real mínimo se utilizarán a modo de carga bloques de cemento, de fundición o de otro material similar que se colocarán en el compartimento de carga, correctamente estibados y sujetos, para garantizar la seguridad y evitar posibles desplazamientos, roces y ruidos. Cada bloque llevará inscrito o grabado su peso, todo ello sin perjuicio de que la Jefatura Provincial de Tráfico o los examinadores en cualquier momento puedan exigir el correspondiente justificante del pesaje, e incluso presenciar éste.

El compartimento de carga consistirá en:

a) Una caja cerrada en la que todas sus caras rectangulares están constituidas por material rígido.

b) Una caja cerrada en la que la plataforma o batea y el techo o cara superior son de material rígido y sus caras rectangulares laterales son de lona.

c) Una caja en la que la plataforma o batea y al menos una parte de las caras laterales rectangulares son de material rígido y el resto cerrada mediante arquillos y toldo.

2. Para el permiso de la clase AM, ciclomotores de dos ruedas, y cuatriciclos ligeros con carrocería cerrada para el de la clase AM limitado a la conducción de ciclomotores de tres ruedas y cuatriciclos ligeros.

3. Para el permiso de la clase A1 motocicletas de dos ruedas simples sin sidecar.

Si están propulsadas por un motor de combustión interna deberán tener una cilindrada no inferior a 115 cm³ ni superior a 125 cm³, una potencia máxima de 11 kW y una relación potencia/peso no superior a 0,1 kW/kg y que alcancen una velocidad de, al menos, 90 km/h.

Si están propulsadas por un motor eléctrico la relación potencia/peso será, al menos, de 0,08 kW/kg.

4. Para el permiso de la clase A2, motocicletas de dos ruedas simples de, al menos 16 pulgadas en la rueda delantera, sin sidecar.

Si están propulsadas por un motor de combustión interna, deberán tener una cilindrada no inferior a 395 cm³, una potencia no inferior a 20 kW ni superior a 35 kW y una relación potencia/peso no superior a 0,2 kW/kg.

Si están propulsadas por un motor eléctrico, la relación potencia/peso será, al menos, de 0,15 kW/kg.

5. Para el permiso de la clase B, turismos de carrocería cerrada, dos puertas en cada lateral, cuatro ruedas, longitud mínima de 3,50 metros y una masa máxima autorizada no superior a 3.500 kg. Deberán estar provistos de reposacabezas en los asientos delanteros y traseros.

Para el permiso de la clase B con autorización para conducir conjuntos de vehículos cuya masa máxima autorizada exceda de 3.500 kg sin rebasar los 4.250 kg, un conjunto formado por un turismo de las características indicadas en el párrafo anterior y un remolque de masa máxima autorizada superior a 750 kg.

6. [...]

7. Para el permiso de la clase B + E, un conjunto compuesto por un vehículo de turismo de las características indicadas en el número 5, o un vehículo mixto o un camión, todos ellos de longitud no inferior a 3,50 metros y masa máxima autorizada no superior a 3.500 kg, y un remolque de masa máxima autorizada no inferior a 1.000 kg, que pueda alcanzar una velocidad de al menos 100 km/h y que no entre en la categoría B. La caja del remolque puede ser también ligeramente menos ancha que el vehículo tractor, a condición de que la visión trasera sólo sea posible utilizando los espejos retrovisores exteriores del vehículo. Su longitud, excluida la lanza o el sistema de enganche o acoplamiento, no será inferior a 2,50 metros. El peso total real mínimo del remolque será de 800 kg. Como excepción a lo dispuesto en el apartado A). 7 se podrán utilizar remolques de un sólo eje central.

8. Para el permiso de la clase C1, camiones de una masa máxima autorizada no inferior a 5.500 kg ni superior a 7.500 kg y una longitud superior a 5 metros e inferior a 7. El peso total real mínimo será de 4.500 kg.

9. Para el permiso de la clase C1 + E, un conjunto compuesto por un camión de las características establecidas en el número 8 anterior y un remolque de masa máxima autorizada no inferior a 2.500 kg y longitud, excluida la lanza o el sistema de enganche o acoplamiento, no inferior a 4 metros. La masa máxima autorizada del conjunto así formado no deberá exceder de 12.000 kg. La caja puede ser también ligeramente menos ancha que el vehículo tractor, a condición de que la visión trasera sólo sea posible utilizando los retrovisores exteriores de la cabina del vehículo tractor. El remolque deberá tener un peso total real mínimo de 800 kg.

10. Para el permiso de la clase C, camiones de masa máxima autorizada no inferior a 12.000 kg con una longitud de al menos 8 metros y una anchura de al menos 2,40 metros, equipado con un sistema de transmisión que permita la selección manual de las velocidades por el conductor. El peso total real mínimo será de 10.000 kg.

11. Para el permiso de la clase C + E:

a) Un vehículo articulado compuesto por un tractocamión equipado con un sistema de transmisión que permita la selección manual de las velocidades por el conductor y un semirremolque. El conjunto deberá tener una masa máxima autorizada no inferior a 21.000 kg, una longitud de al menos 14 metros y una anchura de al menos 2,40 metros. El peso total real mínimo del conjunto será de 15.000 kg.

b) O bien un tren de carretera compuesto por un camión de las características establecidas en el número 10 anterior y un remolque de longitud, excluida la lanza o el sistema de enganche o acoplamiento, no inferior a 7,5 metros. El conjunto deberá tener una masa máxima autorizada no inferior a 21.000 kg y una anchura de al menos 2,40 metros. El peso total real mínimo del conjunto será de 15.000 kg.

c) Tanto el remolque como el semirremolque estarán equipados con frenos antibloqueo.

12. Para el permiso de la clase D1, autobuses de la categoría D1 de masa máxima autorizada no inferior a 4.000 kg y longitud no inferior a 5,50 metros, cuyo número de asientos, incluido el del conductor, no exceda de 17.

13. Para el permiso de la clase D1 + E, un conjunto compuesto por un autobús de las características indicadas en el número 12 anterior y un remolque de masa máxima autorizada no inferior a 2.500 kg, con al menos 2 metros de ancho y 2 metros de alto, y longitud, excluida la lanza o sistema de enganche o acoplamiento, no inferior a 4 metros.

El compartimento de carga del remolque tendrá al menos 2 metros de ancho y 2 metros de alto. La masa máxima autorizada del conjunto no deberá exceder de 12.000 kg y el peso total real mínimo del remolque será de 800 kg.

14. Para el permiso de la clase D, autobuses de la categoría D de longitud no inferior a 10 metros y anchura no inferior a 2,40 metros.

15. Para el permiso de la clase D + E, un conjunto compuesto por un autobús de las características establecidas en el número 14 anterior y un remolque de masa máxima autorizada no inferior a 2.500 kg, anchura no inferior a 2,40 metros y longitud, excluida la lanza o sistema de enganche o acoplamiento, no inferior a 4 metros. El compartimento de carga del remolque tendrá al menos 2 metros de ancho y 2 metros de alto y el peso total real mínimo del remolque será de 800 kg.

16. Para la licencia de conducción a que se refiere el artículo 6.1.párrafo a) se utilizará el correspondiente vehículo para personas de movilidad reducida.

17. Para la licencia de conducción que autorice a conducir los vehículos especiales agrícolas autopropulsados a que se refiere el artículo 6.1.b) se utilizará un conjunto compuesto por un tractor agrícola de ruedas, que tenga

una masa en vacío superior a 1.000 kg y una longitud mínima de 3 metros, y un remolque agrícola de anchura no inferior a 2 metros, longitud, excluida la lanza, no inferior a 4 metros y una masa máxima autorizada superior a 750 kg.

18. Como excepción a lo dispuesto en el apartado A). 7, para el permiso de las clases C1 + E, D1 + E y D + E, se podrán utilizar remolques de ejes centrales fijos.

## ANEXO VIII. PERSONAL ENCARGADO DE CALIFICAR LAS PRUEBAS DE CONTROL DE APTITUDES Y COMPORTAMIENTOS

*A) Condiciones que debe reunir el personal examinador*

El personal examinador, encargado de calificar las pruebas de control de aptitudes y comportamientos para la obtención de permisos y licencias de conducción, tanto en circuito cerrado como de circulación en vías abiertas al tráfico general, deberá reunir las siguientes condiciones:

1. Preparación: Deberá poseer la preparación adecuada para evaluar la capacidad del aspirante que pretende obtener la clase de permiso de conducción para la que se lleva a cabo la prueba.

2. Conocimientos y capacidad de comprensión sobre la conducción y su evaluación:

Deberá poseer los conocimientos, la capacidad de comprensión de la conducción, así como de su evaluación, referidos a las siguientes materias:

Teoría del comportamiento del conductor.

Percepción del riesgo y formas de evitar los accidentes.

Manual de base para la calificación de las pruebas de control de aptitudes y comportamientos.

Requisitos del examen de conducción.

Legislación en materia de tráfico, circulación y seguridad vial, así como criterios para su interpretación.

Teoría y técnicas de evaluación.

Técnica y física de los vehículos.

Conducción defensiva.

Conducción económica.

3. Capacidad de evaluación:

Deberá poseer la capacidad para observar con precisión y evaluar el conjunto de las actuaciones del aspirante y, en particular, si éste:

Reconoce de manera correcta y completa las situaciones peligrosas.

Establece una relación adecuada entre la causa y los efectos de las situaciones peligrosas.

Demuestra sus aptitudes y reconoce los errores cometidos.

Es capaz de realizar una evaluación coherente y objetiva de las situaciones anteriores.

Deberá, además, ser capaz de asimilar con rapidez la información, de seleccionar los aspectos esenciales, de prever y determinar los problemas potenciales y de desarrollar estrategias para solucionarlos, así como de reaccionar a tiempo y de forma constructiva.

4. Capacidad de conducción personal:

Deberá estar habilitado para la conducción del tipo de automóviles a los que autoriza la clase de permiso de conducción a la que el aspirante desea acceder.

5. Calidad del servicio:

Durante el desarrollo de las pruebas, el examinador deberá:

Tratar al aspirante de manera respetuosa y no discriminatoria.

Dar explicaciones claras sobre el resultado de la prueba.

Dar las instrucciones precisas, con claridad, utilizando un lenguaje que sea fácilmente comprensible para el aspirante.

*B) Requisitos que debe reunir el personal examinador*

Además de las condiciones señaladas anteriormente, el personal examinador deberá reunir los requisitos siguientes:

1. Para el permiso de conducción de la clase B:

Ser titular del permiso de la clase B con, al menos, tres años de antigüedad.

Tener, como mínimo, veintitrés años de edad.

Haber terminado con éxito la cualificación inicial establecida en el apartado C), y seguir posteriormente los programas de garantía de calidad y de formación periódica establecidos en el apartado D).

Poseer el título de bachiller o equivalente o de formación profesional de segundo grado.

No trabajar simultáneamente como profesor en una escuela particular de conductores o prestar servicio alguno a título lucrativo en ésta.

2. Para el permiso de conducción de las clases restantes:

Ser titular de un permiso de conducción de igual clase o poseer conocimientos equivalentes mediante la adecuada cualificación profesional.

Haber ejercido como examinador para la obtención del permiso de la clase B durante un mínimo de tres años. Esta condición no será obligatoria si acredita haber conducido un mínimo de cinco años vehículos de la categoría correspondiente, o si posee un permiso de superior clase

Haber terminado con éxito la cualificación inicial establecida en el apartado C), y seguir posteriormente los programas de garantía de calidad y de formación periódica establecidos en el apartado D).

Poseer el título de bachiller o equivalente o de formación profesional de segundo grado.

No trabajar simultáneamente como profesor en una escuela particular de conductores o prestar servicio alguno a título lucrativo en ésta.

3. Equivalencias:

El personal examinador estará autorizado a realizar exámenes de conducción para la obtención del permiso de conducción de las clases reseñadas a continuación, con arreglo a las siguientes equivalencias:

Para las clases AM, A1 y A2, siempre que haya superado la cualificación inicial a que se refiere el apartado C) para una de estas clases.

Para las clases C1, C, D1 y D, siempre que haya superado la cualificación inicial a que se refiere el apartado C) para una de estas clases.

Para las clases B+E, C1+E, C+E, D+E y D1+E, siempre que haya superado la cualificación inicial a que se refiere al apartado C) para una de estas clases.

### C) Cualificación inicial

Para ser autorizado a calificar las pruebas de control de aptitudes y comportamientos deberá seguirse el programa de formación establecido por la Dirección General de Tráfico, y superar las evaluaciones y pruebas que incluirán tanto un elemento teórico y otro práctico, que en cada caso correspondan.

La formación, evaluación y calificación de las pruebas serán realizadas por la Dirección General de Tráfico de acuerdo con la programación establecida.

El programa de formación versará, entre otras, sobre las materias que a continuación se especifican:

1. Para los permisos de las clases A y B:

Seguridad Vial.

Reglamentos Generales de Circulación y de Conductores.

Teoría de comportamiento de conductores.

Técnica y física de vehículos.

Criterios de calificación.

Técnicas de conducción.

Técnicas de examen.

Prácticas de examen en situaciones reales.

2. Para los permisos de las clases C, D y E:

Reglamentación de vehículos pesados.

Criterios de calificación y técnicas de conducción y examen.

*D) Garantía de calidad y formación periódica de los examinadores*

Con el fin de garantizar que los examinadores mantengan el nivel exigido, se establecerán los mecanismos de garantía de calidad y de formación periódica, que a continuación se indican:

1. Garantía de calidad:

a) La supervisión de su actividad por la Dirección General de Tráfico, con el fin de que la evaluación se realice de manera uniforme.

b) La necesidad de someterse periódicamente a la actualización de sus conocimientos

c) Un desarrollo profesional permanente.

d) La revisión periódica de los resultados de las pruebas que hayan realizado.

La actividad del personal examinador será objeto de supervisión anual aplicando los mecanismos de calidad especificados en el párrafo anterior. Además, una vez cada cinco años, se realizará una nueva supervisión durante la realización de las pruebas por un período mínimo acumulativo de, al menos, media jornada. Cuando se observen incidencias deberá llevarse a cabo una clarificación de éstas y una posible acción correctiva.

Cuando el examinador esté autorizado a calificar pruebas para la obtención de varias clases de permisos de conducción, el cumplimiento del requisito de supervisión para las pruebas de una de las clases se hará extensivo a todas las clases para las que esté autorizado.

2. Formación periódica:

a) Los examinadores, para conservar su condición, deberán realizar una formación periódica mínima, a intervalos regulares de cuatro días en total en cada período de dos años, con la finalidad de:

Mantener y actualizar los conocimientos y capacidades necesarios para la realización de las pruebas.

Desarrollar nuevas capacidades que se hayan convertido en esenciales para el ejercicio de su actividad.

Garantizar una calificación de las pruebas conforme a criterios justos y uniformes.

Mantener las capacidades prácticas de conducción necesarias.

b) Esta formación se podrá impartir mediante sesiones informativas, aulas de formación, enseñanza convencional o mediante soporte informático. Asimismo, podrá dirigirse tanto a individuos como a grupos y ser sustituida por la que periódicamente ha de realizarse con carácter previo a una nueva acreditación de nivel.

c) Cuando los examinadores no hayan calificado pruebas para una determinada clase de permiso en un período de veinticuatro meses, se someterán a una reevaluación adecuada para realizar nuevamente tal actividad. Esta reevaluación se producirá, asimismo, con ocasión de la realización de la formación periódica especificada en el párrafo a) anterior.

d) Cuando el examinador esté autorizado a calificar las pruebas para la obtención de más de una clase de permiso de conducción, el cumplimiento del requisito de la formación periódica relativo a las pruebas para una clase de permiso se hará extensivo a las demás clases, siempre que se cumpla la condición a que se refiere el párrafo c) anterior.

e) Cuando con ocasión de la supervisión a que se refiere el punto 1 de este apartado, se aprecien en la actividad de los examinadores graves deficiencias, éstos deberán recibir una formación específica previa a la correspondiente reevaluación.

*E) Formación complementaria para examinadores que carezcan de los permisos de conducción de las clases correspondientes al grupo 2*

El personal examinador que pretenda ser habilitado para calificar las pruebas de control de aptitudes y comportamientos para la obtención de los permisos a que se refiere el apartado B).2, y carezca del permiso de conducción de las clases correspondientes, podrá obtenerlo siempre que reciba la formación y supere las evaluaciones teóricas y prácticas que garanticen que posee los conocimientos, así como la destreza y la habilidad en el manejo del vehículo exigidos en el título II, según la clase de permiso de conducción de que se trate.

La formación, evaluación y calificación de las pruebas serán realizadas por la Dirección General de Tráfico.